U0839887

中國鄉土小說名作大系

平凹题

中篇小说系列（一九七七年至二〇一二年）

第二十六卷

主编　郑电波

中原出版传媒集团
大地传媒
中原农民出版社

图书在版编目(CIP)数据

中国乡土小说名作大系. 第26卷 / 郑电波主编. —郑州：中原出版传媒集团，中原农民出版社，2014.12
ISBN 978-7-5542-1000-0

Ⅰ.①中… Ⅱ.①郑… Ⅲ.①中篇小说-小说集-中国-当代 Ⅳ.①I247

中国版本图书馆CIP数据核字(2014)第278566号

中国乡土小说名作大系

出版人 刘宏伟
总编审 汪大凯

总策划 刘宏伟
策划编辑 郑电波
责任编辑 郑电波 高燕燕
责任校对 肖攀锋
装帧设计 吴丹青
装帧制作 董 雪
封面题字 贾平凹
插 图 董 钺

出版发行 中原出版传媒集团 中原农民出版社
地 址 河南省郑州市经五路66号 **邮 编** 450002
网 址 http://www.zynm.com **电 话** 0371-65751257
邮购热线 0371-65724566 **传 真** 0371-65751257
承印单位 河南省瑞光印务股份有限公司

开 本 787mm×1092mm 1/16
印 张 23
字 数 449千字
版 次 2014年12月第1版 **印 次** 2014年12月第1次印刷

书 号 ISBN 978-7-5542-1000-0 **定 价** 98.00元

《中国乡土小说名作大系》
编辑工作委员会

凡 例

本大系全套共36卷，精选了1977年至2012年在中国国内公开发表、出版的乡土小说作品中的短、中篇名作。其中前6卷为短篇小说，后30卷（7卷—36卷）为中篇小说。其中包括荣获全国大奖的乡土短、中篇小说；被小说选刊选载且极具影响力的作品；在当时受到社会广泛关注、在读者记忆中留下深刻印象的优秀作品。

本套书的选编原则上是以发表、出版的时间顺序排列的，每卷从作品的品质考量前后有所微调，但大的格局不变。

上世纪整个80年代，是中篇乡土小说创作的黄金时段，名作灿若群星，该大系收录此时段的作品较多。短篇小说系列每卷分上、中、下三部分，而中篇小说系列不作界分。

每卷的字数大致相当。由于上世纪80年代及90年代初，一般中篇小说的篇幅比后来的较长，因此每卷的篇数较少，这也是全套各卷选篇数目不均的原因。

卷首语

三十多年来，中国农村发生了翻天覆地的变化，而中国农村题材小说的创作，正是对应了这段历史。它们是如此的丰富、瑰丽、饱满和激越，如此的斑驳陆离色彩纷呈。它们是心史，是一次不曾间歇的歌哭相随——过人的敏感，欣悦和忧郁，惊愕与绝望，大喜过望以及突如其来的沮丧，肤浅的赞许和陡峭的情感——这一切情愫一切境遇的全面记录和生动描摹。

张　炜

2013 年春

卷首语

中原农民出版社出版《中国乡土小说名作大系》，是当今文化界一个大事件。

中国现代文学过去多少年取得的成就主要是乡土小说。

现在我们国家的改革进入到了城乡一体化阶段，农民进城，小城镇的人到县上，县上的人到省城，省城的人到北京上海等大城市，中国社会已是迁徙的社会。我估计将来再过一两代人，乡土小说类型慢慢就要消退了，肯定不会再成为中国文学的主流了。但是，消亡我觉得是不可能的，因为大量的农村还在，更重要的是中国农村文明的思维还在，只要土地在，思维在，农耕的思维观念在，不管在哪儿，就是你在美国，到月球上去，你还是中国的，中国式的，写中国人的文学就不会消失，因此乡土小说也不会真的消失。

在中国，你想真正了解这个社会，获得一些更深层的东西，就去看一看乡土小说。乡土小说就好像馆藏一样，那里有丰富的宝藏。现在它已经不出现在街头了，就像庙堂或者说茶室一样，有闲时可以去坐一坐，静一静，慢慢品味它。

贾平凹

2014 年春

前 言

中国是一个乡土性很强的大国，诚如社会学家费孝通所说，中国是一个“乡土中国”。

乡土，几乎是每个中国人的精神家园。

在新时期文学中，乡土文学堪称最敏感的文化神经。新时期当代文化思潮的演进变化，许多是从乡土小说中透露出重要信息的。应该说，从中国乡土小说中可以读懂当代中国。

农民在我国的文学中，历来处于一个突出而显赫的地位。农民的社会地位不高，而文学地位不低。这是由中国作家的乡土情结、生活阅历、审美情趣及价值取向所决定的。在文学对民族文化心理的反思中，农民作为民族文化心理的主要载体，自然成为小说家关注和表现的对象，故乡土小说天然地在新时期小说中，有着举足轻重的地位。

改革开放的三十多年，这是一个伟大的时代，一个中国前所未有的大变革时代。农村生活的改变，农民心气的勃发，新一代农民在精神、意识、思想上的吐故纳新，新与旧在现实生活中的冲突与较量，以及对于腐败现实的理性批判，随后成为乡土小说在一个时期里反复吟唱的主旋律。作家成了这个时期乡村广大农民理想的抒发者和愿景诉求的代言人。农民在内心理想的感召下奋发向前，作家与之击鼓前行。

改革开放以来的文学，我们称之为新时期文学。新时期文学有三个相互联系的阶段：“伤痕文学”、“反思文学”和“改革文学”。许多作品系统地反映了农村农民生活命运的变化，社会的深层变革，抒写了自己的社会理想。有些作家把思想的锋芒指向乡土文化与农耕文明，以自己的眼光与理性来发现和表现乡土中国的浑重、复杂与嬗变。当然，也有不少作家在作品中多有对自身命运的描述和情感宣泻。

新时期文学初期，印象深、乡土味儿较浓的有何士光的短篇小说《乡场上》，高晓生的《陈奂生上城》《李顺大造屋》，张炜的《一潭清水》，贾平凹的《黑氏》，铁凝的《哦，香雪》，邵振国的《麦客》，张石山的《镢柄韩山宝》，王润滋的《内当家》，史铁生的《我的遥远的清平湾》，田中禾的《五月》，乔典运的《满票》等。中篇小说有郑义的《老井》，路遥的《人生》，张贤亮的《绿化树》，张一弓的《犯人李铜钟的故事》，叶蔚林的《在没航标的河流上》，莫言的《红高粱》，张炜的《秋天的愤怒》，映泉的《桃花湾的娘儿们》，王安忆的《小鲍庄》等等。

新时期文学的早期，是一个激动人心的时期，是一个重建希望的时代，人的内心如同枯木逢春，激情被时代精神所鼓舞并迅速地再度燃烧起来。人们在思想解放运动的昭示下又一次看到了未来的希望，并热情地期许这一切尽快变成现实。深怀理想主义文化信念的作家，无论用什么样的创作方法，骨子里都潜伏着浓重的浪漫主义基因，时代气氛使这浪漫潜滋暗长。那个时代的作家极少悲观，历经再多的苦难也不能告别乐观。作家几乎对未来用承诺的方式描绘着生活，读者的期待使写出好作品的作家一夜成名，自发阅读小说的人超过以往任何时代。人们最大的自由就是对美好的向往，人们在想象的话语中得到满足。

时间在飞驰，中国的变革在加深、加快。二十世纪九十年代引发的经济热潮、商业大潮席卷而来，文学受到很大冲击，一些作家纷纷下海弃文经商，文学创作受到了影响。然而乡土小说的创作，因与政治思潮、商品大潮都有一定程度的疏离，也由于作家的坚守，似乎并没有出现中断或萎缩的情形，无论是中、短篇小说还是长篇小说，都在坚守中有所拓展，且成就了乡土小说创作的特有景观，其作家创作形成了楚文化群落、吴越文化群落、齐鲁文化群落、燕赵文化群落、秦晋文化群落、中原文化群落、东北文化群落、巴蜀滇黔文化群落等，乡土小说内容丰富，五彩斑斓。

九十年代的乡土小说不再是单色的，而是多色的，很耐人寻味。如陈源斌的《万家诉讼》，李佩甫的《无边无际的早晨》，关仁山的《九月还乡》，余华的《活着》，迟子建的《雾月牛栏》，张宇的《乡村情感》，韩少功的《马桥人物》，杨争光的《公羊串门》，赵德发的《通腿儿》等等。

这一时期的长篇小说数量不太多,但质量很高,作家开始向家族、人生命运深处思考,审察人性、反思历史、反观传统,因此作品更显得有分量。长篇小说取得了重大成就。先有张炜的《古船》初现端倪,继有陈忠实的《白鹿原》,莫言的《丰乳肥臀》,阿来的《尘埃落定》的联袂冲刺,掀起长篇小说创作的第二个新高潮,是继八十年代古华的《芙蓉镇》,路遥的《平凡的世界》,贾平凹的《浮躁》之后第二个创作高峰。

新世纪阶段比之于前二十年文学文化领域,因面临着商业文化、传媒文化与信息科技的多重冲击,更由于人们价值观的变化,乡土小说读者的减少,作家浪漫情怀的式微,总体来说乡土小说创作出现了下滑和萎缩的趋势。然而,乡土小说并未到这部乐曲的尾声,不少乡土作家还在这片"土地"上耕耘,他们的笔墨自由而灵动,多元的叙事与多元化的观念已出现,令人感到振奋的是长篇小说的进一步繁荣,乡土长篇小说的创作出现了新的景观。贾平凹的《秦腔》,蒋子龙的《农民帝国》,孙慧芬的《歇马山庄》,铁凝的《笨花》,张炜的《你在高原》,刘震云的《一句顶一万句》,莫言的《蛙》等,其中有的作品的水平,已达到乡土长篇小说的新高。这是由于一些乡土小说作家一直在创作的深刻思考之中,他们甘于寂寞,其思考已抵达生活、社会、历史、人生甚至哲学的深处。

中国乡土小说可以说是新时期文学的精华与支撑,几乎所有的小说名篇都与"乡土"血脉相连,这不但有广泛的共识,也是不争的事实,它们占据了文学、文化、出版价值的制高点。

它是我们这个时代特有的文学形态,具有深厚的人文价值,就中国乡土小说而言,可以说达到了中国文学史上"前无古人"的思想和艺术高度,而且由于我们社会的深度变革,农耕文明的逐渐瓦解,这种形式的文学必将终结,因此可以说,它不仅是空前的,也是绝后的,它的辉煌如同唐诗宋词在中国文学史上的辉煌一样。

乡土小说植根于中华民族精神深处汲取营养,又表现并滋润着民族精神和意识,形成了新时期的文化景观。它不但被中国有识之士充分肯定和赞许,同时也被世界看重。"越是民族的,越是世界的",莫言获诺贝尔文学奖,就是一个有力的证明。

多年来,从鲁迅到沈从文,中国作家无不有着共同的诺贝尔文学梦，可是直到去年，莫言才为中国作家实现了这个梦想。我认为，莫言获诺贝尔奖，不是他一个人的胜利，而是一大群中国乡土小说作家的胜利。这片热土，造就了这一批作家；这个时代的气候，滋润了这一批作家的成长。如张炜、贾平凹、陈忠实等一批作家，其文学创作的实绩和水平，也大都进入了这个层面。我们为中国乡土作家的成功而鼓掌，为中国乡土小说的辉煌而欢呼。

这是一套乡土小说的精选本，我们这套书重在推出改革开放35年(1977—2012)来中国乡土小说的精华部分，它们绝大部分是获奖名篇或被小说选刊选载、被评论家和广大读者所关注、极具影响力的作品。这些作品是时代的一面镜子，较深刻地反映了一个时期的社会现实。

本套书重时代感，所选作品的排序按照原作初次发表的时间先后顺延。选篇首重乡土气息、时代精神和文学价值，以作品品质为标杆(作家名气、地位作第二位考虑)以期展示35年中国农村变革、农民精神嬗变的文明进程，使内涵巨大的乡土小说所构成的文字画卷，具有以文学纪录时代史诗般的价值。

虽然过去也有一两家出版社出版过一些乡土小说选集版本，但大多是以作家为标杆选择篇目，规模小，不全面；而这套书以整个大改革时代为着眼点，登高望远，选篇宏观铺陈，将散失于长达35年间奇珍般的乡土小说，用一根乡土彩线串系在一起，这是对乡土小说的寻找与抢救，也是在打造我们中国人共同的心灵家园。

由于书的印张所限，有不少影响大、水平高的乡土小说未能选入，对此我们深感遗憾。我们希望这套书的出版，不但能让热爱乡土小说的读者喜欢，而且能让更多的农民兄弟读到。让农民了解农民，了解农村的变化，关心自身命运，关心社会变革，这是我们的初衷。

郑电波

2013年初春

目　录

跪　乳

岳恒寿

我这半辈子一切人都对得起，唯独对不起我母亲。

这种痛悔在丢失了我母亲留给我的一块羊皮褥子后愈加强烈，如同滚油烧心。我想：如果谁能帮我找回那个羊皮褥子，我情愿以万金酬谢。但我知道这是不可能的。失去的永远找不回来了，唯一所能补偿的是写一本关于母亲的书——是的，羊皮褥子丢掉了，母亲下世了，这本书就是我的“羊皮褥子”。

我把全部的感情投入到眼前的方格纸上，悠悠地追忆母亲的形象。往事如烟，漫无边际。抬头望见墙上三十年前妻子抱着儿子喂奶的照片，我的心一下子豁开了一道清晰的线条。“好，”我说，“就从儿子断奶写起吧。”

我的娘，儿不才，要写你啦。

一

儿子的脸蛋埋在他母亲的怀里，埋在他妈那乳晕浓艳丰满洁白的乳房下，小嘴一鼓一抿地吮吸着，发出咕咚咕咚的咽奶声。然而，那小嘴像两片夹板似的用劲一捋，响亮地拔离奶穗，笑开的嘴里立刻哈出一股热烈的奶腥的甜润，六个月的吮吸使他的脸蛋艳润结实，也和他妈的奶团一样圆浑，表现着幸福惬意和神圣不可侵犯的自豪。他拔离奶穗后开始看看周围，看看我。他张着嘴笑着，小拳头舞动着，小脚丫翘着，像一只兴奋的幼熊猫。他完全不知道，这是刚刚经历了一场全国性大饥荒的1962年的寒碜的秋天，更不知道战争才使他与父母有了这次急匆匆的旅行。他的眼神从我脸上反弹开，头转动了一下，望向了车窗外，我分明看见他那纯洁透明的眼神在变化奇妙的景物和乳汁般大气里流动。荒漠的山谷越来越深，我好像听见他向我叫了一声：爸爸，还不到吗？我奶奶家。

妻子紧靠着车座背，疲惫的双眼也如儿子的眼神同步地射向车窗外，手指头按压着随时都会喷发的奶穗。妻子就像一蓬发蔫的睡莲，无可奈何地摊在水中，任水波起伏激荡。妻子的眼神里满含着沉沉的忧虑，与忧虑的我同步地漂荡在汪洋中。

就是在昨天，当妻子领来出征的皮大头鞋的时候，我的心像爆炸似的裂开了。我说："陶，你还是跟领导说说，毕竟医院里有不去的，别人能不去，为啥非要你去？我上去了，咱两口子上去一个还不行吗？"陶说："不是非要我上去，是我非要去。你忘了院长那回因小米的事点了我……"半年前的这个事还纠缠在她心上：那是她坐月子的时候，我妈特意给她寄来二十斤太行山的小米，她一顿也不吃，她说不好吃，塞在碗橱下，蛆滚鼠扒蟑螂咬，最后提搂出去要连袋子扔掉，被院长看见，给提走了。院长把它提到全院军人大会上，气愤地点了她的名。陶说："从那至今我都觉得比别人矮了一截。这回我不仅要上去，还要干出个样儿来，让院长看看我陶淑琴到底是不是他说的那种只会吃糖葫芦的娇里娇气的城市小姐！"我说："我们俩都上去，那咱的孩子怎么办？他还吃奶呀！"陶说："我想好啦，送回你老家去，让他奶奶给带着。"我说："你别打我妈的主意，我妈带不了。"陶说，"你光心疼你妈，就怕麻烦了你妈。"我说："不，家乡灾情重，我妈又有病，怕带不了。"陶说，"那我就把孩子也背上去！"这是气话，但它却有力地镇住了我。她是军人，我无权阻止她履行参战的职责。而她同时又是孩子的母亲，她何尝不作难呢？她最先想到的一定是另一个都市里的她的母亲，可她早就没有了母亲，只有父亲，而带孩子必须是母亲。没奈何她才想到我的母亲。我说："好吧，既然你愿意送就送回去，不过，到时候你可不要后悔。"

公共汽车像患气管炎的老人，吃力地在山路上哼哼着，爬行着。儿子看一会儿，笑一会儿，再像鱼儿吞钩似的叼住奶头吃一会儿，吃得打了嗝还吃。陶用手往上提着不断地壅住儿子鼻孔的乳房。车上都是我不认识的老乡，儿子的活泼劲儿最惹人眼目，陶的奶子最惹人眼目。儿子嘴一离奶头，陶就用手指抵着，那奶汁仍不可遏止地喷泻出来。邻座的婆婆们艳羡煞发出啧啧的赞叹："看，这媳妇多好的奶！"车里的空气被她这奶腥味冲得热烘烘的，婆婆们的话也是热烘烘的，陶有些不好意思地收了一下脚，红着脸向我投来微微一笑。我没有笑，也没有丝毫的骄傲，我心里倒翻起一种苦难的伤感。

关于对母亲们的奶子，在我的童心童眸里就有着深刻的记忆和形象化认识。我把乡间母亲们的奶子分为两种：一种是圆圆的，像两个小碗扣在胸上，奶尖微垂，略呈"八"字，昂首前翘，吸时柔而且坚，奶流量一般，这我叫碗碗奶；一种是滴溜溜下垂，红枣般的奶头翘吊在肚脐两边，犹如一个大写的"儿"字，这我叫布袋奶。这种奶子的奶水忒足。有人说初乳的奶子都是碗碗奶，奶过一个孩子或上了年纪后就自然下垂，变成了布袋奶，我却不以为然。我们那儿夏天在树荫下纳凉的老奶奶们，喜欢赤条条光着膀子，胸前的奶子有吊着的，有扣着的，我妻子陶才初乳婴儿，又紧紧束着奶罩，而现在已经吊下来了。看来奶的大小与形状是生就的，布袋奶是奶水的压力与胀力对奶体的扭曲的造型。

我妈就有一对布袋奶。

然而，不知道什么原因，我妈生下我时却没有一滴奶水。吃草药拔火罐都没下来，挤也不管用。我妈的奶子挤得印出斑斑血丝，像两颗熟透的桃，我妈并不甘心，不停地搓揉拧挤，搓揉拧挤一阵后就再让我试着吸。父亲说："算了哇，别让孩受罪啦，你天生不会当妈。"我妈说："不，俺有奶，俺肯定有奶，俺胀得疼，俺要他吃俺，俺要用俺的奶奶俺的孩。"母亲抱着我，将奶头送到我的嘴里，母亲看见我的小嘴没命地吞吮起来，但我吸了几口就吐出奶头哭了。后来，母亲让我再吸，我便本能地不再衔那奶头。我的饥饿的哭声撕裂着母亲的心。这时，接生婆给出了个主意：叫我爹吸。爹说："不会出奶还当甚的妈咧。大老爷们干那事，埋汰人哩！"爹不干，妈就求："他爹，为了孩子，你就吸一口哇。"母亲的眼睛和她的奶子一样地痛苦。爹不看母亲那可怜的脸，只说不。其实爹不是不吸，是不相信能吸出来，也怕把这事说出去丢人。妈再求，爹说不就是不。爹不吸，却去叫本家我的一个叔来吸。那叔那时十来岁，叔怯怯地捉住母亲的奶子，张开小勺似的嘴衔住了奶头，随即，两个小腮帮就软柿子似的凹了下去。母亲怕叔害羞不敢用劲吸，开始是闭着眼睛的，兴许在安详地等待那一瞬间幸福的降临。但幸福并不像接生婆说的那样渠成水到，母亲的耐心渐渐变成了难以忍受的焦灼。母亲睁开了眼睛，把裸露的整个世界倾向叔的脸前，不住嘴地鼓励叔："使劲儿吸，再使点劲儿呀！"叔换了口气，放肆地吸着奶头，双手挤着奶团，全身都在搏动，都在吸，就像连环画里熊猫摘西瓜的情景一样。叔的脸蛋憋得通红，两腮吸得发酸，他没有发现奶头生出气流的预感，却越来越感觉到他的耳朵透出嗡嗡的气旋，像秋蝉似的鸣叫着。他的舌尖感觉不到一星点儿甜润的奶汁，却感觉到无数的小虫在他的腮帮下蠕动蚕食。终于"啊"的一声，像嚼上辣椒面似的，吐出一口条状的酸物。叔跑了。母亲哭了。父亲看着母亲那一对搓拧得不像奶的奶子，看着哭泣的母亲，看着哭叫的我，心里翻滚着当爹的愧疚。

这情景都被一个羊倌看在了眼里，当日黄昏羊入圈后，羊倌就摸黑翻山到河北省地界，赶清早买回一只奶羊。奶羊刚生了小羊，小羊还不会走路，是羊倌的胳肢窝把它夹回来的。羊妈妈的奶忒足，我的第一口奶就是吃这羊妈妈的奶。

一天黄昏，父亲从外面急火火跑回来，说："日本人来啦！快跑！"母亲心里一抖，一副无可收拾的蔫劲儿，只知道紧紧地往怀里搂我。村里已是鸡飞狗叫，喊声连天。这骚动更使父亲惊慌失措，父亲知道鬼子进村是要杀人的，日本人杀人就像杀鸡杀狗那样随便和快乐。父亲连声吼着母亲快跑快跑！自己却跪在院子，对着窑墙上砖头大一个被称作"天地庙"的小窑窑磕起头来，父亲总是寄托着佛的保护。在这生死攸关的时刻，父亲的头磕得很虔诚，很响亮。父亲磕头的时候，母亲正抱着我团团乱转，乱瞅。母亲忽然看见拴在枣树下的羊，羊咩咩地朝她叫着，小羊羔也咹咹地缩在它妈的肚底下颤鸣着。母亲突然觉得，它们都是活生生的灵物，都是一个生命，就像家庭的一个成员，自己抱着孩子跑了，把它们母子丢在这里？母亲从它们的哀叫声中感觉到了它们内心的惊恐和对主人的哀求。抱着我的母亲试图腾出一只手牵上羊一块儿逃命，但她力不从心。磕完头的父亲忽然明白了母亲的意思，赶紧把羊解开，关进屋里锁了。父亲慌慌张张地抱起一团破棉被又吼妈快跑，忽然，村外飞来叭叭的枪声，有一颗枪子儿带着拨动琴弦般的声响打在窑洞的墙头上，又反弹下来擦肩而过，随着迸裂的碎石叭啦啦落在院里。母亲感觉到那枪子儿带着明亮的光穿进了她的胸膛，然后在她的胸膛里发出隆隆的雷鸣。枪声使父亲的慌乱浓缩到一个清醒的视点：唯有我是他生命的全部。父亲吼叫着拽着母亲往出跑，母亲却一个踉跄坐在捶布石上了。父亲看见母亲的袄肩上绽开一朵三角红梅，以为是给打瘫了就来搀扶，母亲却在一种气色平静的状态中解开了扣子，托出奶头塞在我的嘴里。

母亲有奶啦！

父亲惊疑地第一次看见母亲的奶子流出洁白的乳汁，第一次看见母亲用自己的奶乳我。这奶水是日本人的枪弹给惊出来的，日本人的枪弹使我妈成为一个合格的母亲，父亲木桩似的愣住了。

母亲的奶水像憋足的渠水突然冲破了闸门，哗哗地灌进我的心田。窑洞上又飞来两粒子弹，院子里又落下几片碎石。父亲几乎是乞求似的催母亲快跑，母亲纹丝不动，她感觉到了奶流的快感和胸部的舒服，感觉到了我吸奶的力气。母亲两眼似睁非睁，如痴如醉，带着幸福的激动，平心静气地乳我。父亲听见母亲自语说：管你日本鬼烧也好杀也好，先让我孩儿吃饱了再说。

母亲就是这样履行了乳我的第一次神圣权利，那种蔑视强盗的超然心魄，比她实际给予我的乳汁本身还珍贵得多。我一直自豪，我是根扎黄土，呼吸着弥漫硝烟，吃小米包谷土豆，吮羊奶娘奶喝井水长成的一条壮实的汉子。我的健壮的体魄，从入伍体检到提干体检那许许多多栏目里打的一个个合格的印戳，从苦练三伏三九耐力的测试到全面考核的一次次全优成绩，就是对我最权威的鉴赏。这鉴赏同时也是对我母亲的赞美。母亲的奶水里有性格的成分，母亲的心灵美德浸透在我的每一个细胞里。参军仅仅八年的时间，我便成为一个营级的指挥员，实际上我的言行举止，都受着母亲基因的支配，母亲的奶腥味一直伴随着我。

公共汽车越爬越高，山越走越深。

陶问："还有多远？"

我说："快了。"

陶又问："母亲头上有白发了吗？"

我说："八年前我离开家的时候没有，现在肯定有了。"

二

我在这儿出生滚了十八年，知道这儿的穷困光景，更知道可恶的饥荒虽然过去，深痛的创伤远没有愈合。这儿的乡亲们至今还吃着包谷皮熬的淀粉坨。我很难想象父母亲在这场饥荒中是以怎样顽强的生命力冲破了死神的罗网。而作为儿子，我只寄过八十斤粮票和一百块钱，充其量顶多能换得几十斤红薯干。想到这，我心里就为之沉重。

母亲那对布袋奶子流过多少奶汁，除乳我之外还做出多少不属于母亲的奉献？陶不知道，我不知道，但我记得，母亲那洁白如玉的奶子如何超负荷地掏空，耗尽，并过早地干瘪下去？陶不知道，我不知道，但我记得。

我有奶吃了，母亲和我跑脱了，然而，那只奶羊却在那天夜里叫日本人抢走了，留下了那只断奶的可怜的小羊羔。那只雪白的小羊羔还不会吃草，饿得咩咩叫。它开始是仰着脖子，四处张望着喊叫，母亲知道它在唤它妈。后来它便在屋里和院子旮旯缝隙到处找，到处扒，见到什么都嗅嗅，舔舔，母亲知道它想找东西吃。母亲手心里抓一把包谷面喂它，它用舌尖舔了一点儿。在嘴里捻着，还是叫，母亲知道它说咽不了。母亲用剩汤剩饭喂它，它吃不了两口就舔舔唇，仍盯着人叫，母亲知道它说不对口味儿——母亲的这么多"知道"不是我的编造和强加，这是后来母亲说的，母亲说她后来在与羊的生活中，居然懂得了羊语。咩或是咹，同一个单音节，它只是声调和音调上的变化，颤颤的长声是有求于你，短促的颤声是高兴、激动和满足的表示，尖而不颤是遇到了什么可怕的威胁，颤而不尖是它习惯的歌喉。我从妈身上深信了"近山识鸟音"的哲理。

这天晌午，阳光忒好，母亲喂饱了我把我哄睡，盘腿坐在枣树上纳鞋底儿，羊羔就卧进妈的腿弯里，脸望着妈，扁扁的肚子一起一伏，毛瓜儿似的小嘴在妈身上嗅嗅碰碰，母亲知道它闻到了她身上的奶腥气味，就用手按它的嘴，羊羔便衔住了母亲一个手指头，嚼了两下，又吐出来，母亲感觉到她的手指头不疼，它没有牙。羊羔叫得更加凄厉，两只前蹄在母亲胸怀里乱扒，泪淋淋的双目与母亲的双目殷殷相对。母亲踌躇地放下针线，惶惶然望了一下周围，周围只有不动的枣树和疯张的蝉鸣，母亲定了一下神，就有些赧然地解开怀，试着把一个奶头送进羊羔的嘴里。这一举动看似一个仅在一指之隔、一瞬之间的跨越，但却是惊人而惶恐得仿佛倒回到几十亿年前蛮荒时代，消灭了人类与畜类间彼此高下的距离。母亲不知道她该不该这样做，不知道她这样做有悖于什么，不悖于什么。她只感觉到羊羔的嘴里满是针尖儿大的肉刺刺，就像毛刷子似的捋磨着她又痒又疼，感觉到它全身都在拼命地搏动。它吃奶不像人那样平静地躺着吮吸，生性要跪着前腿，每吃一口就往上猛拱一下，母亲几乎被它拱得坐不住，母亲感觉到她的整个胸腹都被它拱得坐不住，母亲忍不住笑着叫起来："哎哟，我的小祖宗，痒煞俺啦！拱煞俺啦！你咋用这大劲吸俺呀！"母亲受不了这拱吸，就用力拔出奶穗。

这羊羔，不奶它便罢，奶了这几口，突然断了，真比用鞭子抽它一通还难受。母亲看见它哭了，哭得激烈而伤心，居然还哭出两行眼泪。母亲手护着吸红的奶头，嗔怒地望着它，它跪着的前腿仍跪着不动，仰着的嘴巴却在母亲护奶的手背上吻着。妈对羊说："你饶了俺哇，小馋鬼，你连滚带挺的俺坐都坐不稳。"可当这话说过时，母亲忽然从羊羔的哀鸣声中听到一种声音："我要吸我妈的奶，我要吃奶，我要妈，妈妈！……"母亲那痒痛得赧笑的眼睛里涔出了泪花，母亲深深地吸了几口气，说声"可怜孩儿"，就又褪起衣襟，露出奶头。羊羔的嘴一下子逮住了妈的奶，这一回衔得比钳子夹住还紧。母亲的手给羊羔揩揩眼泪，搂住了羊羔的脖颈。母亲的身子被羊羔拱得一晃一晃，发出断断续续的呻吟。不多一会儿，母亲那颗滴溜浑圆的奶子，被羊羔吸得松弛下去。

从此，我的妈妈就同时成了羊羔的妈妈。

母亲把我和羊羔错开了奶，每当奶我的时候，就把羊拴住；奶羊羔的时候，就把我放在炕上。母亲说，人奶比羊奶热，母亲每次给羊羔喂奶后，还要再灌几勺水，不然它老打响鼻。母亲还说，羊羔的吸奶量比我大得多，我先是猛吸一阵子，后面的吸奶纯粹是吃着玩。而羊羔却不，它只要叼住奶头，非吸干，吸到吸不出来才肯罢休。因此，从那以后，我便为母亲的奶流不足而少不了哭叫。

父亲最初看见母亲乳羊的镜头时，完全是一副惊呆了的样子，似乎不相信天底下竟有这等事，伸长脖子大张嘴望了半天，禁不住嘿声一笑，说："这咹，日怪哩，人也能奶羊？不怕咬着你来？"母亲说："它才舍不得咬我哩，亲得很。"父亲便苦笑而去。在后来的日子里，父亲看见母亲的身体渐渐消瘦，便起早贪黑驮煤卖炭挣了几个小钱，买过两次猪蹄和发奶草药给母亲吃。歇下时也断不了逗逗我，摸梳摸梳羊羔。母亲乳羊的事如一条特大新闻在村里传开，最感兴趣的是女人们。她们围着母亲和羊羔。"嫂子，你真胆大，要是俺，就不敢，实或它咬一口呢？""唉，算这羊命大，遇上了他婶子，代羊奶羔，积阴德哩！"……总而言之，她们对我母亲这一壮举的心理，也是一个简单得如同我父亲一样的接受过程，甚至为我母亲的菩萨心肠深受感动，没有一个露出耻笑或是别的什么，她们把这个充满着悲剧色彩的故事当作一幕高品位的喜剧来欣赏。

有一回(是的，故事往往都发生在"有一回"之中)，母亲坐在枣树底下的席子上奶我，拴在枣树下的羊羔咩咩地望着吃奶的我叫，望着母亲的怀叫，还用蹄子扒那地，脖子上的带子扽得紧紧的。母亲不理它。可是，不知怎么搞的，那带子居然给它挣开了。羊羔奔到妈面前，妈伸手拍了一下它的嘴："这会儿轮不到你，小馋猫！"可那羊羔，就跪在母亲面前，一跪一跪地往前挪，直跪进母亲的怀里，与我挤着位置。母亲感到奇怪，这羊真灵，它懂得下跪求人。一股伤情怀涌上心头，就不再赶羊。那羊羔跪进母亲怀里，便仰起嘴叼住一个奶头，母亲用一只手护着我，另一只手撑着地。于是，在此刻，枣树下出现了一个在人世间不易看见的、奇绝仅有的镜头：母亲那一对雪白的奶子下面，一边奶着我，一边奶着那只羊羔。

然而，这孩羔同乳的奇观只是一个短暂的瞬间。

我吃奶毕竟是在安静状态下的一种享受，这种享受是神圣不可侵犯的；而羊羔拱奶的震动力使我吃不安静，尽管母亲配合着撑地的手尽量使身子保持平衡，我还是被它惹恼了。我就用手打羊，抓羊的脸；羊就用蹄蹬我的腿。妈又打我，又打羊。妈打我的手，拍羊的腿。“都给我老实点儿！”可是，当妈打我时，发现我的腿流血了，是羊那尖利的蹄子把我蹬破了。鲜亮的血从破口分流而下，立刻就给我的腿上缠了一条“红带子”。这血像从母亲心上流出，母亲那清白的眼睛一下子恼成了混浊的红白。母亲疾快地把奶头从羊口夺出来，把羊推开，抱着哭叫的我回屋里找香灰止血。

那羊羔不敢看妈的脸，但仍跟在妈的屁股后头，走到哪儿跟到哪儿。妈回头，抬腿撵羊，羊倒退两步，继续往前跟。妈一抬腿，羊就倒腾，一放下就往前走，妈撵不开羊。妈把我的伤口按上香灰包好后，就坐在高高的炕边上奶我。羊在地上咩咩地叫，围着炕墙转着圈儿，想爬上炕，但它小，它够不着边，它把两只短短的前腿架到炕墙上，像一个竖着的小板凳，两眼湿湿地望着妈。后来就站在妈的脚跟前叫，扒住妈的腿叫，最后干脆把前腿跪在妈悬着的脚面上，颤巍巍地仰着头，张着白粉粉的小嘴，对着妈叫。母亲看见那羊的眼睛跟人的眼睛一样，哭得鼻涕淋淋的，看见那张小嘴里颤颤的纯洁的舌头像哨簧似的响。那咩咩的哀求刺进了母亲的心里，立刻变成为“妈妈”的呼唤。与此同时我也在使劲儿地哭，妈拍我，摇我，哄我。妈说：“我的孩儿，妈再不啦，再不奶它啦。”我渐渐地睡着了。妈把我轻轻地放在炕上却又来奶羊。妈嗔怒地骂了羊一声“小馋猫”，泪水的反光金子般折射到羊羔的眼里。羊羔的眼泪更多了。

好多年以后，当人们讲起这个故事时，我总是有一种不愿承认这个事实的心理，但这确是真的。于是，在这确凿的事实面前，我就想象到，我的吸着人奶香和羊臊味的童年，仿佛是生活在童话里的月宫，那个人与小兔小羊同耕同织同食同寝的圣洁世界。

那羊蹬破我的伤口后来感染了，化了脓，妈又给按了羊粪膏，缠上布条子。我和羊共乳八个月，共乳到羊完全能吃草的时候。然而，我的完美的大腿上却留下了一个永恒的伤疤，凹凹的，就像被人抠了一指甲。平常我并不注意它，结婚以后让陶发现了，问我这是咋搞的，我说是羊蹄印儿，她不相信，我便讲给她听。陶说：“这印儿是蘸着母亲的乳印上去的，有了它，母亲不会认错了你，我也不会认错了你。”我说：“有了它我忘不了娘，忘不了羊，是羊让我不要忘了娘。”陶将孩子的腿伸到我的腿上，让他的小脚丫踩那伤疤。儿子的小脚丫红扑扑光溜溜胖乎乎，像八月熟透的红枣，诱得我直流口水。小脚丫在伤疤上交替地蹬着，陶幸灾乐祸地怂恿着："使劲儿蹬，再给他蹬一个，再给他蹬一个。"脚丫儿初蹬上去时显现一片深红，覆盖在伤疤上，立刻就一圈一圈缩小，很快便完全褪尽，只留下蹬不掉的羊蹄印儿。陶说："这印儿能印到他的脚掌上就好了，将来他要是忘了我们，我就把他的脚掌翻给他看，我就说你瞧这呀，爹妈生你多不容易。"我说没用，感情的东西不是打一个钢印或一次性脱模形成的。就说我妈，她为什么要奶那只羊羔？那本不是人类呀！

三

我们这些年轻的父亲母亲，我们羽毛刚丰，我们还不是真正懂得感情，还没有真正认识母亲文化的深厚价值——是的，我后来才懂得母亲原本是一种文化，母亲文化是包罗万种学科的最神秘的文化，甚至是人类一切文化的起源。在我母亲同时做了羊羔的母亲几个月之后，发生了更为精彩、更加扣人心弦的一幕，它曾经成为轰动全村的重大事件，至今仍被传为神话。

那年农历七月十五，照俗该是赶庙看戏蒸面羊的日子。战乱以来，山河破碎，人心破碎，黄土地处在深痛的呻吟中。

我家街门口的枣树地似乎是一块乐土。

正是热天大晌午，累惨了的男人们都在屋里歇晌。我母亲和一帮小媳妇大闺女们坐在枣树下，边纳凉边做活儿，绣花，搓绳，编草帽，缠线球，人人手中都有活儿，嘴也不闲着，热烈地叨实着女人们的话题，间或激起清亮的笑声。有人听见谁家猪圈矮墙的石头"哗啦"一声塌落了，抬眼看时，猪圈墙后忽然钻出几个甩着布片大耳朵的脑袋，不是猪，是日本人，日本人来啦！来得这么突然、诡秘、神速，连狗都没有来得及叫一声！

"妈呀！"女人们慌然发出惊叫。

然而，日本人的枪管已经逼近，五十步，四十步，逃跑躲藏都来不及了。女人们抱肩缩颈扯衣角，努力将有限的布衫遮盖住自己所有外露的肌肤，如同一窝寒冷的雏鸡，直往我母亲身边偎挤："嫂子大姐咱咋办呀我的妈！"

母亲的脸也吓白了，但头脑还算清醒，说："无非是个死，就坐着别动，只管做自个的活儿，手里的剪刀针锥拿紧。"母亲说完就抱紧我，又扭转身去解拴在枣树下的羊羔。母亲的手抖得厉害，一个大活结哆哆嗦嗦硬是解不开，连羊羔都着急得撅尾巴刨地咹咹地叫，那声音好像婴儿落地发出的啼哭。母亲忽然看见了剪刀，随手握过剪刀，剪断了羊羔脖子上的粉红色带子，就像剪断婴儿的粉红色脐带。母亲把羊羔揽进怀里，褪起衣襟，滚滚双乳下，我和羊羔同时开奶。这一时刻，母亲忽然一点儿也不害怕了，表现出空前的从容自若，傲岸泰然。庆幸的是，在这个并不短暂的过程，我也没有因为羊羔的拱动而恼怒而与羊羔发生争吸，我一声也没有哭，羊羔更顾贪吸，一声也没有叫。这是我与羊羔共乳的一次最成功最和睦合作的典范。

日本人逼上来的时候，所有的女人都相背而坐不敢抬头，不敢瞅除自己手指之外的任何空间。日本人的情景只有母亲一个人能看见，但母亲只顾哺乳，仅仅向日本人扫了一眼。母亲看见是五个日本人，四人平端着枪，一个手上戴着雪白的手套，把着挂在胯骨上的长刀柄，气势非常凶恶，紫青的嘴唇悻悻地龇咧着，像是要把所有的人都咬碎。母亲垂下眼睑，等待着任何不幸的降临。可是，母亲听见日本人的脚步声越来越慢，接着便是沉静，可怕的沉静。忽然，母亲听见把刀的日本人朝她喊了一句什么，母亲没有说话，只报以凛然的一笑。借这一笑间，母亲又顺其自然地扫了日本人一眼，母亲看见那五张龇咧的嘴变成了五个空阔的黑洞，连同五双死鹰一样的眼睛，齐齐地望着母亲，望着母亲的奶。

母亲又垂下眼睑。母亲垂下的眼睑可以看见日本人的牛皮大头鞋，母亲看见那大头鞋上有两排金属眼眼，搂着牛筋带子，像两排带腥的钢牙，母亲看见那钉着钢牙的大头鞋一动不动。整个世界都凝固不动。唯独羊羔尽情地拱吸着，所有的人都能听见它的咽奶声，所有的人都在这种音乐般的咽奶声中难耐地期盼着，等待着。后来，母亲听见把刀的日本人秃鹫翅般地臂扇了一下："呜哇！"日本人就走了。走得是那么平静，几乎没有声音。

几十年里，当村民们谈起这个事件时，认识和解释都不尽相同。以红眼老人为代表的婆婆们说，日本人不动自退，是因为我母亲的那对奶子。这对天生魅力非常的奶子先是迟迟不下奶水，就像古人怀胎数年迟迟不生孩子一样，这本身就具有一种非同寻常的神秘的预示；以后日本人的枪声惊出了奶水，这也是天意，非见枪声而不出奶，也正是出了奶，在村子围如铁桶必死无疑中安然得脱，这是奶气的作用，这奶逼邪；这一回日本人逼到面前，母亲孩羔同乳，奶气弥漾，罩住了邪恶，这时的母亲其实已经登入仙班，母亲已经不是我母亲，而是一个天神或是仙姑，于是也就无所谓惧怕，从容镇定。而据当时在场的女人们回忆，日本人围上来时，她们被恐惧抑制得连一滴唾液都没有了。就在我母亲开始奶我和羊羔时，她们闻到了一股浓烈的奶香气味，异乎寻常。她们那些天生会出奶、育儿的成年女性，此时反倒像饿急了的婴儿似的特别想闻奶味，想喝奶水。正是这种扑鼻沁脾的奶香味，给她们干涩的舌间带来了湿润，生出了唾液。也有的说不全是奶香味，好像还有一股山上路边开的那种小黄花的馨香或是枣子的气味。有婶子干脆说是因为那棵枣树。说早年刮过一次龙卷风，全村的树木折断了，有的拔起来卷上了天，那棵枣树却没断一根枝，那枣树取贵，是枣树救了她们。还有一种说法也不很确切，这个关于枪声惊走日本人的说法是以羊倌为代表的男人们提供的。男人们是听见村外枪响被惊醒的，因而他们断定，是八路军和武工队在村外打了枪，把日本人引走了，日本人来

不及施暴，撤走了，而麻木的女人们当时根本顾不上听见远处的枪声。这种说法首先我母亲就不赞成，说不是，是日本人走了以后才枪响。总而言之，每个人有每个人的说法，一件事情竟具有如此之多的解释内容，给我们村近代史口头文学的宝库中，留下了一个没有答案的谜。

我真佩服我的前辈与母亲们，居然有如此丰富的想象力集体创作一个有多种取向的神话大写意。而这部神话故事有着真真实实的基础。由此我也坚信中国几千年来的神话传说都有一定的事实根据。而且，这件事才过去几十年，母亲她们都是亲身经历，她们一谈起这件事，脸上都挂着后怕与余悸、感激与庆幸的泪花，就像昨天才发生的一样。今天，我要写这件事，出于对家乡母亲们的尊重，又本着对历史负责的态度，我对这件事的答案也不敢做艺术加工与肯定的处理。我仅仅敢于肯定一点：母亲在大难临头的时候，首先仓皇地抱紧我，首先仓皇地解开羊羔，在日本人面前敞开胸怀，大胆地表演了孩羔同乳，其实是由母亲本性所决定的一次绝望的爱抚，是“管你日本鬼烧也好杀也好，先让我孩吃饱了再说”的母亲意志的高度升华。只不过，这时的“我孩”包括了羊羔。我曾经问过母亲，她说开始确实很害怕，日本人到了跟前就不害怕了，只觉得浑身轻飘飘的，并且真的向日本人笑了一下。为什么不怕？为什么笑？她也说不清。我想象母亲面对死亡，具有一种豁出去的空白，因而有一种忘我而超常的镇静力，又全身心地护着她的孩子（我和羊羔），她的所有惧怕，她的种种痛苦，在两秒钟内猝然消逝，变为平常，因此说她在那一时刻显得超凡脱俗，进入仙一般的境界，并不算粉饰与夸张。

一个神话往往是没有答案的。我不仅无法找到这件事的答案，而且坚信，随着日运月行，心猜口传，这个故事还将有更神秘的想象，更多的解释。

四

我的记忆越来越清晰，它使我重新感受到当年我那同胞羊兄弟可爱的脸，那纯洁的小嘴，它曾经是那样地像一团温湿的毛巾似的擦摸着我的脸和小嘴，紧系着我与母亲的灵魂。

日本人断不了来一次扫荡，父亲总是备好一条扁担两个筐，一有情况就一头挑着我，一头挑着它往山里逃。听母亲说，有一回逃到山洞里住了好几天，母亲的奶水忽然少了，同时奶两个不够，母亲就让我吃粥，让羊羔吃奶。我不肯，母亲哄我说小米米里没有水了，我便吃粥。后来在母亲背着我奶羊时叫我看见了，我就哭，母亲就说它不听话，并且怂恿我用小指头指着羊的脸说：“没羞，没羞！”羊也特有灵性，知道是说它，便把小脸儿埋进了母亲的乳团下。

羊比我长得快。它会吃草以后，仍天天在我妈身边转来转去，它被父亲带到山上吃草回来时，总要先奔到妈跟前，咩咩叫着，蹭着妈的腿，仿佛在激动地诉说着外面发生的生动故事，直到妈说“我知道啦，淘气鬼”，它才卧到街门口的枣树下，安然地咀嚼起来。枣树下是它的活动园地。母亲不拴它，它根本不乱跑。羊卧在或站在那儿，像一个善解人意的守门童子。外面客人来了，它就叮叮地摇动铃铛，咩咩地叫几声，表示欢迎或是给妈报信。看见天上的老鹰或是听到什么可怕的响声时，它就尖叫着径直跑回去，跑到妈跟前就再不跑了，它把头插到妈的腿弯里，甚至屏住呼吸，母亲就摸摸它的脸，拍拍它的背，说：“不怕，我的乖，没人欺负你。”

妈说我很幸运。我还在学步的时候，羊就不仅成了跟我玩的好伙伴，而且是替妈看我的好帮手。夏天，妈把我放到枣树底下的席子上去做活儿，羊就卧在我的跟前，一刻不离地守着我。我的脖子上戴着长命锁，长命锁上有一对银质老虎铃铛，我一动就叮叮地响。羊脖上拴着一个小铜铃铛，比我的虎头铃铛大得多也响得多，我特别好奇羊的铜铃铛，经常拨弄它的铃铛，揪它的胡子，甚至骑到它背上，它不躲不跑，乖乖地任我顽皮。我哭了的时候，它就用嘴鼻吻我，咹咹地哄我，再不就疾快地跑回去把妈唤来——这情景我常听妈说起来，一说起来我眼里总是酸涩涩的。几年后，当我在启蒙读本里读到“小羊儿乖乖，把门开开，妈妈回来了，妈妈来喂奶”那一课时，我敢说我比别人更有特殊的感受。

那羊后来的命运却十分悲惨，它死在了人的屠刀下，邻村一个惯偷把它偷去杀了，是在腊月二十三祭灶王的那天。刀子一捅羊还挣扎着短促地咩了两声，那肯定是在喊我妈，我妈听不见，有人听见了，就是那个羊倌。他远远地看见那贼扛着一只羊趺趺歪歪跑得飞快，数了数自己的羊，不差，但又觉得蹊跷，就尾随其后，刀子捅到羊的脖子，羊倌的羊铲也顶到了那贼的喉结。羊倌已经认出是我妈奶大的那只羊，一铲把那贼敲开，背起羊就走。背到我家院子递给我父亲，说了声“恁的羊叫人给偷杀啦”，就匆匆走了。

开始，当羊倌的话音霹雳般响过的那一瞬间，惊呆了的我母亲只是在窗户窟窿往外瞭了一眼，然后就曲跪在炕上哇地哭起来，再没有勇气或根本不忍心多看它一眼了。父亲抱着羊站在院子里，站在寒风中，足足站了几分钟，怕母亲过分伤心，想赶快处理了事，沉声说：“请个人剥了皮煮了吃哇。”母亲忽然喊了一声“不！”随即像一头猛狮似的从炕上跳下来，扑到院子，扯住羊，夺那羊。父亲的胸膛里响着吭哧吭哧的悲鸣。母亲的喉咙里迸发出含混不清的号啕。羊尸被夺过来又扯过去，前腿悠悠地在空间晃动，后蹄踢打着父亲的胯骨，好像它并没有死，好像在为投入母亲的怀抱而挣扎着。但父亲硬是不松手。母亲舍不得用劲撕扯羊，却拼命地咬父亲的手，父亲松手了。母亲抱着羊，坐在当年喂我第一口奶的捶布石上，抽抽搭搭地哭着。父亲看见母亲端详着羊的脸、身子和蹄子，羊仍保持着一身雪白，这雪白的皮毛是母亲早上刚用梳子给它梳过的。它的脖子侧横里有一道发黑的窟窿，鲜血汩汩地流出，好像淘气的孩子撕碎了一条红色的围脖。它的眼还睁着，它肯定是想再看看我妈，但它的眼睛已经没了光。母亲给它揩擦着血迹，母亲的手都染成了红色。母亲把羊紧紧地抱在怀中，把羊的脸紧紧地按在她的胸上，用力地摸梳着，含混地唠叨着，像是要让羊饱饱地吃一顿她的奶。母亲的眼泪像密集的雨点从腮上落下来，滴到羊的脸上，索索发抖的手指揉着羊的眼皮，想让它合上，但羊的眼睛总是自动地睁开，好像它永远是清醒的，好像它在说着永远说不完的话，使站在一边的父亲的眼圈也凄然地沁出一湾湿红。天色已经黑下来，母亲尽完了最后的抚爱，酸惘惘说："给它留个囫囵身哇，可怜的孩儿。"就让父亲抱到山里埋了。

那几天，妈天天哭，看见我就哭，甚至好一阵冷落了我。过年，家家户户放鞭炮，我家的院子静悄悄。翌年，我妈没有再坐到枣树下做活儿。妈怕看见它，怕听见它叫"妈"。这一年，枣树没有开花，没有结枣。

那时候，我三岁。当这事情发生的时候，我正在睡觉，睡得很沉。我醒来以后，听不到同胞羊兄弟悦耳的铃铛声和叫声，看不见同胞羊兄弟呼着热烈的异息来亲近我，就向妈要羊，妈哄我说："羊羊到很远很远的地方去了，去生小羊羔了，到春暖花开的时候就带着小羊羔回来了。"可是，春天过去了，夏天来了，我都没见羊带着小羊羔回来。我天天跟妈要羊。父亲说："咱再买一只哇。"母亲说："不啦。一只羊就是一个命，就是人的一场心病，俺再经受不住心痛啦。"多年以后，我对同胞羊兄弟的形象完全忘却了，但母亲的这句话却记在了心里。前年，妈过五十岁生日时，我曾经买了一个棉绒羊，准备寄给妈，尽管那不是羊年，尽管妈不属羊，但我觉得，羊自古以来被称为吉祥物，不仅古文里"羊""祥"通用，文物古器上都有"吉羊如意"的铭文，而且为清官撰写传文，竖高大的石碑也称作"羊碑"，更何况妈与羊曾有过乳的联系，送妈一只羊最有意义。可到后来，我还是没有寄，我怕犯了妈的心病。

我在历史的苦难中泡大。当务之急的是我的儿子面临断奶，他本来有吃不完的奶水，而现在却要断了，像那只可怜的小羊羔似的。我面对儿子却不敢看儿子。我感觉儿子在惊讶、惶惑地望着我，我的脸有些红了。二十五年前我吃奶的时候只知道我要吃奶，不管娘奶羊奶，只知道奶是甜的。二十五年后儿子又面临着断奶的困扰，做父亲的我才知道没奶的苦涩而束手无策。我忽然感觉到我不够做爸爸的资格，抑或是人生过早地苍老。

五

公共汽车摇摇晃晃。儿子睡得又甜又香，似乎以为他已经躺进了他父亲睡过的摇篮中。忽然，一个猛颠把他颠醒了，很不耐烦地蹬着小腿哭起来。陶赶紧褪起衣襟，露出乳晕浓艳的丰润乳房，塞到孩子嘴里。可是，孩子不吃，绷着嘴门硬是哭。奶水嗞嗞地喷得孩子一脸白花花，陶即用手指压住奶穗。汽车恢复了相对平衡后孩子就又睡了。但陶的手一松奶汁又喷出来,又喷得孩子一脸白,并且像机枪似的点射到我的身上。我从孩子白花花的脸蛋上,看到了一个被奶汁喷得白花花的八路军小战士的脸。

妈说,有一段时间因奶水不够饿得我小腮帮塌下去,哭得鼻涕兮兮的,并不仅仅是与羔同乳,还因为与兵争乳。

就在生我的那年秋天,策应保卫娘子关的八路军在山上打了一夜,许多伤员抬进村里,一家分一个。抬到我家的是个十七岁的小兵,他的眼睛伤了。部队里大夫少,又缺药,村上的郎中说得用人奶洗才能好。开始,我妈对伤员用奶也很作难,倒不是正奶着我和那只羊羔而舍不得,那郎中说洗眼得用热奶,不能用凉奶,妈把奶挤到碗里端去洗就凉了。只有把奶对着眼挤着洗。可这是个大小伙子啦,是个兵!妈这时也只二十八岁,妈羞得解不开怀。

母亲踌躇地站了半天,无意中忽然看见了镜子。母亲的身子慢慢地移到镜子前,默默地对着镜子抿着头发思想着。镜子把母亲的容貌照得艳丽动人。母亲看到了自己端庄的眉眼,梳得整齐油亮别卡的黑发,看见自己耳垂上扎戴的巧如蜗牛的银质耳环和手腕上那一对亮晶晶的手镯,看见自己高耸的胸脯、蓝底白花的衣襟和柔和的曲线。镜子看不见母亲那穿着绣花鞋的小脚,母亲自己看到了。母亲从来没有这样认真地看过自己。母亲看到自己后脸颊竟升起阵阵红晕,胸脯急骤地起伏着。我想象母亲在决定把她的奶头送进羊羔的嘴里之前是没有这么复杂的心理过程的,那是一个极其简单的和平过渡,引动她的是一个怜悯。而这时,要把她的奶子毫无保留地托到一个男人的眼前,与人眼保持两指间隔,却这么审慎而艰难,阻碍她的是什么?屋外面忽然传来父亲的咳嗽声,这咳嗽声丝毫没有打破母亲自赏自思的容颜。父亲是真正的男子汉,他不管这些,妈知道。母亲畏惧的是先人的古训和规矩。那规矩在看过的古戏中层出不穷。那古训随着一段段熟悉的戏曲响在母亲耳边。母亲心中颤抖着一个八路军小战士用绷带缠着双眼的脸。母亲费力地在古乐的胁迫中碰撞:难道要让一个抗日的小伤员在我家里错过治疗机会,永远失去明亮的眼睛?如是这样,我还算个当妈的吗?我能对得起他的妈妈吗?……母亲的声音压倒了古戏优美而悲怆的旋律,一个美丽的飞跃跨出了古乐曲的缠绵,获得了一个崭新的境界。镜子里的母亲不动了。镜子把母亲脸上的红晕刷掉了。母亲的心在咚咚地跳。镜子照不见母亲的心跳。镜子照见母亲慢慢地解开了扣子,轻轻地褪起了贴身的红兜肚儿,颤颤地跳出一对滴溜溜的奶。

好在伤员看不见。母亲一只手托着奶,一只手拿着棉花,毫不吝啬地把奶水往伤员的眼上挤。珍珠般的奶汁在伤员的脸上蹦跳着,串连着,母亲看见有几粒串进他微微张开的双唇,串进他洁白的牙齿上,伤员紫红色的双唇翕动了一下,那珍珠就钻进了他的嘴里,溶化在他的舌间,他用舌尖舔了舔牙齿,问:"嫂子,这是啥?"妈说:"水。"战士说:"水怎么又甜?又腥?"妈说:"放了药的。"战士又提出种种疑问,妈叫了一声“小毛孩子”，就干脆把他揽在怀里了。这样靠近奶就洗着顺手又不浪费。但母亲又很像奶孩子似的，母亲完全把他当成了孩子。战士的鼻息在母亲的奶团下呼出两个气旋。与此同时，我和羊羔在各自的位子上呼出两股嫉妒的、揉磨母亲肝肠的强烈气旋。母亲的心被我的号啕和羊羔的哀叫揪扯得绞痛，但母亲只是把头微微扭了一下就毅然梗住，抑制了回头看我的念头，复又平静地喷洗起来。

半个多月后，在乳液织成的温热绵稠的抚浴下，战士的眼睛升出了半个月亮。战士一看见我妈的奶就哽咽地惊叫：“嫂子……”接下去便说不成声，只会用手挡着我妈的手，再不肯让我妈给他洗了。妈摁住他，说：“眼睛要紧。你就把嫂子当成你妈，不要害羞。”战士就浑浑地、无可逆转地融浸在母亲烘热的奶香中，母亲的奶头在战士黑暗的视空中又喷出满天的星斗。母亲的奶流，战士的泪也流，泪和乳一起流，一直流到明亮的太阳升出地平线。

这批伤员告别乡亲们的时候，这小战士特意给妈跪下了。妈说：“别这样，不就是几滴奶水嘛。”可是，小战士哭着不起来，小战士抱住了妈的腿。妈把他拉起来，给他揩着眼窝的泪，扣好一个扣子，妈觉得他实在是个孩子，想叫他“孩子”，但没叫出来，就唤了他一声：“兄弟，走吧……”

母亲以她那两个布袋奶子喷发的滚滚热乳，为我们平东县滚滚如潮的抗日历史添缀了一朵绚丽的浪花。母亲把它看得很淡，而人们却久久地记在心里。据说那年刘伯承将军勒马我村，听到这故事时，风趣地问我妈：“妹子，你没有奶他吧？”我妈说：“我倒很想奶他一口，可惜我的奶水太少不够。”

在认识了陶的院长后我曾经想：陶的院长该不是我妈救过的那个八路军小战士吧？怎么他的眼皮上有块疤瘌，他的眼睛说话、瞅人时怎么老是一眨巴一眨巴的呢？如果真的是他，那我只要把我妈亮出来，院长肯定大吃一惊，并且绝对会留下陶，换个别人去，眼前的烦恼将化为轻松……唉！想到哪去了？是又怎么样？这么多年了，平东县的母亲们奶伤员的事很平常，也不是我妈一个人。更何况，如果我妈知道了我在打仗的事上用关系换取领导的照顾，把别人推上去，肯定饶不了我。妈送我参军时说过：“天大的事你自己担，你担不了的妈替你担，妈担不了的就由它去吧。”眼前，儿子遇到了担不起的事儿要求妈妈了。

我的苦寒的妈妈呀，你能替儿子担得起吗？

六

公共汽车终于开到终点站（一个前不挨村后不靠店没有站牌只有倒车印辙的山坳坳）。我们是最后两位下车的旅客，站上也没见搭车要走的。孩子睡着没醒，陶说不用倒手了，她抱着孩子，我背着足有六十斤重的纸箱和两个挎包，踏上了通向我村的陡狭而蜿蜒、被无数乡亲的脚底和牛羊蹄子磨出凹坑的山路。

远远地看见几只羊，在光秃秃的山坡上缓缓地移动着，随即，我听见了老羊倌唱的歌：

草根根苦哎，
土疙瘩瘩里埋。
长出了那个嫩茎茎，
孩儿呀，
都是娘的奶。
草根根深哎，
土疙瘩瘩里埋。
苦不死那个芽芯芯，
孩儿呀，
还是娘的奶。

这老羊倌身高胆大，力气过人，与我家非亲非故，在我的家谱中和我母亲的历史上，似乎不应该有他的记载。然而，从他给我买了奶羊的那件事开始，他便成为与我的历史息息相关的重要人物。他很少到我家里来，而我却经常被他带到山上玩。他说山上有许多蚂蚱，他可以给我逮许多蚂蚱烤着吃。蚂蚱满肚子籽儿，烤熟了吃很香。上了山天还很早，山野很静，他先弯下腰搂住我，眼睛木木地看我，眼窝里湿湿的，看得我很害怕，但他什么话也不说。然后他就放开我，唱起歌子来。不光唱这首歌，还唱《小寡妇上坟》和亲哥哥亲妹妹之类的许多歌。他为什么唱歌？他唱的是什么意思呢？那时我不知道也不想知道。因为会唱歌和爱唱歌的不光是他一个，太行山是民歌的宝库情歌的赛台，放牛的割草的锄地的收秋的壮汉小伙闺女媳妇心血来潮，随便在沟沟梁梁玉米地里就冒出歌声来。豪放而苍凉的歌声在坦荡的旷野缓慢地爬动着，空气因他的歌声而激荡，羊儿也因他的歌声助兴而吃得喷香。他唱歌的时候我特别好奇，张着嘴巴望着他的嘴。他的嘴一张开就喷出羊儿吃草泛上来的青草味。我看见他的嘴是一圈黑牙包围的深洞，深洞里蜗居着一个我不能全看到的颤动的青蛙。那一首首充满着山西乡土气味的歌就发自那蜗着青蛙的洞洞里。我从他的歌声中，感觉到一种很坦荡也很苦涩、很开心也很悲凉的情绪。几只野鸡从石堆中惊出来，咯咯地鸣叫着飞向另一块山坡。十几只蚂蚱炒豆子似的蹦过来，有一只落在我的脚边，两只五彩的泡眼仇恨地瞪着我。我慢慢地伸出手，造成两只耙子，朝蚂蚱扑去。蚂蚱的大眼睛转动了一下，吱一声飞了。羊倌放下羊铲，说："孩子，看大伯给你逮。"说着把衣裳脱下来，他不是逮，是用衣裳蒙，一次能蒙住两三只。他好像在做着示范给我看，他逮蚂蚱的姿势，看似青蛙跳着捉小虫，很滑稽也很可爱，而且动作很有节奏。我后来学着他的动作，比他还逮得多，我们俩合起来就更多。他点起一把火，把捉到的蚂蚱在火上烤。每一只烤熟的蚂蚱送到我嘴里时，他的嘴也要翕动一下，好像在为我用劲儿。我的脸直对着他的脸。他的眼睛湿漉漉地盯着我，盯得我低下头，看着自己的膝盖或者他的死蜗牛似的肚脐眼儿。我的童年时代金色的牧歌生活，大多都消逝在这个长满小草的山圪梁上。羊倌用他的手逮的蚂蚱充填了我的肉体，用他的歌声熏陶着我的乡情。直到我上学以后，我从红眼老人那里听到了他与我母亲有过私情的事，我才从他的歌喉里读懂他的全部经历和他看我时的那种痛苦与希望的内涵。也就是因此和从此，我便再不跟他上山，再不吃他的蚂蚱，甚至渐渐地远离了他。

眼前令我奇怪的是，在这草根树皮几乎都吃光的年月里，他是何以把这些羊保存下来的？又为何饿着肚子耗嗓子呢？我从他一如既往的歌号中，觉得这歌是一口古怪的气，一种神奇的生命的力量。如果不唱，可能会使人憋出病来或寂然倒下，至少是挺不过这两年的。

陶却说这歌新鲜，这歌很好听。我知道，这并不仅仅是因为她爱文艺好歌喉对歌特别敏感，这歌唤起她心灵中一种对大地养育之恩的始觉与崇敬感。她问我："这歌你会唱吗？"我心不在焉地嗯了一声，眼睛瞅着周围，希望能看见一个熟悉的乡亲。但没有，走进村子的时候也没有碰见一个人影，整个村子出奇的寂静。我心里想象着我家的小院子，还有街门口那棵老枣树底下我妈常坐的那地方。那儿从来都断不了做针线的媳妇们闲坐，冬天那儿向阳，夏天那儿阴凉，我妈喜人，总是把那块打整得比打谷场还光平的场地扫得干干净净，铺上一块席子或垫上用包谷皮编扭的草墩，女人们盘腿坐在一堆做活拉家常，遇到东家婆媳不和、西家叔嫂生气或汉子打老婆的事儿，大都能在这儿痛快淋漓地倾诉和得到开导消解。这儿委实是女人们发泄积怨伤感寻求精神寄托和争取自由平等和睦的场所，自然，我妈享有主持人般的崇高威信。可是，从妈信上我知道，遭灾以后便没人有精神坐那儿闲聊，过去的那些常客已经有几个永远告别了枣树的郁香和破席的温暖，到另一个世界去了。我心里十分不愿意接受这个凄凉的事实。我领着陶走上阳坡街就直瞄瞄盯住那枣树地，那枣树还活着，也许是刚下过枣还是根本就没结果，枝叶显得十分萧条。枣树下，一个很小的灰色身影跪在席子上，正用簸箕簸拣什么。我认得那是我妈，我被一股热烈的激动冲击着，张口就喊：

"妈！"

妈没有抬头，仍然专心地簸拣着。我又喊一声：

"妈！"

我看见妈的头更低了，嘴噘起来，吹着簸箕里的物，一边吹，一边用手心板在簸箕里搓着。我放开嗓又喊第三声：

"妈！——"

妈木然抬起头。我看见妈最初发现我的那一瞬间,先是蹙紧眉头茫然地朝我望来,骤然便丢开簸箕,用手背摸了还是揉了一下眼,然后就惊叫着我的名字站起来,落满簸灰的枯唇强抖抖地抽搐着,双手伸出来做一个向前扑的动作,却又忽然停住不动。

"啊,是俺孩?俺孩们回来啦!我就说今早晨一个劲儿地眼跳,敢情是……"

我和陶来到妈跟前。我妈穿着灰布大襟夹袄,裤腿用黑带子扎得紧紧纤纤,一双黑布鞋的精巧的尖口把白布袜面剪成一个黑白分明的燕尾,更像一对活动的燕眼。我立刻闻到了妈身上那种潮湿苦涩的糠土气息和谷米甘甜的气味,唤起我心灵深处一种熟悉而亲切的回忆。我感觉到世界上最炽热最淳厚的真情挚爱都凝聚在我们母子间,弥漫在我们母子相见这一刹那的气息中。然而,我看见我妈已经不是过去的我妈了,身架瘦得像一根干柴,浮肿显暄的面色酷像一个发黄的老蚕。我又叫了一声妈,陶也叫了一声妈。妈"哎"了一声,第一次庄严地接受儿媳妇的问候。我和陶还同时问了一声:"我爹呢?"妈说在地里。妈口应着问候,心里最当紧的却不是这种体面,而是她的孙子。妈的手在衣襟上正着反着揩了揩,就忙不迭从陶怀里抱过了孩子。

"好看的俺孩儿,大老远的真让恁爹妈给奶奶抱回来啦!我的天爷,奶奶咋熬来!"

这情景是我意料之中的。当我把孩子的满月照片寄给我妈时,妈手心里捏着那照片,就跑东家串西家地逢人便告:"看看俺孙孩儿,长得跟他爹小时候一样儿。"甚至唯恐别人不知道是个男孩似的,特意提高嗓门,"看那小鸡鸡一翘一翘的,准是想尿啦!"此时,妈抱过孩子后就连声哈哈着、不住地摇动着往屋里走,脸上滚下两颗笑出来的泪。妈走进屋里就坐在炕沿边,轻轻地掀开孩子脸上的斗篷,又轻轻地掀开腿弯的尿布,孩子的小脸蛋和小鸡娃同时露出来。妈的脸紧紧地贴在孩子的脸蛋上,"啐"地亲了一口。孩子被亲醒了,睁开小眼睛,看见这个陌生的窑洞,陌生的老人,哇哇地哭起来。妈却笑得开怀。一边把他尿,一边不住口地夸奖:"你听听,嚎得多有劲儿?"孩子哭叫着不让把,硬是挺着不尿,而在我妈看来,这执拗劲儿也成了孩子的优点:"看这脾气,也跟他爹小时候一样儿。"

刹那间来了几个邻里的嫂子大婶们,屋里的气氛更加热烈活跃。我儿子被这个抱了那个抱,从这双手传到那双手,整个过程是在儿子的哭声中进行的,而在这声声啼哭中,伴随着一串接一串比哭更强烈的、发自一张张枯寒脸颊的笑的乡音:"大娘你可真有福!""奶够吃哇?""媳妇好奶,吃不完!""那敢情好,都好,可好哩,真是艳羡煞俺啦,老嫂呀!……"

趁着这当儿,我便领着陶到厨房里洗刷。陶洗完后,又洗了儿子一路上用过的一团尿布。当我把水舀进盆里的时候,陶问:"这是泉水吗?"我说不,这是井水。陶又问:"井水是地下泉水吗?"我说井水是天上下雨灌到井里的。陶愣了一下,我知道，这一愣中埋伏着一个问号：这水卫生吗？让孩子就喝这水吗？我准备着当她这样提出问题时予以有力的反诘：难道经过沉淀的井水不比加上漂白粉的河水还卫生吗？这儿的人世世代代不都饮用这水吗？但陶没再说，只是一愣而已，也许我多虑了。陶晾过尿布时，乡亲们也都寒暄着离去了。妈把孩子递给陶，说："孩儿该吃啦，恁俩也该饿啦，我这就做。"陶接过孩子就塞给一个奶，坐在门栏上。我看见陶在默默地观察着家里的境况：石头窑洞，熏黑的墙壁，土炕，烧煤石的火台，印花布旧被，打补丁枕头，尤其注意我妈，注意我妈那黑瘦如柴的手，妈的手指甲很长，特别是大拇指甲。我对指甲曾有过研究，在城市，妇女们蓄指甲多是小拇指甲，这除了美学价值还在于掏耳朵方便的实用价值；而在农村，妇女们多蓄的是大拇指甲，完全没有美学意识而只为了择菜方便，充其量只是一个劳动工具，就像一把铲刀一样。妈的大拇指甲不仅长，指甲缝里还有黑污。妈开始端着一把菜缨子在陶面前择，为有机会能看着孙子，也好与媳妇说话。然而，我从妈突然的不自然的动作中断定，妈已经觉出了陶的微妙表情，我看见妈菜没择完就说到枣树地收拾没簸净的黄豆而出去了，接着，我看见妈把簸净的黄豆端进厨房，听见了哗哗的舀水声。我很不高兴地给了陶一个眼色。陶视而不见，仍然心事重重地进行着她的考察。

七

吃晚饭的时候父亲回来了。我和陶迎上去问候。父亲只会笑呵呵咧着短胡包围的嘴，连声重复着一个字："好。"父亲穿一件对襟灰布褂，一条黑布带子系在腰间，沾着土和鬼针草的大裆裤子坠吊着，脚穿一双打掌的黑布鞋，没有穿袜，没有穿袜的习惯，脚面上积了老厚的黑嘎痂。我发现父亲老得太快了，面色土黄，胡子也土黄，腰也似乎比过去短了或是瘸了，走路弓着，但绝不是驼背，只有那双深陷在颧骨里的善良而倔强的眼睛使我感到还是我八年前的父亲。父亲放下镢头筐子就进屋看孩子。吃饱了的孩子正仰面躺在炕上，蹬着小腿，吃着小拳头，自得其乐地笑个不止。父亲双手撑着炕席，把脸探到孩子脸旁，嘿嘿地笑着。孩子瞪着小眼睛愣愣地看着陌生的爷爷。父亲鼓起一个腮夸张地变了个歪嘴，又包住下唇打两声响叭，孩子忽又笑起来。父亲叫了一声"小臭乖"，伸过粗糙的手，在孙子脑门上摸梳了两下，又在小鸡娃那儿捋了一把，然后嘿嘿地笑着连说了两声好，就坐在炕沿边，扯下搭在肩头的汗毛巾揩了下手，端起了碗。

屋里进入了空前的安静。陶看了我一眼，便开始与父母共商托养大计。父亲一向少言寡语，对于家务琐事更是甩手掌柜，许多事情都是母亲拿主意。这种家庭管理方式，与其说是我父亲会当男人，不如说我母亲会当女人。陶先叫了一声爸、妈就郑重地切入话题：

“我们这次回来，一是看看二老双亲，再就是想把孩子留下，麻烦妈替我带些时，因为……”她咬了一下唇，同时看了一眼我，我知道从这里开始要撒谎，必须绝对清白地抹去战争的烟云，描绘一幅和平的景色。陶不仅不习惯，而且很动情，我用点头鼓励她照我们事先研究好的谎话说下去，陶接着镇定地说：“因为我要去军校学习，这是关系到我一生的前途和命运的大事，这个机会不能错过。时间很紧，我们在家只能待三天。”

妈沉了一下，甚至禁不住揪了一下胸口。我从这微妙的一沉中感觉到妈有一种灵性的突发的思维，马上，我听见妈说：“妈巴不得想替恁带孩子哩，可妈不能坐火车，出不了门。恁今儿个把孩送回来啦，只要恁舍得，孩子给我，恁就放心地走啦。甚叫麻烦？当奶奶的难道是别人？”

陶高兴地笑了笑，又说：“交给您老人家没有什么不放心的。只是，孩子才六个月，吃奶的问题……”陶没说完，妈就大包大揽地说：

“这好办得很，买只奶羊，挤奶喂他吃，保准吃得孩胖胖的。”

陶梗了一下，说：“那，怕不卫生，要吃奶粉。”她示意我把纸箱提过来。她解开纸箱，手压着随时都会合上的纸壁，对妈说：“这是特意给孩子买的奶粉，一顿放两汤匙，冲二百五十毫升水，就相当于半斤。用开水冲，不能放在火上煮，一煮就把营养煮掉了，然后再放糖，糖不能多放，顶多一小勺……”

我敢肯定后面的这串话妈根本就没有听，我看见，当妈听见陶说“不卫生”那话时，妈的脸色就有些酸楚。我完全知道妈心里的滋味，妈一定觉得是媳妇嫌她不卫生了。妈有自己的一套养孩的方式，陶看不上妈的方式，实际上是看不上妈。妈悲哀，但不说，而妈又是一个经历过苦难的做奶奶的母亲，在养孩的问题上，妈自己认为她有足够的力量和绝对的权威。于是，我便同时看见，妈在悲哀中又充满了神圣而自信的光芒。等到陶用文化词儿说教完后，妈就毫无余地地把事砸定了：

“妈活了五十多岁都没见过奶粉，也不知道咋个弄法。况且，恁这才弄回几袋子来？孩子吃奶又没个顿数，想吃就吃。这奶粉吃完了咋办？咱这儿买不到，把孩子饿起来？可怜的又赶上这年月。村里的女人们都没有力气生孩子，要是年景好，妈就是东家讨西家要也能喂饱孩子。最可靠的办法还是买只羊。这两年，羊也难买，得翻过山到河北省那边才有。他爹，你这就去哇，火边还有两个窝窝头，快装上去哇，黑张去，明儿个就能买回来。”

妈说完，陶叹息地看看我。

我油然想起了我的同胞羊兄弟惨死后妈说过的话，妈说再不买羊了，一只羊就是一个命，就是妈的一场心病，妈再经受不住心痛了。可如今，为了孙子，妈又自愿提出买羊，慷慨地承受一场心病。我还有什么理由说不行呢？我说：“还是妈想得比我们周到，进什么山唱什么歌，就吃羊奶吧。”

父亲始终都没吭一声，他早已搁下了碗，听妈吩咐后，打了个饱嗝，走到柜跟前揣摸了一通什么，又走到厨房揣了窝窝头，就提了一根鞭杆走了。父亲走出街门时，我听见了老羊倌与父亲的说话声。接着，我听见那鞭杆同时又当作拐棍发现橐橐的触地声，类似遥远庙堂敲响的木鱼。

屋里一时陷入了沉默，乌黑的墙壁和老破的家具似乎都在屏息地看着每个人的面孔。妈不愿意沉默，问："还有甚，说哇。"

陶抬起头，但再不看我，她从纸箱里托出一叠小衣服，说："穿的我也来不及准备，只有这几件，马上就要过冬。"

妈说："在奶奶跟前还怕冷着孩？找块羊皮缝个兜肚儿，护着肚子就行啦，咱有热炕，用不着穿那么多。"

陶一个犀利的眼神射过去："羊皮兜肚儿会生虱子的。"

妈说："只要妈睁着眼，就不会让虱子咬了孩子。"

陶凄然强笑笑，深吸了一口气。我明显地感觉到她心胸里滚动着沉重的失望的乌云，甚至夹杂着对我的抱怨，她希望我说话。但我能说什么呢？难道我小时候不是戴着羊皮兜肚儿过来的吗？我能长成一条汉子，我的儿子就不行吗？我第一次感觉到在母亲和媳妇的分歧面前，儿子是最难做人的，赞成任何一方的意见都会给另一方带来难色，于是我姑且缄口不言。

屋里又进入了更难耐的寂静。只有孩子无意识的窃笑，他太高兴了，笑得呛了口，一下子把奶涌上来，顺着脖子往下流。陶给揩净以后仍没有让人抱的要求，自个儿继续笑着吃起拳头来。可是妈把他抱起来了，妈说：

"你猜他为甚笑得这样乖？他干坏事啦。"

陶惊然问："你怎么知道的？"

妈用下巴颏儿朝我努了一下："他小时候就常这样给我打马虎眼儿。"妈说着就掀开夹紧的尿布，一看果然是屎屁尿流。陶随手递给妈一块干净尿布，专注地看着妈换尿布的全部过程。妈的动作并不十分利索，但却实在得体，其实单就发现孩子拉了屎这一技能，也使陶心里不能不佩服。我看见陶的脸色比刚才好看了些，我心里感激儿子这泡屎给屋里带来了春天般的气息，但我仍不踏实地注视着陶表情的变化。陶看着妈处理完后，就提出她心里另一件不放心的事：

"妈，孩子生了病怎么办？这里有卫生院吗？"

妈毫不经意地笑笑："心尽到了，咋能叫孩子生病哩？"

陶的眉峰紧了一下："这不行。是人都会生病，何况是不会说话的吃奶孩子。"

"咱村里没有卫生院，只有野太医。没事儿，再把他爹小时候戴过的那把长命锁拿出来，给孩戴上，他爹那时戴着那锁就是百病不生。"

妈的语气十分平静，而在陶心里却撞出了刺眼的火星，我感觉到她嘴边上紧想说："这是讲迷信！"但她还是噎住了这种批评，改说："这是听天由命，不行。我带来一些药。"她从挎包里掏出一堆纸盒，立刻就有一种来苏尔味儿散发出来，她一样一样地、如数家珍地对妈嘱咐：感冒吃这种白片片，发烧吃这个长球球，拉稀吃这种黄饼饼，咳嗽吃这些红豆豆，还有钙片、维生素 ABC，用法用量，间隔时间，饭前饭后……我看见妈听得头昏眼花。妈把药接过来放在笸箩里，说：

“甚的维生素勾勾，俺认不得，也记不住，放这儿哇。”

妈说这话时是笑着说的，完全是出于多年的习惯与经验，或者叫“从实际出发”，莫说是小孩儿，就是我那不会说话的同胞羊兄弟，母亲也有先见之明。听父亲说，有一天父亲带它从山上回来，母亲觉得它的叫声不对了，样子也蔫蔫的没有精神，问父亲羊咋啦，父亲不以为然，说咋也不咋。母亲却听出来了：它说它疼。母亲浑身摸了它一遍，没见有什么不好，就掰开它的嘴，看见它的舌头上扎了一根小刺儿，肿得都化脓了。母亲就给它用手挤那刺，但它怕痛，硬是把嘴咬得紧紧的。母亲两腿把它夹在怀里，就像教小孩子说话似的对羊张着嘴：“啊——”羊就望着母亲张开嘴：“咹——”只这一瞬间，母亲麻利地给它挤出了刺，又用手指头醮着盐水给它洗了舌头，揩干净它的眼屎和泪水。父亲笑着说：“你真比它的亲娘还亲哩。”

母亲的经验来自“心尽到了”，我想即使现代先进的医术，也不应忽视“心尽”的根本。然而眼前，在陶心里却如遭到一次冰雹的打击。虽然她尽量遏制着，但我看得出，她的脸色憋得紫红。纤细的手指在整理掏空的挎包时微微颤抖。她在示意我把纸箱从炕上搬下去时，声音是那么低沉而郁怨。她把纸箱推给我后，就从妈手里抱过孩子，这一回抱得很紧，不同往常，她的脸久久地埋在孩子的脸上，久久地没有起来。

八

这天晚上睡下以后，陶后悔了。

人说山西好风光，太行山老家竟然比她想象中的荒原还荒原。这里的饮食习惯，卫生条件，妈的带孩儿方式，统统使她心灰意冷甚至是不寒而栗。她开始睡倒时是搂着孩子的，一句话也不说，间或两声长吁短叹，后来就嘤嘤地哭泣。我怕这哭声让妈听见，禁不住伸过手去想狠狠地揪她一把，忽然，我感觉到她那纤瘦的抽颤的肩背，男子汉的心被这年轻母亲无奈的忧伤给熔软了。她不就为了儿子吗？做母亲的不都是这样吗？她有什么过错呢？我压抑地忍受着，任事态自然发展去。陶凄然低泣了一阵后，到底忍耐不住，把气一股脑儿撒在我身上：

“早知如此，何必当初呢！原始落后，封建迷信，样样都具备，就是不讲求科学。羊皮兜肚儿？哼，你想过吗？那东西最易生虱子，羊毛里的虱子是很难捉到的！给药，她不在意，又看不懂说明书，万一真用药，给孩子吃错了咋办？我不干啦，不干啦！把孩子抱回去！”

我说:“抱回去谁养?”

“交给他外公,请个保姆!”

“就是有时间再抱一个地方,保姆也不是说请就能请到。况且,这事得跟妈商量。这孩子一开始不抱回来就没这事,也就罢了,已经抱回来了,妈见了孩子,现在又要抱回去,分明是对妈瞧不起,这会伤妈的心。”

“你就是担心妈妈妈,就是不怕苦了孩子!”

“我这么一条汉子还不是妈带大的吗? 而那时条件多苦?”

“这不是忆苦思甜能解决的问题,我要孩子,孩子,我的儿,明天就跟妈走! 呜呜……”

我一面给她揩眼泪,同时又硬硬地切断她的胡思乱想:“这孩子你抱不走啦!”

或许是我的坚定而沉着的压力起了作用,或许陶也知道抱不走了,或许是我的温存和安慰所产生的调节功能,或许她经过夜以继日的旅途之劳疲惫难支,渐渐地,她止住了哭。

下半夜,我被陶推醒了。她说你听,是什么声音? 我睁开眼,乍听以为是飞机的隆隆声,结果不是,是推磨声,声音并不遥远,就在我妈住的屋子。我说是妈在推磨。陶说这么早就起来,磨什么呢? 我说不清楚,我得去看看。陶说我早就醒了,难得再睡着,跟你一块儿去吧? 我说你去干什么? 她说我还是想跟妈打个商量,把孩子抱回去。我说只要你开得了口,我不拦你。我穿好衣服下了地,轻轻地进了妈的窑洞。

我一眼就看见,在昏暗的煤油灯光下,我妈挽着袖子,正用小肚子抵着一根磨杆,悠悠地转动,枯脸上的每一条皱纹里都流淌着油般的汗水,灯光照到母亲脸上,反射出一层土黄色的光晕。那被涔湿的额角的头发,像倒伏在淤泥里的芦苇。沉重的磨盘像一道狰狞的刑具,残忍地将母亲牵锁在规定的圆周里。石磨顶上堆着泡涨的黄豆,妈一边用小肚推着磨转,一边抬起瘦巴巴的手臂,往磨眼里添豆子。那乳白色的浆液从磨缝里不规则地流出来,汇到磨台,通过一条小沟叮叮咚咚流进木桶里。那乳白色的小沟仿佛与母亲脸上的汗沟是一条相通的河系。煤油灯光追着母亲转动的身影,一会儿被拉长,一会儿被压短,一会儿推到墙角,一会儿踩在地上。磨的声音随着妈脚步的缓慢移动,哼出了如同古老黄河纤夫般的低吼。这磨让妈推了几十年,这磨盘的重荷,瘦骨嶙峋的妈已经无力承受而却仍在强忍着承受,一寸一分、一步一尺地向前移动。我的鼻油然发酸了。我说:

“妈,你这么早起来磨豆腐干什么? 你不能磨啦。妈,你推不动磨,你就是磨,也该说一声,让我来。妈,你推不动这磨,你不能再推啦!”我扑向妈,一把捉住磨杆。

妈把磨杆推开,反过来为我揩眼泪:“俺孩儿回来得不遇时候,这年月,地里没收一根新鲜菜,恁都吃惯了部队上的饭,回来吃不上一碗顺口的,走了妈心里不好过。妈想算了半天，只能磨点儿豆腐吃。”

我说：“要磨也不要人磨，队里不是有驴吗？借一头来不好？”

“驴？”妈苦笑了一声，“死得没几头啦。上回倒牵来过一头，没走两圈儿就跌倒啦，后来还是请人才抬出去。唉，不说啦，说起来尽伤心。”妈抹了一下鼻。

我说：“那就我来磨，你歇着。”

妈说：“谁也不磨啦，都磨好啦。”

我看见磨顶上确实没有湿豆了，磨道的木桶流得溢溢的。我悔恨自己睡得太死。没听见，要是早听见，妈会少受这份苦。我帮妈把磨台上的浆汁刮到桶里。

妈说：“好啦，咱都歇着哇。还有媳妇，你也这么早起来做甚咧？”妈从磨道走向陶，和陶挨实地坐在炕沿边，我坐在板凳上。妈拉着陶的手，摸梳着陶的肩膀、领口，仔细审视着陶的脸，第一次这样认真地看媳妇的眉毛、眼睛和不易发现的雀斑，妈深沉地说：

“孩子，我知道你心里想甚咧，当妈的心都一样。可你想想，生他爹那会儿那么苦，妈都把他带大啦。你牵挂你的孩子，妈也牵挂妈的孩子，妈担心恁呀——妈看出来啦：恁俩这回送孩子回来，不是你要上军校，哪有让奶孩的去上学的？或许带着孩照样也能去学习。恁俩肯定是去打仗。乡亲们早就说啦，西边闹起来啦。恁俩要是不去打仗，你不会给妈送回来，你说是呀不是？”

妈的话石破天惊般地戳破了我和陶骗妈的谎言。我以为她说着说着会哭，但没有。倒相反，我看见陶先是吃惊地听着，就像第一次才认识母亲似的望着妈，然后猛地放出一声号啕：

“妈！——”

陶一下抱紧了妈，痛痛地哭出这一声。这一声，宣泄着对母亲的偏见的检讨，包容着对战争的仇恨和对母亲的深深敬仰。我的眼也酸酸地噙着泪。妈把陶的脸从她的肩上抬起来，给陶揩着泪痕。陶说：

“既然你老人家都知道啦，你老也别太担心。这回是边境的局部战争，打不了多久就会结束的。”

妈摇了摇头，苦笑说：“咋能不担心呢？恁把孩送给妈恁还担心咧，妈把孩送去打仗，咋能不担心呢？可妈又不能担心，谁让俺孩们是兵来？妈还好，不管怎么说，还有这孩在身边做伴儿。妈带着，恁尽管放心地去哇。你真抱回去让别人带，妈还不放心哩。有妈给恁带着，妈能活，孩也能活。恁给妈留下个娃，有这孩给妈做伴儿，妈也就不担心啦。”

我听得出，妈这话是暗示说：就是你们牺牲了，你们给妈留下个精神寄托。或许陶更明白这个意思，她又一次抱住妈，紧紧地抱住妈，又亲亲地唤了一声妈，又痛痛地哭了一声我的好妈妈。

妈妈，妈妈，所有的士兵都该为您下跪，一切战争都害怕您！

黎明的曙光映进了窑洞，伴随着一声婴啼般的鸣叫。那不是我儿子醒了哭，那是羊的叫声，羊咩咩的叫声乍听就跟小孩子哭一样。我走出门去，父亲带着满身秋霜的湿气，疲累地牵着一只奶羊回来了。父亲的眼泡胀得像一对熟透的杏子，银灰色的清水鼻涕挂在胡子上像草丛的朝露，一双打掌布鞋踩塌了帮，裸露着泥糊糊的脚跟。父亲整个地就像一株被夜露浸霪的包谷。

这时，母亲出来了，问："那老汉儿家跟你一块儿去的?"

父亲"嗯"了一声说："多亏那老汉儿家，光我可不占，黑咕隆咚道不好走。他占，眼睛跟猫一样甚东西都能看清。"

他们说的"那老汉儿家"，我知道是指的老羊倌。我说："他人呢?"

父亲说："回去啦。"

我说："我给他送点儿吃的去。"

母亲说："你不要去，待会儿让恁爹去哇。"

我完全知道母亲为什么不让我去的隐秘心理，我想起了红眼老人的话。

九

我母亲还是个十七岁的少女的时候，就已经突出地挺起了一对奶子，似乎所有的精华都集中到了奶上，所有的魅力都表现在了奶上。也就从那时候起，母亲的胸脯上便印满了汉子们的眼光。小羊倌就是其中最捺不住魂儿的佼佼者。小羊倌说山上有好多的蚂蚱，你跟我上山耍，我给你逮蚂蚱烧烧吃可香。我母亲说俺不跟你上山，俺也不吃你的蚂蚱，你往后也再不要烧吃蚂蚱啦，葬生害命的，行点儿好哇。母亲没跟他上山吃蚂蚱，但命运马上给了他们一次情缘的机遇。割麦之后，我外公家仅有的半亩地收成不好，请羊群给囤圈——在麦茬地里扎起一圈用长竿排成的篱笆，把羊圈进去歇夜，歇一夜就有了一层羊粪，然后垫一层土，再过夜，再垫上，连续半月二十天的，就积成几尺厚肥。圈里靠地墙有个临时搭起的窝棚，那是小羊倌晚上睡觉和看羊的屋子。母亲一日三餐要给羊倌送饭吃。早晨，小羊倌起来后把羊撒出去，母亲把饭送给他。小羊倌手接了饭，眼却看着母亲的奶，母亲不看他，扭头去担土垫圈。扁担颤悠悠，母亲的身条也像扁担一样颤悠。扁担一上一下地抖动，母亲的奶子也一上一下地抖，像一对小兔似的跳动。小羊倌端着饭锅，眼睛却盯着母亲的奶子。直到垫完圈，母亲来取饭锅，小羊倌才开始狼吞虎咽地把放凉的饭扒进嘴里。那天黄昏羊群入圈的时候，太阳还很高，晚霞很红，母亲把饭送到羊圈，小羊倌痴痴地接过来，这时，一只蚂蚱飞落在母亲的肩膀上，小羊倌放下饭锅，顺手一捂，稳稳捏住，然后递给我母亲。母亲拿着那只蚂蚱，让蚂蚱啃她的手。小羊倌没说话，母亲也没说话更没有抬头，但母亲知道，小羊倌在木木地看着她，看着她那对尖耸的奶。母亲早就觉得在小羊倌的眼睛与她的奶子之间有一条扯不断的白线，始终紧紧地连着，心里有一种像火焰一样既紧张又羞涩的灼热。这条白线牵动了她心底萌动的爱怜之情，只是不有意挑逗他。而此时的小羊倌已经把那条白线张成了一把伞，把母亲整个地像捂一只小蚂蚱似的罩住了，并且已经用他那不可遏制的欲火的目光剥开了她的衣裳。蚂蚱的灰色外翅里有几层内裙似的内翅，绿的，红的，粉的，越往里剥越有肉感。母亲身上没有内裙，山里的女子几辈子都没有穿裙，母亲身上只有一件单衫，脱掉单衫就是一个红兜肚儿，菱形红兜肚儿正好遮不住乳房；母亲的乳房上没有乳罩，山里几辈子的母亲们都不知道乳还需要罩。小羊倌首先想到的是一只手握住她一个奶子的幸福的滋味。惶恐中，母亲把蚂蚱放飞了。

母亲把蚂蚱放飞了，小羊倌却把母亲抱紧了。母亲感觉到她的身体在那双猿臂下轻轻地飘起来，又如羽毛般轻轻地落在了铺着厚草的小窝棚的炕上。

“你这是做甚咧，有人看见了多丑！”母亲说。

“没人，只有羊。”小羊倌说。

“羊也有眼睛。”

“它能看见，不会告人。”

小羊倌已经把欲念变成了手的猎取，他稳稳地握住了母亲的奶。然而就在这时候，母亲一个耳光把他打开了。母亲说：

“性急吃不得热馒头。你请媒人来，俺嫁你。”

羊们抬头伸颈失望地望着主人，每一张羊脸在霞光中也变得通红灼热。

这事我都是听红眼老人讲的。红眼老人是我们村年纪最大的孤老太太。因为眼老流泪老是红着，人就这么叫她。按说她眼不中用又没亲眼所见，这事的可疑性很大，但我情愿相信。因为它毫不损伤我母亲的什么，反而可以说明我母亲摄魂的魅力和严肃的婚恋观。后来事情的发展好像也能证明那老太太没有编假。

小羊倌没钱请媒人，母亲等了三年。第四年头上就与我父亲结合了。这既是媒妁之言、父母之命，又出了自愿。母亲是一位正统宗法道德的维护者，明媒正娶是她处理终身的根本前提，至于爱情，那只是在这种框架范围内的活动过程。更何况，父亲不仅是种庄稼的能手，还有最过硬的一条：念过三冬天书，识字。母亲把识字看得很神圣，作为一种高尚在心里默默地追求着。因此，当媒人提亲时，母亲对父亲是打心眼里喜欢的。母亲做了媳妇后，羊倌的心里失去了平衡。早晚吃饭总是端着碗坐在远远的高圪台上，望着我家的院子，望着街门口的枣树地，望着做了新媳妇的我母亲出出进进，像狐狸望着葡萄似的望着我母亲那对更加尖挺的奶子。正因为这样，他才有可能不失时机地买了奶羊，替母亲解除痛苦。母亲领了他的情，但父亲却不然。

那天，父亲在接过奶羊的时候，接着想起人们传说的母亲在羊圈与羊倌婚约的情景，父亲隐秘地预感到那一件事与送奶羊这件事之间有一种坚实的联系。之所以有这件事，是因为有那件事，接受了这件事，就可能再出现第三件、第四件事，这样没完没了的事一直发生下去，将使他这个男子汉无法在村民面前站立。但是，眼前顾儿要紧，有奶就是娘，他接了羊，但没白要，把买羊的钱如数给了羊倌。

几天以后，果然发生了第三件事。这件事惊天动地，辉煌无比。这件事彻底打碎了父亲心存的戒心，改变了对羊倌的看法。

就是在日本人的枪声给母亲惊出了水、父亲等母亲奶了我之后，枪声已经封住了整个村子，父亲预感到已经逃不脱了，父亲面对死亡慌如热蚁，不禁仰天大吼："完啦!"生死关头，羊倌一阵风似的刮到面前，主演了拯救我母子于水火的壮丽的一幕。

羊倌趸进院子后二话不说，伸出一双猿臂，轻轻地把母亲和我抱起来，飞也似的冲出去了。父亲抱着一团棉被跟在羊倌后面跑。父亲听到天地间都是枪声，整个村子就像是一口炒豆爆米的炒锅，父亲看到一粒子弹呼啸着在低空中飞来，贴着羊倌乌黑的头发滑过去，羊倌的头一动不动，保持着一步比一步更有劲的递增速度奔跑。父亲没听清母亲小声地问了一句什么，但羊倌的回答他听得清楚："没事儿，一只瞎眼的蚂蚱。"父亲知道是说的刚才那颗子弹。父亲看到羊倌那双长脚杆和穿着双脸鞋的大脚板轻捷如舒展的骆驼蹄，使他产生了苍鹰在无人的旷野擦地滑翔的感觉。羊倌抱着母亲和我越跑越快，日本人的子弹又飞来几粒。有一颗打在路边土壁上，溅下一团粉尘，一棵打碎的带黄花的小草慢悠悠飘落到母亲的脸上。父亲看见羊倌勾下脖子，用鼻子嗅着那朵小黄花，嗅着母亲的脸。父亲看不见母亲的脸和表情，只听到母亲似乎在颤动中低声地呻吟。枪声渐渐地微弱，渐渐地遥远了。这时父亲才知道已经逃出村子，已经跑出四五里远了。羊倌把母亲和我抱到一片玉米地里放下，然后对父亲说："没事啦，大兄弟。"说完就直着头拨着玉米叶子，向玉米地深处走去，莫过百步，便咣然一声躺倒或是跌倒，画成一个疲惫的"大"字，呼呼睡了。父亲望着羊倌热泪盈眶，他觉得这是个纯种的好汉和可以信赖的朋友，进而由于这一壮举，照出了父亲自身的一种"矮"来。

而在我母亲心里，这一壮举并不惊奇。当她被羊倌抱起来奔逃的那一刻，她就想起了羊倌在羊圈小窝棚里抱起她的情景。只不过，这两件形式相似性质不同的事情，所给予她的感受也不相同：前者使她心慌、幸福；后者使她感激、心痛。但母亲并不因此看小父亲而产生异心。母亲重情谊更重名声。母亲知道这样下去会带来什么影响。母亲要报足这个情，还要斩断这个情。到了次年夏天，南方发了水，安徽来了个人贩子，带着六七个女人来卖。女人们衣衫褴褛地坐在打谷场上，像从山里捉来的寒鸟，蔫蔫地低着头挤在一堆儿。来看来挑的人很多，不光本村的，还有外村的光混汉，价钱很便宜，两块现洋就买一个。年轻的和有些姿色的都叫人陆续地买走了。最后剩下一个三十四岁的大嘴婆子没人要。挨到傍黑牛羊入圈的时候，人贩子急着要走，喊："一块也行！一块现洋谁领走?"光棍们瞪着眼睛缩颈退步，他们心想那不是一个女人，那是一张只会吃饭的嘴。只有赶着羊群归来的羊倌空手掏着空布袋看得入神。我母亲小声问："你想要?"羊倌点点头。母亲就把一块现洋塞给人贩子，把女人领进了羊倌的破窑里，并且亲亲地唤了一声"嫂子"。

红眼老人说："那女人生得面善，最会做营生过日子，对羊倌真好。头日黑夜睡觉就告羊倌说她给人生过两个孩子，可她再不会生孩子啦，她叫人卖了好几次把花给弄坏啦。羊倌没有嫌弃，对她也忒好。可她命薄，后来叫日本人逮住把奶割了头朝下扔井里头啦。她死了羊倌就打了光棍，再没娶妻。不过恁妈心好，缝缝补补的经常接济他。他概不到恁家去，不是他不想去，是恁妈不让他去，恁妈把该还的情还够又超余啦，恁妈行得正，他怕恁妈。"

十

父亲把奶羊拴在街门口的老枣树下，趺趺歪歪回到屋里倒头便睡，什么也没有说，什么也没有吃。母亲给他盖了一张棉被。

这时儿子醒了。陶把了尿，用湿毛巾擦了脸，就塞给一个奶。儿子吃饱后陶说她要洗尿布，把孩子交给了我。我抱着儿子到枣树下，去认识那位新来的奉献者。这是一只三岁的奶羊，一身雪白，两只眼睛乍看像两枚光亮的黄铜古钱，细看却闪着一圈莹莹的天蓝，就像后来在挂历上看到的生着天蓝色眼睛的美丽少女。它的鼻孔呼出白色的热气，两只不长的角弯弯地向后曲着。肚底下那两只奶子果然不小，粉白色的奶尖儿像一对并着的桃。看见我们来，有些惊慌地仰着脖子，胡子和尾巴同时撅动着望着我们，似乎在表示，它是忠实于主人的。我向它伸过手去，它不知是胆怯还是羞怯地后退了两步，退到屁股挨到枣树的时候，它便顺从地站住，任我摸梳它的背。然后，我就将儿子的手伸出去摸羊。儿子看见羊并不觉得害怕，相反，倒很乐意摸，不仅摸，还揪住羊的毛。那羊把腰缩了一下，咩地叫了一声，儿子立刻缩回了手。我又将儿子抱到羊的脸前，让儿子摸羊的胡子，儿子不敢，倒好像羊闻到了儿子身上的奶腥气味还是什么感应，那羊竟亲近地把嘴伸到儿子的小手上闻起来。我把儿子抱回院里的时候，我听见羊对着我们咩咩地叫唤着。我儿子也极有感应，自从这一看羊，他就对那羊生了浓厚的兴趣。他再不乐意一个人躺在炕上玩了，他很想出去，出去看羊。尤其是听见羊叫，加上我妈给羊拴了只铃铛，悦耳的铃声更诱得小家伙睡卧不安，他就闹着哭着非出去，一旦抱出去看见了羊，他便瞪着眼睛一声不吭，哪怕看半天都流连忘返。于是，这一天的时间，我便被儿子实实地缠住，坐在街门墩上，把宝贵的时间泡到儿子和羊的会见里。

陶的情绪和昨天大不一样，母亲的形象在她心目中高大地站立起来，并默化为真诚的信任。趁我看着孩子，她用更多的时间帮妈做活儿，和妈叨实着话儿。此时，她们俩正对坐在厨房门口的小凳上搓谷，我的位置既可以看见她们，又能听见她们说话。我听见妈说：

"断奶可是不容易的。你的奶那么足，一下子断下来可难受。不过不要紧，妈给你一种草药，你喝上两回奶就少啦。"

陶说："听妈的。"

妈又说："妈还有个主意，可说了，怕你没有那种狠心。"

陶扑哧一笑，说："战场都能上得，还有什么狠心下不了的？妈说出来，我听听。"

"那好，我就说说。"妈停下搓谷的手说，"我要是你呀，从今儿个起就不奶孩子，一日也不奶，让他吃奶粉也好喝羊奶也好；今黑夜就让孩跟我睡，他再哭你都不要理他。这样锻炼上两天你亲眼看看，你走保准心里要踏实些。这狠心，你能下得吗？"

陶把头低下去，沉默了。我断定她的眼圈儿湿红了。我听见妈妈说：

"看看，我说你下不了狠心哇？不愿意就不要，妈只是说说。"

我看见陶抬起了头，脸色仿佛刚从浓重的硝烟中滚出来似的，说："妈讲得有道理，那……我就这样试试吧？"

妈更紧地挨着陶，无限依赖地端详着陶，给陶揩着眼圈儿说："这才像个妈。好孩儿咧，当妈的，心该狠时就要狠，妈不好当。"

这天夜里，陶真的把孩子交给了妈，是把孩哄睡后送过去的。半夜，孩子哭醒了，妈用陶事先弄好的奶瓶喂，吃两口不对劲儿，推开瓶还哭，哭得换不上气来。妈不住地摇，噢噢地哄，叭叭地拍被子打狼撵猫地吓唬，都不顶事，更加哭得伤心裂肺。儿一哭，陶的奶就惊，就自动往外流，这是条件反射。儿子在那边哭，陶在这边也哭。陶是一边挤奶一边哭的，我听见她的奶汁噗噗地淌在地上的响声。陶终于忍不住，披了衣服，像头猛狮似的冲了过去。

但没料，妈把门闩死了。

显然，妈是有意防着陶这一招的。我听见陶嘭嘭的打门声和撕裂的哀求声：

"妈妈，妈妈，我的好妈妈！让我进去奶他一口吧，奶奶孩吧！妈妈！"

妈一气不吭，仿佛根本没有听见。

陶又打门，又喊："妈妈，我真受不了啦，你让我进去奶孩一口就出来，只奶孩一口，妈妈！"

妈只顾"噢噢"地打着拍，仿佛在唱一支古老的歌。

陶发疯似的连敲带喊："妈妈妈妈开门呀！疼死我啦，我的儿哎！你的妈妈在这里，在……这……里呀！呜……"

这哀鸣回荡在小院上空，回答她的仍是儿子强悍的哭叫和他奶奶强硬的挟制。

这时我已来到门边，麻黑中我看见陶的泪脸贴在门上，一只手在撑起的内衣下顶着一个奶峰，一只手打那门，抠那门。那一个没有按压的奶子，尽情地把奶汁喷到古旧的木门上。她身体的重心都在门上，还有她决心的重量。尽管妈如聋子门如铁壁，她仍不肯放弃往前迈进那一步的希冀，一任不停地抠打，拼命地哀求。就连我这当爹的男子汉的心都呼塌呼塌地招架不住，我为妈的狠心而感到过分，忍不住把手伸到门上，想敲，想喊，替陶求情，为儿子求情。忽然，我听见远远地传来野狐狸的吼叫声。这是我童年时夜间经常听到也最害怕的声音，每听见这声音就往母亲身子底下钻。我想起有一回妈讲的一个故事，说老狐狸在奶小狐狸的时候，任何来自外界的威胁它都不能容忍，都会拼命保护它的孩子。可到奶大以后，老狐狸不仅不多奶一口，而且咬着赶着它的孩子离开它，甚至咬得血淋淋的，直到孩子离去。我问为什么老狐狸这么心狠？妈说：这是爱孩儿。老狐狸要是继续奶下去，这小狐狸以后就不会自谋生路，没有谋生本事就是害了孩子。那时我已经四岁，我就是那一次听了母亲讲这故事后，自己要求不与母亲一个被窝睡了。世界上每一种动物、每一个生命都有一个与母亲分离的阶段，我的人生在那时画了个分号。今天，虽然我的只有六个月的儿子不能叫画分号，毕竟是在他奶奶身边，但客观环境迫使他进行一次分号的预写，也是在情理之中。这是痛苦的。然而，难道妈愿意这样做吗？这一关都过不去，咋过战场关呢？我按下心里的伤情，托抚住那颗喷流的可怜的奶子，转而安慰陶。

我把陶挽回来的时候，她就像一只受伤的小羊，一头扎在炕上。泪水全倾淌在被子上。我劝陶睡，陶不睡。我把灯点着，我就搂着陶，我们俩就干坐着，期盼着儿子的哭声止息。儿子也许是哭累了，嗓子哭干了，也许是让他奶奶真给哄住了或是吓住了。渐渐地，听不到哭声了。

而这一夜，我和陶是穿着衣服靠着墙坐到天亮的。妈送给陶止奶的草药陶一点儿也没有吃，她还是挤，而且越挤越旺。

第二天妈对我说：孩子是躺在她怀里，小手摸着她的奶睡着的。妈一夜都是坐着的。

十一

在家的最后一夜，我醒得特别早，是院子里的灯光和窸窸窣窣的声音把我惊醒的。我穿好衣服出了门，发现在窑墙上先前供过佛而在土改时佛早被扫地出门的小窑窑里点着一盏麻油灯，一碗玉米豆里插着三炷香。父亲正跪着磕头，口里念念有词。我听不清他的每一句话，大概的意思是：菩萨大慈大悲，洞察万物，俺家祖祖辈辈都是好人，没有做过伤天害理的事情，让那炮弹枪子儿崩到恶人的头上哇……

父亲不停地念叨着，上半身向下一坐一坐的，头深深地触到地上，样子很幽默，很严肃，很从容，很虔诚。父亲弓跪伏叩的整个身子就像一张弯曲的木犁，实实在在全力以赴地耕耘着一片热土，那满面尘灰的头颅酷似古墓里出土的木俑，在昏惨惨的灯光下泛着带绿的光。我从父亲那木犁般身形和木俑般头颅，恍然看到我的祖先们与日月、神灵及黄土息息相关的沉重灵魂。我轻轻走过去，想把父亲拉起来，不料，这一沾手倒把我给粘住了。

父亲站起来把我拽住，脸对着我，厚实的胡唇急骤地颤抖着。莹莹的液体在深沟般的眼窝里涌动，但终究没有滚下那道黄土高坡。父亲的嘴角颤抖到极限，瓮声说："儿，天一明你就走啦，爹知道你要去打仗，爹看不见你，帮不上你。可菩萨能看见你，佛能帮助你。我儿，你就对着菩萨磕个头哇。听爹的，快！"

如果我还是小孩，父亲让我磕多少头都心甘情愿。我曾在过年时被父亲带着各家磕头，挣了许多压岁钱。而现在，我是不愿磕的，并不是多么看重自己。而是不能不看重军人与党员的身份。但不磕头对父亲来说是很痛苦的。我根本不去想象我磕个头究竟能不能感动菩萨，为我在战场上平安无事增加几分保险，只觉得面对我的是父亲而不是菩萨和佛的世界。

我愣住了。

"快磕哇，我儿，听爹的！"父亲又一次催促。

我终于跪下去——给爹跪下了。

我没有念叨菩萨的什么话——我沉重地唤了一声爹。

父亲说："就这也算，欠礼的地方爹替你补。"

吃过早饭要离别的时刻，陶跟妈作了个商量，说她想最后喂孩子一次奶。妈同意了，但妈同时又说：你要喂就等他吃饱了再喂。陶说行。我开始并不理解妈的意思，觉得要么就根本不让她再喂，要么就让孩痛痛快快吃顿饱奶，但我没参言。妈给孩子喂奶时是避着陶的，不让陶在场，不让儿看见他妈。我看见，当他奶奶把直打饱嗝的儿子抱给陶时，陶解开怀，褪起内衣，把一对憋胀的奶子送到儿子面前时，儿子却不吃，两只小手直往外推，再喂，孩子就抓，孩子的指甲像刀片似的尖利，一抓抓出几道血。陶痉挛地抬起手想打儿，但手落到孩子头上时，却把孩子的脸蛋搂在了胸上，让儿子的脸蛋贴着奶，紧紧地搓揉着。等到孩子抬起头来时，孩子的脸蛋上花花地涂了几片血，酷似初开的朝霞。朝霞脸蛋哈哈地笑着或是唼唼地哭着，似乎想叫一声妈，但他不会叫。陶的眼泪掉在孩脸蛋的血斑上，那泪水立时也给变红了。妈看见孩脸上的血，吓了一跳，赶紧跑过来问：

"孩儿哪儿破啦？"

陶没说什么，只顾抱着孩子舔，舔那涂血的小脸蛋。她贪婪地舔着，用力地吻着，一直把小脸蛋上的血舔干净，然后，深深地，深深地，久久地，久久地亲了孩子一口。

妈说："该上路啦。"

陶说："啊，该上路啦。"

但她仍迟迟不把孩子交给妈。妈又说该上路啦，孩却死死抱在她怀里，不肯放手。我都有些担心，担心陶反悔或是再出一个什么缠肠的枝节。

妈又一次说该上路啦。孩子仍在陶怀里，小手紧紧地抓着陶，好像他预感到了这一切似的，好不容易才被妈强拉硬夺地扯出来。孩子哇地哭了。妈掀起衣襟，让孩子抓住自己的乳，并且摇晃着转着圈儿走。孩子抓着他奶奶的乳转到羊跟前就由大哭变成哼呜了，妈的从容与陶的不安形成了鲜明对照。陶走出几步就又站住，眼望着妈怀里的孩子。妈又一次喊着撵，同时又不可等闲地哄着孩子：

"走哇，快走哇……噢噢噢，小羊儿乖乖把门儿开开！……快走哇，别牵挂孩子，也别牵挂妈！……噢噢噢，我的好羊儿……"

妈的声音渐渐地消失了，还有羊脖子上那叮叮的铃声。

当我们坐上公共汽车的时候，我看见羊倌站在山包上，看样子他早就在那儿望我了。他的身躯像长在或死在地面上的老树杈子，立在那儿一动不动，湿漉漉的眼中有两个很亮的光点，我紧盯着那两个光点，直到汽车启动之后，耳边飘来了那支颠碎了的歌。我知道，那歌是因我而唱，那支土歌里注入了对我和妻子的全部祝福和爱。

十二

"哥哥，你醒醒！"好像有人在摇晃着我。

"怎么，到了？"我说。

"什么到了？"

"战场，阵地，前沿！"

"这不是行军，行军是半个月前的事，你已经打了半个月仗了。你是在今天凌晨挨了炮弹震昏过去，睡了将近两小时。但你没事儿。"

我问："你是谁？"

"我是你兄弟。"

"我没有兄弟姊妹，我是独生儿。"

"不，你有兄弟，你好好想想。"

"我不用想。我家几口人我又不是不识数，我没有兄弟。"

"不，你有，有兄弟，兄弟没忘了你，一直跟随着你；你也没忘了兄弟，一直带着我。"

"你在哪里？我怎么看不见你？"

“我在你的身子底下，我一直贴着你，暖着你。”

这时，我觉得我的确是在他的身上，他的身子软绵绵热乎乎，像不可捉摸的白色气流，贴实自如地托抚着我的全身。我问：

“你姓什么？叫什么名字？”

他在我身下说：“我姓羊，名字也叫羊。”

我用不着惊讶，因为这曾是我童年时不可否认的事实，今生不容忘却的存在，我看见它已经微笑着把脸触到我的腮帮，看见了它那一双黄铜钱似的眼睛、毛瓜儿似的嘴巴和一对不长的角。“原来是你呀，我的同胞羊兄弟！”我喊了一声，但它没有回答。我又喊了一声羊兄弟，它仍没有声音。我伸手抓它抱它，只抓着一块羊皮。

这张羊皮具有一种先天的温暖，唤起我内心深处一种遥远而亲切的记忆——那天傍黑，母亲抱着我那被人偷杀了的同胞羊兄弟哭干了眼泪，让父亲背到山里去埋了，但其实，父亲没有照母亲的吩咐做。父亲还没走出村子，就闻到了不知从谁家锅里飘出来的煮羊杂碎的香味儿，父亲闻到这香味儿就停住了脚。庄稼人一年到头清汤寡水见不到一点油腥儿，眼下都在准备过年，过年家家户户再穷也要吃点儿荤，整个世界都在对牛羊猪大屠杀，羊生来就是人的一口菜，这只肥鲜鲜的羊为什么要囫囵个儿埋了呢？养大不吃埋了，那么养它干什么呢？香喷喷的羊汤气味飘进父亲的鼻孔，渗入到父亲的肠子里，使父亲的空肠激烈地翻滚。父亲恍然觉得这是一件傻事儿，就毅然改变主意，把羊交给了羊倌。父亲悄悄对羊倌说，把羊给你，我只要一张熟好的羊皮。再就是到你这来喝碗羊汤吃顿酒。这笔瞒着母亲的简单交易在月底就全部兑了现。羊皮熟好后父亲一直不敢马上往家拿，在羊倌那儿放了许多日子，直到过了夏天立秋以后，父亲才把羊皮揣回家。父亲对母亲说：“你看这块皮子好不好？”母亲说：“哪弄来的？”父亲说：“买的。”母亲问：“多少钱来着？”父亲说：“你猜猜。”母亲看着这羊皮，干净，雪白，光亮，柔软，尺八宽，二尺二寸长。是一块顶好的羊皮褥子哩。“熟皮师傅手艺好，你看那针脚多小多密！”父亲在一边指点着说，可是，母亲认出来啦——这是她奶大的那羊——她那个埋了的“孩儿”！

“哎呀！”母亲忽然爆发出号啕，“你咋这么心狠？到底还是把它给剥啦，你……”母亲用拳头捶打父亲，父亲不躲，任母亲的拳头在他的肩上擂鼓似的扑腾。打够了，父亲喃喃地说：“羊本是畜生，你用奶把它喂大，就够积了阴德，天地都对得起啦，留下这张皮，就算做个冥记哇。”母亲又哭，又打。父亲很任打，或者母亲的拳头实在打不疼他，父亲故意生气地说：“那就算啦，我把它卖了再不就去埋了！”母亲却收了拳头，把羊皮紧紧地团在她的脸上，那一脸泪水都被羊毛沾尽了。

从此，我就有了一块羊皮褥子。

但我并不知道它就是我那同胞羊兄弟的皮，总以为生活本该有一块羊皮褥子的。直到当兵时，在县城换装，浑身脱得精光，里外换上新铮铮一身黄，这时母亲从家里步行五十里赶来了，母亲带着一个印花布包，包里包着那块羊皮褥，母亲把这羊皮褥的来历告诉了我，要我带上暖和做伴儿。我很想带，但怕接兵的官儿训。母亲就找接兵官求，当然她没有说这张羊皮的不寻常历史，她怕部队首长把我与畜类联系在一起影响了我的什么。母亲只说我儿睡惯了羊皮褥，一下子拿了怕肚寒。接兵官说你放心吧大娘，到了部队冷不着，部队经常搞轻装，家里的一条线都不能带。母亲站在寒风中一直望着接兵官的脸，接兵官不再看她了她还望着接兵官，接兵官已经走开了她还在人家身后跟了几步，又站住。嘴张了一下，又抿住。接兵官发出"整队上车"的号令，这时，我看见母亲目光里的希求骤然凝聚成了泪水。但没有淌出来，很快就用自己的手背揩掉了。她不愿意用眼泪送别我。车子发动的时候，父老乡亲们都朝前涌来，母亲也拥进了欢送的人群里，但在那几百个人的面孔中，我都能一眼认出我的母亲，那是一张比山里任何一个母亲都枯寒都刚强都富有个性魅力的脸。母亲终于失望地带着羊皮褥子走了，那块羊皮褥一直袒露着抱在她的怀里。没有再裹进印花布包，也许母亲觉得那并不是一张皮，而是她曾经奶大的、包袱包不进去的、浑身搏动得使她坐不稳的她的那个"孩儿"。她把我送走了，那一个"孩儿"留下了，或许她仅仅是带着那个"孩儿"一起来送送我。车轮转动了，我似乎听见"咹咹"的声音，不知是母亲在哭还是羊兄弟在叫，抑或是谁唱起一首忧伤的民歌，我不认为这是我听觉的模糊，因为我觉得民歌的形成与发展原来就是与羊叫有很大的借鉴关系。

第二年秋天连队吃死螃蟹中毒，我的肚子好长时间不舒服，有病就想家，一想家就想到母亲含泪带回羊皮褥子的最后背影。我就让母亲把羊皮褥子寄来了。我背着别人把棉褥子撕开，把羊皮贴在棉絮里，又缝上，很舒服地睡了一夜。但在第二天早晨，班里整内务，往常大通铺保持一抹平，我的褥子突然高出三公分，值日员怎么抹也抹不下去。一声号响，全体集合，连里进行内务大检查，我的褥子理所当然地被提到队列前。

连长狠狠撕开褥子，羊皮赤裸裸地暴露在众目睽睽之下，像那只可怜的羊刚被杀死一样。连长的面孔与口令摄人心魄。全连骤然凝聚成了一群雕像，一切个性的东西全部消失，每个人的目光、呼吸甚至欲念全部锁在连长的嘴上，还有他手上那块带"毒"的羊皮。连长喊了我的名字令我出列，我就乖乖地出列。我高大地站在众士兵面前，矮小地站在连长面前。连长把羊皮褥子甩给我，说："先查清思想，然后再宣布处分！"我的心跳得非常激烈，羊皮褥子攥在我的手上团在我的胸前，我开始哆嗦，我感觉到羊皮也在哆嗦，或许是那没经过这场面的羊兄弟先哆嗦引起我的哆嗦，我用可怜的目光望着晨光中每一个威严的面孔，如同弱小的羊羔无力反抗只好实话实说。我就讲起我生下来没奶吃，买了奶羊带了小羊，日本人的枪弹给我母亲惊出了奶水，日本人抢走了母羊，我的母亲当了我和羊羔的母亲，我与羊羔共乳和争乳包括同担逃荒，羊羔代母看我与我为伴，羊羔被偷杀母亲不让吃，父亲偷留了这张皮……说到这时，我看见所有的人都在流眼泪流鼻涕，我就停住讲，张着嘴望了望连长，我看见连长的泪水已淌到胡碴上。我不知道我该不该继续讲下去，要知道这是在对我违纪的批评，是我对违纪行为的检讨呀！连长见我不讲了，说："讲下去。"声音像铁球蹦进瓮罐里似的又闷又响。我没有再讲什么，我把羊皮褥放在地上，褪起裤管露出大腿上那个与羊争乳时被羊蹄蹬伤的印儿。我看见这个记录着我童年特殊经历的不朽印记同时也深深地印在众士兵的心里。队列突然响起了"牢记阶级苦，不忘血泪仇""打倒日本帝国主义"的口号声。领呼的不是士兵而是连长。我觉得连长过糊涂了日月，他把批评违纪与忆苦大会混淆了或是颠倒了。呼完口号他就泪迷迷从地上捡起羊皮褥子，举在手中，宣誓似的说："同志们，这真是难得的一课！"说完这他似乎才想到处分问题，他眨巴着泪眸，使劲地抿了几下嘴，缓声说："至于这褥子，本连长决定：白天放在储藏柜里，晚上铺。解散！"我的羊兄弟，从现在起，我又可以和你合法地相随为伴了。我用我和羊兄弟，当然还有我母亲的全部热情，向连长敬了一个沉重而轻松的军礼。

这以后我就天天晚上铺着羊皮褥。兵们说我的身上有一股羊臊味。我说这味道不能少，就跟一个在轰鸣的机器旁干惯了的老工人一样，让他到安静的环境里反而觉得浑身不舒服。我睡在这块羊皮褥子上，就觉得更贴近太行山，更贴近母亲。闻到羊的气味就加快了血液的流动，我的毛孔就放大了，放松了，不仅仅是身体的温暖，心里还有一种安全祥和的感觉。也就从这以后，每年新兵一来，连里就让我讲与羔同乳的童年苦难，控诉日本人。我一直认为，我入党提干那么快，与羊兄弟的帮助有极大关系……总而言之，虽然我与羊兄弟不是同类，又在阴阳两地，这羊皮褥子就像一条连接我与太行母亲的脐带，连接着我对乡土的热恋和对母亲的思念。就是在这险恶的雪线战场，我就知道为谁而战。我对妻子说："如果我有什么好歹，你把我埋了，你把这块皮子给我带回去。"

然而，从上了战场以来，我一直没有见到陶，也没有收到她一封信。我不知道她在哪一个救护队，驻在哪一块营地。枪炮声毁灭着我的记忆，歇下来思念又像一块粗糙的磨石搓磨着我的心灵。风雪暴烈地吼啸着，我躺在冰冷的雪洞里身铺着羊皮褥子，就想到了母亲，想到了儿子，想到了我妻子。儿子正躺在他奶奶的怀里，儿子不冷。陶身体苗条单薄，刚坐起月子，她不能受冷，她经受不住这雪线的奇冷，着了冷落个终身腰痛病。在我的记忆中她还没有病过，最大的一次痛苦是生儿子时的号啕。那天我站在门外，听到她那尖厉如狮吼的号叫声就使我痛得打战，恨不能撞进去替她分担，可护士挡着不让进，护士说男人一律不准进产房。完全可以想象到儿子是如何地在陶的一声声血淋淋的号啕中一节节拔出的过程，而这个难忘的痛苦过程儿子是永远不知道的，这痛苦永远属于母亲。等到护士把没有血色、耗尽力气、带着淡淡的血气和药水味的陶推回病房时，我热泪盈眶地说你太痛苦了，她却微笑着说我很高兴。我说我都听见了，你哭。她说每一个女人都是在号啕中变成了母亲，再痛也要生孩子。她还说她号叫不光是痛，还为了壮胆加劲儿让孩子快点解脱憋闷的痛苦……想到这情景我就半宿地睡不着。我要设法把羊皮褥子捎给陶。

就是在我与羊儿"对话"的第二天，我碰到一个救护队，经打听，都不认识我妻子，但有人认识院长。我就把羊皮褥子交给了那人，让其带给院长，再让院长转给陶。羊皮褥子捎走一个多月了，我却没有得到一点儿回音。我失去了与妻子，与羊皮褥子的一切联系。

战争结束的时候，一个女人打来一个电话，是陶，是我的妻子。但是，只讲了几句就断了。我从洞中钻出来，望着蓝色的阳光，反复回味着与陶的那几句比黄金还金贵的对话：

"你还好吗?"她先问我。

"我很好，你呢?"我激动地问她。

"很好，就是想念咱的孩子。"

"你现在哪里?"

"已经撤下了山，住在 88 医院。"

"怎么，你住院啦?"

"负了点儿轻伤，就快好啦。"

"伤着哪里啦? 要紧不要紧?"

"……"

"哪里受伤啦? 哪里? 请告诉我!"

"……你捎来的羊皮褥子……"

就到这断了，好无情。

一个中午，我走进 88 医院，在一片肃静中沿着长长的床铺寻找，病房里一个人也没有，病号好像都去打饭或是干什么事情去了。忽然，我看见一张病床上放着一块穿了几个弹孔的羊皮。我愣愣地停住脚，愣愣地盯了几秒钟，然后抓起来，揣在我的怀里。

我听见了军号响起的声音，军号响毕之后我仍愣愣地站着。这时，我隐约地听见一个女中音唱起太行山的歌：

草根根苦哎，
土疙瘩瘩里埋。
长出了那个嫩茎茎，
孩儿呀。
都是娘的奶。

草根根深哎
土疙瘩瘩里埋
苦不死那个芽芯芯
孩儿呀。
还是娘的奶……

十三

回去接孩子已经是第二年春末了。

开往平东乡下的公共汽车在春的气息里奔驰着。太行山的颜色明快而清朗，那黄土高坡、墨灰色岩石和绿草的色块，酷像一个穿着补丁衣裳从寒冷的冬夜中复苏的老人。陶的兴致极好，一路不断地问话，我便有问必答，如同一个热心的导游。

陶问："太行山有多大？"

我说："北自燕山，南至焦作、济源，古称七百里太行，其实不止七百里。"

陶抿嘴一笑："这么说，那老愚公和他的子孙们就根本没有搬一块，神仙也没下凡帮他们背？"

我说："那是神话。"

陶又问："那么，娘子关也是神话吗？为什么叫娘子关，而不叫汉子关、男人关呢？"

"娘子关不是神话是史实。史载唐太宗之妹平阳公主统领娘子军驻此设防，故而得名。"

"平阳公主那女人也打仗？真不简单。"

"你更不简单，你比平阳公主还平阳公主。平阳公主戎马在长城关隘，你战斗在世界屋脊，而且是扔下六个月的吃奶孩儿。"

陶嗔怒地捂我的嘴："去去去，别给人涂脂抹粉啦，我可不是什么公主。"

我说："你是，你是公主。妈对我说过：人家是城里人，干部女，又是头顶上缀星星的、肩膀上戴豆豆的郎中，看得上你这土孩子，实在是公主下嫁平民。"

"你瞎说！"陶又伸过手捂我的嘴，这时，老羊倌的歌声从山坡传来，那是一首我小时候常听他自扮男女声对唱的情歌：

山丹丹开花，
六瓣瓣红，
为甚不见你，

哥哥呀，
来提亲。
石板上栽花，
扎不下根。
生就俺不是，
妹妹呀，
你的人。

尽管我知道这歌里抒发着他对我母亲的深深恋情，但今天，我听了却不感到脸热，反而愿意听。因为它曾经是一段抹不掉的历史的存在。世界上每个人都会有怀旧感，无论是悲伤的还是幸福的，公开的还是隐秘的，都有权利通过歌或是别的什么形式怀念昔日的梦。老羊倌破碎的旧梦已经唱了一辈子，作为晚辈的我，不仅应该理解他，而且应该去看望他。我这样想。

陶也被这新鲜的歌攫住了。她说："这老头儿真有意思，歌也唱得有意思极了。不过，要是让他的儿子、孙子听见了，多难为情。"我说："他没有儿孙，孤苦伶仃。他的歌是唱给羊听的，唱给草听的，唱给山听的，唱给他自己听的。"陶哑然地望着，这时，老羊倌的歌声忽然止了，我看他的身子转过来，他已经看见了我们，显然一下子就知道山路上出现的一对年轻军人是谁，他的表情肯定是很尴尬的。但我离得远，看不清。只看见他张着嘴呆呆地望着我们，抬起袖口来擦了一下眼睛，又望着。

回到家的时候正是午后。一走进阳坡街我就望见枣树底下——妈妈、儿子和羊。

妈正拿着剪刀，将一把青草一剪一剪地剪碎给羊吃；儿子站在羊跟前，手抓着羊背，啊啊地叫唤着拍那羊；羊一动也不动，安详地嚼着碎草叶子，任他侍弄。我照旧是激动无比地喊了一声：

"妈！——"

不，是陶先喊的。只喊了这一声，我妈就抬起了头，看见了我们。还是上回初看见我们时的情景，先惊叫一声我的名字，同时对我儿子说了声"恁妈回来啦"，抱起孩子往前扑了一步，然后又站住，笑盈盈举着孩子，等待着我们扑向她，扑向孩子。上回走的时候没掉一滴泪，这会儿平安地回来了，反倒泪如雨下。陶最先伸出手臂，连妈带孩一块儿紧紧抱住。妈一边哭，一边笑，哭着笑着把孩子交到陶的怀里。

那羊儿看见了我们，先也是怯生生地翘着头，机械地转动着脖子望着，旋即就咩咩叫起来，抽着脖上的绳子，在有限的、满是它的花瓣蹄印的地盘上蹦蹦跳跳，耳朵嗒嗒地像风吹树叶似的颤动着，俨如久别重逢的故交一样激动和亲切。但它只能像圆规似的在枣树下画着一个一个的半圆。妈把孩子交给陶，羊更叫得激烈了。

妈说："看着急得你，比我还喜煞啦。"妈解开了绳子，那羊就叮叮地跑在我们的前头，像主人似的领着我们回到屋里。然后就转回头站住，客气地望望陶，望望我，又拱拱我妈的腿，发出一系列唛唛的颤声。妈说："甭叫啦，都到家啦，你也歇着哇。"羊就不叫了，就在炕火门边卧下了，但仍然很有精神地望着我们，望着孩子。

孩子已经是一个地地道道的山西乡下娃娃的打扮了。羊皮兜肚长命锁，锁上那一对银制的老虎铃铃威武、绚亮，更增添了几分虎气。加上羊皮兜肚的一圈儿毛毛，乍看活像一头小狮子。他已经不认识他的妈妈了，一抱进陶怀里就开始哭，就伸着小手要奶奶。我妈一个劲儿地哄说：

"孩子，那是恁妈咧，恁妈想煞你啦，你该让恁妈抱哩。"

可是，孩仍不让他妈抱，哭得更厉害了。陶强行抱他坐在炕沿边，还哭。陶一边唤儿一边哄，同时满怀着一种歉疚和补偿，麻利地掏出奶穗，让孩子吃。孩子不吃，用手推。唰唰的奶汁从陶的奶头尖喷射着，呲得孩子从脸往下流。我看见妈有些吃惊这奶，因为妈曾给过她止奶药，又隔了几个月，这奶却足如当初。其实，那药陶一次都没用过，几个月的战场生活，陶都用按时挤奶法保护和保存了儿子的奶汁，这是痛苦的，也是麻烦的。但是，她认为她不能仅仅是一个军人，更神圣的是一个母亲。她把奶给孩子保存到今天，重新负起母亲的责任。我看见妈一想就知道是怎么回事，并且变惊讶为赞许了。

陶仍在捉按着孩子要奶，然而，恼急了的孩子猛一蹬，又一挺，像个泥鳅似的滑到炕上，连滚带爬地去找奶奶。奶奶抱起了孩子，孩子立刻不哭了，脸埋在奶奶的胸怀里，像藏猫猫似的遮着脸儿。陶指压着冷落的奶喷，眼里噙着泪花，无可奈何地望着背过脸的儿子。那心情，凡是做母亲的都能领会到。我仔细地审视着儿子和母亲。我发现儿子确实长个儿了，长胖了，长结实了，他已经从爬爬站立起来，他都会走了，比幼时的我进步了一个半月，红红的牙肉上长出了两对小牙，而母亲却苍老多了，消瘦多了，只剩下两只眼睛了。我知道，这是为我上战场忧的，替我带孩子累的，妈不是像带我时那样带法，带我那时妈年轻，体力精力都行，可这是给我带，给媳妇带，又是在这种情况下带，心格外操得多，而媳妇又有那么多的苛求。我看见妈的指甲盖儿都剪了，我知道那是为了孩子，也是怕媳妇嫌弃，是媳妇作用的结果。唯独没变的是陶带来的那么多药，一点儿也没用过，原封不动地放在窗户台上的小笸箩里。这使得陶也不无庆幸和万幸地专注着孩子脖上的长命锁。

这时，孩子忽然抬起了头，我看见那一双酷像我的眼睛。但他仍不看我和陶，他用小手扒着奶奶的胸脯。陶说："想睡啦？"

妈挤挤眼："不，他该吃啦。"

妈抱着孩子去了厨房，陶也跟着去了厨房。不多一会儿，妈抱着孩子又过来，陶也跟着过来，手里晃动着一个奶瓶，奶瓶里是热好的鲜羊奶。妈进了屋就坐在炕沿边，陶就伸过奶瓶喂，可儿子仍不要，不衔那奶瓶嘴儿。陶有些生气地说：

“儿呀，难道你还不认妈妈?!”

儿子瞪着怯生生的小眼睛望着她，但没有再哭的意思。妈说：“看我的。”

妈把奶瓶接过去，陶伏在妈的肩背上，看着孩子如何吃。我也在聚精会神地看着这一幕。我看见妈解开衣襟，把奶瓶贴着肉，夹在胳肢窝里，孩子一只手抓住他奶奶的乳，一只手抓住他奶奶捉奶瓶的手，嘴衔着奶瓶嘴儿咯咯地吸。造成一种吸他奶奶的乳的幻象。所有这一套动作，都配合得恰当自然，天衣无缝，形成一种习惯了。陶看着这独特的喂奶方式，看着看着就忍不住笑，笑着笑着就忍不住哭了。既哭老娘，又哭孩子。哭老娘受累，哭孩子遭罪。终于抑制不住爆发出一声：“我的妈妈呀!”

两代经受过不同的战争创伤的母亲，与第三代生命紧紧抱在一起。

父亲还是那么晚才回来。父亲开始不知道我们回来。父亲一放下筐子就在院里喊孙子：“喂，小臭乖，爷又挽回草来啦，快来喂羊羊哇!”当我和陶迎出来的时候，父亲的眼圈儿瞪展了一下，然后就慢慢地收拢，继而就哆嗦着嘴角将眼完全合闭，又慢慢地睁开，这一合一睁好像轻松地度过了一个好不轻松的世纪。父亲摇动着一头土发，慢慢现出微笑，形同刚被观音菩萨从五行山的重压下解救出来的孙行者。我紧紧握住父亲的手。父亲也紧紧把住我的手。陶扶着父亲的胳膊。我们回了屋子。

陶说：“我们回来啦，爹。”

父亲说：“啊，回来啦，好。”

陶又说：“我们走了后您老人家可累苦啦。”

父亲说：“倒也不苦，庄稼人，天天苦，只就是担惊，受怕。这会儿都好好地回来啦，好。”

我说：“爹，其实真上了战场也就不害怕啦。”

爹瞪了我一眼，说：“可不敢说那话。恁都平安地回来，是菩萨的保佑。恁走了，爹天天给菩萨说好话。”

父亲说完后长长地出了一口气，又深深地闭了一下眼，然后对妈说：“孩子们都来啦，明儿个，打壶酒，喝两盅。”

妈说：“没菜。”

爹说：“炒个萝卜条条就行，该喝咧。”

妈问陶：“媳妇，你说吃甚饭好？要不再磨点豆腐，吃黄面蒸饺?”

陶说：“吃小米饭，我要好好吃顿太行山的小米饭。”陶说完脸微红地看了看我，只有我知道这顿小米饭对陶的特殊意味。

可是，还没等到明天，到天将黑的时候，父亲就一声不吭地到供销社打了一壶烧酒来，但不是他喝，他把酒全倒在碗里，然后恭恭敬敬地端到屋墙前那个“庙台子”里。我看见他先希求地看了看我，想叫我去，但他马上看见了媳妇，他怕媳妇不信这生出什么心理，便没硬叫我，自个儿把酒放好就跪到那里（替我跪到那里）磕起头来感谢菩萨。我觉得菩萨当然是好，但最需要感谢的应该是什么呢？……这回我不仅没有去搀父亲，反而别过脸去，眼睛直直地望着混沌的天，恰如一个头脑空空的木俑。

当天夜里，孩子就和陶睡在一起，是我妈把他送过来的。孩子开始不干，我妈哄吓着硬留下。好不容易撕脱身，我妈就再没敢进这屋。半夜里，又出现了一个与上次的情景倒过来的相似的情景：孩子在这边哭，我妈在那边哭。但我妈绝对没有来敲门再抱过去的意思。最多在忍不住的时候喊几声："俺孩儿不哭啦，奶奶在这给你打猫猫哩！"倒是拴在院子里的羊好像比谁都沉不住气，嚓嚓地用蹄刨着地，叮叮地震着铃铛，咩咩地对着门叫。陶说：

"你听，它也惊奶啦。"

十四

每天晚上歇下之后，总会听见街门口有人的走动声，不像是过路，是走走停停，停停走走，来回一阵而已，又总是那个时候。陶觉得奇怪，说我是不是出去看看。我说没什么。我知道，那是羊倌。

就在我回来的第二天，我就与母亲说起了羊倌的事。母亲说：

"恁俩把孩子送回来以后，那老汉儿家可兴透啦，差不多天天要在街门口转几遭儿。碰上我和孩在枣树地时，他就嘿嘿地笑着看着孩，逗孩，他对孩说：'好乖儿，等你会跑了跟爷爷上山玩儿，山上有好多的蚂蚱，爷爷给你逮蚂蚱。'"

我完全理解这老人家的心：他是把对我母亲少年时的恋情移寄在了我和我儿子身上了。我说："我应该带上两包点心，和陶一起抱上孩子去看一看他老人家；或者把他老人家请到家里来聚一聚。"

母亲不假思索地说："不，不用啦，恁爹刚去看过啦，吃的也给带去啦。你不要去，他也不要来。"

母亲说这话的时候是低着头说的，手指头无聊地抠着枕头上的补丁。透过这不自然的动作，我看见母亲心中的一块陈旧的龛影。如果说当年母亲用一块现洋买赠一个女人是为了与羊倌断情，保持她自身清白的名节，那么在我当兵之后，尤其是当了军官的如今，母亲不让我与羊倌见面，除了继续保持她的清白之外，更重要的是为了我的名声——母亲唯恐我与羊倌的接触使村里人将母亲与羊倌有过的私情相联系而玷污我的什么。但我是实实在在应该好好回报羊倌的，不应该间接地传递或转送。这很使我心里不舒服，觉得母亲不够明朗，其至是一个很大的短处。羊倌心里很痛苦，也许母亲心里更痛苦。"也罢。"我对自己说，"不去就不去吧，听妈的。”

然而，我没有想到，这次带子离别故乡的时候，在父母亲面前没有洒下的泪水，竟然毫无吝惜地洒在老羊倌面前。

当我和陶抱着儿子坐上公共汽车的时候，当汽车嗡嗡启动的时候，我看见老羊倌一手拄着羊铲，一手举着一根细棍，棍头上用绳子拴着一个蚂蚱，正向汽车这儿跑来。我的心一下子裂开了：那是他老人家送给孩子的玩具——他曾答应给孩子逮蚂蚱的，现在的季节蚂蚱也许刚出生，很不容易捉到，他肯定是知道我们要走以后，寻遍了草丛而匆匆赶来的。他为孩子而来，为送别我们而来。陶望着跑来的羊倌惊讶万分，她似乎问了我一句什么，但我没有听清也顾不上回答。我的目光盯着飞跑的羊倌，我看见蚂蚱在羊倌举着的棍头下抖动着，疾跳着，那是他的一颗跳出来飞起来的心。老羊倌根本没有看到脚下的石头，我看见他被石头绊倒了，但他似乎不认为自己被摔了一跤似的，很快又拄着羊铲站起来，继续追着汽车奔跑着。他是那么高大，那么干瘦，那么执着，那么忘我而强烈，泪迷迷的眼睛里噙着两颗明亮的太阳。看到他飞跑就使我想起当年他抱着我母亲和我飞逃的情景。但这次飞跑所达到的目的地难度似乎比当年还大得多。我看见地上的小草在他脚板踢腾的粉尘中蒙住，他的脚几乎是在小草头上飞翔，我甚至听见从他的喉部发出嘿噜嘿噜的喘息声，犹如“孩儿孩儿”的鸣叫。我向司机喊了一声：“请停一停！”但司机没听见，或者听见了故意不停。终于，他的步子追不上飞动的车轮，他的身影越来越远地甩在了车轮后头，在滚滚的烟尘后面，我看见他奔跑的速度越来越慢。终于歪歪趔趔地站住了，他的身影越来越小，越来越模糊。最后变成了如同山脊梁上的一堆枯草，一块石头。我听见陶小声说：“羊倌好像是追我们来的。”

我抹了一下眼泪，大声说：“是的！他想送送我们，亲亲孩子……”

我意识到我有些失态，后面的话没有说，我想——我欠了他老人家的情。但这怪我母亲，这正是母亲身上的一个可以理解而极不近情的缺点。我同时想到，世界上任何事物都有它的缺陷，任何完美都是许多缺陷的统一。我父亲所具有的个性和羊倌身上表现的个性合起来，才是我黄土家族完美的父亲。

十五

事实上，作为儿子，念母之情几乎无时不有。苦于山高水长，天远地隔，纵有报答意识却无法尽心。而母亲很理解这一点的，从来不要求儿子和任何人报答她的什么。

我把儿子从老家接回来后，院长曾经来看过一次，还送来一箱炼乳，说这是补给孩子的。陶说孩子并没有少吃了奶，这炼乳应该补给他奶奶。陶还说院长看见了孩子的长命锁。院长认得那是太行山的长命锁。院长谈起了他在太行山打游击的事。院长说太行山有一位大嫂曾经用奶水给他洗好了眼睛。建国后他曾写信给那大嫂，可他只知道那大嫂姓张，不知道叫什么名字，写了两封“张氏大嫂收”的信都退回来了。但院长心里至今还记着那大嫂。陶说：“我总觉得那大嫂好像就是妈妈。”我说：“你对院长说啦?”陶说：“我才不想攀这门亲呢。不过，如果能把妈接来，相见一下也是一件美事，尤其给妈治病有好处。”我说：“妈不能坐火车，要是能，你坐月子的时候就来了。更何况，如果你这样给妈一说，妈才更不来呢。妈说过：‘在帮难的时候挨得越近越好，在得谢的时候躲得越远越好。’”陶说：“妈是这种人。可我们做儿女的……”陶就把炼乳原封不动地寄回了太行山。

以后每年母亲过生日，或是中秋、春节，我和陶都要给母亲寄些好吃的。母亲每次来信都说她好，以后再不要寄这寄那了，把钱都用在你们身上，用在孩子身上，好好为人民服务不要想她。

一九七六年夏天，我正在西北戈壁带着一个团执行任务，父亲来信说母亲不想吃东西，浑身没有力气。参军以来这是破天荒第一次告诉我母亲有病。我知道母亲的刚强性格，从来对病不当一回事儿，更不愿意让在外的儿子知道自己有病，这封信肯定是父亲万不得已背着母亲写的。尽管信上一再说：“不要怕，也许不累事儿，你不要着急，能回来就回来，不能回来就不要回来，国家的事儿要紧。”但我估计母亲已经不行了。陶和儿子都在南国，无法商量，我便请下假来，踏上了回家探母的旅程。

在县城没有赶上公共汽车，我便截了一辆拉煤车往家奔。这时候平东县的土马路已经通到了我们村，我家下边的阳坡地成了公共汽车的终点站，往上走几个圪台就是我家街门口的枣树地。正是午后四点钟，人们都在地里忙活儿，只有闲拴的毛驴发出烦躁的叫声。踏上圪台我就直瞄瞄向枣树地望去，老枣树不安地摇着头，向我透露着模糊的感情。枣树下没有母亲的身影，只有那只羊——那只奶过我儿子的羊卧在树下，奇怪的是：它前腿跪在一件夹袄上，我认得那是我妈穿的那件灰布大襟夹袄。羊的眼睛微闭着，两行长泪淌到鼻，皮毛不整，尾巴瑟抖，脸上有多处碰破的血痕。那羊看见我就张了一下嘴，但没有唤出声，发蔫的眼睛随即又合上，眼泪随即又涌出一股，就把头又搁在袄上，仿佛沉浸在一个不愿打断的悠长的梦中。我以为它受伤了，就心痛地叫了一声“羊儿”，俯身去扯那袄，它忽然像狮子似的张开嘴，向我愤怒地龇吼一声，那袄扒在它的双膝下跪得更紧了。我把手缩回来。羊啊，你这是咋啦? 惶惑中，我看见了枣树上贴着的大白纸，看见了街门上贴着的整幅的大白纸。那覆盖着枣树美丽河流风景的凶恶的白纸，那铺满整个大门的恐怖的白纸，已经告诉我一切！

“妈呀！——”

我一头撞在可怕的白门上，再没有往门里望一望的勇气了。只觉得天地间白茫茫一片，整个太行山，整个世界，是一块巨大的白纸，空荡荡地飘忽着，碰撞着，抑或我也是一张白纸，云天驾雾地飘摇着，碰跌着。白纸在青灯中燃烧着，卷曲着，抽搐着，后来定形，静止，成为一团焦黑……我看见老父亲佝偻着，眼含泪水从院子里迎出来，声音喑哑地说：

“恁妈老啦。孩呀，到今儿个埋了第七天啦。给你打了电报，就等你回来咧，可你一直不回来呀孩，恁妈等不回你来，恁妈再不能等啦。我对恁妈说孩公事忙，回不来啦，埋了你哇。恁妈就埋在西堆圪梁那个阳坡洼洼里。”

我无法承认这个事实，但我不得不承认这个事实。我问母亲怎么死的，父亲说恁妈没甚病，她是老煞啦，就像一根灯捻烧尽了灯油一样悄悄地灭啦。村民们也都说我妈是无疾而终。

母亲一九七六年开始觉得不太能做活儿，但她不愿意躺在炕上，喜欢在枣树底下坐，看来来往往的人，晒太阳，两眼望着路口我应该出现的方向。后来通了公共汽车，母亲在枣树下铺一领席子，放一把茶壶和几个碗，无偿地招待过路的客人。母亲坐在枣树下，就像一棵老树，所有的鸟雀都要到她树上筑巢，所有的客人和过路人都喜欢来这喝碗水，坐一坐，说会儿话，就是司机也都到我家来加水。至于本村村民们就更不用说，打我把儿子接走后，这羊下的奶母亲一口也不喝，全送给了村里最需要吃奶的孩子们。我和陶寄回来的炼乳、糖果和点心，包括每年一树脆枣，母亲大都送给了生病的小孩或坐月的媳妇。母亲只知道别人，生就没有享受意识。村里的第三代第四代人都知道她，都喜欢她，都唤她奶奶或老奶奶。

母亲背靠着枣树，坐在一个用包谷皮编扭的草墩上，身上印着枣树的光影，脸上漾着随时为所有陌生与熟悉的过路人祝福的饱满的笑容。那只羊也乖乖地卧在她的身边。席地上的那把黑明明的大茶壶始终是温温的，像母亲的笑脸一样吸引着过路人。但在后来的日子里，母亲渐渐地不能多说话，闭着眼睛坐在那里，像睡觉的样子，偶尔摇动手中的蒲扇扇几下凉或是撵走飞到她和羊脸前的小虫。汽车司机来打水，一看她在睡觉，赶忙把马达关了，不惊动她；货郎见她睡着了，就停住拨浪鼓或拨浪锣，自己倒一碗水喝了就悄悄走了；小学生们见她睡着了，背着书包踮起脚跟，轻轻地离去；只有邮递员来要例外地叫醒她，凡是我的信邮递员都是专门送到，邮递员大声念给她听，她笑眯眯听了我的信睡得更香。

母亲闭着眼睛坐着，沐浴着枣树枝叶透下来的阳光的温暖。枣树的枝叶空前宁静，纹丝不动。周围也一点儿动静都没有，都像怕惊醒她似的。母亲感觉到自己轻如云朵，在天地间任意飘行。过去的一切，当闺女，等羊倌，做媳妇，生儿子，枪惊奶，奶羊羔，乳伤员，买嫂子，度饥荒，带孙子，多少痛苦似乎都已忘却，但母亲一生的历史她自己认为写得清清白白一笔一画。到了今天，她像一颗熟透的枣果，瓜熟蒂落而心满意足——她看到远方她的儿子和孙子，这是她在人世间走了一遭吐尽蚕丝做出来的骄傲而辉煌的茧。她的儿子和孙子身上闪着光圈，母亲感到远方的光圈始终在对着她闪烁，就像太阳一样。羊“咹”地叫了一声，把母亲走向永恒的漂流拉回到眼前的现实，仿佛让她再感受一下人间的风光。母亲竭力睁睁眼，她想见一见父亲，捉住父亲的手说一句或最后交流一个眼神。可是父亲不在身边，父亲在山上锄地，父亲的锄头碰撞大地的声音母亲不仅能听得见，并且闻到了父亲握锄的汗手的热气，于是也不再求。她没有什么要交代的，更没有什么要忏悔的。一阵遥远而熟悉的歌声从天际飘来，揉进了母亲的耳里。母亲非常真切地听见那是羊倌唱的歌，那是唱给她的歌。那歌声犹如一双猿臂，轻然牵起她漫长的一串痛苦的、幸福的回忆，那歌的手拥抱着她弥留之际的心，重复着昨天羊圈小窝棚的炕沿和飞跑过的野路，嗅着羊臊味硝烟味奶腥味和小黄花的香味，飘向了粉尘的烟云中。路漫漫，云漫漫，他的脚步飞快如风，歌声强烈如嚎。猛然间，她觉得那带着爱与恨、血与泪的歌刺痛了她的心，与她灵魂的隐秘怦然撞击。“哎呀呀！”母亲想喊一声："老汉儿家，老亲人，要是俺还欠你的情没有还够，等再辈子哇。”但是，她没有喊出来，她觉得没有必要，或者觉得该还的都还清了，所有不尽如人意的地方，那是天意，是命。

母亲微闭着双眼望着枣树的枝叶，眼前又出现了她心目中的红太阳。在她朦胧的眼睛里，母亲觉得她不是坐在枣树下，而是连同红太阳在内的整个天地都包容在她的心胸里，使她无比充实。羊又“咹”地叫了一声，母亲的眼又睁了一下。母亲非常真切地看清了羊的模样，看见羊那一对金黄色的眼睛温顺地望着她，母亲知道它在问：你哪儿不舒服或需要什么？母亲的嘴唇微微翕动，想说，但什么也没说，又闭上了眼睛。羊看见母亲手里的蒲扇慢悠悠摇了一下，又摇了一下，随即便跌落在地上。羊用嘴捡起来，搁到母亲的手上，那扇子又掉下来，羊又叼起来搁上去，又掉下来。羊嗅嗅母亲的手，母亲的手冰凉，羊用头顶母亲，母亲一动不动。羊忽然掉转头仰天大吼，蹦跳着向周围呼唤，呼唤着人们，声音凄厉而尖哑。没有人应声。它唤不来人，遂就跪在母亲的脚前，仍然不停地咽呜着，呼叫着，等待父亲和路人，两行泪水从它那尖长的脸上流下来。

母亲已经向着无忧无虑无憾无恨的天国飘去，抑或是永留在黄土的深处，用她那一双小脚，走得匆忙而从容。母亲是真正的安乐死。她秉领太行黄土的苦汁而来，满含着对天地万物生灵的厚爱而去。

一群鸟雀飞来，落在枣树上。鸟们注视着母亲，叽叽喳喳地叫着，与羊的叫声汇成一组恢宏的音乐，那不是对母亲的沉痛哀悼，那是对母亲走向光辉与永恒的送行。

几只喜鹊飞到山坡，飞到父亲的头顶，父亲握锄的手停住了，仰头望望盘旋疾叫的喜鹊，恍惚中才提起锄头，追着喜鹊离开地头。

父亲说我妈没有悲伤，她对这个世界尽净了心。村民们说我妈并不孤独，村里的山水草木牛羊小孩都是她的儿女。

唯独悲伤的是那只羊。从我妈走了的那天起，就一口也不吃，一口也不喝，光是咩咩地叫，叫得人心里发慌。我妈的棺材抬出门的时候，它是被拴在枣树下的。它望着棺材走，跳得老高，它用蹄刨地，用头撞枣树，它也要跟棺材走，可绳子拴着它。人说把它放开哇，父亲说不能放开，它不能来。父亲从屋里拿了我妈穿过的一件袄，给了羊。羊嗅了嗅，就团在胸前，安静地跪在袄上不动了。

我记得我先在母亲的牌位前哭了一阵儿，然后就向父亲要一块黑布，我要为母亲戴孝，尽管是过时了的哀悼。父亲说："不要，当兵的戴孝对国家不吉利。就到坟上给恁妈磕个头哇，磕个头就算尽孝啦。"

父亲领着我，还有那只羊，走向了母亲安息的那个地方。抬眼望去，我看见老羊倌站在坟头，唱着一支古怪的歌……

后　记

父亲活到八十三岁，走向母亲安息的地方。从此我再没有回过老家。

一九九〇年，一个叫川岛的日本人写了一本回忆录，书中有这样一段文字：

一九三八年八月九日，我带四个军士，在太行山中部——平东县的东乡袭击了一个庙会，返经一个叫杨家庄的小村，我们摸进杨家庄，想弄几个女人快活快活。

时正中午，阳光炽热，街巷里没有一个人。我有些疑惑，忽然传来女人的笑声。我们循声摸去，见十几个村姑坐在一棵枣树下，各自做着手中的活计。她们的衣服虽打着补丁，天然的丽质却像带露的桃花。我等欲火烧心，急不可待。及到跟前时，只见一个美丽的少妇，端坐在那群女人中心，胸怀袒露着，两个丰润的奶子下，一边奶着一个小孩，一边奶着一只雪白的羊羔。小孩躺着，羊跪着，孩与羔一静一动地吸着奶，少妇熟练地平衡着，使自己保持着端坐的姿势。她的神情平静而庄重，自若而温雅，俨然一副趺坐在莲花宝座端庄大度的观音菩萨的面孔。军士们都惊愣了，一时竟不知是梦境还是现实。

只有我清醒地活在现实中。

大约在两个月前，我曾带一个分队，痛快淋漓地袭击了这个村。就在这个门口有枣树的人家的屋里，我们抢走了一只母羊，母羊正奶着一只白色的羊羔，抢母羊的时候，母羊跪下求饶，那只小羊羔也一跪一爬地撵着母亲呼唤不舍。母羊牵着不走，打着倒退，硬拉，只有屁股和肚子蹭着地面，奶浆在地上写出一道粗粗的湿红。母羊就这样拖走了，那只嗷嗷待哺

> 的羊羔唤叫着又往前滚了几步。被一个军士踢飞在黑洞洞的角落里……
>
> 此刻，我不仅完全明白眼前这一幕孩羔同乳的惊人造型产生的背景，而且内心中产生了强烈的震动。在她面前，我的目光、呼吸、欲念，以及童年苦难的记忆、青年征伍的行迹，乃至天皇的训令与战争，统统的凝固了。
>
> 望着这位少妇，不，我再不能称她少妇，我要称她母亲——望着这位母亲，我干噎地喊了一句："你的，这是真的么？"但她没有回答，只报以凛然一笑。
>
> 这一笑真比打我还厉害。我不敢正视这位母亲，我觉得，人类几千年，近代史几百年，只有黄河，只有太行山，只有中国，才有这样的母亲。我更不能伤害这位母亲，因为她所表现的登峰造极的文明和人道的力量，是任何残暴都毁灭不了的。在她面前，一切枪口都会垂下。
>
> 我们像初初能够直立行走的类人猿似的，失衡地走了。谁也没有抬眼和反顾。走出这个村子后，军士们似觉一种莫名的失落，于是胡乱地放了一通枪。

这段文字立刻引起了国内外人文学者、人权学者们的震惊和关注，纷纷到我的故乡考察研究，结果不仅证实了母亲的故事与川岛的证言完全吻合，而且意外地发现：故乡那座极普通的石头山的形状，竟然是一尊造型逼真的哺乳雕像！那伸衬在蓝天白云间的山脊的轮廓，酷似乳母的头和肩背的轮廓；尤其是中间斜垂带撇的两道光滑石梁，酷像两只下垂的布袋奶；"奶"下的两个鼓突的石包，一个像躺着吃奶的婴儿，一个像跪着吮吸的羊羔；乳母慈颜可掬，眼睑低垂，那么专注而恬静；每一块毛糙的岩石、斑驳的色块，是那么结构得体，和谐而自然。

这一景观的发现，不亚于乐山发现千年卧佛引起的兴奋与轰动。首先是山民们，他们把我母亲当成了神，说："这是老天爷早就安排咱这儿要出一个神咧，阳坡街那老人家乳羊济人积了大德，最后功德圆满，无疾而终，融入大地，得成正果，守护着这片生灵。"于是便在山前任何一个地方烧香磕头，有跌打损伤、小病小灾的烧香磕头，祈求奶奶保佑康复；哪家的媳妇不生孩子，烧香磕头祷求奶奶送子赐福；哪个闺女有了意中人或婚姻不遂意的，也请奶奶成全。甚至盼好收成、求好运、想发财的，不仅烧香磕头，燃放鞭炮，还请戏班子唱戏。村上整日游人如蚁，满山香烟缭绕，遍地签幡猎猎。

后来，县政府根据学者们的建议，将此山开发为平东县旅游点。一位台湾老板看得更远，愿出巨资在山下修建一座庙宇，在枣树地建造一个"乳羊台"，将川岛的文字刻在碑上，作为炎黄文明与人道的经典昭示于世界。

县里来信向我征集有关我母亲的实物资料，尤其希望我献出那块羊皮褥子。

我激动不已，尽管我觉得这已经不是我母亲意义上的母亲。

我翻箱倒柜，陶也帮着，满屋粉尘地找了半天，都不见羊皮褥子的影子。陶忽然想起来了，说：

“那块羊皮褥子早丢了！”

“什么时候丢的?!”我有些暴躁地问。

陶说：“十年前，买了电褥子以后，好像是那次搬家，哎，不是你让我丢的吗?”

“我？……是我吗？……能是我吗？……”

我完全记不得了。只记得买电褥子和搬家，还记得搬家那天陶第一次抹了口红，烫成卷发，描眉画眼，穿起了束腰凸乳的连衣裙，我为她忽然变成新潮女性诱惑无比而陷入了忘乎所以的眩迷中。

那天还说过羊皮褥子的事吗？真记不得了。记得也好，记不得也好，总而言之，羊皮褥子实实是丢了。

唉！世上有许多极为珍贵的东西，甚至是民之精粹国之奇宝，都是被自己人丢掉的。

我的娘，儿不孝。

（原载《中国作家》1996 年第 1 期）

岳恒寿

1944 年出生，山西平定人。1991 年毕业于湖北教育学院中文系。1961 年参加工作，任平定县七一修造厂工人，1965 年应征入伍，历任工程兵二〇九团战士、宣传干事、股长，武汉军区政治部创作员。广州军区政治部创作员，《长江》文学丛刊副主编，湖北作家协会专业作家、文学院副院长。1974 年开始发表作品。1997 年加入中国作家协会。著有长篇小说《娲魂》，中篇小说《归骚》《跪乳》，报告文学《洪流》等。《跪乳》获第七届《小说月报》百花奖、1996 年十佳小说奖，短篇小说《〈姜太公〉钓鱼》获首届《解放军文艺》优秀小说奖，报告文学《小岛对面是澳门》获河南省 1978—1988 年优秀军事文学奖。

这方水土

向本贵

一

太阳软劲，谷粟进仓，茅埡乡的干部们头皮就开始发紧。他们自己有句戏言：半年做崽半年当爹。上半年乡干部们手中有平价化肥有良种还有救济粮救济款，老百姓得求你。秋收一过，计划生育，各种名目的提留上交，还有农田基本建设，垦荒造林等等任务一股脑儿压下来，脚板皮不长茧，嘴巴皮不起泡，休想体体面面啃下这些硬骨头。

这年，茅埡乡还是王有来副乡长负责抓计划生育工作。那天，他从乡卫生院领来十几个蓬头垢面的年轻女人。这些年轻女人进了王副乡长的屋也不跟他婆娘打声招呼，自己拿杯子倒茶喝自己寻凳子坐，一个个火气十足把杯子凳子弄得叮叮当当响。

王副乡长将妻子张爱华叫到一旁压低嗓子说："今年工作做得不错，一下就来了三十多个对象，乡卫生院床铺少了住不下，打发她们回去怕是再难回来。我把她们带到乡政府。你去把会议室打扫干净，把招待室的被子全拿出来给她们打地铺。明天郭院长到这里来动手术。不过三两天时间，你就侍候一下她们。"

"刘书记说的?"

张爱华想起三年前她刚来乡政府时，乡政府正好召开人代会选乡长。乡政府没有招待员，厨房人手少也忙不过来。刘书记叫她给大会烧点开水，打扫一下会场，一天给她两元做工钱。让丁副乡长的婆娘孙小英眼红得了不得，就在刘书记的婆娘面前使坏，让她们疙疙瘩瘩了许多日子。

王副乡长说："如果是刘书记说的我会拒绝。咱再穷也不缺这几块钱。我是让你给我尽几天义务。这工作是我负责抓，你不帮忙哪个帮忙。"王副乡长皱了皱眉头，"做农民身体是本钱。没个好身体三斤半的锄头就拿不动。总不能让她们来割一刀落下一身病回去。乡政府没有条件照顾她们，热茶热水还是要供应。"

张爱华三年前也是和这些女人一样脚板上裂血口子，头发上有草花子，身上总冒一种让人生厌的臭汗。如今虽说跟着男人住在乡政府，依靠的还是乡下那几亩瘦田薄地，吃的还是五谷杂粮。男人的话她理解，就没有作声，将一丝笑挂在脸上走进屋，说："各位大嫂走累了吧，你们在这里歇会儿，喝杯茶，我去给你们安排睡的地方，再给你们烧水洗澡。秋收完了，家里也不是很忙，来了就安心歇几天，我陪你们。家中鼎罐锅儿屎片尿片撂给男人让他们也尝尝女人不在身边的苦处。"

这边王副乡长就去食堂找厨房师傅要他多做十多个人的饭菜。厨房师傅有些不愿意，支支吾吾说丁副乡长那边还有人要来搭餐，饭馆小了。

王副乡长说："这个月是计划生育月，一切服从中心支持中心。其他工作都要让路。"

王副乡长对厨房师傅这个时候抬出丁副乡长有些反感。撂下这句话就走了。他准备到乡卫生院看看那边手术的进展情况。下了乡政府前面那个台阶又踅身走回来，找到正在打扫会议室的妻子，问她口袋里还有钱没有。张爱华问他要钱做什么，他就对她嘀咕了一阵，张爱华就从贴身口袋掏出五块钱，说："今天十号，还要等五天你才发工资，这五块钱我给玉卉留着做生活费的，明天星期六，明天你给她借。"

王副乡长接过钱，说："明天我对她说，要她克服一下困难，炒两罐头瓶干菜带到学校对付一个星期。"说着急急走了。

天擦黑王副乡长才抱着十几包淡红色的卫生纸从卫生院回来。乡政府因为拿不出资金把电牵进山来，仍然点煤油灯。几缕昏黄的灯光从窗棂透出来，很快就被暗夜吞噬了。王副乡长打从民办教师转正调到乡政府主管文教开始，已整整十五年了。十五年来书记乡长换了好几茬，他也从一个小小的干事提升为副乡长，但茅垭的面貌却没有多少变化。他想，这次换届选举如果要自己去顶郝乡长那个缺，脱一层皮掉一身肉也要让茅垭换个样子。不然，老百姓穷苦乡干部的日子也不好过。正想着，厨房传来了叫骂声，过后就是乒乒乓乓的砸东西的声音。王副乡长听见是那些来结扎的女人在吵架，急急忙忙奔过去。

果然是这一群女人在厨房闹事。她们围在灶台前叫骂，舀水瓢在灶台上使劲地磕。

"怎么没热水了?"

王副乡长挤过去想看看灶锅里是否真的没有热水了。他清楚她们中间有许多人对计划生育有意见。生了女的想生儿，生了儿的想生女，横竖是不满足。只要能多生孩子没吃的没穿的生活再困难也心甘情愿。要她们上环结扎就好比上屠宰场，找茬子对干部发脾气，把干部当成出气筒。

女人们看见王副乡长来了，一窝蜂将他围住。

"你花言巧语把我们弄上来就不管了呀？走了一天路身上都臭了，你让我们用冷水洗么?"

“嘴巴讲得比蜜糖还甜，哄上来割一刀你就算完成任务了吧。”

王副乡长说：“我叫我那婆娘烧水她怎么没烧？”他心里不由有火，转身想去找自己的女人。

女人们以为他想一走了之，发怒了：“问题没解决你就想走呀！”

王副乡长做着笑脸解释：“我哪会丢下你们不管呢？你们看我买了什么好东西。”

说着就把胳膊窝里一捆淡红色的卫生纸在女人们眼前扬了扬。王副乡长下午看见一个女人在他家凳子上一坐，就留下巴掌大一块血渍。他知道乡下穷，女人来了月经也舍不得花几角钱买卫生纸用。多数扯块烂布条用。有的连烂布条也舍不得，说是要纳鞋底用，用丝瓜瓤子当马骑。心想来这里割一刀可是要讲好卫生，不然感染了要出事。

女人们没看见这淡红色的卫生纸还罢，一见着眼睛都发绿了，接着就燃起了火。你有钱给婆娘买这红纸垫屁股还在我们面前显摆么！你婆娘的屁股莫非就长出了一朵花就比咱们的金贵应该用这软软的红纸垫啰！心中有火嘴巴也就管不住了。更有甚者，一个长得粗粗壮壮的女人往地上一蹲，扬言要让王副乡长瞧瞧她“骑马”用的货色。

王副乡长见状不由心惊胆战，他知道农村最忌讳的就是这东西。王副乡长没命地逃出人群。女人们人多势众有恃无恐，穷追不舍。王副乡长被赶得鸭子上架就往自己家里逃。女人们追进屋，却不见了人。这时张爱华从乡供销社赊了几支蜡烛回来让她们夜里照明，见女人们怒气冲冲在自己家里东寻西找，就问她们还需要什么？这时床脚下一阵响动，王副乡长从床底下钻出来，也不问青红皂白，扬起手“啪”地就打了女人一巴掌。

“你肚子里的包谷子屎红芋屁都还没有屙完哩，就忘本了呀！你给她们烧的水呢？”

张爱华被丈夫一巴掌打蒙了，愣片刻，就哭号着扑过去和王副乡长扭打起来。

“你个没卵用的哟，人家把你赶床脚下藏哩。你奈何不得她们就把气朝我身上发呀！动手打我！你个不得好死的我跟你十八年吃没得吃穿没得穿，侍候你还不够还请些人来让我侍候！连口袋里的给女儿做伙食费的五块钱你也拿去给她们买骑马片子。你什么时候心疼过我！我生两个女儿你说工作忙连在我面前坐一会儿的工夫都没有。”

王副乡长的女人一则自己当着这么多人遭打丢了丑，二则男人被这些女人赶到床脚下藏着心中又气又火，撒起泼来舌头下面就不饶人，“水烧在锅里还要我一个一个给她们脱裤洗吗！肚子上割一刀一个个就都成了英雄了啊。我那时候割一刀有哪个来侍候我了！下了手术台照样回家洗衣煮饭做阳春！”

听她这么一哭号，女人们就都觉得错怪了人，就都有些难为情地劝导她。

二

一般说乡干部带的家属多是从农村来的。过去，他们也不敢把自己的糟糠之妻带到乡政府来住。那时农村还没有搞责任制，劳动力被生产队拴得紧紧的。女人们想要到男人这里住一晚都得扯一个谎，或是说来月经了，请个义假，或是说去男人那里要点钱还生产队的超支款。那时没有几个干部家属不是超支户的。农村搞起了责任制乡干部的婆娘们才算脱了身上的羁绊。过去顶门立户盘家养口累得吐血，如今是再也不情愿受那份罪了。或是在春种秋收回家忙活一阵，余下的日子就随丈夫住在乡政府。有的连春种秋收也不愿回去了，干脆将田土让人家耕种，多少叫人家给点粮食，这样就成了地道的家属了。茅埡乡政府有三个家属，一个是乡党委书记刘立柱的婆娘邓金枚，一个是分管乡镇企业的副乡长丁大好的婆娘孙小英，再就是分管文教卫的副乡长王有来的婆娘张爱华。刘书记的婆娘比刘书记大一岁，只因她格外显老，一头灰白的头发，脸上的皱纹像一张渔网，加上家庭困难没件像样的衣服穿在身上，和刘书记站一块人们就说她可以做刘书记的娘。他们结婚早，两个女儿早已出嫁。家中就刘书记七十多岁的老娘和媳妇两人过日子。邓金枚和婆婆有些隔阂，住在男人这里就不肯回去了。据说刘书记和他婆娘那时是他母亲逼着拜的堂。两个人二十多年来就像一个鼎罐煮的黄豆和包谷，巴不到一块去。丁副乡长的女人孙小英比她男人小八岁，那时丁副乡长穿上军装去当兵的时候孙小英还是个戴着红领巾的小学生哩，戴红领巾的小姑娘给当解放军的叔叔戴上大红花，没想到十八岁的小叔叔当了几年兵回来竟成了自己的丈夫。正如刘书记的婆娘说的，孙小英快四十的人了身上还一股的骚劲。王有来副乡长和他婆娘的经历不像刘书记两口子那么寡淡，也没有丁大好两口子那么罗曼蒂克。那时王副乡长做民办教师，一个十五岁的女孩子发蒙跟他读书，读到小学三年级又不读书了。王老师去她家搞家访时她送了他一双千针百纳而且绣了许多花朵朵儿的鞋垫儿。后来她就成了他的婆娘。三个家庭都是两个孩子，三个家庭都是靠着男人的工资过日子。三个家庭都是拿着上月的工钱就盼星星盼月亮盼下月的工钱，乡政府其他的干部情况就不同。特别是那些年轻干部，他们的成长过程没有老干部们的经历坎坷，婚姻上的主动权就多得多。找对象首先要看她们有没有粮本本，有些不但要找带粮本本的还要求她们有工作能养活自己，结了婚也就不存在带家属。茅埡乡困难，交通又不便，逢年过节就插翅一般往女方那边跑了。他们过得很幸福，过得幸福的人就不怎么理解困难人。背后就排三位领导的场。说乡干部上不了品位，女人就不够格称夫人，那么就只有按当地的习俗称呼为婆娘了。说茅埡乡政府有仨婆娘，书记女人为一婆娘，丁副乡长年纪大资历深女人称二婆娘，王副乡长的女人就只有屈居三婆娘了。三个婆娘各有所长也各有不足。又因为男人的一些微妙关系，就生出了许许多多的磕磕碰碰来。

这天晚上十几个女人在灶房闹事，刘书记的女人邓金枚站在她自家的门前都看得清清楚楚。当她看见女人们追赶王副乡长时她还真为王副乡长捏了一把汗。那秽物真要撂到了王副乡长头上，这辈子他怕是要倒霉透顶了。可她不敢出来解劝。这些女人不好惹，你是求她们来割一刀的，她们要赌气不愿割自己男人就要挨上面的骂。她就把张爱华叫到一旁悄悄说："你哭的哪样，你烧了水我可以作证，全让那骚婆娘舀去了，洗澡还不算，又舀热水洗衣服。"

张爱华本来对孙小英有成见，邓金枚的话无疑是火上加油，就跳起了脚："想卖好价钱你自己烧水洗，我烧水是侍候你的么！"

乡政府就两栋木屋，一栋办公室一栋宿舍，木板房不隔音，放个屁满院子都听得着。那边孙小英听到这话也不示弱，一边梳头一边出来应战："我卖不卖好价钱可没人照顾我，你不用卖人家总把好事往你头上摊哩。你拿了钱烧水这水就是乡政府的，我这个二婆娘就用得。"

张爱华最不服的就是孙小英在自己面前显摆。在她眼里自己男人论能力论水平都比孙小英的男人强。但孙小英一开口说话就把她男人放在自己男人前头。现如今自己男人抓计划生育，自己被摊上做义务工不说，连口袋里五块钱也掏出来买纸了，还听她显摆呀。

"我说这个乡长还没有轮到你男人做哩，你男人还没有那个权给我开工钱让我烧水侍候你。我这是做义务工给人家撑面子。"

"哎哟，怪不得那么积极啰，想给男人撑面子日后好做二婆娘啰。"

"我没你漂亮，没你会扯荷包眼，这二婆娘轮不上我。"

王副乡长见女人们都吵得没边了，说："爱华你少讲一句就让尿水给憋死了！要吵，你给我滚，政府机关都让你们搞乱场合了。"

张爱华挨了打如今又挨骂，气得眼泪直滚，"我滚我滚，在这里横竖遭气怄。"一边哭一边进屋收拾东西真的要走。

这时刘书记从阳桃坡村怄了一肚子气回来，看见三个家属又在吵架，来结扎的十多个妇女反客为主给她们扯劝，就生出了许多烦恼，问王副乡长她们为哪样又扯起皮来了。

王副乡长说了原委，刘书记的火气反倒小了许多，皱了皱眉头说："小孙这就是你的不对了。不管乡政府请没请张爱华烧水，你知道乡下来的人是要用水的。都是女人嘛，走了一天的路不用水行么？你舀了水就该给灶里加把火嘛。"

孙小英不作声了，泪水汪汪地看着刘书记，刘书记就把话打住了，过后对王副乡长说："我看架要少吵，提倡办实事，咱俩动手烧水，看看她们还有什么困难和要求，我们要尽量想办法解决。"

走进食堂看见地上到处撒的卫生纸。就说这些女人也是，垫屁股的东西就不会放袋子里。

王副乡长一边拾一边说："咱们做干部的没卵用，没让茅垭的老百姓过上好日子。我给她们买一包纸，割一刀下来，用这也算咱尽了点心。"

刘书记长长叹了口气："我今天到阳桃坡村，村长叫苦说今年的工作是没法做了。上半年旱苗，夏天又旱穗，群众生活困难，我们又没有多少能耐解决群众的困难。大伙对我们干部有意见，说你们干部下跪我们也不得听你们的了。"

水烧热女人们都来了。刘书记说："王副乡长给你们各人买了包纸，你们都拿着。说起来也不丑，这纸消过毒，用它不会得病。"

女人们一个个脸面泛红，笑闹着催他们快走，她们要洗洗身子。

"有哪样困难你们只管讲，把你们请来就是客人，我们不能不管。"

说着刘书记和王副乡长就出了门，边走边说些计划生育的事。

刘书记说："今年咱们茅垭粮食减产，各项工作难度都大了。"

王副乡长说："最难的怕是计划生育，我们乡的对象比哪一年都多，老百姓被逼急了，和我唱起对台戏来就麻烦了。"

"刚才她们围攻你了？"

王副乡长没有将女人们追他的事讲给刘书记听，回头想起来还是个旧思想在作怪。估计她们还没有那个胆子将骑马片子扣在自己头上。就是扣了，也未必自己一辈子就倒了霉。便说："怪只怪老丁那婆娘太那个，以为爱华是你支派她烧水。"王副乡长没有过分地说孙小英的坏话，听人说刘书记喜欢孙小英，就说："话又说回来，也别怪她孙小英，咱们三个带家属的都是穷光蛋，那几个工资掰做几瓣用也是上月接不上下月，谁不想钱呢！"

刘书记沉默片刻，又把话题转向工作说："这样吧，这段日子我着重抓计划生育，上面限了时间的，到时候没有完成任务要挨批评。上交提留这一摊子工作放到后一步。看老丁那边的情况，如果能弄一些钱到手，咱们就少向农民要一点，下面也实在有些承受不起了。"

两人一直走出乡政府，在下边公路分路口刘书记说："我到我妹那里去一趟，我老娘今天七十五岁生日。"停了停又说："原先口袋里装着十块钱，准备给老娘买两瓶罐头带去，从阳桃坡下来在陈跛子家落脚，看见陈跛子病了躺在床上动不得也没得钱买药吃，就把钱送他了。"

王副乡长说："你晓得我口袋是从来不带钱的。刚才把婆娘口袋的五块钱也拿来给她们买卫生纸了。这样吧，你在这儿等着我到供销社给你赊两瓶罐头来。"

"算了吧，下个月发工资了再给老人家买点东西就是。"

"听说生日是不能补的。"

"你也相信那些？"

刘书记停住脚，月色中他看了眼王副乡长说："上次在县里开书记会，组织部李部长说郝乡长调走了，哪个顶这个位子合适。我说这是组织上的事。他说丁副乡长资历长，王副乡长年轻，各有长处。"

王副乡长其实知道刘书记心里希望丁副乡长上，就揣摸他今天说这话的意思，沉默片刻，说："刘书记这个事其实还是你一句话。你是书记，乡长合不合手，是个关键。我还是过去一句老话，跟着刘书记工作心情舒畅，不在乎那个位子是正还是副，你叫我干哪样我就干哪样。"

刘书记笑了笑，"明天你把乡政府那群对象调摆好，我把大队伍从野猪垭拖过来，重点突击阳桃坡。"

三

刘书记不是茅垭人，他老家茅坪乡和茅垭乡一溪之隔。刘书记只有兄妹俩。父亲去世多年，兄妹俩靠母亲辛辛苦苦抚养成人，妹妹出嫁之后，母亲就和媳妇孙女一块住。孙女出嫁之后，邓金枚也住在乡政府不肯回去。刘书记见老娘孤苦伶仃一人住在老家，于心不忍，也想把老人接到乡政府来，又怕婆媳俩不和影响不好。为难时妹妹来了，用椅子扎了一个轿将母亲接她那里去了。妹妹家离茅垭乡政府不远，刘书记有空闲就去妹妹家看看老娘。刘书记一边走一边想起母亲抚养自己不容易，如今老了动不得了也没有能孝敬好老人家，就有些后悔那十块钱不该给陈跛子。一年到头，这么随手给那些困难户五保户的钱也不知道有多少次。今天硬硬心也就不会空着手给老母亲做生日去。

走得快，三里路一支烟的工夫就到了。妹夫不在家，外甥读书去了，就母亲和妹妹有一句没一句坐在屋里说白话。见了他妹就迎出来说："哥，我以为你忘了哩。娘的眼睛都盼穿了。"

刘书记说没忘我下村刚回来。

母亲脸上就泛起了笑，"我猜想你是下村去了。"就站起身，趔趔趄趄朝灶屋走。

"娘你坐我给哥端来。"

妹从灶屋端来一大碗香香的板栗糯米饭，用油煎得黄爽爽的，冒着热气。

"娘说你就喜欢吃板栗煮糯米饭。这板栗还是娘前些日子拄着棍子在后山坡上捡回来的哩。"

刘书记这时才觉得肚子好饿。他还是中午在阳桃坡村长家吃了几个红苕的。

刘书记吃饭的时候，老娘就坐在他面前，昏花的目光一眨不眨地看着儿子，一脸的慈祥。

"娘，你的生日我也没有给你买什么东西孝敬你。"

“儿呀，你把公家的事情做清场娘就落心了，娘不要你买东买西。”

母亲看着儿子那个吃相，眼窝里就噙满了泪水。“快五十的人了啊，搁着千多张嘴巴在肩上，心操得大哩。”

“娘，不累的，爹那时六十多了还上山做阳春挣工分哩。”

母亲叹了口气，“你爹要住到今天，也能过上几天舒心日子了。”老人就对儿子说：“你爹那时候脾气不大好，爱骂你们，其实他最心疼你。你小的时候爱尿床，一个老郎中说了个偏方，说是板栗煮糯米饭能治好这病。你爹就上马头岭给你打板栗，不小心从栗树上摔下来，脚踝摔脱臼，一跛一跛半夜才爬到家，肚子饿得只有巴掌厚，也舍不得吃一粒板栗。隔三天给你煮一次板栗糯米饭。有一次你妹嘴馋偷了一粒板栗吃，还遭了你爹一巴掌。”

妹如今也四十岁了，含笑说：“那时爹只喜欢哥。”

刘书记不知不觉眼圈就湿了，“妹，下个月发工资我给娘买件皮背心，天冷起来了。娘有个风湿痛病。”

“我整天蹲在火膛边，不冷的。”娘说。

“上次在县上开会，问了价，才二十几块，我是钱带少了，不然我就买来了。”

“你莫糟蹋钱，买来我也不穿。”母亲用枯槁的巴掌揉眼睛，“你在世面上走，口袋里莫干钱，该吃的要吃该穿的要穿。俗话讲人是铁饭是钢穿着是人的毛哩。不能外面丢人现眼。我住你妹这里饿不着冷不着，你就别挂惦我。”

刘书记的喉头有些发紧。

妹说：“哥，大奎前天把娘的老屋料运过来了，过些日子请个木工来合了。”

“木工钱我付。”

“不，大奎说我们付，其实也不要多少钱。”

母亲说：“妹付就妹付吧，你妹夫在外面挣钱，手头比你们做干部的还宽余。”

刘书记说：“妹你叫大奎请个好木匠，娘的这副棺材料好。”

母亲这副棺材料是他每次给娘的零用钱，娘舍不得用，一分一角积攒下来买了。十二合。要在现在是很难买到这样好的棺材料了。刘书记想起上个星期湘西锑矿环保科宋科长来茅垭乡察看污染情况时叫苦说今年锑矿不景气，给茅垭乡的污染款可能比去年要少。过后宋科长提出让刘书记给他母亲弄副棺材料。刘书记懂得他的意思。污染不污染是没有什么标准的。锑矿与茅垭隔二十里，矿里开炉炼锑，那有毒气体你说污染了庄稼他说没有，你说污染严重他说不严重，实际上是他宋科长一句话。你给他点好处他也给你点好处。这本来是不正之风，但刘书记还是答应了。一副棺材不过四五百块，换来的不是一万也有八千。对于贫困乡来说这可是个了不得的大数目。前天他交代丁副乡长无论如何也要想办法弄副棺材料。

这时门外有狗吠，妹妹打开门就进来一个人。刘书记抬头见是孙小英。孙小英提一包东西，有罐头有麦乳精还有两盒人参蜂王浆。

“刘书记你什么时候来的?”

孙小英走急了，一面抹汗一面还喘气，红润的脸上挂着笑，看刘书记的目光柔柔的。

“这么晚了，你来做什么?”

刘书记有些惊诧。

“看望伯母呀。”

孙小英一边往桌上放东西一边说：“去年听你说这个日子是伯母的生日哩。”

“这不好。”

刘书记脸上有些严肃。继而一想去年说的话你今年还记得，也难为了一片心意啊。这么想的时候看孙小英的目光就温和多了。

“我有意到天黑一阵才来，哪个也没有看见。”孙小英又说，“我是怕你忙，不能回来看望伯母。”

刘书记的妹给孙小英倒了杯茶，请她坐。孙小英说：“我不坐了，我得回去，天黑一阵了哩。”

刘书记说：“我也回去，我们一块走。”

孙小英就准备坐。刘书记说我们这就走。

刘书记的母亲颤巍巍地站起来对孙小英说了些感激的话，眼圈儿就红了。她是想起人家都来看望她，自己的亲媳妇却没有来，她是把这个日子给忘了啊。

田埂路很窄，孙小英却要和刘书记并排走。刘书记就时不时嗅到她身上的那股掺和着甘油香味儿的气息。孙小英家也是两个孩子，开支也大，但她比较精明，人又勤快，总把自己收拾得干干净净漂漂亮亮。时不时还穿件街面上年轻人穿的那种流行服，让人们把一双眼都惊诧地盯着她。

“买那么多东西，怕要花去半个月的小菜钱吧。其实哩，你来看望一下老人家就不错了。”

走一段路，刘书记这么说。

“刘书记，你的恩情我和老丁一辈子都忘不了哩。去年不是你把那个农转非的指标让给我家小文，我家小文是筒车打水往回走，怕又回农村追牛屁股去了啊。再说，我们老丁还靠着你这棵大树哩。”

去年县里千分之二农转非指标，给了茅垭乡一个，当时县里是戴帽下来的，考虑到刘书记工作几十年，两个女儿都嫁在农村，都还靠着老头子那工资接济。就准备让他老伴转个国家粮，虽说邓金枚年龄过了不指望找个工作什么的，对刘书记也是个安慰。指标下来了，邓金枚也知道了。这时丁副乡长的大儿子高中毕业没有考上大学，整日一泡泪水抱怨父亲，说老子一辈子在外面忙工作，把他们撂在山旮旯不管不顾，小学读完连乘除法的式子都列不来。如今让他回乡下去不如喝农药算了，刘书记知道小文这孩子很懂事，读书也刻苦，是基础太差了。真的像自己两个女儿那样在乡下安了家，一辈子就出不来了。就硬了硬心把自己那个指标给了他，还让乡派出所将小文的出生年月往后减一年。如今丁副乡长将他送到县里一家工厂做合同工去了。

“刘书记，老丁跟你这么多年，他说他最相信的就是你。你叫他完成什么工作，他不吃饭不睡觉也会完成好。”

“这个我心里有数。这个乡如果没有几个老同志顶着早就散摊子了。”

“说老他其实也不算老，才五十岁嘛。”

“他也属马？”

“刘书记你也属马？”

“我和老丁同年哩。”刘书记显出一副高兴的样子。

孙小英向刘书记那边靠了靠，“我老丁比不得你哩。”

“按说，这个年龄正是干工作的时候，上次在县里开会，李部长要我推荐乡长人选，我首先推荐的就是老丁。”

这是刘书记的心里话，从骨子里讲，他希望老丁上。

孙小英听出刘书记话中有话，说：“刘书记你有这个心，我们老丁就该拼命干工作，扎扎实实干工作，不像有的人，只舞花架子做表面工作让人看。”

刘书记知道她说的是王副乡长。他不想在家属面前议论自己的副手，就没有搭话。

刘书记不作声，孙小英就不敢往深处讲，两人默默地走过田埂路，孙小英说：“刘书记我前走一步，人家看见了不好。”

刘书记就停住脚，看着孙小英的背影，心想自己那婆娘要有孙小英这么个样子该有多好。

刘书记没有去乡政府，他到乡卫生院打了个转。王副乡长还在卫生院，正跟龚院长商量事，见了刘书记就一齐说刘书记你来得好。

今年茅埡乡的计划生育工作声势大抓得扎实，来的对象多，连乡政府会议室都住了人。龚院长已经听说乡政府三婆娘吵架的事，不好意思再往乡政府送人，只得自己想办法腾房子。可是腾出来一间杂屋没门没窗屋脊上还漏雨，要请几个木工整修一下才能住人，只是请木工要钱。王副乡长说他手中只有一柄抓计划生育的尚方宝剑，其他一无所有。刘书记说百十把块钱乡政府应该拿，只是现在拿不出，这样吧你先把木工请来，钱的问题等老丁回来我要他想办法。

过后王副乡长又陪着刘书记到各病室看望做过手术的对象。又不敢久留步，怕她们提这样困难那样要求，乡政府又没有能力解决，匆匆在各病房打个转就回乡政府去了。

邓金枚还没有睡，就着煤油灯补衣服。煤油灯光线虽暗，也看得清那张脸上橘皮一样横七竖八的皱纹。特别是那一脑壳灰白的头发，像是粘了一层厚厚的皮，看了让人心里不舒服。刘书记也不跟邓金枚打招呼，摸出支烟慢慢抽。

“天黑这么久才回来呀。”

女人看着丈夫，轻轻问。

“到妹那里去了，娘今天的生日。”他的口气有些冷。

邓金枚拿针的手抖了一下，停一会儿就问：“给娘买东西了？”

这个家邓金枚当不了，工资刘书记全揣在口袋里的，平时她要买个针头线脑都是开口向男人要。

刘书记有些气，口没说出来心想你没钱就不把老娘的生日放心上了？人家非亲非故的也晓得去看望一下老人嘛。你是贤惠媳妇，家中养有两只鸡你给老娘杀一只送去老人吃了会烂肠子么！

“娘的生日我记得。我原来想杀只鸡送过去，我又有些舍不得，就只有两只鸡，都在生蛋，你一天忙到黑，一年忙到头，那几个工资才刚刚能糊上口，我想把两只鸡留着，你平常也能吃上几个蛋。”

刘书记没有作声，他知道面前这个橘皮女人对娘不会有这份孝心。她恨娘。其实邓金枚是婆婆看上了才给儿子娶进屋的。刘立柱大炼钢铁那阵成了工人进了城，母亲怕她的儿子远走高飞不回来了，就给他找了农村媳妇，三番五次拍电报要儿子回来。儿子回来了和那个比自己年龄大的农村姑娘结了婚又在家乡当上了干部。那时候婆媳的关系还不错，后来媳妇生了两个闺女婆婆就有些不悦。但不管老娘对媳妇的态度如何，刘立柱打从结婚那天起对邓金枚的态度就冷淡。有人说他当工人时曾经有个相好，是顺了母亲才横下心丢了心上人的。

邓金枚从厨房端来一碗荷包蛋，放锅里温着还冒着热气。

“我吃过了。”刘书记说着站起身去舀水洗澡。

“我给你舀水去。”邓金枚连忙进了厨房。

刘书记洗过，就睡了。邓金枚也洗了，想想又在脸上擦了些蚌壳油，才依着男人睡下。

“立柱，我身子干净了两三年，怎么的又来了，还准时。”

女人把脑壳向男人颈脖下拱了拱，有些忸怩地说：“都五十岁了，和你睡一块还毛不是草不是的，都不知丑了。”

刘立柱没有作声，也没有回女人一个暗示，他有些烦，女人头发中有一股恶心的汗臭直往他脑门冲。

邓金枚轻轻将一只手伸过去，放在他的小腹上柔柔地摩挲着。

“睡吧，明天你也帮老王他女人烧烧水，侍候一下那群对象，计划生育不是他王有来一个人的事，莫让人家说闲话。”

说着转过身去，把背脊对着女人。

女人轻轻啜泣起来。他也没有理睬,他实在很累,一会儿就睡着了。

四

丁副乡长那天回到乡政府时,已是半夜了。孙小英开门时见男人一身的泥水,额头还肿起桃子大个疙瘩,不觉吃了一惊,问他怎么了。

丁大好一脸高兴,做出一副神秘,说不该你晓得的事你就别问。

孙小英有些不悦,说你是鬼打架弄成这副模样还高兴得起来呀。就要给他舀水洗澡。

丁大好忙说就要这个样子才好,就准备去找刘书记。

"你哪找得到他,他和王副乡长到阳桃坡搞计划生育去了。"孙小英想了想又说,"你去林场这些天人家王副乡长把计划生育工作搞得热火朝天。刘书记把其他工作都压了下来,说今年要提前完成计划生育任务。我只担心王副乡长这回怕要露脸。"

丁大好的脸上布起了阴云。

"我听卫生院长说,今年来动手术的对象乡政府可能要给点补助。说是你上次在县上要了些木材指标,乡镇企业会有些收入。卫生院那两间破屋也整修好了,住上了结扎对象。"

丁副乡长听女人这么一说就来了火,"娘卖×,鸟儿还没打下来他们就把锅灶准备好了要脱毛呀!"

"怕只怕王副乡长把计划生育抓上去了,那个位子……"

她见丈夫脸色不好,就把后半句咽进肚没说出来。

丁大好一脸不悦地站起身,开门走了。

孙小英问他这么半夜还到哪去,他也没有回话。

乡政府下面的简易公路上停了三辆大货车,都满满地装着木材,是丁副乡长他们从滴水湾林场运来的。

"刘书记没有来?"

乡木材加工厂宋厂长迎住丁副乡长问。

"我们走!"丁副乡长气冲冲地说。

"他要的那副棺材料摆哪里呢?"

"卖了,乡政府还可多得五百块钱的收入,搞么的不正之风!"丁副乡长不耐烦地说。

宋厂长不敢再问,赶紧叫司机开车。

三辆货车在坑坑洼洼的简易公路上走了一个多小时,上了一个小坡,就把灯全熄了。借着朦胧的星光摸索着又开了一段路，就停了下来。

“你们在这里等着，我去看看检查站小张他们睡了没有。”丁副乡长说。

宋厂长忙说他去看。

“你能去么？他们看见了你就知道你是探水想偷关。”丁副乡长火气冲冲地说：“木材还没有卖他们就把钱全花了。”说着，他一个人轻手轻脚往检查站那边走去。

宋厂长和三个司机只有蹲黑暗处焦急地等待。

一会儿丁副乡长回来说：“没睡，那个狗卵日的小张眼睛鼓起像个羊卵子。”

大家就都发急，不知道这道关卡怎么过。

“日他的娘，不是看着茅垭那些贫困户一个两个衣破裤烂叫花子样，不是看着民办教师辛辛苦苦拿不着工资，老子半夜三更人不做在这里做贼么！”

宋厂长连忙给他打手势，说你小声点，县木材检查站那些贼日的都是些鬼精耳朵比狗还灵，听到半点响动就都出来了。

丁副乡长只有把火气憋在肚里，点支烟，吸了两口突然摔地上一脚踩熄。

“老宋你跟我去一趟。”

两人偷偷摸到检查站外面，丁副乡长说：“我把他们引走之后你就叫他们冲过去，不然天一亮那十几个没指标的木材就完了。”

“这行么？”宋厂长有些迟疑。

“不行你把木材拖回去算了。”丁副乡长有些火，“你是不当家不知柴米贵哩，十几个方的木材运到锑矿就四五千块钱。全乡的民办教师可发两个月工资哩。要是用来解决困难户，起码一百户人家可以过个安稳年。”

宋厂长有些语塞，“你去试试，引不出来，也别冒这个险，县里对木材抓得紧，弄不好要受处分。”

丁副乡长不语，瞪了宋厂长一眼，就蹲下身子，从泥沟里扒了一团稀泥往身上一糊，又在额头那疙瘩上抓扒一下，就又多了几条红红的爪痕。只见他悄悄绕过横杆，从检查站那头跨上阶沿，就大声嚷起来：“日他的娘哩，竟敢抢到老子头上来了！”

检查站共四个人，夜里两个人值班两个人睡觉。小张和小孙坐在值班室说些裤腰带下面的话醒瞌睡，丁副乡长一身泥水闯进屋拖着两人就走。

木材检查站的人都认得丁副乡长，见他这副模样不由大吃一惊，“丁乡长你怎么了？”

“日他娘碰到歹徒了！”

两人被丁副乡长拖下公路，沿着山脚下的小路向山湾里奔去。

“两个歹徒打我的主意。”

小孙见离开检查站很远了，有些犹豫。

“见坏人不抓你们算鸡巴干部，老子上县里去告你们！”

两个年轻人又只得跟着丁副乡长走。

“就是从这里上的山。日他的娘，他们拦住我要我给他们钱买烟抽。我说你娘的瞎了眼老子是乡长抓了你们让你们吃花生米。他们就往这里跑了。”

这时小张突然站住了，说好像有汽车马达声。

“你快回检查站去！”小孙说。

突然丁副乡长一声尖叫，身子已经跌进了泥田里。两人慌忙跳下田把他扶上岸。他已经成了个没鼻子眼睛的泥人了。

两人搀扶着丁副乡长来到检查站，那根横在公路上的红白相间的横杆仍然静静地躺在那里。两个睡觉的年轻人已经醒来，说好像听到有汽车的马达声。

丁副乡长脸上露出一丝狡黠的笑，“你们不要疑神疑鬼，这条简易公路只通山里面三个乡。如今抓计划生育弄得鸡飞狗跳墙，哪个还有时间来偷这个关。快给我弄身衣服换。”这么说身子还不住地发抖，十月霜天，风一吹，丁副乡长觉得是有些冷。

“狗日的，便宜了两个家伙。”

“口袋里的钱被抢去了么?”

“老子是彻底的穷光蛋，他们只有抢我的卵!”

换了衣服，丁副乡长就出门走了。

“这么远你走路回去么?”人们问他。

“我在区里开会，刘书记打电话要我连夜赶回去有要紧事商量。不走路你们拿车送我么?”

小孙他们有些为难，说半夜三更哪有车去茅垭。

丁副乡长往回走了一段路，就[illegible]身从小路绕过检查站，去追宋厂长他们。宋厂长果然在前面等他，车已经走了。两人只有以步代车，往湘西锑矿赶。

没有料到第二天将木材卖了丁副乡长却病了，头痛发烧，住进了医院，中午宋厂长扎扎实实提了一袋子蜂王浆之类的东西去看望他。

丁副乡长盯着那些东西问他花的私人的钱还是公家的钱。宋厂长说是公家的钱，三车木材加那副棺材料共得一万二千四百块。这次木材算是卖得了好价钱。

丁副乡长冷冷地说：“公家的钱花起来不心疼吧。”

“丁副乡长您抓乡镇企业三年了，没有功劳有苦劳，您的身体好，平时咱有那个心思没有那个机会，这回您生病也是为了公家，那一跤跌下去就几千块钱啊。”

“只是为了赚那几千块钱咱是没有卵事干要往泥巴肚里钻！咱是看见老百姓穷苦得可怜，你拍起马屁来不用打稿子，钱不是花你私人的你不心疼。你给我把东西退回去！退不脱我就扣你的工资，看你心疼不心疼。”

宋厂长还想说什么，丁副乡长把针头从手腕下拔下来，爬起身，“这个院老子不住了。老子吃药住院你们一个两个借机会用公家的钱讨好我，还要领出差费。”

走出大门，又冷冷地对宋厂长说："刘书记问起木材钱的事，你就说要到年底才能结账。"见宋厂长不做声又吼道："你要是告诉了他们我就撤了你这个厂长让你回去扛二尺五啃泥巴。"

说完一甩手走了。

五

这天，王副乡长的女人张爱华提着一包旧衣服赶了几十里山路来到阳桃坡村，王副乡长正帮赵二牛挖红芋。赵二牛是计划生育对象，就是不肯去动手术。他说你书记乡长拿枪将我毙了我也不去。阳桃坡村的计划生育工作就被赵二牛这一杆子给撬翻了。几户对象说："你书记乡长不用上门做我们的工作，计划生育政策人人平等，他赵二牛什么时候去割一刀我们不用干部动员，自觉去。也不要你们干部照顾，吃咸喝辣我们自己想办法。"

刘书记要村长上门去疏通一下关系，村长黄着脸说别的对象都可以去疏通唯独赵二牛家他不敢去。两个领导商量了一下决定住进二牛家，想法子搬掉这只拦路虎，不然整个茅垭乡的计划生育要砸锅。

赵二牛家四口人，父母早已去世，只有婆娘和两个孩子。大女儿十二岁就成了主要劳力，天天下地干活儿，小女儿八岁刚刚上学读书。按说四口之家三个人劳动也不该穷到哪里去。走进那栋破茅屋却让人有些发愣，连做饭菜的锅都是缺的。吃饭没有碗，用楠竹锯的竹钵钵。几个树蔸当凳子，睡觉没有床，用竹竿儿织的排，架在四个木桩上。四口人睡一床破棉絮，吃的是红芋包谷，穿的更差，补丁重补丁，连本色都看不清了。都十月了，赵二牛还套条伞套儿短裤，脚杆子白天遭霜风抽，夜头又在火膛边烤，全是一道一道血渍的口。刘书记他们在阳桃坡三天，赵二牛的婆娘躺在床上三天没起来。赵二牛说他婆娘病了，问是什么病，赵二牛又不说，他们就不好意思再问。

王副乡长背后说这个赵二牛没得鸡巴用，再穷也穷不到这一步。刘书记说人穷志短马瘦毛长。因为穷，心里就有怨火。我们来硬的不行，弄僵了工作就更难做。王副乡长说我先去，不行的话你再去，不然真弄僵了就没有救头了。过后就打电话叫自己的婆娘把家中的旧衣服清理一下，除下自己要穿的，其他的卷个包全送来。口里骂赵二牛没得卵用，心里还是同情。

赵二牛说他家四口人才一亩二分田，而且都是天水田，牛角丘斗笠上巴掌丘全在山顶上，几天不下雨就成了旱鱼脑壳。今年大旱他家连稻草都没有收下几捆，四口人全靠旱地里的红芋脑壳过日子。王有来副乡长农民出身，也不多说话，操把锄头去帮他挖红芋，赵二牛不让，说我的红芋要放地窖里吃到明年四月，你挖得缺头破脑过不得冬。

王副乡长说："俗话讲霜降前半月挖红芋不过桶，霜降后半月挖红芋不过冬。如今霜降过去十多天了，再不赶紧挖回来会烂在地里。"说着挑着箩筐锄头上了山。半天下来，让赵二牛服了。王副乡长做农活里手得很，冷冷的脸面就松动了许多。到了下午歇晌时，把一包干萝卜叶递给他，"日他娘，一年忙到头，肚子没忙饱，连旱烟没得空栽几棵，烧萝卜菜叶当旱烟哩。"

王副乡长随和地说："过去我在农村时，也把干萝卜菜叶当烟吸。"就顺手摘了片螃蟹叶把干萝卜叶卷了个喇叭筒吸，从口袋掏出一包"老大哥"烟递给赵二牛。

赵二牛也不客气："你们做干部的拿国家的钱端国家的碗，抽你一包烟不算昧良心。"

王副乡长说："二牛你说我这百多块钱白拿没有？"

赵二牛老大一阵不作声，见王副乡长笑着等他回话，就说："王副乡长我不是对你有意见。有的干部可不像你，卵大个官，欺负人心肝上没得血。"

王副乡长说："有些也是没得法，不这么做不行。"

"王副乡长你把我的意思弄错了。"赵二牛把那包烟拆了抽出一支点燃了猛吸，"你当乡长的说公道话，我赵二牛一家四口人该不该只分这么几丘天水田。"这么说的时候那满是皱口的胸脯就像风箱一样起伏起来。"他马佬当个村长就欺负人，分田的时候他狗日的做手脚，三个纸团全写天碗丘。摸勾子时让我打开其他两人不打开，这马虎田就全分给我了。"

王副乡长心想这个赵二牛也真是头牛，就这么容易让人作弄！嘴里却说你们阳桃坡每人才三分田，亩产上千斤也是饿肚子。

"我讲你们当官的都护着当官的吧。他村长作弄我，我找乡政府领导你们一个个全都装聋作哑，他就得寸进尺，嫁了女儿该退田也不退了。你说这领导怎么能把事情办好。"

"你把我的意思也弄错了。我是说阳桃坡人多田少，本来就穷，再不把计划生育搞好日后怕连红芋脑壳都没得吃。"

赵二牛阴沉着脸不作声。中午了各人挑了一担红芋准备回家。赵二牛突然记起家中没盐吃了，说我割捆阳桃藤回去卖，不然别说没得油吃，中午煮红芋连盐都没得放了。说着拿把刀钻进地旁边的林子里。

这地方别的水果没有，唯独野生的阳桃藤生命力特强，落地生根，满山遍野都是，结的果子一串一串，小拳头大。外面人把阳桃子叫猕猴桃，一是说这果子猴儿爱吃，二是说这果子有些像猴子卵。没熟透时酸溜溜，吃一个牙齿都要酸三天，到了霜降时节猕猴桃熟了不酸了，就又掉下地烂掉了。到了十月阳桃坡人上山做活就吃猕猴桃当饭。后来有人说，城里人经过研究，说猕猴桃营养丰富还能防癌，卖得好价钱，就弄一些到湘西锑矿去卖。翻过几座山颠颠簸簸半天猕猴桃也全烂掉了，变成了绿绿的稀屎。也就把这宝贝不当数，成熟季节人吃鸟儿吃松鼠吃白狸子也吃，吃不完掉地上任其烂掉，种子来年春风春雨中又茂茂密密地生发开去。前年一个外地造纸匠在对面青山岭办了一个土纸厂，用青树皮造土纸，将阳桃藤泡池子里浸泡汁汁既可做纸又是极好的纸胶。那纸匠就收购阳桃藤，八角钱一百斤，比柴火还便宜。赵二牛一会儿就割了一捆阳桃藤，地上掉下的猕猴桃怕有百来斤。王副乡长拾一个将皮剥了放嘴里慢慢吮，酸酸的甜甜的还有一股诱人的芳香。

“太可惜了，在城里这果子可是宝贝。”

“人家城里当宝贝我们阳桃坡却是狗屎。”

“这么一捆藤子卖多少钱？”

“斤把盐钱。”

王副乡长拧紧眉头，说：“咱们做干部的失职了啊，茅垭这么值钱的土特产却没有能开发出来。”

赵二牛力气大，一担红芋上面加一捆阳桃藤，扁担都压成了一把弓。

回到家时，张爱华已经先他们一步进屋。坐在二牛婆娘床前和她说着家常话。赵二牛的女人见乡长女人说话贴心贴肉，还大老远给自己送来这么多旧衣服，感动得抽抽搭搭哭起来。女人之间容易沟通，张爱华想起自己那阵在农村受的苦，眼眶不由也湿了。

王副乡长见自己女人来了，心里很满意，觉得虽是没文化，还是通情达理的。过去一个人在农村顶门立户抚养孩子吃了多少苦，跟自己住在乡政府也还是个穷，吃没得吃穿没得穿，上次自己还动手打她，心里就生出许多疚歉，问她三十里山路走累了没。张爱华说我又不是插在花瓶子里的花，就对丈夫说起这几天乡政府的情况，说来乡政府结扎的人还是多，乡政府会议室走了一批又来了一批。

王副乡长听了就放心了许多，叫女人回去还是要打招呼，给她们烧烧水，问问有什么困难，你嘴巴软和一些人家心里也舒服。

张爱华说天黑赶到屋就是。就拿起扫帚给赵二牛打扫卫生，过后又把旮旯里的脏衣服放盆子里洗。

赵二牛女人躺在床上就又啜泣起来：“嫂子你命好哩，吃国家用国家不像咱农民吃了上顿愁下顿。”

张爱华说：“我哪是国家上的人，我也和你一样是吃红芋的农民，家中的田请人种着，每年给咱一点粮食，住在乡政府也是吃的天爷一碗饭。”

赵二牛女人有些不相信地看着张爱华，过后就哭着说：“大嫂你们对我家这么好我真不晓得怎么感谢你才好啊。”

“是他们做干部应该的，你和二牛不过也要想得开，孩子养多了大人吃苦孩子也跟着遭罪哩。人家外面人是儿是女都只生一个。你想想一碗饭是一个人吃了饱还是几个人分了吃好呢？”

赵二牛女人说:“这些道理我晓得,我二牛怄的是一口气。”

“你要劝劝他,他们做男人的洒脱,生多生少他们也不管,累的还是我们女人。”

赵二牛这时卖阳桃藤回来,见王副乡长女人给自己家送来许多衣服,有些不好意思,说:“王副乡长你送来咱还是接了,今后我赵二牛要有个翻身之日我就感你的情。如果还这么穷下去,我就把这个账放心里记着。”

王副乡长说:“赵二牛你这话就把人说生了。我王有来这么做不是要你感谢我。不是穷,你赵二牛七尺高的汉子也不会弄成这么个模样。责任制搞了十来年,改革开放也有几年了,农民的日子还过得这么焦苦,我们做干部的有责任。”

王副乡长看看天不早了,对自己女人说:“你在这里吃碗红芋就回去,不然就走不到家了。”

赵二牛女人也不要那个面子了,从王副乡长女人送来的衣服中拿了条裤穿上送她。王副乡长的女人见二牛的女人瘦是瘦,但看上去不像是生大病的样子,心想怕是赵二牛有意让她躺在床上不起来。

下午,刘书记来到二牛家,和王副乡长碰了一下头。王副乡长说赵二牛思想有些松动。据二牛的婆娘说二牛主要是对村长有意见,二牛小女儿八岁了还没有分责任田。村长大女儿出嫁四五年了责任田不愿退。刘书记说村里其他几户他都去摸了一下情况,说赵二牛的婆娘不动身在她们面前没得讲头,赵二牛的婆娘寅时走她们卯时去割一刀。这么看来要想搬掉赵二牛这块挡脚石还得做村长的工作。于是决定召开村委会。村里的问题该处理的要下决心处理。书记乡长蹲在这里,群众正确的意见得不到解决人家会说你当官的没用,再不然就说你们官官相护。政策只对群众不对干部。

然而,会议开得并不顺利,刚开始村长就和刘书记顶起牛来了。

“我不退田是事实,但也有原因,我做村长多年,村里几百号人上传下达吃喝拉撒我赵大仁没得功劳有苦劳。什么时候得过报酬?你乡政府每年补一百块钱连开会买煤油都不够。我们村每人才四分田,我女儿出嫁四分田没有退我种着每年收两百斤谷,算是给我做村长的补贴还要我自己花劳力耕种哩。你以为我是在欺压百姓么?你以为我这是不正之风么?今天你书记乡长来得好,我这就辞职,你们另外选人干,吃苦不讨好我没得卵事啊。”

村长抛出杀手锏,刘书记无言以对,半天才说:“赵大仁我说你发的哪样火!我们乡政府每年给下面村干部补贴不多,有困难,这是事实。你们就得自力更生把村里工作抓好呀!你们村穷得连盐都没钱买,说明你这个做村长的没得卵用。”

村长不服气:“我抓哪样?山上没有木材,地下没有矿藏,几丘鸟儿屙屎不长蛆的田还要看天爷的脸子,风调雨顺让你吃个半干半稀。它不给你脸一把火旱几十天连草都没得吃。前年你带我们到常德参观,人家农民住的楼房吃的鱼肉穿的料子家中有彩电冰箱,那是因为他们有好田好地。回来我对丁副乡长说,咱们参观是参观,但他们的样子我们学不到。各人条件不同。我们在那儿丘天雨田里再抛汗脱皮也富不起来。要想富还得走新路子。外面把猕猴桃当成宝贝,我们阳桃坡这种果子遍地都是,全烂掉了。你乡长做个担保,给我们弄点钱来,把我们的优势开发出来,不定我们阳桃坡就会翻身。你当丁副乡长怎么说,他说我吃错了药,在外面跑一趟把魂给跑掉了,是做白日梦。麻雀吃包谷也不和屁股打商量。厂没办成几万块钱抛水肚里了我拿你赵大仁煮汤喝!你是眼红我这个九品官当得自在是啵!我说那就算了,你怕丢了那顶帽子我也难操那番心,左右是个穷。祖祖辈辈都穷过来了我这半辈子就穷不过去了!"

村长发了一阵牢骚就不作声了。村干部就都把眼睛盯着刘书记。刘书记说:"老赵你说要开发山地资源我觉得是可以考虑。乡镇企业是个方向,外面富起来的乡镇大都是乡镇企业办得好。常德那地方也不全是依靠田土,他们的乡镇企业收入就很不错。回去我和老丁商量一下,眼睛盯着林场那几棵树不行,还要发挥山地其他优势,充分利用山地资源才行。不过你女儿的责任田还是要退。不退不公平,老百姓有意见。你吃了苦也是事实,但你要想一想咱们都是在镰刀斧头下举过手的,咱们就要有比群众多吃些苦的思想。今天我说了,你女儿的田要退,今天就退,当着群众的面退。你不想想赵二牛家四口人种一亩二分天水田,那日子怎么过!看到他家那个寒碜样咱心里不好受啊。"刘书记上来了感情,喉头有些发紧,停了停,说:"当然我这个书记也不能不考虑基层干部的困难。我在这里也表个态,除了乡政府那一百块钱的正常补贴,我再给你两百块钱的困难补助。少是少了点,但我还是那句老话,咱们在镰刀斧头下举过手,就要准备多吃些苦。另外,今年全乡的计划生育对象上一个环发十块钱,男的割一刀发三十块,女的割一刀发五十块。过去我们没有这么做,也是因为穷,拿不出。到下面看看,乡亲们的日子太艰难,动手术不给点补助补补身子,弄出病来日子就更艰难了。"

王副乡长心里打了个愣,按刘书记这么说,全乡计划生育对象就得开支七八千块钱。这个数在富裕乡镇算不得什么,在茅垭乡却是个大难题。就用疑虑的目光看着刘书记。刘书记咬了咬牙说:"我打条,不兑现你们领我的工资。"

村干部都不作声。王副乡长说:"刘书记刚才表的态,是对我这个分管计划生育工作的最大的支持。我也表个态,咱们茅垭乡穷,阳桃坡更穷,乡亲们日子过得焦苦,我们做干部的心里也不好过。是到了下决心的时候了。世界上没有不难办的事,怕担风险什么事都做不成,咱们茅垭就只有永远穷下去。我在阳桃坡住了几天,也上山看过,这里猕猴桃满山遍岭都是,却烂掉了,烂掉的全是钱啊。我看啦,应该把厂子办起来,听说新怀市办了个猕猴桃罐头厂销路很好。我们组织人去看一看,回来就干。只要刘书记松口,我王有来不怕担这个风险。"

刘书记说:"年底乡领导班子换届了就把这个事认真研究一下。王副乡长这个意见很好。大家也不要被穷日子压得喘不过气来,我们要有雄心改变目前这个面貌。”

没有料到这边村委会散会，那边赵二牛和他婆娘已经收拾停当，准备去乡卫生院动手术。赵二牛说：“你们开会我在隔壁角落里全听见了，你们书记乡长办事公正，我赵二牛也不做这个挡水岩了。”

王副乡长不知怎么的眼圈就红了。

“二牛，年底我来帮你们办厂子，办不成厂子我这个乡长也不当了。乡亲们日子过得这般焦苦我们干部脸比屁股还丑哩。”

六

刘书记主持召开了乡党委紧急会议。刘书记的婆娘提两瓶水去会议室送开水。正准备上楼，看见李驼子弓起腰往这边走来。邓金枚站住问他有什么事，他说要找刘书记。一脸的愁苦。邓金枚知道自己男人这几天心情不好，怕李驼子遭骂，问他有什么事能不能对她讲。那李驼子就泪水鼻涕一泡泡：“我是没得脸找刘书记的哩，穷得没得法了。刘书记是个好人哩，关心我们这些残废人啊。”巴掌在脸上抹，“刘书记是我李驼子的再生父母啊。”

邓金枚又怜悯他又有些心烦：“你到底找他有哪样事嘛？”

“刘家嫂子你是晓得的，我是个废人，驼个背，挑水扁担在肩上跷跷板，这半辈子都是我那瞎子婆娘挑水吃。是哪个剁脑壳的把溪潭边的踏脚岩撬走了，我婆娘瞎个眼一脚踩空人摔伤不说把水桶给摔破了，没得桶挑水吃了，这些日子用鼎罐提水吃，要是把鼎罐摔破了我家饭也煮不熟了。我求刘书记解决几个钱买担水桶。”

邓金枚许久没有作声。她知道他们家一个驼子一个瞎子，日子不是过的而是熬的。找刘书记的日子多，乡政府也没有那么多钱拿，刘书记就常常自己给几个油盐钱，她也总是从米桶里送他三升两升米。她从打了几个补丁的衣衫里摸了许久摸出一张皱巴巴的十元票子递给他。这十块钱是邓金枚半年来从刘书记给的菜钱里一角一分抠出来的。她看见孙小英张爱华冷天都穿了条马海毛内裤，自己还是穿的十年前买的一条绒裤，一点都不发热。张爱华说马海毛才八块钱一斤，一斤二两织条裤足够。她答应帮她织。

“你不要去找老刘了，这几天工作压头他心里焦急。这十块钱拿去买担水桶吧。”

李驼子接了钱一包泪水地谢邓金枚。邓金枚好不容易攒下一条裤子钱又没了。就说，你快走吧，给了你，你就不用谢。

乡党委原先七个人，郝乡长调走之后就只有六个人了。都是刘书记打电话从各村通知上来的。其他干部都还留在村里没动。计划生育工作已经到了扫尾阶段。但好做的工作前面都做了，剩下来的都是些不好对付的角色。他们打比方说是上甘岭的碉堡一个比一个难攻。乡党委争论的焦点在动了手术的对象是不是给补助的问题上。六个党委成员形成两种不同意见。刘书记王副乡长妇女主任坚持要给补助，理由是过去有生产队时动手术的对象每人记一百个工分。如今没有生产队工分没地方记，乡政府不给点补助会给对象家庭造成一定的困难。这几年乡政府没给补助，茅垭乡的计划生育总是全县倒数第一。年年挨批评。刘书记上次在阳桃坡表态了这件事，下面的工作就要顺利得多。如果书记说的话不算数了保不准今年又会在全县吃猪尾巴。丁副乡长和另外两个党委成员为一方，他们坚持不给，特别是丁副乡长态度很硬，说茅垭乡穷得叮当响，就别打肿脸充胖子，开坏了这个头。今后鸡婆娘脚疼都会伸手向乡政府要钱。就又和刘书记算账，这次木材款收入一万一千块，钱还没有到手。湘西锑矿上次答应你一万，那是因为你答应给他一副棺材料，棺材料不给人家，只怕就只有去年那个数：五千。一万六千块钱给民办教师四千，村干部补贴四千，今年茅垭大旱，特贫户困难户比去年要多，每户送二十块过年怕也要准备两三千块。另外，每年总有些赖皮条上交粮、税完不成。他们家中什么值钱的东西都没有，你不能带着乡干部去拆他们的屋、搬他们的被子。他们的被子搬来也值不了几个钱，臭虫虱婆成索索。去年乡政府填这个洞花了五千多。今年肯定还不止这个数。我不是不同意给计划生育对象补助，如果割一刀给五十上个环给十块，还有卫生院整修房屋的钱林林总总加起来怕要七八千。这钱从哪里来？天上会掉么？

丁副乡长拿眼睛瞅了瞅王副乡长："想把这个工作抓好，出成绩，为咱们茅垭争光，出发点是不错的，可总不能脱离咱茅垭的实际吧。"

刘书记这几天对丁副乡长有些看法。起因是他交代丁副乡长无论如何要弄副棺材料来，他把利害关系也对他说了，这副棺材料换回来的可能是一万。丁副乡长将棺材料弄到手却又自作主张卖掉了。茅垭乡过去木材多这些年都砍光了，再要找十二合的棺材料就很难。乡政府管着一个乡办林场，那片林子就成了乡政府的小钱柜，每年伐几十个立方米卖，砍的多造的少那片林子都成了癞子头了。

丁副乡长发言之后大家都不作声。王副乡长知道丁副乡长的心思，困难也有但主要还是怕他这次计划生育工作上出了脸面。好在给补助是一把手提出来的，他用不着去据理力争，就闷头抽烟不动声色。这时邓金枚送开水来，把丁副乡长的话听得一半，就接口说："刚才李驼子来乡政府要钱买水桶挑水，夹泡眼泪说他家都没法活下去了。"过后就叹气道，"这个烂摊子，要到哪个时候才得出头啊。"

以前干部们和她男人研究问题，她从来不敢插言插语。这次她说这话有目的。孙小英前天偷偷向她透露，说县里的千分之二农转非指标又下来了。县里又戴帽给了刘书记一个。孙小英担心说这段日子刘书记和王副乡长一块抓计划生育工作，王副乡长把工作做好了就会向刘书记伸手要那个指标。因为她大女儿明年高中毕业，成绩差考不起学，做父亲的怎么忍心把她再送到乡下去。邓金枚不希望王副乡长这回抓计划生育露了脸。

邓金枚还想说什么，没料到刘书记板下脸说："我们开党委会你多什么嘴。快出去！"

刘书记站起身，声音高了八度："我们茅垭乡农民穷哩！一年到头没得几天好日子过，吃红芋脑壳，炒菜没有油放，锅成了个火盆。还有更严重的情况你们晓得么？年轻轻的女人没得裤子穿，躺在床上不敢起来。乡亲们落到这般地步，责任在哪里？我说我们干部要负主要责任。我们是这个地方的父母官，我们没得卵用。"

五个党委成员见刘书记发起脾气来就都噤若秋蝉连大气也不敢出了。

"老丁我不是当着大伙儿的面批评你，管企业四年，什么事都没有办。办什么事你都说难。眼睛只盯着滴水湾那几棵树。一年伐几十个立方米万把块钱，乡政府拿着这钱东堵洞西补墙，你就心安理得。你就不想想滴水湾林场的木材还能砍伐几年！把木材砍伐完卖完就组织人去挖树蔸脑壳卖吧！外地人能在我们乡办造纸厂赚钱为什么我们自己就不能？群众意见很大你晓得不晓得。阳桃坡人说他们想办个罐头厂只要作个担保你也不敢，还要骂人家是吃错了药。老王说计划生育搞完了他去组织办厂，我说行，我同意。不然茅垭乡的农民是穷死饿死！"

说着刘书记把巴掌一拍："计划生育对象的补助是我说的，钱还是补。我不能把说出的话当屁放。我不要你的木材款，也不要你们想办法，我自己去弄。散会！"

丁副乡长万万没有料到刘书记会发这么大的火，一时竟愣了。昨天刘书记叫财税所长打电话把党委成员全部叫回来召开紧急会议。因为工作压头连办公室小宋也下村去了。财税所长快退休了就叫他帮忙到办公室听听电话。当时丁副乡长说大伙儿在下面工作很辛苦买只狗打了改善一下生活，钱由乡企业办出。他原本是想讨好一下几个常委。还有两个月就要换届选举，县委正在考察乡长候选人，刘书记上次对他婆娘透露他推荐的是他老丁。如果选举的时候几个常委再给代表们做做工作，拉一下选票，他坐那个乡长的位子就十拿九稳了。没有料到为了计划生育让一把手发了火。当时他真有些忍不下这口气，但他毕竟端了二十年的国家饭碗，知道小不忍则乱大事的道理。一口气憋在喉头硬是强吞下去，说："茅垭乡穷，我这个分管企业的副乡长有责任。刘书记说的话正确我拥护，这些日子抓计划生育都辛苦了，今天打了只狗，改善一下生活，俗话讲：秋草衰，狗肉补哩。"

丁副乡长虽是有些尴尬，但还是做出一副洒脱样子。

人们见丁副乡长自找台阶下，乐得打圆场："下了几天村，憋了一肚子红芋屁，再不进点油盐，一个二个都要趴翻了。"

王副乡长知道刚才刘书记说他准备在阳桃坡办厂会使丁副乡长生出想法，不希望和他生出隔阂，过来捧场说："还是老丁知疼知暖哟。"

刘书记一旁觉得自己刚才的火发得有些过头，说："弄酒了没？"

“弄了，沅陵二曲。”

“没劲，要大曲。”

“大曲就大曲。你书记讲的，不算大吃大喝。”

“你乡镇企业一年请一次客也应该。”

为了吃饭时不让人找来冲了酒兴，丁副乡长提议到厨房后面的保管室去吃。那里背人。大家都同意，问狗肉煮熟了没，肚子都饿得巴掌厚了。这时已经下午了。厨房师傅说狗肉早煮好了。六个人就悄悄进了保管室。刘书记也不作声，看了看一大盆香喷喷的狗肉，拿碗盛了些放进碗橱里。

“我给嫂子送去。”

丁副乡长以为刚才刘书记骂了他婆娘给她送点狗肉去解疙瘩。

“她没那资格吃这狗肉。”

刘书记把手一扬：“今天你老丁请客，难得的机会，咱们都过过量。”

乡干部长年累月下乡练出来的蹲劲，也不坐凳子，六个人团一个圈蹲着，中间一大盆狗肉，气氛热烈得很，几杯酒下肚，裤腰带下面的话全来了，把矛头一齐对着妇女主任。妇女主任三十多岁，没有了二十多岁的羞涩，也没有五十多岁女人的冷漠，喜欢的正好是荤腥，一副不在乎的样子。

“妇头你有经验，说说男人割一刀和没割一刀有什么不同？”

妇女主任脸红都不红，说：“这个还用问我么？除了刘书记不晓得那个滋味你们自己心中都有数。隔靴搔痒做的全是假动作。”

“我的娘啊，怪不得如今你们女人都争着去割一刀啊。做假动作不过瘾哩。”

“这是一个原因，还有更重要的原因你们不晓得。”

人大主任对妇女主任瞟一眼，卖了个关子。

“什么原因？”都把眼睛鼓着问人大主任。

“女人割一刀就可以放开手脚搞开放了。”

人们先是一愣，继而就哈哈大笑起来。

“剁你的脑壳。”

妇女主任把一杯酒就要往人大主任脖子里灌。

人大主任忙往刘书记背后躲。

刘书记一脸醉红，说：“难得这样好酒好菜，你们好好乐乐，我不陪你们了。”

看看天色已晚，端了厨房那碗狗肉下了乡政府前面的小路往妹妹家去了。

到妹妹家时，母亲正和妹妹商量请木匠合棺材的事。刘书记说晚上乡政府吃狗肉弄得不错就给母亲送了点来。

老母亲昏花的眼睛就有些发湿，儿子是个孝儿。她说：“立柱你忙哩，只莫惦记我，你妹对我好哩。”

儿子说：“娘啊儿没尽到孝心儿心里总是不好过的。”就坐在母亲面前，想跟母亲说说白话,无奈今天多喝了杯酒脑壳有些发涨。就把脑壳耷拉下来了。

妹妹准备给母亲热狗肉吃。老人说:“刚吃过饭,明天吃吧。你哥来了就陪你哥说说白话吧。”

妹妹就给刘书记倒了杯茶然后坐在一旁补衣服。

母亲看见儿子坐那里不作声,说:“立柱你今天好像有心思?”

儿子说:“我没,是酒喝多了。”

母亲说:“儿啊,你一尺长娘就摸起,儿心里有事娘一眼就看得出。你别瞒着娘,是工作上为了难还是跟金枚怄了气?”

儿子说:“娘你别多心,儿真的没事。”

母亲就哭起来:“儿你有事不对娘说你就不该来。你这一走娘的心也跟你走了哩。儿啊你也是做了父亲的人啦。”

儿子无法,就把湘矿环保科长要棺材料的事对母亲说了。

“你给他弄到手了?”

“没。”

母亲想了想:“把我这副棺材料送去。”

“不。”儿子说,“娘你七十五岁了,这棺材料你是一角一分攒下来买的。”

“送去。”母亲说,“公家的事误不得。日后你买得到就给我买一副,我有个病痛等不到了,就埋板子。人死如灯灭。埋木头埋板子又不晓得。”

刘立柱“嗵”的一声跪在母亲面前,什么话也说不出,两滴黄豆大的泪珠从眼坑滚了出来。

老人抬起枯槁的手,轻轻将儿子脸上的泪水抹去:“娘晓得,我儿肩上扛着千多张嘴巴,不容易哩。”

深眍的眼坑,满溢着对儿子的疼爱和牵挂。

七

孙小英偷偷给邓金枚织了条马海毛内裤。邓金枚不喜欢孙小英,又经不住那条马海毛内裤的诱惑。她想这条马海毛内裤都想几年了啊。就有些犹豫,问:“织这条马海毛裤要多少钱,我过些日子就给你钱。”

孙小英说:“嫂子你说这话把我们的情分都说生了。不是他们一块工作,我们能有机会住一块么?俗话讲:同船过渡,也是五百年所修嘛。这条裤值几个钱,还要你给钱么!”

话说得在理。邓金枚就对孙小英有了些好感。觉得她虽是有些爱好打扮,在自己男人面前疯头疯脑,心还是好的。这次不是她对自己透露那个千分之二的农

转非指标，自己农转非的事只怕又要落空。她这回没有要男人办，直接去找财税所长。财税所长想了想就替她将表填了。

邓金枝说："裤我收了，钱还是要给你。"

孙小英乐得她接了，就说："嫂子你千万不要把它放心上。刘书记处处关照咱老丁这情我们还不晓得怎么还哩。"

又说了一会儿话，就走了。

孙小英刚走邓金枝就一个人掩了门准备试裤，这时张爱华推门进来，手中提了十几个鸡蛋。邓金枝有些丈二和尚摸不着头脑，问她送蛋做什么？

张爱华说："刘书记不是做了手术么？老王要我来看看。"

邓金枝一愣，问立柱什么时候割了那根筋？

张爱华说："刘书记没对你讲呀，听我家有来说好像是昨天扎的。"

"他昨天对我说他下村去了呀。"

邓金枝一脸狐疑。

刘书记是割了一刀。

前天王副乡长将最后一批要动手术的对象送到乡卫生院，向刘书记汇报说今年的计划生育工作破天荒的顺利，上环的对象已经完成，结扎对象也基本完成了。刘书记听了非常高兴，当即向县里作了汇报。正好第二天县里召开全县计划生育电话会，县委书记在讲话中表扬了茅垭乡一番，说茅垭乡这些年百样工作都吃猪尾巴，全县四十八个乡镇倒数第一谁也别希望争去。这次茅垭不错，再加把劲，把计划生育这面红旗扛回去。刘书记在茅垭乡做一把手四年了，第一次得了县里的表扬，当然高兴，就和王副乡长商量如何把计划生育这个尾扫好。王副乡长有些为难，说结扎任务其实只有一个，问题是他们夫妻双双已经到江苏姑妈家去了。派人找回来是可以，一是时间来不及，二是要两千多块钱的出差费。钱从哪来？刘书记眉毛皱成了两个疙瘩，牙齿一咬说："好不容易得来的先进咱不能丢了。这几个月我那婆娘返老还童了，弄不好，要出丑。我去割一刀吧，一是保险二是凑数夺那面红旗。"

邓金枝来到卫生院，男人果然割了一刀，这时正躺在床上和郭院长说白话。邓金枝一句话没有说就回来了，把刚刚穿上身的马海毛裤脱了，往张爱华怀里一抛，头不是头面不是面地说："要割你去割嘛，怎么要我男人去割呢？我男人割了只管得他一个，你自己割了，喜欢哪个就和哪个那个。"

张爱华脸被说得绯红，呜呜哭了起来。邓金枝见她那个哭样心里更来气。她哭的时候还从口袋摸出一块花手绢将脸捂着，肩头一耸一耸，鼓鼓的胸口一颤一颤，邓金枝的胸口却如刀削一样的平。邓金枝不知怎么的自己也哭了起来。

这时乡政府外面有小车喇叭叫。财税所长从办公室走出来见是县委组织部李部长下了车，连忙过来叫她们别吵了组织部长来了，就去迎接李部长。李部长问刘书记在家不在家。财税所长说刘书记在卫生院他去喊。李部长说他自己去。说着就走了。

孙小英正站在隔壁听两个女人吵，财税所长一喊组织部长来了，立时紧张起来。她听男人说过组织部长是管官的官，心想李部长一定有重要事才到茅垭来，连忙从后门出去找自己男人去了。

丁副乡长在木材加工厂，听说李部长来了先是一愣，连忙赶到卫生院，说是找刘书记汇报工作，见了李部长就很热情地跟他打招呼，问他什么时候回县里去。说加工厂今天弄了点好菜，要不急就过去喝杯酒。李部长比较随和，问是什么好菜，迟回去点没关系。丁副乡长说："昨晚上他们放套子套了一只白面狸。你也是农村出身，晓得那白面狸的膘是扳出来的。眼下深秋时节，野果熟了，正是白面狸扳膘的时候。还有包谷酒，自己蒸的，软口劲却足。"

"要得。"李部长说，"你去办好，我和老刘有点事说说就来。听说你酒量不错，今天我们过过量。"

把丁副乡长喜得走路都有些飘起来了，猜想李部长肯定是来定盘子的。对自己这么热情，只怕那乡长十有八九是自己了。到了加工厂才想起刚才自己扯了谎，加工厂哪来的白面狸肉？等会李部长来了扫了他的兴就拐场了。忙从口袋掏出五十块钱，说："这是我大儿子下个月的伙食钱，先用了算了，你们赶快给我找白面狸肉去，组织部李部长等会要来吃饭。"加工厂几个人听说县委组织部部长要到他们厂里吃饭，都感到很荣幸，只是听说要吃白面狸肉又都作难了。这四只脚的野兽，说要吃就是吃得着的么？一时都不知所措。这时宋厂长出了主意，说刚才他从扯扯桥过来，看见有人在溪边培瘟猪崽。不如买几斤来，放些橘皮桂皮花椒煮了，再多放一些酱油，保准李部长分不出是瘟猪崽肉还是白面狸肉。

"这个主意要得，不过谁也不能透露风声，不然李部长对我看法不好我就对你们看法也不好。这个乡长在他手中握着你们也在我手中握着。"

十几个人手忙脚乱准备了一阵，李部长果然来了。刘书记因为割了一刀没有痊愈不敢乱吃东西没有来就让财税所长跟了来作陪。李部长说既来之则安之，碰碰杯说说笑话就是两个多钟头。果然没有发现吃的是瘟猪崽肉。吃得高兴，真的还和丁副乡长喝过了量。丁副乡长几次把话题往乡政府领导班子上引，李部长却有意没意把话题引开了。丁副乡长心里就有些发急，心想是不是王副乡长这次搞计划生育出了成绩把乡长那个位子让给他了。李部长吃了一阵昏昏乎乎站起来说要去解小溲，丁副乡长连忙扶他去厕所，在厕所里丁副乡长见没有旁人就将乡计划生育工作弄虚作假想夺红旗的事向李部长说了。李部长没有作声，只意味深长地冲他笑笑。

李部长天黑一阵才离茅垭乡，给丁副乡长留下一个让他焦急不安的悬念。他就去刘书记那里探听虚实。刘书记说你这么个卵样子不叫抢班夺权么？过后又安慰他:“老丁你放心,我过去是什么态度现在还是什么态度。”

三天之后,刘书记出院了,计划生育工作队也陆陆续续回到乡政府。刘书记叫财税所长开支点钱,改善一下生活,休息两天,准备下一步工作。乡干部一回来,二十多个人一块就又热闹了,就有人背地里说起刘书记结扎的事。乡干部原本和农民滚一块荤的腥的粗话痞话全不在乎,就有人半开玩笑说:“如今年月不同了,弄个把情人算个卵,那根筋一割,什么顾虑也没有了。”这话七传八传就传到邓金枚耳朵里,邓金枚那火哟:“你们一个二个嘴巴都不关风了呀,俗话讲:养儿不怕丑,养到四十九,你嫂子要生个出来问问上头批评不批评。”男人对自己虽然不冷不热,但邓金枚是决不让别人对男人嚼嘴舌的。一群乡干部被她问得张口结舌无言以对。

“嫂子贤惠哩,不愧为茅垭乡第一婆娘啊,我们的婆娘要比得上嫂子,天天给她倒洗脚水也心甘情愿啰。”

刘书记从办公室接电话出来说:“怪话少讲,下一步的工作更难做。虽说我在锑矿弄来了万把块钱。但这是六月天下雷阵雨,到了困难户手中就没得多少了,解决不了大问题。咱们做了这方水土的父母官就要为这里的群众多办好事实事。刚才县里来电话,我们茅垭乡的领导班子盘子定下来了。上交任务完成之后,就召开乡人代会选班子。明年是要下决心抓一下乡镇企业,这是个出路问题。这些年咱们乡的优势还没有发挥出来。”

有人问:“乡长定的哪个?”

“从我们乡两个副乡长中间产生。”刘书记说,“我们共产党的干部讲能力也讲资历。上面定的丁副乡长,王副乡长陪选。他年轻一些,今后有机会上。丁副乡长五十了,就这一次机会了。”

一旁的丁副乡长开始心都提上嗓子眼了。刘书记说完,他还愣在那里。王副乡长好像早就预料到上面会这么安排,不怎么在乎,说:“不管哪个上,我都没得意见。我还欠了阳桃坡村一笔账,上交工作完毕,我就去阳桃坡。”

“那是下一步工作,等班子选出来,大伙儿坐下来要认真研究一下。你要愿意接替老丁抓企业也好,计划生育工作就换个人。”

刘书记看见王副乡长这么开通,心里很高兴。其他干部却不管这些,嚷着要丁副乡长请客。

八

十二月初全县召开了隆重的计划生育工作总结表彰大会,但茅垭乡终于还是没有得到那面红旗,让刘书记光火了好几天,说是哪个小杂种当了奸臣,他回去要认真查一查。好在上交啊、农田基本建设啊都比去年完成得好,县长书记还是表扬了他们，并鼓励他们要再接再厉，尽快带着全乡人民走出困境。王副乡长便乘机向县长提出想利用山里资源办一个猕猴桃罐头厂，只是苦于没有资金。县长就把分管乡镇企业的副县长找来要他想想办法扶一把贫困乡。副县长很慷慨地答应给他弄点贷款，乐得王副乡长马不停蹄把阳桃坡村领导带到新怀市考察了一下那里的三资企业猕猴桃罐头厂。真是不看不知道，一看吓一跳。走出山门才知道自己的日子和人家比起来真是天上地下，一阵叹息之后就又来了劲头，觉得这好日子也是奔出来的。一合计，决定从这里请个技术员，立即动手建厂，明年九月新猕猴桃上市就投产。并决定在阳桃坡新建猕猴桃园，从新怀市引去高产良种猕猴桃苗。

被贫困搅得抬不起头来的阳桃坡一时间沸腾起来了。

十二月的天气一直不好，麻风细雨。二十号茅垭乡召开乡人民代表大会，进行换届选举。可是十九号了王副乡长还没有回来。他和阳桃坡村会计去株洲拖设备去了。代表们都来了，刘书记就叫办公室小宋挂长途，那边说王副乡长早就走了。人们就估计只怕是车坏在路上了。刘书记说王副乡长赶不回来也没有关系，他是陪丁副乡长选，本人在不在场问题都不大。就召开了个乡干部预备会议，将县里的意图向乡干部作了传达。然后把他们分到各村去做工作，要代表们知道虽然是差额选举，其实位子早就定好了的，那个圈圈千万别画走火，要争取圆满成功。

这两天最忙最活跃的是丁副乡长。大会的生活开支是他一手操办的。除了上面的正当拨款外，他还从木材加工厂那边弄来一笔钱，说是人民代表大会三年才召开一次，代表们一定要吃好吃饱。没事的时候他就到各村代表们那里走一走，说上几句荤腥话，打支烟。乡人大代表这次也似乎比哪一届都到得齐，情绪好。他们打诨说笑，但更多的是谈论阳桃坡村办厂的事。人们说阳桃坡的厂办成了，咱们茅垭乡的猕猴桃就再也不会白白给烂掉了。有的代表说：百事开头难。阳桃坡这回厂子要是办成功了，他们也办厂，但不是办罐头厂，而是办纸厂。人家外地人能在咱茅垭办土纸厂赚钱，我们自己为什么不能办呢？要办就办个像样的，像外面世界的乡镇企业那样，要赚就赚大钱！

晚上，王副乡长仍然没有回来。按县里的布置，第二天上午十点，茅垭乡的人民代表要投票选举他们的乡长。这天天刚亮，也没有人相邀，茅垭乡五十多名人大代表都不约而同地聚集在乡政府前面的公路上，像是散步，一双双目光却不约而同地投向公路的那头。那头通向山外面的世界。

晨霾慢慢散开，霜风仍然有些凛冽，一个圆盆似的日头像是临产的婴儿，几经艰难才露出她的湿漉漉的脸面。

难得的一个晴天啊！

（选自《时代文学》1994年第6期）

向本贵

1947年出生，苗族，湖南沅陵人。1967年高中毕业后回乡务农，历任县文化馆文学专干，《雪峰》文学杂志社编辑、编辑部主任、副主编、社长，怀化市文联专业作家。中国作协第六届全委会委员，湖南省文联副主席，怀化市作协主席。1980年开始发表作品。1995年加入中国作家协会。著有长篇小说《苍山如海》《凤凰台》《遍地黄金》《盘龙埠》《非常日子》《乡村档案》《毒案喋血》《金客》《暑假六十天》等十部，中篇小说集《这方水土》《文艺湘军百家文库·向本贵卷》《血月亮》，发表中短篇小说80余篇，共计550余万字。《苍山如海》获第七届中宣部"五个一"工程奖、第六届全国少数民族文学创作骏马奖，《这方水土》获第七届全国少数民族文学创作骏马奖，《盘龙埠》获华东地区优秀文学图书奖，《灾年》获《当代》中篇小说奖。

村民组长

何申

黄禄撅着腚用背架把最后两篓子红富士从山上弄下来，天都擦黑了。他只觉得腰似两截了一样地疼，眼珠子让汗浸得都不好使了。这也难怪，连着背了三天，这北山鸡脖子路又石头赶蛋恁不好走，常人背一篓子就够受，何况黄禄瘦巴叽叽的身板儿，末了硬弄两篓子下来。尽管如此，黄禄心里欢喜，他心想这他妈的哪是背苹果，这是往家背银子呢！一斤红富士搁到过年，就是三块多钱，万万不可粗心大意让谁偷一篓子去。他又暗笑他组里的一些个村民，当初叫你们不把这果当回事，这会儿眼红啦，晚个屎的啦！老子先给你们做个奔小康的样板儿啦……咬紧牙关进了村，他忙找个矮墙垛子，垫住篓子半蹲半站地歇歇，掏出揉成一团的烟抽着，这叫舒坦哟！抹把脸上的汗，老远地听见前街吵吵嚷嚷，车喇叭嘀嘀乱叫，黄禄不由得皱眉头。他们长林村一组守着公路，这破公路当初也不知咋设计的，到这儿来了个胳膊肘子弯，现在一些个体的车，车破不说，本子净是花钱买的，一个个愣爹似的开，头几天村民四狗子他娘好好地在路边搂树叶，生生让一个喝多了的司机给追上去碾折一条腿，这叫什么事呀。这回怕是谁又倒了霉。

黄禄把一口烟咽到肚里，全身一较劲，两篓子又架在身上。不管咋说，他是这个组的组长，大小是个干部，一年还有四百块钱补贴，前一阵子净顾自己的果树了，村民意见哄哄，这回果到手，得张罗点公家的事儿。拐进他哥黄福的房山子。就见自家门口黑乎乎的有件东西，却又想不出该是个啥？估摸翠珍不会大意到把篓子丢在门外，这些日子村里犯邪，啥玩意儿都丢，瓜果梨桃这些地里东西不说，鸡狗羊驴这些活物也没，连扬水上山的电线也让人剪了。各家除了粪堆在墙外，别的能进院的差不多都进了院。黄禄心里来气，这大大咧咧咋奔小康？看我到家不好好训你们。到了家门口，就预备骂了，揉揉眼细瞅那黑东西，把他吓了一跳，敢情是自己的老爹。黄禄说："怪不得不怕丢……"怕爹听不明白，接着又问："今个几儿啦？"老爹说："大牲口说这月没三十，你瞅瞅呀。"黄禄把篓子放下，说："瞅啥，我不跟他一般见识。您倒是进家呀，蹲这干啥？吓人唬啦的。"这话里就有几分气。他们哥仨，老娘没了几年了，剩下老爹挨家轮。十天一家。老大黄福说自己当初没分到果树，光靠这点杂交棒子，日子不中，就不好生待见老爹，其实那劲是冲黄禄来的。黄禄果树多收入多，在村里是上等户的日子，旁人看着都眼红，黄禄怕引起民变，啥事都忍着些，在养老爹的问题上就劝翠珍，说反正也没几年活头啦，多吃几粒饭不算个啥，翠珍倒不在乎，说只要果树不变，你就来俩爹咱也养得起。

见老爹还蹲在门口不动，黄禄说："咋还不进去呢？"老爹用烟袋锅当地敲下铁门："锁着呢！让我咋进？"黄禄这才觉出，院里没点声响，他家的狗前些日子丢了，出来进去全靠锁门。他刚才把钥匙给了翠珍，现在他也打不开，便问："人呢？都死哪儿去啦？"老爹说："当街，没听见咋着？驴老五把你哥台球案子劈啦，你该去管管，好歹你是队长。"爹叫不好组长，还是老称呼。黄禄在暗影里瞪了他老爹一眼，心想我哥那么不待见你，你还惦着他。转念又想，罢了，谁叫是一个娘肠子爬的呢！还挂着这个鸡巴组长的衔，别让人家说一年白拿四百块。便说："您看着篓子，可别丢啦，我去瞅瞅。"老爹哼了一声说："就不怕我丢啦，娘的……"黄禄只当没听见，就奔了前街。前街路边有供销社、饭馆、商店、旅店、铁匠炉……早先是乡所在地，后来乡撤了，但由于是交通要道，在这深山里也算得上是个热闹所在。黄禄倒背着手来到路边一看，吓了一跳，原来是六十多岁的吕老五脱个大光膀子，提着铡刀片在路上耍巴呢，黄福的台球案子被劈成八瓣堆在路边，被堵的汽车两头排出有半里地长，却没人敢上去管管。这吕老五年轻时到东北当盲流淘金子，金子没见他淘回一两，胡子脾气却带回一身，早些年以阶级斗争为纲时还能降服他，眼下地和树都在个人手里，他就老天行大自己行二了，村里人都叫他驴老五驴大爷。黄禄不傻，他才不想惹这位大爷呢，脖子一缩想往回溜，就听新光棍子富贵叫道："黄组长，走了不好！一年四百块钱白拿啦？"围观的人眼光便都射过来，呛呛呛说啥的都有。去跑买卖多日不见的四狗子脸上黑光发亮地叫："组长大官不想干了咋着？"黄禄心想我不能让四百块钱吓住，便仰着脸说："哼，老子还真不稀罕那一壶醋钱……"四狗子向村民一挥手："他不干选我，我干了重新分树，家家都让你们沾好处。"黄禄心里忽悠一下子，血便涌上来，斗鸡似的探着脖子叫："没那八宗事！才讲的精神，一百年不变！"村民这会儿就忍不住，又翻腾那些老话："这是咋说的？八三年说三年不变，抽沟[①]时就没当回事，后来说十五年。咋又一百年啦？""我一个人的地，咋养得了老婆孩子，回头送给政府吧。"还有人嚷还得练三只手，说这才能加快致富的步伐。于是便有人逼问黄禄今冬地、树咋调整，若不调就咋着咋着。黄禄哪敢答应这事，便在人丛中冒汗。幸好这工夫黄福领来了大队支书和镇派出所的大老白。大老白负责这一片几个村的治安，办案前中后都要喝酒，这会儿也不知是喝到哪个程

① 抽沟：分山地，抓阄，一条沟一个阄。

度上，反正是打着晃过来，把粗粗的电棍往前一杵，叫道："影响交通，这屌……不容！"好几丈远的驴老五尥蹶子般窜进人群，嘴里喊："黄组长当官发财，他哥摆破案子，我小子半天就捅进去五十，你们咋不管？"支书说："家有家规国有国法，用得着你这个管法儿！"大老白把车辆疏通了，司机感谢得鸣喇叭，尘土呼呼地卷来，也不知谁说多加小心，别一车轱辘碾十个，加上人们也饿了，便散去了大半。黄禄得救一般，正要谢支书和大老白，支书眉头早拧起来，埋怨道："我说你们一组咋搞的，这乱糟糟？"黄禄说："就这么搞的，我有啥法儿？"四狗子在一旁说："人家不愿意干呢。"支书问："真的？"黄禄当着人没法拉半截屎，点头"嗯"了一声，支书脸沉下来："不干有人干。"四狗子乐了："支书，我干，我干！"大老白笑了："你？回家干你媳妇去吧！"拉起支书还去喝酒。黄福说："我的案子就这么白劈啦？"大老白说："保护现场，这事明天断！"黄禄心里打鼓，跟在支书腚后，到了背人的旮旯说："支书你等等，说明白了再不干也不迟……"支书瞥着黄禄问："咋着？反悔啦？"黄禄道："是你讲的一百年不变。这地这树。"支书愣啦："谁说的？"黄禄急啦："那天你在干部会上讲的！我坐头一排，你抽我两根官厅呢！白抽啦？"支书挠挠脑袋："嗯，是有那么回事。不过，那是说基本路线一百年不变，你给听哪去啦？"黄禄差点蹦起来："那咱这树还能变，我多不容易收拾到这份儿上，搭钱搭老啦！"支书嘿嘿一笑："那得看你组里稳定不，大家没意见，谁调那个，要是意见哄哄，再换个旁人干，够呛。"黄禄顾不上面皮，忙说："那我还干，还要弄稳，你甭换旁人。"支书说："谁要换旁人啦？你自己要撂挑子嘛。"黄禄说："当着那帮鸟人，我咋说？你瞅着，我保证一宗宗治好这一组的事。"支书笑道："最好。告诉你，缴税款你们组最差。"大老白过来说："走走，一块喝酒去。"黄禄摇摇头："这会儿不啦，明天我请你喝，帮我查查电线。"大老白说："中，连台球案子一并解决。"

黄禄蔫头耷脑地回家，瞅啥都烦，抬脚把个草墩踢一边儿，问粥咋还不熟。翠珍麻溜烧火，扭头问："你吃枪药啦？不当那组长更好，好好收拾咱的果树，一筐就是一百多……"黄禄呸地吐了一口："我不当，人家还不调啦？"翠珍攥着烧火棍问："不是一百年吗？"黄禄说："还他妈的一万年呢，快烧你娘的火吧！"便进屋蹲在地上闷闷地抽烟。他爹这会儿坐在炕头上抽，也不吱声。黄禄隔会儿瞅瞅老爹，最终把烟屁股扔了问："您说咋才能把群众稳住，让他们拥护？"老爹是土改时的积极分子，后来又干过几年护林委员，别看整天绕山转，好歹也占干部圈。他把烟袋磕磕，又装上一袋点着，想想说："最早嘛，讲军队向前过，生产长一寸。过后嘛，讲生产大上，干部大下。再后嘛……"黄禄烦了："得，得，我是村民组长，你还叫我往哪下？都什么年代了，还念那老黄经？"老爹一听火了，用烟袋锅子叭叭敲炕沿；"兔崽子我还没说完呢。你敢教训我？"黄禄手搬桌子嘴嘟囔："谁的崽子谁清楚！"翠珍在外屋咯咯直乐，黄禄也乐了说："你美啥？你不也进了兔子窝。"

转天黄禄硬是不下地收棒子，他一心等着大老白来。他琢磨了一宿，理出个路数，那就是先提偷电线的贼，因为有了电才能抽大眼井的水，有了水才能浇果树，浇了果树，有树的这一部分较富裕的户才能跟自己一个心；再往下他想把让城关王大眼绷骗去的钱打官司要回来，那事涉及每一户，这样就能使更多的人拥护自己……再往后呢？再往后就想不出来了，组里烂事多啦，赶上啥干啥，反正不能像前一阵光忙活自己的了，好歹要拿出点为大伙做事的样子来。

太阳明亮亮地悬在东山上，黄禄站在路边截着大老白，大老白喝酒时说的话十有八九说过就忘，弄不好骑摩托车窜下去，就不好找啦。这时黄福从路边“欢客来”饭馆里出来，见了黄禄，笑也不笑带点命令的口气说：“老二，中午连老白，一块儿吃。”语调显出当哥的架势。黄禄说：“中午你甭管啦，我请。”黄福还挺仗义：“为我的事，该我请。”黄禄说：“不光为你，还为电线……”

黄福的脸呱哒就掉下来，说：“我说你拉倒吧，又不是你个人家的，你得罪那人干啥？”黄禄盯着路上的摩托，说：“那是热点，你不懂。”黄福冷笑着说：“要说你也是白费劲，查也查不出来。”黄禄问：“你咋见得？你知道咋着？”黄福被问得脸上难堪，倔倔地说：“你不听拉倒！这饭我也不管啦，驴老五你们还得处理……要不，爹就别想上我屋。”说罢便走。黄禄真想跟他干一仗，又一想四十来岁的人啦，还是亲兄弟，便没开口，脑子一转，他说：“爹归我一个人也中，可说下，咱爹土改落下的东西……”黄福咯噔就站住了，转身问：“咱爹土改落下啥？你不能一人独吞！”黄禄说：“那你都不养爹……”黄福说：“谁说我不养？白话当真，还是个组长呢！你说咱爹有啥？”黄禄嘿嘿笑着说：“有饥荒，你要不？”转身就走了，气得黄福直瞪眼。

没见大老白上来，却见四狗子驮着他媳妇兰子从村里上了公路。黄禄懒得瞅那两口子，四狗子在外边瞎捣鼓，兰子在家不安分，前一阵和富贵混在一起，村里上下都知道，可谁也懒得管这闲事。黄禄把脸撇向一边，装着看风景，等着那两口子过去。不料四狗子把车子停在黄禄身边，说：“组长，在这待着呢？”黄禄不能不答话，只好点下头：“你们上街。”四狗子说：“我去告状，富贵强奸我媳妇，我跟他没完！”黄禄脑皮发麻，前些日子镇里还讲，哪里告状的多，就扣哪里干部的补贴，就说明哪的干部没能耐。黄禄看看兰子，兰子小眉毛漆黑，瓜子脸白白，脖上银铛着项链，耳朵上吊着一嘟噜啥玩意儿。黄禄心里来气，脸上却笑道；“别逗啦，你们这是回娘家吧。”四狗子说：“真的，不信你问她。”兰子满不在乎地说：“那天我在地里刨红薯，富贵他从后面上来就……”黄禄皱着眉头问：“你俩是横着垄沟还是顺着？”兰子想想：“顺着来着……”黄禄说：“那就是顺奸。拉倒吧，别告啦，私了得啦。”四狗子说：“我也说私了，他富贵一毛不拔。”黄禄说：“回头我去说，说不下来你们再告也不迟。”四狗子说：“中，就听你的，我们这就上街买东西，回来让富贵报销。”黄禄说：“你们忙啥，咋也得定个数再买。”四狗子说：“我媳妇记着数呢，一次五十，也得两三千吧。”黄禄跺脚：“谁问你那个数啦！我可不管报销的事，你爱买多少买多少去。”

兰子笑了:“我们自己还有钱呢。”两人蹬车子走了。

黄禄喘口气,看宽宽的公路从县城那个方向缓缓伸来,拉货的车一辆接一辆,心里怪不是滋味。长林这地方离县城才三十多里地,就两个世界似的,村里任啥企业也没有,见不到来钱的道。黄禄曾跟支书说过,支书说要谨慎,不要受骗上当,庄稼人还是在地里山上打主意吧。现在,黄禄突然想起,要想让大家不反对自己,光查电线还不够,还得让全组的人都多挣上些钱,那么,心思就不在那几棵果树上打转转了……大老白终于骑着摩托来了,黄禄看看表,都快十二点了。便把大老白请进“欢客来”,拣好的点了几样,大老白说:“小蛤蟆能吃啦,那玩意儿大补。”黄禄就要一个沙锅小鱼豆腐炖小蛤蟆。那小蛤蟆为本地特产,天一煞冷就钻进河石缝中喝清水,肠子里干干净净,往汤里一下就有一股香味。大老白夹个蛤蟆一口下去,又喝口酒,黄禄不大敢吃那东西,只捞豆腐小鱼,又忙着给倒酒。大老白喝得口滑,一个劲让黄禄也喝,黄禄勉强灌了两盅,就觉得脑袋蒙蒙的,但他意识还中,问大老白:“你说这偷电线的,准得有脚扣吧?”大老白越喝脸越白,抬杠说:“人家就不会有梯子?”黄禄有股倔劲,说:“梯子多费劲。”大老白说:“脚扣还叮当响呢!”两人越抬越来劲,大老白说:“你这么明白,还找我干啥?”黄禄又摇头:“我要是真明白,还有劳您?”喝完了,日头都偏到西边去了。黄禄说:“走吧,去现场。”大老白突然叫声“坏啦!”把黄禄吓了一跳,忙问咋啦。大老白说:“今天我丈母娘生日,我得赶紧回去买个蛋糕。”黄禄叹口气,只好说:“嗯,那该回去。明天再来吧。”大老白说:“放心,我正看福尔摩斯,一破一个准儿。”大老白就用钥匙开摩托车,钥匙在上面划拉了半天,才插进去,屁股后一冒烟走了。黄禄也要走,“欢客来”老板锁柱喊:“黄组长,是记账呀,还是现钱?”黄禄说:“记着记着。”锁柱说:“可你们打头年就欠着。”黄禄板着脸说:“一个公家的事,还能赖了账,早晚还你就是。”挺不顺心地回到家,咽口唾沫,口干干的,明白了那汤做得太咸,便骂:“这个锁柱,没安好心。”舀瓢凉水喝下去,然后往炕上一挺就睡着了。后来觉得大腿上挨了两拳,揉揉眼看,是翠珍横眉立目地站在炕下,黄禄说:“干啥?打贼咋着?”翠珍气急败坏地说:“打着贼就好了!快去咱园子瞅瞅吧,咱的苗子让人全薅啦!”黄禄“啊”的一声就窜下炕,拔腿就往河边跑,进自家果园子一看——头年育的好几十棵红富士苗,让人薅个溜光,连根儿条刺都没留。黄禄两腿发软,气得就想骂:“我……”忽然见几个村民推着掰得的棒子过来,他立即把脏话咽回肚子。咋着?他怕人家解气,时下村民们都不心疼干部,何况像黄禄当初果树分得就多,你又育新苗,好事都让你个人占了。黄禄用手撑着腿站起来,强打精神和村民搭话,问是哪块地的棒子,咋样等等。村民们都说旱坏啦,净是瘪子,打不出粮食,真不如栽果树了。黄禄说:“我早就说在好地栽果树吧,非种棒子,一亩地能卖多少钱。”村民说:“好地不种棒子,拿啥喂猪养鸡?”黄禄说:“你们呀,就是思想不解放,有了钱不是啥都有啦。”富贵叫道:“我解放,我的地都栽树,你帮我弄苗子。”黄禄瞥了他一眼:“帮你弄苗子?哼,待着你的吧。”富贵道:“嗯,你为啥这么对我?”黄禄冷笑一声:“你站下,我有话跟你说。”旁人便知道有事,推车走了。富贵掏出烟抽,就是不吱声,黄碌问:“别耍蔫大头,说,你把人家兰子给整啦,是不是?”富贵说:“那是她拽我。”黄禄道:“你拉倒吧,谁不知道你媳妇跑后你跟红眼驴似的到处踅摸人家娘们!”富贵抬起头:“你说咋办?”黄禄说:“人家要告你,让我挡住啦,要不你就得戴小棒子啦,一顿二两窝头。”富贵眨眨眼:“哼,这娘们不够意思,说好的事又反水。”黄禄问:“你一直白占?”富贵说:“给过她一件毛衣。”黄禄乐了:“那人家还能不反? 哄小孩呢。这么着,你把你的家底往一起打扫打扫,后黑我给你们断个数得啦,闹大发了影响不好。”富贵站起来:“可我没有现钱呀。”黄禄想想说:“该着。你认出多少? 我心里好有个底。”富贵挠挠头:“二百中不?”黄禄摇摇头:“二百不中,一次才合多少钱? 四百吧。四百也便宜你。”富贵晃晃脑袋:“完啦,今年这一秋算给他们收啦。”黄禄抓过富贵的烟抽着:“叫你还乱打洞! 还是说点好话把媳妇接回来吧,自己的,咋着也不犯法。”富贵嘿嘿笑:“真的,你回头帮帮我,告诉我媳妇,往后我一定不要钱不胡来了,让她带孩子回来吧。”黄禄叹口气说:“唉,算我倒霉,怎么碰上你们这些鸟人,没点好事等着我。”富贵凑上前:“多谢啦,后黑我请你喝酒。”黄禄说:“哼,这桩事不了,你媳妇回来也不能消停。”富贵连连点头:“对对的,听你的。”黄禄立即追问:“那你还反对我不? 还嚷嚷分我的树吗?”富贵忙摇头:“不不,不反对,不分树,再反是孙子。”

黄禄这才松口气,让富贵走了。他进到园子里瞅瞅,地上一溜熊掌般的脚印。他找来两个石片,把一个脚印轻轻盖上,预备着让大老白来看,和电线的事一起破了。然后,他出了园子去地里,思摸着跟翠珍她们一起收收棒子。这块地是在北山下,是长林一组最好的一片平地,靠着水,土又肥,上面号召好几回了,要改变种植结构,村民就是舍不得种旁的,非种杂交棒子,今年这一旱,棒子没打好,众人便有些心急。正走着,就听村委会的喇叭嘎吧嘎吧响,又呼呼地吹三下,支书喊:“各组啊,都听着,该缴税啦,晚了不好啊! 特别是一组,黄禄,你抓紧让你组里的人来呀!”连着喊了两遍,喊得黄禄身上热燎燎的。他这个组年年缴税费劲,弄不好就得请镇里领导来帮助“执行”一下。黄禄心想这回可不能再拖后腿了,再拖后腿就没有哪个领导待见自己了。他赶紧往山下边走,见不少人都在这收棒子,一般是老爷们用小镐子刨,老娘们和孩子蹲着剥。黄禄正要喊一嗓子去缴税呀,不承想呼啦上来好几个老娘们,打头的是驴老五媳妇,手抓着根棒子问:“黄禄你说你春天咋服务的? 说好了种京杂六,咋长出这小驴粪球子来啦?”其余的人也说黄禄把种子给弄差了。黄禄接过棒子瞅瞅,也愣了,果然不是京杂六,倒像是叶丹十三,那品种适合种在山坡子上,在平地里自然长不好。黄禄说:“春天不是你们自己订的吗?”驴老五媳妇说:“都是经你手订的,你都给订差了,我们就不缴税。”黄禄说:“一趟马一趟河,种子是种子,税是税,哪个敢不缴,就执行了他!”驴老五在一旁叫号:“偷电线的你查不出来,就想执行我们,没门儿!”黄禄急了:“电线要查,税也得缴,谁也不能无法无天！”驴老五媳妇说：“那我们这种子……”黄禄说：“和种子站咱有合同，我去查，谁弄差谁负责。”转身便走，翠珍在地里急着喊：“我说你别走啊，你倒是刨棒秸来呀。”黄禄说：“你们先干着，我把这事处理了再说。”驴老五喊：“你要是真处理了，这棒秸我替你刨。”黄禄笑了，摆摆手：“棒秸不用，你还是准备赔人家台球案子钱吧。要不……”驴老五说：“要不咋着？”黄禄说：“就等着大老白的驴屌棍子啦！”驴老五叫：“他……他敢，我那天是喝多了……”驴老五媳妇双手拍腿：“你个老东西，净惹事，可咋好。”黄禄说：“电一下子就好啦。”

从种子站回来，天都大黑了。进了屋，黄禄挺高兴地对老爹和翠珍说：“亏了我跑一趟，种子站认啦，是他们弄差了，答应包赔损失。”老爹说：“这还不赖。你也给大家办件好事。”翠珍说：“富贵找你两趟了，说让你去他家喝酒……”黄禄点点头：“噢，那我得去四狗子家一趟，我不在家吃啦。”翠珍说：“对，你就去吧，哪天让那娘们给你留下。”黄禄笑笑：“没那事，我一看她那小白脸就起鸡皮疙瘩，放心吧。”出家门见了黄福和一个人从村外过来，黄禄麻溜躲在墙角后，等他们过去了才出来去四狗子家。四狗子家里头年新盖的房子，老娘被车撞了，得了一笔医疗费，四狗子在外边倒腾买卖赔了，就用他娘的医疗费买来衣服啥的。四狗子和兰子一见黄禄，便说：“这事可是冲着您才没告状，你可得给我们做主。”黄禄看看炕上躺着的四狗子老娘：“咋样啦？”老娘道：“好多啦。”黄禄说：“往后别在路边转悠啦，多危险。”老娘指着四狗子骂：“瞧瞧人家说的话，再瞧你，还让我腿好了再去路边，给你们挣挨撞的钱！”兰子忙说：“嗨，那是跟您老闹着玩呢，您快吃点心吧，喝口水，小心噎着。”黄禄一挥手：“咱们那屋说去。”到了西屋，黄禄问：“我跟富贵讲了，今晚上就了啦，说个价吧，早上你说的那个数不中。”四狗子瞪着狗一般的三角眼问：“咋不中？”黄禄说：“太贵，太贵你们懂吗？现在法律上有规定，像他们这样的闹法完了才告状，就算狗连帮，都是情愿的事，白告，钱也得不着。”四狗子瞅瞅黄禄，又瞅瞅兰子，兰子把身子背过去，留给他一个鼓鼓的屁股。四狗子飞起一脚，踢在兰子的屁股上，骂道：“你咋不早说？”兰子窜到一边：“你个活牲口，是我愿意跟人家，我不要钱啦！”四狗子蹦起来，被黄禄拉住，黄禄说：“别打啦，再打就没瞧上我。我看这事也别闹大了，闹大了你们脸面也不好看。谁叫你四狗子不在家呢，现在啥也没少哪也没破都还给你啦，你也就知足吧。三百五十块吧！同意，咱们就去富贵那喝酒。”四狗子又瞥了眼兰子，兰子说：“他还答应给我一块电子表呢。”黄禄点头：“那就加一块电子表。”四狗子说：“那就喝他的酒去。”兰子说：“我也去。”黄禄说：“思想倒挺解放，去就去。”几个人就去了富贵家。富贵家里没啥玩意儿了，要钱都要光了，也不知从哪借的钱，好歹还置办了一桌菜。黄禄把富贵拉到院里说了说，富贵说谢谢您给省了五十块，电子表也给，然后，就请三个人上炕喝酒。喝了一阵子黄禄说：“拿纸、笔来！”就着桌角就写——兹有立字人富贵、四狗子，今夏以来，四狗子经商在外，其妻兰子正值妙龄，而富贵又因跑妻之苦，二人遂在红薯地里一搂即合，如今经双方商

量，同意富贵交付人民币三百五十元，以补贴四狗子其妻兰子的损失，曾答应的电子表也一并交给。富贵从此崖头勒马，四狗子也不再纠缠此事。双方言归于好。空口无凭，立书为证。黄禄念罢，说："签字吧。"富贵说："那我得给你打欠条，我没现钱。"四狗子嗖地窜下炕："闹了半天是欠着？那不中，我就要现钱。"富贵指指屋里："你看这屋里哪件东西值钱，你就拿吧。"四狗子看看，屋里没有一样像那么回事的东西，就往院里去看，草棚子有头牛，是富贵败家后唯一剩下的活物，其余的像猪、狗、鸡任啥都没了，因为这牛揣着犊子，他想卖几个钱。四狗子说："就要这牛啦。"富贵哭丧着脸说："牛没了，我这日子更翻不过身了，老婆也甭想回来了。"就伤心地要掉下眼泪。兰子递过毛巾："别哭，咱慢慢商量商量。"黄禄瞪了兰子一眼："现在又商量了？当初你干啥去啦？"四狗子进屋问："咋样？"黄禄说："杀人不过头点地，何况你媳妇还有点那个，你让富贵日子毁了，影响全组奔小康规划，打官司我可就实话实说了。"四狗子不吭声了，兰子说："要不就欠一半，给一半。"黄禄问四狗子："咋样？"四狗子嘟哝："其实我也不是要毁谁的日子，我跟人合伙做生意，本钱不够。"黄禄说："本钱不够，你还花你老娘的钱买东西。"兰子叫道："你以为那是给我买呀？是他办手续送礼用的。"黄禄哑口无言，几个人又轮着喝酒，都喝得有些迷糊，兰子先走了。四狗子叹口气说："唉，我媳妇啥样我知道，不是生意逼的，我不挑这事，实话跟你们讲，我在外也有相好的，要不也熬不住。"富贵说："那你就把牛牵走，我再想别的法子。"黄禄道："啥法子？还去要？要钱发不了家。拉倒吧，我借你二百块钱，卖了牛犊再还我。"富贵忙给黄禄倒酒："多谢你啦，帮我过这难关。"四狗子迷糊糊也说："我也谢你啦，还有我媳妇……"黄禄放下酒盅，说："我可不用你两口子谢，我又没沾你媳妇一下。"四狗子发坏地笑："你要是喜欢……"黄禄推了他一把："去你妈的，你还想让我给你凑本钱？"三个人都乐了，你一盅我一盅地喝。喝到半道，富贵从小棚里拿出条煮熟的狗大腿，蘸着盐就着蒜吃。吃了几口黄禄就犯疑惑，厉声问："富贵，你哪来的狗肉？"富贵连连拱手作揖："我正要坦白呢，这是你家的狗，让我给药死啦，将来我一定赔！一定赔！"黄禄顿时反胃，下炕就走。富贵死拉活拽，说："你别生气，我以前不是人，往后改、改，你别走啊。"黄禄叹口气："我饱啦。"富贵："那二百块钱呢？"黄禄说："打条子，回头我给你。记着，别让我媳妇知道。"富贵连连点头。

睡到半夜，黄禄被肚子疼醒了，想想准是吃富贵的狗肉吃的，嘴里骂着富贵就去拉稀。院里的茅坑黑咕隆咚，看天上淡淡的新月把大地照得迷蒙一片，索性到村边找个豁亮的地方痛痛快快地拉，一边拉一边叨叨，忽然见有人影从村里要出来，黄禄怕被人家当啥野兽给来一石头，就干咳了两声，不料这两声把那人影给震回去了，黄禄就乐了，自言自语："八成是贼吧。"拉完了肚子一片舒服，黄禄紧紧裤腰带往村里走，快到家门口了，迎面见到黄福，黄福问："这时辰了，咋还不睡？"黄禄心想不能说拉稀，便一本正经地说："社会治安，不得不防。"黄福连连点头："上面安排的?”黄禄说:“统一行动,都部署了,谁也别想玩邪的。”推开自家门就进去了。过了好一阵,隔壁黄福送客人出来,然后一片寂静。

天亮了,翠珍起来做饭,门外进来供销社李主任,手里拎着两个套在一起的篓子。黄禄赶紧爬起来,问:“李大主任,今天咋这早呀?”李主任用鼻子哼了一声,指着戳在当院的篓子:“你把那俩篓子给我分开。”黄禄笑道:“你犯什么邪?”上去就拽上面的篓子檐,拽了几拽纹丝不动,他才低头细看,不由得叫起来:“哎哟,谁他妈的这损,编出双檐篓子!”他这么一叫,他老爹和翠珍、孩子都出来看,一看都惊讶了:敢情这篓子接近篓檐的地方又起一行条子,编出半尺多又拧了个檐,供销社收篓子都是十个套在一起数篓檐,当中夹上一两个这样的,是绝对看不出来的。黄禄笑道:“李主任,你哪找来的这稀罕物?”李主任嘟噜着脸:“哪找的?就是你们组的人干的。”黄禄皱眉头:“不能吧。”李主任道:“咋不能!我把你们组的篓子单搁着,预备着装头等果呢,不承想出了这玩意儿。”黄禄知道李主任不会冤枉人,便说:“缺德!谁干这事谁烂爪子。一辈子编不得篓!”李主任笑了:“也别说得那邪乎。这篓子留给你当榜样,告诉大伙,再干这事,我可就不收你们组的了。”说罢就走,黄禄紧跑过来送出大门,好话说了不少,因为卖篓子是长林一组村民的重要收入,这道若堵死可不得了。送走了李主任,黄禄摇着脑袋进了院门,见老爹鼻子快贴在那篓檐上看。黄禄道:“对,您老是党员,火眼金睛,看得出是谁编的吧?”老爹抬头朝四下瞅瞅,拎着篓子进了屋,对黄禄说:“我还真看出来啦。”“谁?”“你哥,他是左撇子,这篓子花走的是另一个劲……”黄禄一屁股坐在门槛上,愣了好一阵才问:“这可咋办?多丢人。”老爹说:“回头给他提个醒,可别再干这事。”黄禄道:“按村规民约就得曝光,还得罚款。”老爹摆摆手:“你手下留情吧,你哥要盖房娶儿媳妇,钱紧;你嫂子又闹病,也愁钱呢。再者,你哥怕是不认账。”黄禄朝墙头子那边瞅瞅,想说点啥又没说,舀瓢水洗脸去了。吃了饭,黄禄把院里的棒子架收拾收拾,削了些葵花秆预备着当横梁,看看日头又升高了,便又到路边去等大老白。驴老五蹬着车子从县城回来,车后架上夹着一捆报纸。黄禄知道这老家伙准又是去打听行情了,便说:“咋样?找到发财的地方了吧?”驴老五说:“还没找太准,不过,今年栗子肯定是大涨价,咱县的山楂收购价也肯定看涨,咱们联合起来干一下子咋样?”黄禄问:“咋干?”驴老五挺神秘地说:“这招儿我也就跟你讲,咱和收山楂的讲好价,然后从口里拉几车来,那边便宜得很哟。”黄禄摇摇头:“那不把咱本地老百姓都顶了吗。”驴老五也摇摇头:“你呀,还不如我思想解放,啥叫顶呀?那是看你信息灵不灵。”黄禄说:“让我考虑考虑,我先把电线找回来再说。”驴老五说:“电线好找,挨家查,肯定没出咱村。”黄禄说:“公民家不能随便搜,还是等大老白吧。对啦,你也要做好赔偿的准备。”驴老五拉下驴脸:“得啦,又盯着我,回头我跟你哥私了得啦。我才知道,我家老小子和你哥的老丫头好上啦,才一个劲往你哥那撇钱……”黄禄差点给驴老五一脚:“我操的,你们拼死拼活,差点把我也给装进去,闹了半天你们又成一家人啦……”驴老五笑道：“没想到吧，我也没想到，妈的，天底下这怪事真多，我得回家查报纸了。”

黄禄打心底窝火，乱七八糟的事忙活半天，正经的大事还没办成，眼下苹果啥的还都在家搁着没卖呢，一旦见了钱，那些没啥果树的还不红了眼。他瞪圆眼珠瞅着骑摩托的人，今天还真不赖，大老白时间不大就来了。来了就去看现场，机井就在北山下平地边上，电线被剪得溜光，电线杆旗杆一样戳在那里。大老白上下瞅瞅，黄禄也跟着上下瞅，村民们在一旁掰着棒子喊：“好好为人民服务。”黄禄道：“别嚷，破坏了思路，谁负责?”大老白看罢，一言不发就往“欢客来”走，黄禄在人家腚后跟着。进饭馆坐稳，要了壶茶喝上，黄禄问：“咋样?”大老白眨眨眼：“比较复杂呀，现场是看不出啥了，需要一家一户地分析排队。”黄禄问：“那得多长时间?”大老白想想：“咋也得半个月吧。”黄禄心想，你在这吃半个月，饭钱也顶上电线钱啦，便笑道：“你说咋排？我慢慢给你排着，也省得你来回跑。”大老白说：“你得把有前科的和当前缺钱的往一起排，再把能爬杆上树懂得点电的往一起排，然后再明察暗访谁家这些日子来生人，那是准备出手。这么排下去就排出来了。”黄禄咧嘴：“你那啥摩斯就这么破?”大老白晃晃脑袋：“不大灵，有点不适合中国国情。”黄禄说：“那我就排去啦。”大老白：“那我也走啦。”黄禄心里高兴，嘴里却说：“吃了饭再走。”大老白站起来：“食品厂丢了三麻袋栗子，我得去查。”开上摩托车走了。黄禄见人家走远了，自言自语：“排队？哼，真是全国最大的白薯！”

从路边回到家，把春天卖种子的底账找出来，预备到地里和各户核实一下，走到当院，听隔壁大哥那院哗啦一声，是篓子倒了的声音。黄禄又见那个双檐篓子还在院里戳着心里这个来气，跐着块石头把脑袋探过墙头，只见黄福和嫂子正把篓子往一起套呢，一边套黄福还骂：“瞧你个熊样，你哆嗦个啥?”嫂子说：“我害怕。”黄福说：“看我一会进屋咋收拾你。”黄禄乐了，心想这回你还能不认账？我叫你编双檐的！便说：“哥呀，该收拾你自己啦。”声音不大，却把黄福两口子吓得脸煞白，嫂子一屁股坐在地上。到底黄福是老爷们，缓过劲来问：“你都看见啦?”黄禄点点头：“看见啦，你往当中装也不中。”黄福又问：“是大老白让你查的?”黄禄心想得借助那家伙：“是啊，他在路边等着呢。”黄福脸上冒了汗，嫂子从地上站起来，裤裆湿了一片，哭着说：“他二叔，你可得行行好，你哥也是没法子，才让人勾着干这事。你可千万别报告，你哥要是进去了，我可咋活呀……”黄福骂道：“滚屋里去，好汉做事好汉当！老二，你把大老白叫来吧。”黄禄心里纳闷，至于吗，吓成这样？便说：“嫂子你别哭，小心让外人听见，这事往后咱不干了不就中啦，我不会把我哥咋样了。”嫂子忙止住哭声，黄福也惊讶地望望黄禄，说：“真是我的好兄弟，你说咋办吧，电线都在这篓子里。昨夜里要不是你巡逻，我就卖出去啦。”黄禄听到“电线”二字，脑袋发大，脚下一滑，咕咚就摔了下去，爬起来，他一脚把大檐篓子踢到一边，然后跑到黄福院里，把篓子拽开，果然有两盘电线藏在里边。黄禄急了：“哥，你咋干这事呢，这事犯法呀！”黄福不吭声，嫂子说：“还不是手头太紧，要是像你有那些果树，咋也不至于干这事。”黄禄道：“没钱也不能干违法的事。这回可糟啦，全村人都盯着这电线，你叫我咋办？”黄福扭头瞅黄禄：“你刚才不是说下回不干就行了吗？怎么着，我坦白了，你政策又变啦？”黄禄忙说：“不是政策变了，是怕政策容不得那么宽大。”哥俩这么呛呛着，老爹从地里拿啥家什回来，进院问出了啥事。听明白后，气得老爹上前就给黄福一个嘴巴，说：“真给我丢人。”黄福说：“那我去自首。”黄禄摆摆手，把大家叫进屋，说：“先别自首，我说个法儿。哥你连夜把线挂上去，好歹拧上就行，回头我再找人正经收拾；另外呢，你那双檐篓子也别编了；我这些日子忙，翠珍没空做饭，让爹在你这再待一个月……”黄福点头：“中，中。可大老白那咋办？”黄禄说：“我负责，你就别管了。”嫂子笑了，说：“二兄弟你想得真周到，后黑我包饺子请你。”黄禄说：“别，你还是把爹伺候好吧。”嫂子瞥了一眼：“爹好说，粥有的是。”黄禄说：“那可不中。”嫂子笑道：“说着玩呢，我当老佛爷供着。”黄禄从屋里出来，假模假样地往街上走，老爹迎上来，小声说：“二鬼你的，干啥调理我？”黄禄说：“这事本来您就有责任，不是您在他家那十天里偷的？你咋睡那死，还说自己有革命警惕性呢。”老爹说：“我也没那个任务。”黄禄说：“原先没给，这回您就接受任务吧，监视着点您的大公子。”老爹冲着黄禄的腚就是一脚：“反了你啦，老子是共产党员，凭啥听你的？”黄禄一窜没挨着踢：“你就是国民党员也别踢人呀！”老爹说：“谁是国民党？”黄禄拔腿就跑，说：“你愿意是啥是啥，谁稀管。”

一夜过后，电线低啦郎当挂在线杆子上，长林一组的村民下地掰棒子，都大眼小眼地瞅着，说啥的都有，但从表情上看得出心里都挺痛快。黄禄一早蹬车子跑到镇里，从种子站领回了赔偿款，乐颠颠地回来，站在村头喊了两嗓子，村民就呼啦啦奔上门来，站了一屋子一院子，口口声声说黄禄你这事办得挺地道。黄禄便有几分得意，手攥着一摞子钱迟迟不分，嘴里说：“要是往后开个会啥的，也来这么齐多好。”驴老五说：“只要是发钱的会，准差不了。”其余的人便起哄，说：“还发媳妇呢，就怕你个老叫驴受不了！”黄禄才要笑，村委会的喇叭又响了，还是先吹三下，支书喊：“各组啊，都听着，该缴税啦，晚了不好啊！特别是一组，黄禄你干鸡巴啥呢？就数你组缴的少！”连说两遍，嘎叭闭了，黄禄脸色变白，村民们也都哑巴了。翠珍叫：“你们该缴快缴吧，别让我们孩子他爹两头受气啦！”人们开始哄哄，便有人问：“办鞋厂的钱能要回来不？各家都盯着那钱呢！”富贵问：“组长，咱们官司不是打赢了吗？他王大眼咋还不还钱？”四狗子说：“我知道王大眼，那小子是绷骗手，不来硬的不中。”驴老五说：“我听说电力局要把变压器弄走呢。”人们哄地一下乱了营。原来头年秋天城关的王大眼说要在这办鞋厂，拉来不少机器，还安了变压器，又租了房子。村里看他真下家伙，也就信了，黄禄帮他弄这弄那，然后就招临时工，外村每人六百押金，长林一组还是照顾了，每人五百五。不承想钱都交了，各户的半大孩子准备挣钱了，王大眼却脚底抹油溜了，找内行人一看，那些机器都是报废的，这下可把大家伙给坑坏了，官司打了好几场，也断了，可没人去执行，据说王大眼把法院的人都维护好了。现在大家一提这事，就像块大石头压得黄禄抬不起头来。黄禄看着屋里院里的人，伤心地说："都怪我没能耐，要不，这组长换人干吧…"立即就有人说："可别，这些事都是你经手的，换个旁人知道官司打到了哪儿?"也有的安慰说："你只要上心，这点事不算个啥。昨天你和大老白走一遭，今早电线不是挂上了。"又有人说："对啊，快把种子钱退给我们吧，地里的活不少呢。"黄禄知道这时候说不出个甜酸来，便说："官司咱们该打还打，税该缴去缴吧。"有人应了两声，大部分还是不吭气。黄禄叹口气，把钱分了下去，众人点了钱，又嫌钱少了，还有人说些不中听的话，三三两两地走了。

黄禄思想着这事还得往下干呀，就请了几个电工把线重新架好，把水抽到山上浇了果树。有果树的那些人家不再说啥，没果树的人家又酝酿起不满的情绪，有人就找到了支书，提出重新调整果树的意见。黄禄往家推了两天棒子，想避避这股风，不料支书找来，说你们再不缴税，我可就答应他们调树啦。黄禄看着自己那些苹果，咬牙说："不缴就执行!"支书说："那你就请人吧。"到后黑黄禄在当街又喊了几遍，说再不缴税就请法庭来执行了，有些户就去大队缴，驴老五又犯了驴脾气，说啥也不缴，一些人看有人打头阵，就跟着瞎搅浑，说这个事不解决不缴，那个事没解决也不缴。第二天一早黄禄就去了镇里，晌午就请来了经济法庭和财政所的人，还有大老白。在当街摆上桌子就开始了，由法庭出票，大老白挨家通知，财政和税务开单据收钱，并再三说明税法不可不遵守，过期缴滞纳金，有的户一看这阵势就乖乖缴了。轮到驴老五这又坏了。驴老五这回没光膀子也没提铡刀，他就较这么个理，说头年他身体不好，把地分给仨儿子种了，所以头年的农业税该由仨儿子出。仨儿子里老二老三没说啥，偏偏老大说他爹没把好地给他，偏向了老二老三，说啥也不出那十三块钱，这事一下子就将住了。黄禄带人来到驴老五家，黄禄说："你头年的农业税还欠着，算上滞纳金一百块。缴吧。"驴老五说："那得我儿子缴。"黄禄说："你把地让给你儿子种，也没经过村里，法律上还是你，你缴了再找你儿子要。"驴老五说："要要找我儿子要!"说来说去就是这么几句话。大老白看看法庭的人，戴大檐帽的就宣布："现有长林村一组居民吕老五拖缴税款，本法庭决定强制执行……"大老白用警棍一指电视。"先封这个!"驴老五老伴哝的一声就扑过来，抱住电视，死活不让动，驴老五想冲出去找个家什，被法警看得死死的。黄禄脑门子上冒汗，两手不住地搓。嫁在本村的驴老五的闺女在窗外招呼法庭的人，人家根本不搭理。黄禄麻溜出来，跟驴老五闺女说了说，黄禄又进屋跟法庭说："中啦，这钱他闺女给出了。"法庭的人说："不管谁出，马上缴钱。"他闺女就掏出钱来，立即就给了收据。围观的人都惊讶了，说敢情是真判呀。黄禄说："还假？法律是六亲不认的。"驴老五老伴躺在炕上骂："这些王八蛋哟，我白一把屎一把尿把你们拉扯大，这俩钱你们也不给缴!”驴老五骂道:“嚎啥,谁叫你当初养了这些王八蛋!”黄禄和众人都乐了,黄禄说:“咋样,还是计划生育好吧,养那么多没用!”驴老五跳起来:“黄禄,我日你祖宗! 你真能耐啦,带人来治理我! 回头我给你家房山放个炸药包!”大老白抡起警棍要回屋,被黄禄一把拉住走了。黄禄说:“骂吧,钱到手是真格的。”大老白问:“那你不怕炸药包?”黄禄说:“为革命嘛,死得啥来着? 对,其所……”

靠着法庭执行,长林一组的各项税款总算缴了上去。但黄禄的日子愈发不好过,有那么几户人家总认为是黄禄告了自己,出来进去的给黄禄念三音,什么出门挨撞喝粥挨烫生个孩子没屁眼。翠珍受不了,撸起袖子就要跟他们干架,黄禄劝住,说:“想生个没屁眼的,国家也不让生了,别理这些鸟人。”暗地里却让人说和说和,意思是缴税是国法,怨不着黄禄,渐渐地骂的人就少了。独独剩下驴老五媳妇没完没了,有一天黄禄见到富贵,说哪天出门到你老丈人家给你说说,富贵乐得差点给黄禄跪下,黄禄说:“要不我早去了,让驴老五媳妇给我搅得啥事都没办成。”富贵拍胸脯说:“这老娘们,等着,我有法儿叫他不骂你,让她骂黄鼠狼。”当天夜里,驴老五家的一只大母鸡就没了,土地儿上留下一串黄鼠狼的脚印,驴老五媳妇果然就骂起了黄鼠狼,骂了一天,夜里又丢了两只,吓得她谁也不敢骂了,后黑烧了两炷香,求黄大仙多多包涵,结果,那天夜里就没再丢。村里的妇女都信以为真,都说往后骂不得黄禄,黄禄和黄鼠狼是本家。黄禄忍不住问富贵,说你使的啥法从鸡窝往外掏鸡不叫? 富贵说:“天凉了,把铁锨放热灰里焐热,往鸡窝里一伸,靠前面的鸡主动就往上跳,端出来一掐脖儿,完活。”黄禄给了富贵一拳:“太损太损,可不能再害巴人啦。”富贵说:“我这是主持正义,打击骂人的邪气。”黄禄笑道:“往后可用不着你主持了,好生伺候你的母牛吧。”富贵嬉笑道:“还是帮我把我家那母的找回来,我准一块伺候好。”黄禄道:“回来也得计划生育,孩子不是牛犊子越多越好。”

总算消停点了,供销社开始收果,红富士一开价就是两块钱,长林一组三十九户,果木多点的十来户,篓子往外一推,大多数人家就坐不住了。黄禄赶紧央告这些卖果的人家,说你们别让俩钱烧着,蔫不溜地干中不中? 众人自然都答应,都拣旁人吃饭的时候往外推。黄禄想这回可差不多了,卖完了果,大家伙的心气可能就平下来。不料晚上村委会的喇叭又响了,还是先吹三下,支书喊:“各组组长听着,马上来村委会开会呀! 马上来!”连喊三遍。黄禄放下粥碗,翠珍问:“去不?”黄禄说:“是福不是祸,是祸躲不过。去。”把院里的东西归置归置,就要出门,老爹进来,说:“老二,我又回来啦。”黄禄想想:“这才多少日子?”老爹说:“这回是我自己要回来的,你哥你嫂子得出去做小工,要不你侄娶不了媳妇呀。”黄禄默默无言,看门外站着黄福,黄禄说:“我嫂子身板儿中吗?”黄福说:“不中又有啥法儿,啥东西都涨价,那天我问了,起个结婚证就得小五百块钱。你也知道了,老丫头和吕老五的老小子又好上了,还得给她准备嫁妆。”黄禄叹口气:“是呢,哪哪都要钱,我那小子念书，天天要钱，咋好。”老爹说：“你说也怪，当初四毛钱的工分，也没像现在这么缺花的。”黄禄说：“得啦，您也不想想那时吃的啥喝的啥，您天天提酒壶来？”老爹乐了：“嘿嘿，是呢，那时提尿壶吧。”黄禄让爹进屋，又对黄福说：“哥，你可别太心重了，实在难了，我会帮你的。”黄福叹口气：“唉，现在谁好意思张嘴啊，都是大泡。我知道你伺候那些果树也不容易，当初都是些没人愿意要的幼树……”这话说的是实际，让黄禄听得心里酸溜溜的，说了句哥你等着，我一准帮你，就去村里开会了。村委会在小学校里，两间屋，外屋堆着煤和柴，墙上是前二年花不少钱请人搞的计划生育宣传板，都残缺不全了，墙角有口黑柜，也是那时罚上来的，柜上有扩大器和话筒，里屋有俩立柜，黑木板的，据说土改后就开始用，靠窗边是两个对在一起的办公桌，一个支书使，一个会计使，桌上有电话，打不响，镇里有会议，全靠上下学的学生捎信。支书对村委会班子成员和各组组长说：“今天开会一个事，镇里要把小康规划落到实处，每家每户都要填表，你们都回去填吧，上面要求提前两年到小康。”有的组长就乐了：“那是说哪年到就哪年到的事？”黄禄也爱凑热闹：“我就填明年春天到。”支书板起脸：“别开玩笑，这回是动真的。”组长们说：“真的又能怎样？最多把我们撤了。谁能奔就去奔吧！”支书掏出烟给大家：“真拿你们这帮人没法儿。得啦，好好干，回头我请你们喝酒。”组长们不认账：“别蒙人啦，春天制定各组奔小康时就说请喝酒，到现在也没喝。”黄禄说：“先把那顿补上再说。”村干部互相看看，支书一拍桌子：“鸡巴的，补就补，明天中午上饭馆。”会计说：“先领了表儿吧。”各组长没话说把表领了。黄禄借着灯光一看，表格上又是个体企业，又是副业，又是科技，又是啥啥一啷当，他心里就有点发毛，问：“得多少日子填出来？”支书说：“多少日子，后天就要。”黄禄吃了一惊：“呀，明天中午喝了酒，就剩半天啦！”旁的组长说：“你咋这笨，今天晚上就得开始填。”支书说：“对对的，你们今天晚上开始填，明天喝酒时全交给我。”会计说：“我这还得汇总呢，你以为就你们忙，我比你们更忙。”黄禄站起来：“那咱们还在这待个啥劲，回去填吧。”支书说：“可说是呢，都走，我用喇叭帮大家宣传。”黄禄胳膊夹着那一卷子纸往回走，身后喇叭又响了，还是先吹三下，支书说：“全体村民，啊，都听着，啊，按照上级的要求，都填奔小康的表儿，啊……”

到了家，黄禄对翠珍说：“烧水。”又跟孩子说：“弄半筐苹果来。”翠珍问干啥？黄禄说你就烧吧，省得夜里炕凉。然后站在当街喊：“各家来个主事人啊！商量咱组里的大事。”有人隔着墙头说：“不就是填表儿吗？你代我们填就是啦。”黄禄说：“各家的情况我也不都清楚，我知道你们啥时能奔上小康？”有人笑道：“啥时都中，你说明天到就明天到。”黄禄瞅瞅村委会那个方向，心想说支书你就知道用破喇叭喊，图省事，我这可完啦，一点吸引力也没有了。黄禄琢磨这事咋也不能让我一个人受罪，干脆先把你们蒙来再说，就喊：“不光是填表呀，还有鞋厂的事，栽果树的事，谁家不来人，到时候可别怪我没通知呀！”这一喊就有了效果，一阵阵大门响，便有人出来，时间不大，三十八户一家不拉都来了，有的还来了两人，那都是老娘们当家的户，或者是老爷们啥事都弄不机密，老娘们不放心的人家。黄禄把屋里十五度的灯泡闭了，点着了四十度的灯管，屋里显得挺亮，人们喝着水啃着苹果，便问啥时归还鞋厂的钱，啥时栽苹果树。黄禄只好应付着，应付了一阵，不知不觉地就较起真来，组里人都说应该把王大眼先给扣下，不给钱不交人。黄禄思量了一阵，说："随便扣人犯法，咱不能明知故犯。"四狗子说："要我说咱还是没打点好法庭的，人家才不下真力气。"黄禄点头。众人也都点头。黄福说："老二，现在这事光占理不中，还得送礼。"驴老五说："送礼可不能送太多了，把本钱都搭出去。"富贵蹲在地上说："舍不得孩子套不住狼，咱们干脆大干一场得啦。"驴老五从炕上跳到地上："我说也是，打官司的打官司，倒果的倒果，栽树的栽树，合起来干。"黄禄眼前一亮，心想这倒是个好招子。可转念又一想，现在啥事能心齐呀，别折腾半天再给自己添一身新的麻烦，拉倒吧，便没吱声。众人见状也没了劲头，有人笑道："长林要富，看来就得上公路拦汽车了。""要不就开黑店打闷棍。"众人都没笑起来。心情沉沉的抽烟，抽得满屋烟气腾腾，引着了棒秸一样。有人叫："不中啦，咱这是熏獾子咋着？回家睡觉去得啦。"便有人响应！黄禄说："别，还得填表，明天一早交上来。"驴老五说："闹了半天骗我们不是？"黄禄被逼得没法，反问："我领头干那些事，哪个响应？"众人说："为大伙，都响应！"有人本来蹲着，立即站起来，黄福说："妈个巴子，人家都富了，咋咱这就不富？我就不信这个邪！"四狗子说："咱们思想就是不解放，人家南边旅馆里都有陪客的，司机他能不站下！"屋里一下就热闹了，有人叫四狗子把兰子贡献出来，有的说干脆种大烟得啦，说啥的都有。黄禄老爹坐在炕头上说："你们这哪是解放，纯粹是造反！早些年，非绳了你们不可。"还有几个老的说万万不能胡来。黄禄望着这一屋子满脸褶子的乡亲，心里忽悠悠地怪不是滋味儿，电视里又是大邱庄又是华西村，人家都良性循环往前奔了，长林还他娘的窝里斗，今天偷篓子果，明天割人家捆豆子，有个屁出息！要是这伙子人不富，自己就是有一千棵树，能过安稳日子吗？黄禄这么一想就想开了许多，脑子一下子也变得活泛多了，他咬咬牙说："要干也中，可得有一条，咱们共担风险。"众人不明白底细："这话咋讲？"黄禄说："过去咱一说办大伙的事，都讲究干部去办，办不好干部负责，这回咱们也改革一下，都入股，出了漏子亏了本，咱共同承担，比如送礼的钱，倒果的本儿，都得大家伙担着。"这话就触及实质，立刻有人就不吱声了。黄禄乐了："得了吧？我今天多说两句，不是当干部的不愿为大家操心，问题是过去的路数不对。你们心里总记着干部要为人民服务，不错，我们是该为大家服务，可你们常想的是干部把事都办妥了，你们出出力就能赚钱受益，至于往哪筹钱或这当中遇到难事咋办，谁上心？要我看呀，咱们这穷山沟最大的毛病，就是都想得利，又都不愿担风险。像我们当这个破组长的，又不是个正经干部，长了谁也不愿干啦。"黄禄把肚子里的话说出来，感到痛快多了。村民们相互瞅瞅，驴老五说："嗯，人模狗样的，你小子还挺有韬略。别说，倒是有那么点道理，妈的，咱们这回共同担着点风险，咋样？"有人就应下，也有人说得琢磨琢磨，怕是没担风险的能力。黄禄最后说："愿意干就干，不愿意干就拉倒，凡事都讲个自愿吧。"大家就又呛呛了一阵，决定先由黄禄带人去打官司往回追钱，由黄福和驴老五组织人倒几车果。看看时间不早了，大家要散了，黄禄呼啦想起填表，忙叫："别走，差点忘了大事，把表儿都拿着，回去就填。算账要算细致，母猪下的崽，母鸡下的蛋，都得计算进去。"驴老五说："我家母鸡没那些了。致富的步伐要受影响。"富贵笑道："那就让你媳妇下。"驴老五说："下个你。"黄禄说："别逗啦，回家好好合计合计，各户是该有个小规划。要不，咱就总得受穷。"大家就散去，这一夜，不少人家灯都没灭，真像那么回事似的填了一宿。

转天下午夹着那些表格到"欢客来"，支书接过去翻翻，冲着村干部和其他组长说："看看，顶数人家黄禄填的好，起码是一家一个样。你们那几个组都他妈的是一个人填的。"其他组长说："时间太紧，来不及。"支书说："那人家黄禄来得及？甭强词夺理！"有个组长说："把黄禄的拿来让我们瞅瞅，不行下午我们再重新填。"支书把表格给众人看，又对会计说："给镇里打个电话，说咱想搞得细致一点，晚交一天。"会计点点头，把酒盅子摆上。酒盅子有大有小，给黄禄面前放了个大的，会计说："你表现最好，奖励你个大的。"黄禄脸上发热，有些不好意思。支书对其他组长说："行啦，别看起来没完啦！这事是为咱自己，别不上心，学学人家黄禄。"说罢就给黄禄倒酒，黄禄受宠若惊，死死把住酒瓶："不行不行，先给你倒。"支书说："谁干得好先给谁倒。"硬是给黄禄满了，其他人也都凑上来，支书也给倒了酒，然后撇开填表的事，支书说些感谢各位辛苦工作的话就喝起来。黄禄心里挺高兴，盅子又大，连干几盅话也多起来，支书问他下一步的想法，他见众人都眼巴巴望着自己，一得意把头天晚上的计划都抖搂出来。支书当即说好，要求黄禄说到做到不放空炮，又连着跟黄禄干了两盅，把黄禄喝个迷迷糊糊。回到家睡了一觉，起来灌了一肚子凉水，就听见村委会的喇叭又响了，这回不是吹三下，是连吹了十来下，然后是支书咯咯乐，小声说："我操的，我还以为没开呢，喝多了。"接着干咳一声，大声说："各组啊，都听着，中午啊，我们开了个干部会，总结了前一段工作。前一段啊，一组赶上来啦，人家现在要把鞋厂的事了啦，还要运果卖，这种做法值得各组学习！"连着说了三遍，嘎叭闭了。时间不大，驴老五就找来，瞪着眼珠问："黄组长你咋把机密都捅出去啦？"黄禄心里怪后悔，也晚了，只好说："支书要汇报。"驴老五说："这么一弄别的组也可能要干。"黄禄说："都干才好，共同富裕，你抓紧和我哥去联系吧。"驴老五说："就是差钱，人家那边要现钱。"黄禄从柜里掏出二百块："我先垫上点，你们再想法凑吧。"驴老五拿过钱到当院喊黄福，黄福在隔壁应着，驴老五跑出去了。准备和黄禄一起去打官司的富贵、四狗子也来了，问啥时走，四狗子提着小绳和杀猪刀。黄禄问："你拿这玩意儿干啥？"四狗子说："我琢磨了一宿，实在不行还得把王大眼绑了，要不绑他老婆孩子，交了钱还人。"黄禄皱着眉头："你快拉倒吧，钱没要来，再把咱给关进去，现在正打击绑票的。咱靠讲理，不靠那个。”富贵说：“咱们靠送礼。”黄禄说：“先蹚蹚路子再送，烧香得找着真佛。”

转天蹬车子到镇里，先到商店买盒石林牌香烟，由黄禄装着，然后到镇政府大院。法庭在厢房，两间，一间办公室，一间是法厅，胖子庭长正在办公室看什么材料，一副愁眉不展的样子。黄禄以前为鞋厂打官司认得他，便和富贵、四狗子推门进去。黄禄小心翼翼地说：“庭长您好呀。”胖子瞥了他们一眼：“好不了啦，蹚上你们这些人。”黄禄说：“我们也不容易呀。”胖子说：“我更不容易。对啦，你们又为鞋厂的事吧？我们不是早做出判决，赔偿你们啦，怎么又来了？”黄禄笑道：“判是判了，可我们到现在啥也没见着呀。”胖子说：“那我们就无能为力了。”低头又继续看他的材料。四狗子叫道：“你们怎么无能为力？无能为力还挂啥鸡巴法庭牌子？”胖子忽地站起来，拍桌子指着四狗子喊：“你是干啥的？你敢到这来捣乱？我铐了你！”黄禄吓得浑身一激灵，忙上前拦住，富贵拉着四狗子就跑了出去。黄禄说：“庭长您、您老别生气，您别生气，这小子是牲口，牲口，不会说话。”胖子长出口气坐下：“太不像话，敢说我们是鸡巴……”黄禄掏着烟说：“不是不是！您、抽、抽烟。”两手紧忙乎，也没找着烟盒玻璃纸的开头，急得他拿牙一咬，一下撕开大半，忙递上去。胖子用手一拦：“我不会，你快走吧，我这正忙着呢。”就把黄禄给撵出来了。烟盒散了，黄禄两手捧着烟来到当街，见到富贵和四狗子，黄禄急了：“我操你祖宗四狗子，有你那么说话的吗？这回要不回来钱你负责！”四狗子：“我负责也没法。我是看不惯他那个态度。”伸手抓过一根烟。黄禄叫道：“放下！这烟是给你抽的？都给我捋顺当了，往下还得用呢！”三个人合计合计，说熟人好办事，还是去找大老白吧。大老白还真在所里，就是脑袋上缠着纱布，一边脸蛋子搓得鲜猪肉一般，见了黄禄几个挺不好意思：“妈的，喝多啦，骑沟儿里去啦。”黄禄赶紧掏烟，说了些关心的话，才把来的目的和刚才发生的事说了一遍。大老白乐了：“你们乡下人看不出火色来，庭长正懊糟呢，有个案子断差了，上面追究责任呢。”黄禄吧嗒吧嗒嘴，好半天才说：“要不，你帮我们找王大眼要。”大老白摇头：“我不是法警，我不行。再者说，王大眼那家伙不好惹，滚刀肉，不是骗你们一家，骗多啦。”黄禄说：“那我们这账就要不回来啦？”大老白想想，说：“你还得找庭长，他要是想给你办，还是有招儿。”富贵说：“刚才闹成那样，还能找人家？”大老白乐了：“背定是不能去办公室了。还是老法子，先摆一桌谢罪酒吧，谁叫你们骂人家。”黄禄连连点头：“中中，花多少钱我们认，可得你帮我们去请。”大老白笑道：“这个好办。还有我们所的，闹一桌吧，就去新开张的宴春楼吧。”大老白指着街对面一座装饰华丽贴着开市大吉的三层酒楼。黄禄说：“那我们就去闹一桌，闹多少钱的？有八十块钱够吗？”大老白一听撇了嘴：“八十？那你们这官司别打啦。起码得二百块一桌，酒水在外。”富贵吐舌头：“这贵？我的妈呀。”黄禄咬牙：“二百就二百，走吧。”三个人出来，黄禄说：“我就带来八十，你们谁还带钱了？”富贵摇摇头，四狗子说：“我这有二百，还是你借给富贵的钱。”黄禄说："先垫上，谁叫你骂人家。"四狗子道："早知这贵，我多骂他几声。"黄禄瞪他一眼："少说废话。记着，人家来了，咱们都是孙子，是孙子你们懂吗？"富贵一下没明白过来："这辈儿咋论的？"四狗子把钱掏出来："笨死啦！是说像对爷爷那样跟人家说话！"黄禄乐了："你小子挺明白的，咋到时候就办蠢事！"

到中午，大老白还真把人都请来了。兴许是麻烦有点转机，或者是见这一桌挺像样的菜，加之黄禄三个人毕恭毕敬的样子，胖子庭长也有了笑容，坐下喝了几盅酒，竟说："上午的事也不全怪你们，我心里正烦，得啦，过去啦。"黄禄举杯："我敬您一杯，我早就知道您是青天。"富贵顺杆爬："老百姓都这么说您。"胖子高兴了："真的？"四狗子说："真的，比青天还青天呢……"黄禄伸手捅了四狗子一下，幸好胖子也没在意。喝了一阵子，个个脸上都挂些幌子，彼此显得亲热了，黄禄给大老白使个眼色，大老白对胖子说："庭长，不管咋说，他们哥几个的事你还得费费心呀。"胖子说："那当然，不过，实话我也对你们讲，为你们的事我找过王大眼，那家伙软硬不吃。自己家小楼住着，欠着人家好几十万，跟他说急了，就说要绑炸药包，这王八蛋，他爹娘咋养的！"大老白说："他再厉害，也得给您个面子呀！"胖子笑道："你别激我，激我我也这样。别看我是庭长，我还有老婆孩子，我也不是铁打的。"旁的警察说："对这号人得有个法儿呀。"胖子说："闹大了就有法了，眼下还得想点别的主意。"黄禄忙问："啥主意？"胖子看看众人，说："都不是外人，我看你们也怪不容易，花这么多钱请我们吃饭我就告诉你。这王大眼也不是到处骗谁都不还。他是五马倒六羊拆东墙补西墙，谁要得急，他就得考虑考虑。关键还在他老婆身上，他老婆说先还谁，一般王大眼就先还谁。"大老白和其他警察立即对黄禄说："哎哟，我们庭长可把最机密的事都告诉你们啦，你们自己也得采取点措施。"黄禄忙给庭长斟酒，一个劲表示感谢，又喝了一阵，都喝得差不多了，就散了。散了结账，花了二百五。黄禄三个人坐在马路边上嘬牙缝儿里的残渣，富贵说："闹了半天庭长答应帮咱干啥事？"四狗子道："好像是说得找王大眼的媳妇。"黄禄晃晃脑袋："是呢，刚才挺高兴的，我也没细琢磨，咱们找人家媳妇干啥？人家再挠了咱。"富贵说："死马当活马治吧，过去瞅瞅。"黄禄点点头，说："哼，过去是杨白劳怕黄世仁，现在是黄世仁怕杨白劳了。"四狗子说："回头我背俩手榴弹，看谁怕谁。"推着车子就到了城关。王大眼家是二层小楼，带前廊，有花坛，红砖高墙铁丝网，大铁门里拴着狼狗。三个人瞅了一会，只好硬着头皮敲铁门，门里狼狗一阵叫，出来个四十来岁一脸肥肉的娘们。黄禄客客气气地说："我们是找王经理的。"那娘们说："他不在。"当地门关上了。黄禄又敲，院里那娘们喊："敲啥！老娘这几天头疼，才睡个好觉。"黄禄说："我们是长林的，是为鞋厂那事来的，您让王经理把钱退了吧，要不……就出人命啦！"院里问："出啥人命？跟我们有啥关系？"黄禄瞅瞅身旁二位，信口编道："关系大了，有一家是用老太婆的棺材本交的押金，这老太婆前几天死啦，没钱，用口破柜装了，这几天后黑可野地里转，说要跟你们要钱来呢！"院里嗷地叫了一声，说："哎哟我的妈呀！

你们这么说，让我晚上咋睡觉。你们跟那老娘子说说，一准儿还就是了，可别让她来！”随后一阵门响，任黄禄再咋喊，王大眼媳妇也不答话了。四狗子埋怨黄禄：“完啦，你这一吓给吓回去啦，过两天老娘子也不找来，人家就忘了。”富贵想想说：“要吓她，咱可有法儿，用老蚧呀！黄禄一听就笑了：“走，去河套！”

秋阳暖暖地照着县城外的河套，此时水瘦石现，黄草蓬蓬，黄禄三个人搬石头薅草，抓出两个大老蚧。大老蚧就是癞蛤蟆，挺有劲，黄禄他们干的这招儿是小时候发坏吓人玩的把戏：在老蚧后腿上用绳绑只破鞋，弄点盐粒塞进老蚧嘴里，咸得老蚧咳嗽，再蹦，破鞋一响——“咳、呱哒”，特像一个七老八十的老太太走道，若是夜里放在水泥地院里或屋里，准能把人吓个半死。富贵把绳和破鞋都找好，就准备去小店要点盐，却又有点犹豫，问：“别给人家吓出毛病来。”四狗子说：“本来她的毛病就不少，赵本山小品讲话，以毒攻毒吧。”黄禄说：“顾不上那些了，吓她两宿再说，等他老爷们回来就不灵了。”于是说定，由富贵负责等到天黑后往王大眼后院流水沟里塞进去，要是闹得不欢，明天就塞仨，不管三七二十一，先把这娘们弄五迷再说。

和四狗子蹬车回到长林，天已经黑了，炊烟在村庄上下流动着，空气中弥漫了焦躁的烧柴味。推门见鸡没上窝猪没喂，大锅空荡荡，灶里连个火星都没有，黄禄就预感到要出点什么事。老爹在里屋炕上抽烟，说：“这回好了，抓着贼啦。”黄禄问：“啥贼？”老爹说：“偷咱果树苗子的贼。亏了你媳妇好眼力，一眼就看出驴老五媳妇往北山下栽的是咱们的苗子，她们还不认账，你快去看看吧。”黄禄脑袋发大，拔腿就往外走，才到院里，翠珍已经被几个妇女劝回来。翠珍很得意地说：“哼，她还想骗过我？我早盯着呢！这一个庄就我们一家育了苗子，你也没买，哪来的？”黄禄见门里门外聚了不少人，但是许多没果树人家的男女都远远地站着，他心里不由得翻动了一下子。和翠珍站在一起的显然都是有果树人家的女人，见黄禄回来了，越发得理不让人了，说：“这叫什么事呀！想吃苹果说一声，送你一篓两篓不当回事，怎么去偷呢？真是丢死人啦。”翠珍对黄禄说：“你可回来啦，你瞅瞅，这不是咱家的苗子是谁家的！”黄禄往地下一看，才发现翠珍把树苗子都给拔回来了。院外不知谁说：“真叫厉害呀！栽好了又薅出来。”“谁叫人家有权有钱呢！”翠珍扬脖子喊：“别说用不着的，我的苗子，我愿意拿家来烧火，谁管得着！”墙外说：“我们哪管得了你呀！”翠珍对黄禄说：“你咋不吱声呀？”黄禄感到很疲乏，他仰起头，透过蒙蒙的烟雾，看到茫茫天幕上刚刚出现的一颗星星，是那么显眼，又是那么孤独，没有其他的星星与它做伴，它似乎在盼着群星快快地来临……黄禄心中忽然出现一股很少有的大悟，他对翠珍说：“你还有完没完？”翠珍眨眨眼，不解地反问：“咋啦？这事怨我？”黄禄指着地上的果树苗子说：“哪薅的，再给埋哪去！”院里院外的人都惊呆了，谁也没想到黄禄会有这一手。翠珍终于明白黄禄不是在和她开玩笑，便不干了，一屁股坐在地上又哭又叫："哎哟我的天哟，这个家我是不能待了，我为他们老的少的拼死拼活地干，还落一身不是……"有人也就埋怨黄禄，说他是非不分。黄禄看看有点不好收场，改了嘴说："我是心疼这苗子，谁家孩子生两回呀……"女人们乐了："生两回的好养活。"黄禄笑道："你养过，介绍介绍经验。"把院里院外的人都逗乐了。翠珍不好再闹下去，进屋包个包儿假装要走，大家又拉又劝，也就拉倒了，蹲外屋烧火做饭去了。吃饭的时候，家里没了外人，翠珍说："我知道你为啥不敢帮我。"黄禄说："为啥?"翠珍放下粥碗："你就是怕那些人抢了咱果树。其实没事，我都打听了，谁破坏合同，谁就是犯法。我看你还是别草鸡了。"老爹和孩子们也跟着说。黄禄看看家人，叹了口气，说："唉，你们是不理解我呀，我难道还不知道合同受法律保护?"翠珍问："那你怕啥?"黄禄喝了几口粥，说："我怕啥呢? 我琢磨这么一个大组要是多数穷，少数富，那不就跟……跟过去差不多了吗……"翠珍说："上面要求一部分人先富起来。"黄碌说："是允许一部分人先富起来，但帮助大家致富，才是目的呀。得啦，喝粥吧，这道理不是一句两句能跟你说得清的。"黄禄的话似乎从来没有像现在这么有分量，压得旁人心里沉甸甸的。全家人呼呼喝粥，咸萝卜条嚼得吱吱响。吃完了饭，黄禄说："你们歇着吧，我出去转转。"提把铁锹和树苗就走。这时，圆圆的月亮升起来，空气变得清新，山野被溶溶的月光覆盖了，显出了少有的恬静。黄禄来到北山下，那里有一块驴老五的承包田，老五早就说过要在这栽果树，黄禄估计翠珍准是从这里薅走的树苗，他低头细瞅，果然不错，一个个做得极好的果树树盆中间，光秃秃的啥也没有，只有树苗拔起时剩下的土坑儿。黄禄用锹剜土，把树苗子一棵棵重新栽好。正干着，驴老五的老伴找来了，说："黄禄，你这是干啥?"黄禄说："这苗子是您的，还给您栽上。"那老婆子看看又立起来的树苗，突然冒出一句："真的是偷你的。"黄禄说："我压根儿就没丢过。"老婆子半晌不吱声，后来说："你白给我栽，我也不领情。"黄禄道："我也没用你领情。""那你为啥?""我乐意，我吃饱撑的。"黄禄上来了倔劲，手脚不停地干着。驴老五的老婆叹了口气，终于说："黄禄，实话告诉你，我们早知道电线是你哥剪去又挂回去的!"黄禄手中的铁锹当地掉在地上，他愣愣地瞅瞅那老婆子，大叫一声"哎呀"，头也不抬就跑了。回到家出了一身冷汗，随后就发热，吓得翠珍赶紧给他找去痛片，吃了两片，盖上棉被发了一通汗，身子觉得轻松不少。才想脱了衣服好好睡，富贵回来了，进屋对黄禄说："明天不用逮仨了，今天一晚上恐怕就差不多了。"黄禄向富贵摆摆手，意思是别说啦，那事不能让旁人知道。翠珍不知啥事，还问："啥一晚上就差不多啦?"富贵支吾，黄禄说："是抓要钱的，今天晚上要抓人呢。"翠珍说："抓抓好，'欢客来'现在成了赌窝子啦，也没人管。"老爹说："真是坑人不浅呀，锁柱他玩邪的。"黄禄穿鞋下地，跟富贵说："走，咱去看看。"翠珍说："你可别去，红眼贼们砸巴了你。"黄禄说："红了毛了他们，我就不信。"便和富贵俩人出来。富贵边走边说："放进去没多一会儿，楼里的灯就全亮了，那娘们吱哇瞎喊，说回头就还给你们，还给你们!"黄禄说：

“可别让她发现了。”富贵说：“老蚧天一亮就钻柴草垛，没事。”黄禄拍拍富贵的肩头：“干得不赖。”富贵嘟哝：“不赖有啥用，后黑还得一个人睡凉炕。”黄禄道：“我一准儿帮你把媳妇弄回来。一会儿，你可得听我指挥。”富贵点头，顺手从路边捡根干树杈子：“你说打头我不打腚。”黄禄说：“别伤了人，自卫用吧。”

“欢客来”的门锁着，窗户也关着，还用窗帘挡着，一辆拉煤的拖车停在门前。黄禄走到窗根儿侧棱着耳朵听，屋里果然是哗啦哗啦的牌声。黄禄给富贵打个手势，让他守在窗下，自己过去敲门，一敲门屋里的灯刷地灭了，好一阵锁柱问：“谁呀！我们都歇着了。”黄禄故意粗声粗气地说：“别耍滑头，交出牌和人！”他本来是想吓唬吓唬，因为都是一个庄的，谈不上真抓。谁承想屋里边当真了，窗户哗啦打开，人影咕咚咕咚就往窗外跳。富贵不管三七二十一，跳下一个给一棍，最后一个身子笨点，一棍扫在小腿上，人“哎哟”一声倒在地上，黄禄跑过来：“按住他，看看是谁？”地上的人坐起来瞅瞅，骂道：“你娘个蛋，反啦，你俩敢打我？”原来是支书。黄禄两腿发软，赶紧蹲下扶支书站起来，嘴里说：“看看这事闹的，看看这事闹的！您咋上这来啦？”支书发火：“我上哪用你管！喊喊就中了，还真用棒子打！”富贵给支书揉着腿说：“一根破柴火，没想打，瞎胡抡来着。”支书道：“胡抡咋给我抡趴下啦？”黄禄道：“误会，误会，要是我们知道您也来了，咱们就里应外合了。”支书恁精，立即明白了：“本来嘛，我是要引蛇出洞的，锁柱，你这个店这么开可不行啦！”锁柱在一旁发傻，黄禄道：“你以为人家支书是干啥来的？人家这是微服私访，是为了查清你这个赌窝。”这么一说把支书给说乐了，笑着对黄禄说：“你说得一点也不差，这回咱要把全村的风气好好治理治理。你们待着，我走啦。”黄禄说：“我们送您。”支书说，“没大事，还中。”一拐一拐地走了。锁柱央求道：“黄组长，您可别跟派出所报告，咱私了了吧。”黄禄瞅也不瞅锁柱，说：“按照中华人民共和国刑法第……第多少条来着，你这是提供场所的窝主，比耍钱的处罚还重，弄不好封了你的店。”锁柱：“可别，可别，我一家老小全靠这个过日子，没了饭碗，还得给您添麻烦。”富贵问：“这么说你认罚啦？”锁柱点头：“认罚，认罚。”黄禄想想，说道：“那就按村规民约办吧，一是罚款，你拿两千块钱吧。”锁柱说：“太多呀，没有那些。”黄禄说：“要不用组里欠你的饭钱兑啦！”锁柱咧嘴：“白吃啦！”黄禄说：“要不你就交两千，再在全组会上做检查。”锁柱摇头：“不不，我认啦，不要饭钱啦。”黄禄说：“去，进屋写个字据，免得空口无凭。”锁柱说：“不用写啦，保证算数。”身子堵在门口，意思是不愿意让他们进去。黄禄眼里揉不得沙子，说啥也要进去，锁柱没法只好让开，进去了黄禄就往后院走，后院有几间小房，是锁柱新开的“旅店”。果然不出黄禄所料，一个女的迎面过来，细看，看清是兰子。黄禄头皮发麻，心想这才磨叨的事，咋就都成了真格的了？上级再多的文件，也没见落实得这么麻利。他感到很羞愧，厉声问：“你在这干啥？”兰子笑着说：“我串个门，不行吗？”见人家兰子衣着整齐，脸上红是红白是白，黄禄还没法再说人家啥。转过身气得他对锁柱讲：“不中啦，除了刚才的条件，再加五百，差一点我就去找大老白。”锁柱自知闯了大祸，吭也没吭就打字据掏钱。办完了事，黄禄和富贵往回走，迎面见到在路边开诊所的医生背着药箱子往村委会那边走。黄禄心头一惊，问：“干啥去？”“支书和村长开会路上摔着了。”黄禄脑袋发大，富贵悄悄问：“还有村长呢？”黄禄哭丧着脸，问富贵：“你小子到底使没使劲？”富贵道：“那还能没使劲？现在胳膊还酸呢。”黄禄指着富贵埋怨道：“谁叫你使那么大劲？打出个好歹可咋办？”富贵说：“一想起我媳妇，我就恨死要钱的。”黄碌说：“得啦得啦，你回家睡觉去吧，我上那庄去看看。”富贵嘻嘻笑：“这五百块钱……”黄禄：“哼，兴许还不够药费呢。”往回走的路上，见锁柱在等着，黄禄身边没了富贵便说：“锁柱，不是我难为你，是制度和法律。”锁柱说：“该罚，我不是找后账。”黄禄盯着锁柱的手：“那你要干啥？”锁柱说：“我说一碗水要端平，我知道哪个编双檐篓子……”黄禄哑口无言了。

过了几日，王大眼骑着摩托来了，进村就打听近来村里死了人没有。说来也巧，富贵正蹲在墙根儿下晒太阳，就云山雾罩地说了一气，说：“前些日子在村边上闹，这些日子可能去县城闹去了。”王大眼吐了口唾沫：“妈的，邪门了，吓得我媳妇都快精神病了。”找来了黄禄，王大眼车也没下，掏出个信封子：“才弄来的钱，先还了你们吧，数数。”黄禄数钱，村民都围上来，一声不吭大眼小眼盯着。数好了，黄禄问：“那些东西咋办？”王大眼说：“变压器留着，剩下的你们卖废铁吧。”摩托车一掉屁股骑跑了。村民都欢叫起来，伸手要自己的那一份钱。黄禄想想说：“按现在的精神，咱不如用这钱办点啥，像栽点果树……”村民说：“莫办莫办，果树苗净假的，弄不好又上当，还是钱握在手里把牢。”黄禄看看没人支持自己，叹口气也只好作罢。立即回去找纸笔分钱，得了钱的按个手印，众人欢欢喜喜地回家，发了个小财似的。黄禄发光了钱，望着一个个背影，心里便产生了几分悲伤。这时候地里的活差不多快干利索了，只剩下一些邋遢户没挑地，估摸着就等来年种地一块干了。黄禄是花了钱请人用拖拉机挑的地，这会儿就想收拾收拾木工家什，等到大闲了跟人合伙出去做些木匠活，他的手艺一般，一个人揽不了大活。隔壁院的嫂子过来，问：“你哥他咋还不回来？”黄禄这才想起驴老五他们去倒果走了好几天了，就说：“估计该回来了吧。”他眼里看看嫂子，心里就想起驴老五的媳妇和锁柱，嗓子堵堵地便不愿意说啥。后半晌公路上一阵车响，村里就有人往公路上跑，翠珍过了一会从外边回来，表情挺不自在说：“拉回来啦，一斤挣两毛多钱，这下可挣老啦。咱没多出钱，不合算啦。”黄禄瞥一眼翠珍，抽着烟问：“咋着？眼热啦？”翠珍说：“比咱伺候果树来钱还快。”黄禄说：“抢银行更快。”翠珍听出来这是在讥讽自己，沉下脸说：“不跟你说啦，好心当成驴肝肺。”黄禄伸个懒腰，直直地躺在炕上，说：“咋样？事怕颠倒理怕翻翻，这会儿该明白人家咋对咱红眼了吧。这回咱没大掺和，挺好。”翠珍凑过来，挨着黄禄说：“要我看你别做那破木匠活，死累的也挣不了多少。就凭你，咋也干过驴老五了，你也去倒他几车果，准挣大钱。”黄禄坐起来：“看来我媳妇思想还挺解放。不过，几车果钱我还有点看不上。”翠珍睁大眼：“你还想挣破天?”黄禄说：“那当然，不瞒你说，这些日子我总是想咱整个长林……”翠珍不愿意了：“咋啦，咋啦？是不是支书要发展你入党呀？思想咋这么进步啊？还整个长林，就看这些人头儿吧，偷的偷赌的赌懒的懒。咱是房子盖这啦，要不非挪个地方不可。”黄禄说：“你别净说那些用不着的，好歹这是生我养我的地方，我琢磨啦，得干点对得起这块地儿的事。”他慢慢拉住翠珍的手，小声说：“你说呢……”翠珍猛地把手甩开：“你干去吧！精神病!”

黄福满头是汗地进来，说：“老二，坏了事啦。”黄禄没正眼瞅他哥，瞅着顶棚问：“不是拉回来了吗?”黄福说：“拉是拉回来了，可那个李主任不够意思，说啥不收。”黄禄心里明白了大半，却问：“没说为啥不收?”黄福说：“他说让我问你，我这才来的。你说为啥?”黄禄气不打一处来：“为啥？哥呀，你都干了些啥事？双檐篓子是你编的吧?”黄福双手抱头蹲下了，好一阵才说：“我没编几个。”黄禄说：“一个也不行！把咱一组的脸都丢净啦！还有那电线……”黄福朝外边瞅瞅：“不是挂上了吗?”黄禄：“你以为挂上就没事啦！早有人盯着呢，就要看咱咋办。”黄福叹口气，站起来说：“得啦，我没给你做脸，你也别帮我这忙，这车山楂有一半是我借了钱干的，这回我把它都扔河里，让大家解解气。”黄禄白了黄福一眼，从炕上跳下来就往外走，黄福跟着到了院外，问：“你干啥去?”黄禄说：“你说我能干啥去？果在哪?”黄福说：“卸在供销社门前了。”

供销社门前车辆出出入入，长林一组十几户参与倒果的人眼巴巴地等着黄禄。黄禄一过来，驴老五就上前说：“这老李跟咱们玩心眼子，他丈母娘刚才过来要收咱的果。”黄禄一下子就明白了，这李主任是要捞一把——他凭着权力可以说出一千个不收的理由，你没有办法只好压价卖给他丈母娘，她丈母娘连一个手指头也不用动，一转手卖给供销社，就挣了。黄禄问驴老五：“要不，拉别处卖去。”驴老五摇摇头：“都卸了，车也走啦，一折腾，钱就进去了。”黄禄咽口唾沫：“我去说说，你们回家拿几把镐头啥的，在门外等着。”这话一点就透，黄福立刻叫人去办。

李主任正在屋里高兴呢，几个亲戚都表示在他这卖果后给他好处。这事谁也说不出啥来，谁叫本县果品厂多，从县社那就把价提起来，分到基层供销社的是任务，只要按上面规定把钱花出去，把果收上来，就受表扬，领导才不管下面是怎么倒腾的。李主任仨小子，两个要娶媳妇，一个念中学，处处都用钱，逼急眼了，也奓起胆子开始搂。黄禄推门进来，笑道：“李主任，那双檐篓子不会再有啦，看在我的面上，收了吧。”李主任指指沙发让黄禄坐下，递过烟，说：“不是我不给你面子呀，这个山楂呀，咱们是用来做罐头的，你哥他们从外也拉来的这山楂，质量不行。”黄禄抽着烟，说：“啥质量不行，旁人拉来的，都是咱本地的?”李主任刚要说什么，电话响了，说了没几句，李主任捂着话筒对黄禄说：“这事只能这样了，你们另换个地方，要不就贱点卖给旁人。对不起，我这有点要紧的事。”这话实际就是撵黄禄走，黄禄屁股跟长了磁铁似的，一动不动。李主任为难，指着话筒：“你看……”黄禄说：“你说吧，你说完咱再说！”李主任没法，冲电话说待一会儿再打来，啪地把电话放下，沉着脸说：“黄禄，篓子的事我不追究，就给你好大面子了，这事上你可别跟我作对。这果要是你的，我二话不说，旁人的事，你多余管。”黄禄不想把事情弄僵了，好言道：“李主任，这些人怪不容易的，你就高抬贵手吧。”李主任就有些犹豫，窗外这时有人向他招手，他立即抬身出去。返回来态度又坚决了，说啥也不收。黄禄隔着窗户也看清了，是个老娘子，八成就是驴老五说的李主任丈母娘。黄禄就有些来火，说：“李主任，供销社是您说了算，可别忘啦，这地方可叫长林……”李主任也不示弱：“你敢咋着？”黄禄指着门口说：“他们要断道，我可管不了啊。”这是最厉害的一招儿，以往和驻在长林街上的单位干架，一般说来，拿出这招儿就胜了八分。不料李主任哈哈大笑，从抽屉里拿出个红头文件：“瞅瞅，今年早有提防，你敢刨一镐，公安局就来人。”黄禄抓过文件一看，傻眼了，果然是针对秋果收购的安全下的文。黄禄见硬的不行，又来软的，要请李主任吃饭，李主任说从不喝酒；黄禄索性说给您几百块钱好处费，李主任更明白，说一分也不沾，回头你们把果卖了，再告我个索贿，我才不上当。黄禄没了办法，低头出来到了大门口，对驴老五说：“一点盐酱不进，看来只有卖给那老婆子了。”黄福说：“那咱们就白干啦。”四狗子提起镐头：“我，我刨了它，谁也别想卖！”几个火爆一点的年轻人也跟着要刨。黄禄一把拽住四狗子：“刨不得，正找不着开刀的呢！”把几个人就镇住了，细情一讲，全泄气了，那边不紧不慢过来个老娘子，话音不高不低地问：“咋样？商量好了吗？”黄福说：“我们再合计合计。”老娘子笑道：“合计吧，不忙，这果放几天还坏不了。”转身走了。驴老五说：“咱去打官司！告他！”四狗子说：“可别提打官司，咱都搭不起那饭钱。”黄福一脑门疙瘩：“那咋办？那只好让她占便宜了。”黄禄对众人说：“再想想法，别都戳这了，打架似的，回家吃饭，回来替换他们。”除了黄禄、驴老五、四狗子、黄福，其余人都走了。黄禄的想法还是请李主任吃饭，李主任家离这有三里地，下班他准得出来，往饭馆一拉，就好办了。等等日头就掉到山后了，来往的车辆都亮了灯。供销社大院的灯一个个灭了，就剩下李主任一个屋了。下学的学生吱哇叫着蹬车子过来，一个半大小子进院就喊爸。李主任出屋说：“告诉你妈，今晚我不回家去了，就住这了，这有方便面。”黄禄立刻说：“不吃方便面，走，咱们去涮羊肉。”李主任瞅瞅：“我说不行就不行，你们别想让我吃你们的饭。”李主任的孩子说：“要买校服，八十块，明天要。”李主任气得跺脚：“怎么没完没了，回家找你妈要去！”把孩子撵走了，把大铁门也关上了，就剩下个小门。黄禄试探着说：“明天我们就卖给那个老太太了，也不知她是哪庄的。”李主任很警惕，“你们卖谁我不管，我也不认得什么老太太。”

看来什么招儿也没有了，驴老五说你们回家吃饭吧。走到半道，兰子来喊四狗子，四狗子不高兴没给她好脸，兰子就问啥事。没等黄福说咋回事，黄禄就一本正经地说："这事成啦，这事成啦，让兰子去找李主任，准成。"四狗子推了黄禄一把："拉倒吧，你们都不行，我媳妇她行?"兰子说："李主任那儿? 没问题，你们说啥事，我准办了。"四狗子不乐意了："咋着? 你跟他相好?"黄禄说："不对不对，绝对没有那事，我替兰子打包票。我是想李主任在家里'气管炎'，他需要温柔，咱兰子最温柔，到那小话儿一说，李主任就没法儿了。"四狗子摇摇头："我不放心，为两篓子红果，再把我媳妇搭进去。"黄禄说："这好办，你跟着，他老李敢越轨，你就抓了他，往后，还不是你说啥是啥。"四狗子乐了："对呀，我咋没想到这呢。"黄禄在暗中捅了下黄福，指着路边的饭馆说："你们还没吃饭吧?"兰子："嗯，你们说的我还不大明白。"黄福说："走，我请客，边吃边说。"黄禄往前走："你们说吧，我家里有事。"

黄禄到家吃了饭，看了会儿电视，就躺下了。才要睡着，外面就有敲门声。披件衣服把门打开，外边进来了神色慌张的李主任，四狗子和驴老五站在外边："李主任你跟他说吧，说完了咱连夜去县里。"李主任拉着黄禄的手说："我、我真的没动她呀，是她说肚子疼，问哪是盲肠，我才……"黄禄一把捂住李主任的嘴，把他拉到小厢房里，关切地说："你别紧张，有我呢，咋回事?"李主任说："就是兰子到我屋打电话，没打通。她忽然肚子疼就躺在我床上，问我哪是盲肠……"黄禄问："解开裤带啦?"李主任："她自己解的。"黄禄："你按了?"李主任："按了。"黄禄："几下?"李主任："有那么七八下吧，四狗子就进来了。要我看，这是阴谋，就因为我没买他们的果……"黄禄皱着眉头说："阴谋阳谋你摸人家媳妇肚子是真的，到时候说不清，人家还说你以收果之便调戏妇女呢。"李主任脸色煞白："这，这……让我媳妇知道就麻烦啦。"黄禄很为难地说："算啦，为了老朋友，我给你了了吧，你回头给兰子买件衣服就行了。"李主任擦擦头上的汗："那就全靠你啦！对啦，让他们明天一早把果都搬进去，按一等收。"黄禄道："那都是小事，保住你的名声要紧。"黄禄出去，对四狗子说："李主任跟我是哥们，有什么话跟我说，这事不许嚷嚷，你们要是没完，我就跟你们没完!"厢房里李主任直想管黄禄叫祖宗。

照理说都挺好的了，黄禄这一阵紧胡拉，也没人提果树多少的事了。黄禄看看小风一天比一天渐凉，就想到外边挣俩钱。不料支书媳妇找上门来，说支书的腿养到现在总算好点可出了新毛病，就是夜里办事不行了。黄禄说："棍子也没碰那呀。"支书媳妇说："我不管你们打哪儿，反正从腿瘸了的那后黑开始人就废了。"黄禄挠挠脑袋："那咋办?"支书媳妇说："请来先生了，得吃药。"黄禄知道人家是在讹自己，可也没法，便说："那就吃药呗。有啥毛病都一块说出来，别新媳妇放屁——零揪儿。"支书媳妇也不恼，说："身上的筋脉都连着，谁知还会出啥毛病。"拿了些钱走了。翠珍知道这事，又一脸地不高兴，算算这一秋为这些烂事折腾出去好几百了。黄禄自言自语："我看这个破组长死活不能干了，爱咋着咋着。"翠珍说："我看也是，谁当官也没有这么往里搭的。”正议论着这事，富贵跑来报告：“王大眼那些破机器有人要抢！”黄禄一听就急眼了，噌噌跑到当街，见驴老五四狗子等人正用小推车往家推呢。黄禄拦住：“没王法啦，晴天白日地动抢！”驴老五说：“不是抢，这是搬我们自己的东西。”黄禄说：“钱都还给你们啦，东西就是组里的啦。”四狗子说：“组里不就是你那四百块钱吗？放心，我们出。”黄禄说：“这破机器你们拿回去也没用，我还想找个厂子，卖零件给大家买果树苗子呢。”富贵等人说真这样，好。驴老五等人仍不赞成，说还是变成钱放在个人手里踏实。黄禄火了：“谁往家推谁就是偷盗，我去找支书，找大老白。”驴老五立即喊：“找大老白也中，连电线一块断了。”四狗子也说：“低头不见抬头见，当干部一碗水要端平。”黄禄感到两腿在发颤，望着四下一双双眼睛，黄禄说：“你们等着，看我端不平再推也不晚。”这么一说，多数村民都说了话，驴老五也怕犯众怒，便把破机器推了回去，四狗子等人也学着推回去，但嘴里还是不依不饶。

黄禄两腿沉沉回到家，从柜里找出普法时的书，靠着炕梢的被垛就看，看一会儿点点头，又看一会儿自言自语；“唉，糊涂啦，糊涂啦……”老爹坐在炕头上问：“又咋啦？”黄禄说：“爹，我要办件叫您不高兴的事。”老爹说：“也没见你办过啥叫我高兴的事。”黄禄道：“我哥的事，咱不能包庇，影响不好。其实，这书都写了，主动坦白，从宽。”老爹叹口气说：“你就照量办吧，别给他处罚太厉害了。”黄禄说：“多不了，我估计最多十五天。”下炕穿鞋就到了黄福那院。黄福正在院里劈大柴头，见黄禄进来也不说话，只是一个劲劈。黄禄蹲一边瞅着，瞅了一阵问：“劈这些干啥？要出门？”黄福放下斧子，“嗯，出门。”黄禄一惊：“上哪儿？”黄福说：“你说能上哪儿？刚才的事我都听见了，你放心，好汉做事好汉当。”黄禄的眼睛有些湿，忙给黄福递根烟，又打开那书指着说：“我看没大事，弄好了免于追究，顶多也就是十五天。在这儿，你瞅。”黄福说：“我不瞅，我等着啦。”黄禄摇摇头：“等着不好，主动去好。我听大老白说，杀人的，要是主动去，也没了死罪。何况咱电线都挂上了。”黄福说：“那就去一趟？”黄禄说：“就当逛趟街，带俩钱，用得着。办利索了，心静。”黄福点点头：“是啊，要不我心里总坠块石头似的。”黄禄说：“放心吧，胖庭长吃过我的饭，总得给点面子。”

哥俩推车子到街上，有人就问上哪儿去。黄禄一看也不必瞒着了，就说了。一说人们就骂驴老五，驴老五跑来拉住车衣架说：“别呀！我不过随便说说。”黄禄说：“别看咱不是党员，也是党的干部，办事得公道。”驴老五说：“你这一去我咋办？”四狗子说：“你快赔人家台球案子和树苗吧。”驴老五连连点头：“一准儿赔，一准儿赔。”众人便送黄禄黄福上了公路。蹬上车子没走多远，富贵满手血红迎过来：“组长，生啦！组长，生啦！”黄禄停下：“说清楚，谁生啦？我生啥？”富贵笑道：“不是你生，是牛生啦，两个呢！”黄禄说：“好好伺候着。”富贵不好意思地说：“那个……我媳妇的事……”黄禄挠挠头说：“对啦，这几天太忙。这么着，办完我哥这事，就办你媳妇的事，你把屋里屋外收拾利索点。”富贵捣蒜似的点头说是，黄禄和黄福蹬车子离开长林。走了有一半路，黄福突然问：“今年过去了，明年收果时咋办？”黄禄吸了一下鼻子：“明年再说明年的吧，想那些也没用。”就使劲往前骑，前面有个小上坡。

（选自《长城》1993 年第 6 期）

何 申

1951 年出生，天津市人。1976 年毕业于河北大学中文系。1984 年后历任承德地区文化局局长，承德日报社社长，河北省作家协会副主席。1981 年开始发表作品，1994 年加入中国作家协会。著有长篇小说《梨花湾的女人》《多彩的乡村》，中篇小说集《七品县令和办公室主任》《年前年后》《信访办主任》等。中篇小说《年前年后》获《人民文学》优秀作品特别奖、《小说选刊》优秀作品奖和首届“鲁迅文学奖”。作品还获《小说月报》《中篇小说选刊》《北京文学》等优秀作品奖。曾获 1993 年度庄重文文学奖。

自 戕

钱国丹

那一天是我四舅舅娶我四妗娘的大喜日子。一大早，妈一手抱着鑫弟，一手牵着我，拉拉扯扯地往外婆家走去。别家的孩子去外婆家，总是快快活活地唱着：摇摇摇，摇到外婆桥，外婆叫我好宝宝……我不唱，因为外婆和我同住在郑家湾的一条辘轳把胡同里，我什么时候想去，撒开小腿拐过两个弯弯就到，根本就不需什么“摇摇摇”；更主要的是，外婆从来没有叫过我“好宝宝”，任我再乖再规矩再勤脚勤手都不行。

外婆叫我“囡儿假种”。郑家湾的“囡儿”专指女孩子，而女孩子一出娘胎就被贬为“假种”了。

初冬的天气十分晴好，外婆那终年积水的、常见鸭们游来游去的院子变得罕见的净燥。郑家湾刚刚评过成分，湾里的孩子们常常会念叨着一些不知是谁编的顺口溜：评成分，评着地主不承认；评阶级，评着地主真苦极……外婆用不着“不承认”，也用不着“真苦极”，外婆家虽然有薄田二十亩，却因为房子破旧、人口众多，外公和四个舅舅不但没有一个是吃闲饭的，而且有两位是为革命扛过枪流过血的，所以外婆家的成分是中农。

外婆家的屋叫“老屋”。我们一行到达老屋大门口时，我看见外婆正坐在她家的廊檐下生气。虽然是四舅舅娶四妗娘的大喜日子，外婆仍旧耷拉个脸。外婆有一百个理由生气，外婆身高马大四肢发达体重一百三十斤，而支撑这个庞大身躯的却是对粽子般的小脚。外婆五六岁的时候，那对健康的脚板正随着身体的发育茁壮成长，当然不那么驯服于职业缠足婆的裹足布；职业缠足婆就举起一只饭碗，“当”一声摔作几爿，然后将那些破碗片片捡起，锋头朝上垫在外婆肉墩墩胖乎乎的脚板底下，然后用坚韧无比的裹脚布将它们一股脑儿裹在一起。职业缠足婆手持一根硬木棍棍，敲着打着赶着外婆重新学习走路。碗锋片片硌开了外婆脚底的皮肉，硌断了外婆的脚筋和脚骨，一直硌到外婆的心窝窝里去，外婆呼天抢地痛不欲生却没有一个人去救她，从此外婆便恨缠足婆恨她的娘恨一切女性。血肉模糊的裹足布裹着外婆血肉模糊的脚，脚在发酵在腐烂在扭曲在变形。三个月后，职业缠足婆给我外婆造就了一对标准的三寸金莲，同时也给外婆造就了一个畸形的心理。

那时候，比外婆小三岁的外公在乐城中学当他的模范教师，连四舅舅的大喜日子都无暇回家。四十七岁的外公不但吹、拉、弹、打件件精通，而且能编会导善歌擅舞；更让我们欢欣鼓舞的是，外公能在双杠上一连翻十二个跟斗之后来个稳稳的蜻蜓倒立，这不能不叫我举步维艰的外婆越看越愤愤越想越不平衡。而最最让外婆气急败坏的是，大妗娘二妗娘三妗娘你追我赶合伙制造了九个“囡儿假种”，而连一个“真种”芽芽都不给外婆生下！

那一天外婆见了我们，确切地说是外婆见了我弟弟，大而苍白的双眼倏地放出光辉来，她大呼道：

鑫儿，过来！

我弟弟那天穿着一身印着殷红的荔枝花样的衣裤，那套郑家湾十分稀罕的、富丽堂皇的衣裤，外婆原本是为嫡亲孙子准备的；妗娘们肚皮不争气，便顺理成章地落到我弟弟身上。鑫弟穿着荔枝花的衣裤非常喜气也非常神气。外婆从妈手中接过他坐在自己的膝盖上，对着大门对着阳光对着来往的宾客，外婆分开弟弟白白胖胖的双腿，弟弟的小鸡鸡就骄傲地探将出来。阳光十分明媚，明媚的阳光照在小鸡鸡上，小鸡鸡便越发的洁净，越发的白嫩越发的半透明。外婆用手点着弟弟的小鸡鸡，点一下，问一句。

这是什么——外婆问。

小鸡鸡——弟弟唱歌般答。

小鸡鸡派什么用场？

做种。

给谁做种？

给爸，给妈。

还给谁做种？

给爷爷，给奶奶。

还给谁做种？

给外婆做种！给外婆做种！

外婆的脸顿时绽出从来不曾有过的狂喜，她搂着弟弟，“鑫宝鑫贝鑫肉肉鑫心肝”地叫个不停；又凑着弟弟的脸蛋、颈项和手背一阵暴风雨般地乱吻；接着又将弟弟举过头顶，外婆那白花花的脑袋一头扎到弟弟的开裆裤里，拱着蹭着半天也不肯出来。

“尿臊气不？当心将小鸡鸡碰落！”隔壁的三猫娘，抱着她那拖着两条绿鼻涕的孙子，站在外婆身边不阴不阳地说。三猫娘跟外婆差不多年纪，却已经有清一色的七八个拖着绿鼻涕的孙子，所以她完全有资格对我外婆不阴不阳。外婆的脸立马就阴了，一时又无言以对，当她发现我和几个表妹也都在看热闹，便将气全都撒在我们身上："看什么看，不争气的囡儿假种们！"三猫娘却一边悠着她的绿鼻涕孙子一边悠长了嗓门，唱着郑家湾流传千年的歌儿：生儿啊……百鸟呀……欢喜；生囡啊……茶壶也……噘嘴！

房檐下摆着一排四五只糠筛米筛，大妗娘正带领一班女眷，将一只只水磨汤圆搓得珠润玉圆。望着那一双双转动着的灵巧的手，我不禁想：她们为什么不搓些小鸡鸡，给我的表妹们一人都安上一根，省得外婆和茶壶总是噘嘴？

这时我的大妗娘垂着满是汤圆粉的双手，顺眉顺眼地站到我外婆面前。在我的记忆里，大妗娘是最温柔最宽厚也最任劳任怨的。大妗娘对外婆说：头一镬汤圆熟了，先盛给谁吃？外婆将脸一板说：这还要问？头一碗当然是盛给阿鑫吃啰！还晃着弟弟道：头碗圆，吃了做状元；头碗汤，喝了做人响当当。

外婆从怀里摸出把银制的羹匙，小小的，做工并不精巧。外婆说银羹匙能试出汤里有没有毒。外婆就用这柄银匙，给我的鑫弟喂了不知多少又香又甜的汤圆汤，然后叫二妗娘将鑫弟抱到小轩间里四舅舅的新床上。鑫弟在新床上走着爬着，走走爬爬就嚷嚷要撒尿，外婆却不让人将他抱下来，让他翘着个小鸡鸡东一摊西一摊将新床撒得一塌糊涂。外婆说：利市尿，利市尿，让四妗娘照着样子生些带鸡鸡的。

草草地吃过午饭后，外婆就打发四舅舅去请村长兼支书的明哲叔晚上来吃喜酒。四舅舅蔫儿吧唧地说：他若是不来怎么办？外婆说：他凭什么不来？我们家又不是地富反坏，老三在部队当的官，比他这个芥末子村长不知大多少倍呢；请他，是我们抬举他呢。四舅舅说：不是谁抬举谁的事，明哲这些天烦着呢，郑家湾摊着了十个地富反坏的名额，他弄来弄去只弄出九个，那第十个再也寻不起……

这时候妈在厨房里喊外婆。春、夏、秋、冬四个表妹逮着这个机会马上手拉手地在四舅舅的新床前站成一排，对外婆说让她们管一下鑫弟。外婆说：仔细管好了，摔下来我打烂你们的头！接着外婆便喊我：阿丹，拐杖！

外婆喊谁谁拐杖并不是要谁给她拿拐杖，而是要谁给她当拐杖；外婆那双脚没有拐杖寸步难行。于是我很巴结地向她跑去——我想我的骨子里大约带着许多奴性，其实我是很希望外婆叫我一声"好宝宝"的。

我将背脊对准了外婆，外婆手握着床栅艰苦卓绝地刚刚站起，她那双鹰爪般的大手便从半空落下，一把叉住了我的肩：尽管我早有准备码好了腿，外婆还是将我叉了个趔趄，我赶忙站稳了，然后像拉着轮子一边高一边低的破车，摇摇晃晃地往厨房走去。

郑家湾有许多穷讲究，平日里尽管节俭得顿顿喝稀粥咬菜干瘪，结婚的喜酒却绝对是要办的，八个冷盘也绝对是要"摆"的，下边不免要垫些萝卜菜头，面子上却要摆得体面漂亮；这就叫"摆酒"。我的外婆尤其精于此道，那些形状不规大小不一的白肉、花蛤、虾干、鳗鲞，一经外婆的手，或变成蜂飞蝶眠，或翻作龙翔凤舞，或芙蓉出水或牡丹带露，不弄得一屋子五彩缤纷满桌生辉决不罢休。

外婆跪在长凳上，用刀柄敲着那些片开的鳗鲞，鳗鲞又干又硬，不敲软敲烂摆不成盘。外婆的脚立不住，坐着又碍手碍脚不便操作，所以外婆每每干活都要跪在长凳上。有一回外婆偶尔撩起宽松的裤管，我看见她的两个膝盖上都有着洋钱那么大那么厚的两个老茧，老茧的边缘处，隐约看见新鲜的和陈旧的血迹。

妈正在摆一盘腊鸡，妈的"摆技"大有青出于蓝而胜于蓝的趋势。妈一边摆一边和外婆唠叨。妈说：阿喜（我四舅舅的名字）前天还跟我咕哝呢，他跟阿凤都好了五六年了，你说拆就将他们拆了，今天娶的这一位，他根本不愿意……外婆说，由他啦？妈说，这阿凤，眉眼也周正，脑瓜也聪明，身体也健旺，脾性也和顺……外婆打断妈道：我倒是有心想成全他们的，可那一回我亲眼看见阿凤从秤杆上跨过！那卖柴客将秤横在地上，阿凤没看见，一脚从秤杆上跨了过去，我要喊都来不及。跨了秤，钉定生囡的命，要生一秤杆的囡儿假种。我们家已经有了九个囡儿假种，真真叫我绝了孙子不成？

当时我小小的心确实被震撼了一下，虽然我也是"囡儿假种"，并且从来不认为囡儿就比男儿差；然而将来我做了母亲，我同样忍受不了那么一秤杆的"囡儿假种"，六岁的我便多了个心眼，每每看见地上的小秤大秤或者磅秤，我绝对不跨过去，而是小心翼翼地从旁边绕过去。

"你就是重男轻女！"我的当小学教师的妈顶外婆说。妈对外婆从来就不满。妈小时候苦挣苦熬地只读三年书，读三年书的妈长大后却要教初级小学四年的书，所以妈常常难免捉襟见肘，难免要怨恨不让她好好读书的外婆。此时，妈便以小学教师的身份批判外婆道：你开口囡儿假种，闭口囡儿假种，囡儿和男儿还不是一样的？

外婆将嘴一撇，说：蛘[①]？蛘跟白蚁差一对角！——我在你兄弟屋里坐一辈子吃一辈子，谁敢放个屁？我若到你家吃住，头一天还马马虎虎，第二天你婆婆的眼神就不对了，第三天左邻右舍都会过来张望，说一声："你家外婆还在呀？"活活将人气死？再说，你再聪明，再要强，生的娃儿也不姓郑；阿鑫再好，再招人疼，只是我的外孙，终归是带"外"的，养不得老送不得终的！

外婆的话虽然失之偏颇，却也不无一定的道理。去年春节期间我在郑家湾翻阅那本带着檀香味儿樟脑味儿的郑氏宗谱，那本从外公的第五十世祖开始述记的、装帧考究的谱牒，忠实地记录了郑家湾郑氏一脉上下千余年的历史。我翻到了关于外公的几个页码，我看到了我外公、大舅、二舅、三舅、四舅和后来终于盼到的表弟们的大名，辈分、字、号，生卒的年、月、日、时辰，婚配情况，子孙嗣息和就读毕业

---

① 蛘：一种米虫。

的学校、学历，前后担任的职务以及建树的功勋，详尽严密得一丝不苟；提到我母亲的却只有五个字：女一，适钱氏。我妈八〇年被评为特级教师功成名就，市报和省报都用很大的版面来介绍她，可这郑氏家谱却吝惜得只用五个字就将她打发掉！

这时候，带人租借家什的三妗娘滚着一张圆桌板回来，听见外婆的话，快嘴快舌地接嘴道："好了好了，我们生的全是'假种'，姐姐生的又是'外种'，今天娶的这一位，可是你老人家唐僧取经般过五关斩六将度过九九八十一难关挑拣出来的！可别拣又拣，拣个九白眼——又是一肚子的囡儿假种！"三妗娘仗着三舅当大官往家寄大钱，说起话来自然比别的妗娘响亮几倍。

其实外婆挑四妗娘，别的条件都可以凑合，唯有在"儿肚""囡肚"的问题上下苦功夫。她请过两个算命的三个看相的四个测字的，考察过的姑娘起码有三打，最后才选中了四妗娘这个"绝对儿肚"。三妗娘的不敬不孝没大没小让外婆非常生气。外婆那跪在长凳上的身躯板得一动不动，苍白的眼珠子瞪得老大，她赌咒般地指着自己的眼睛道：

"老四媳妇若生不下一个儿子来，我挖下眼珠子给你们当泡泡踩！"

外婆举着的手一下子拍了下来，妈妈刚刚"摆"好的一盘花蛤，被震得骨碌碌地往下滚。

外头一阵当当的敲锣声。我们以为新妗娘来了，就急急地往外跑。其实不是，是一串儿被绳子穿起来的地富反坏分子在游村，一个个垂头丧气，灰不溜秋。一帮郑家湾的娃儿们跟在后边，拍着手顿着脚，按着节拍嚷嚷道。评成分，评着地主不承认！评阶级，评着地主真苦极！我和春表妹都点着他们数人头，一、二、三、四……九个，果然还差一个。

回到了老屋，外婆说：张什么张，你们当花轿来啦？早着呢！做新娘嘛，沐浴汰身，梳妆打扮，拜庙祭祖。辞别家人，名堂多着呢；临出门还要扭上几扭，要个养育钱，讨个顺风包，一只脚踏上轿门了，另一只还拖在地上，张口又要上轿金。一辈子坐一回花轿，不把钱要得足足的岂不亏了？轿子上了路、扛轿的磨磨蹭蹭笑笑闹闹，村村庄庄的后生哥儿们见路挡路见桥拦桥，新娘大方的，给够喜糖喜烟，他们才放轿过来；新娘子是个小气的，舍不得糖舍不得烟，只怕挨到半夜还到不了郑家湾呢！

于是我们便不再张望。就在我们安安枕枕学着搓捏汤圆的时候，外头忽然鼓乐声大作，一会儿，那顶轿子已经到达外婆的老屋，停在院子的正中了。

"这新娘子好爽快！"接亲的一班亲戚说。我看看天，才半晌午，心想这四妗娘果然是极爽快的。大舅指定我和小我二十天的春表妹站到轿子旁边，新娘下轿走路时，就由我们俩提着她的裙摆。我觉得很光彩很得意，想想看吧，你们都有谁有幸给新娘提过裙摆的？

新郎不见了！猛丁的，不知谁惊呼了起来。不啻一记闷雷，把整个欢天喜地的闹腾都打得蛰伏了下去。

外婆由我妈搀扶着，神像般很威严很威风地移将出来。外婆对那个喊叫“新郎不见了”的人斥道：嚷什么嚷，阿喜准是去他的“弟兄”家——那时的弟兄就是现今的哥儿们——请吃喜酒呢，还不赶快去找找！于是人们就四个一伙五个一帮地往各自认定的四舅“弟兄”家找去。妈显然是多了个心眼，叫过我爸悄声道：去看看阿凤，到底在不在家。又叫过我大舅二舅，让他们到莫耳河边、五洞桥头和娑罗树下去瞧瞧。我听得莫名其妙懵里懵懂，只有投河上吊的人才去那些地方，四舅好端端地放着新郎不做，难道会去寻死？

喧闹的人群陆续走光了，连春表妹也跟着大舅走了，偌大的院子里，只剩下那顶孤零零的小轿和孤零零的我。我便细细地打量那顶小轿。那是顶半新的，专供婚嫁用的出租小轿，四个面画了些花儿鸟儿和穿戏装的男女，很是奇妙也很是好看。我便有了想坐一坐的念头，可惜轿门是关着的，进不去。于是便趴着缝隙往里看。缝隙很大，里边的名堂看得清清楚楚：一帕大大的红头盖，将新娘的头脸全罩在里边；红头盖下边是红缎袄，红缎袄下边是红缎裙，红缎裙下边探出一双绣花的红缎鞋。新妗娘当然也听到我四舅舅失踪的消息，却能够悄没声息地坐着，那红缎鞋移都不移一寸，那红头盖晃都不晃一下，能够沉静到这个样子，让我不禁对她肃然起敬。

爸转了一圈回来，对着急急迎出来的妈道：哪儿都找遍了，没人。妈吟哦片刻，说：到湾东边去看看吧。我揪住爸的衣角说，爸，带我去。

湾东面是一望无际的田野。这些由大大小小长长短短的方块连绵在一起的麦田除了属于郑家湾的，还属于前后左右五六个村庄。西北边的田坂中，凸出块孤岛般的园子，那便是郑家湾人十分忌讳的“大爿园”。这是郑家湾祖先划出来的，有着特殊意义的园子，园子里上下参差着大大小小厚厚薄薄的棺材，棺材里的死者大约有这么几种，一是触犯了族规国法，被取消了进祖坟资格的；二是当时穷得买不起坟地也做不起坟墓的，暂时寄放着，等发了财再做坟移棺；三是绝头户，下代没人了，由族里凑钱，买口棺抬到大爿园上完事。大爿园的东头有棵落光了树叶的什么树，高高的直直的，像领着那些棺材走向另一个世界的引路幡杆。所以大爿园是个多冤魂、出鬼魅、走蛇虫的世界。郑家湾的村妇们恨急了，就咒人“大爿园客”！或者“给你送大爿园去算了！”

到大爿园没有正经的路，只有这块田和那田之间的小田塍。爸择了条结实些的田塍，带着我向大爿园走去。渐近，我便看见那幡杆般的树下还有座小石屋；那光秃秃的树枝桠桠上还有个喜鹊窝。“哇”的一声惨叫，喜鹊窝里却飞出只白头颈的乌鸦，吓得我一下子扑到爸的怀里，爸干脆抱起了我，三步并作两步快速登上了园子。

我们避开那被岁月和风霜消磨得掉出骸骨的棺材群，进了那座石砌的小屋，我看见了三尊比例很准却狼狈不堪的佛像，这三尊我叫不出名字的塑像穷愁潦倒、惨不忍睹；风化得看不出颜色的破衣布条，在西北风中呜咽哭泣哆哆嗦嗦，成千上万过冬的野蜂，从这个洞里钻进，又从那个洞里出来，将赤裸的泥像搞得遍体鳞伤千疮百孔。

就在中间的那个最高大也最悲惨的泥像背后，我和我爸同时发现了我四舅。四舅一米八几的身体佝偻着，浓密的黑发上粘满了蛛网，白皙的脸上没有一丝血色，大大的眼睛里却全是血丝。原来四舅并没有带着阿凤姑娘远走高飞，也没有去投河上吊，却躲在这些连自己都保不住的泥像后边。四舅就以这么个窝囊样子定格在我的记忆里，让六岁的我就对他避而远之了。

爸爸终于把四舅领回到外婆的老屋里。四舅终归以新郎的身份站到了那顶被冷落许久的花轿前，花轿门终于开启了，鼓乐重新吹打起来，我看见新娘提起一只穿红缎鞋的脚，极镇静极平稳地迈下轿来。我和春表妹一人一边地牵起她那长得不能再长的裙摆，然后跟在四舅和四妗娘的背后，缓缓地向堂屋走去。从停轿的位置到堂屋的拜坛，也就二十来步路的样子，可是四舅和四妗娘走得极慢极慢，仿佛走了一辈子。

四舅和四妗娘婚后的日子过得很是平静，既没有青天白日关起门来的卿卿我我，也没有隔三岔五的吵吵闹闹。四舅照例到八里外的一个村办小学里去教书，早出晚归。四妗娘便和上面的三个妯娌轮流着烧火做饭，手脚麻利轻车熟路得像早就是这个大家庭中的一员。人长得又不难看，起码比阿凤姑娘好那么两三分，把个阿凤气得匆匆忙忙地嫁出了郑家湾。

外婆便有事没事把四妗娘叫到膝前，今天问她是不是不舒服，明天又问她想不想吃酸的，再过几天就干脆问她“身上”停了没有？四妗娘只是静静地摇头，很沉着地摇头。四妗娘因为好看，摇起头来也特别有味道。我有空就要往她的小轩间里钻，她便用红绿丝线给我编一根书签，我夹在我的语文课本里，让全班的女同学都嫉妒得掉眼珠子。

可是四舅好像并不怎样亲热她，好不容易盼到个星期天，四舅并不待在小轩间里，而总是待在前门的菜园里。菜园里种着一排儿八九棵南瓜，四舅又是浇水又是施肥又是捉虫，侍候出一架蒲扇大的南瓜叶和一架金灿灿的南瓜花。

有一天，四舅在又壮又肥的南瓜藤脚处，纵向划了一刀，然后捡了块瓦砾嵌进刀口。四妗娘问：“阿喜，好端端的瓜藤，为什么要划一刀？”四舅的眼睛只是盯着那刀口，并不回答四妗娘的问话。我觉得四舅舅不答话是不对的，便接过四妗娘的话重新问，四舅马上就回答我道：“南瓜藤太肥壮了，就只能开花而结不了瓜，伤伤瓜藤，那南瓜自然就结牢了。”

四妗娘很沉着地在小轩间里住了两年，她的肚子也很沉着地一点都不大起来。倒是大妗娘二妗娘三妗娘们沉不住气，先后每人又都养出个“囡儿假种”来，把个外婆气得三天两头闹胃疼，三天两头地托人到镇医院去买胃药。

那一年的初秋，我的三位表妹都到了上学的年龄，便相约着让已经读了一年书的我带她们到学校去报名。外婆耷拉着个脸嘟哝道：“囡儿假种，读什么书！读得再好，也是替别人读！”偏又指派着我们去晒谷。我看看外婆，忽然感觉到我妈的伟大。妈虽然也凶，虽然也有敲打我的时候，可是妈从来不说这样的混账话。当外道坦的谷子耙开薄薄的一大片时，我们表姐妹四人便蹲下来玩“捉子儿”。我们玩得很专心很投入，三猫娘家的鸡儿们便乘虚而入，它们先伸长了脖子做了几个试探性的动作，然后便踩到谷上又抓又扒大啖起来。坐在台门屋里的外婆看得一清二楚，她大喊：死囡儿假种们，鸡吃谷了！我和表妹便扭过身子挥挥手，鸡退了，我们又全心全意地捉起子儿。那些鸡很快便迂回转来。外婆又吼：鸡又来了！我们又转过身子挥挥手。如此反复几次，鸡们的胆子越来越大，根本不把我们的挥手当回事儿。外婆终于忍无可忍，又苦于双足无法站立，便顺手抄起身边的谷耙扔将出去。鸡们当即魂飞魄散狼狈逃窜，而谷耙的耙齿却正好击中了春表妹的脚，跳起来的耙杆又扫着夏表妹的腰，倒下去的耙尾又打中了秋表妹的头。一时间鸡飞狗跳你哭我叫闹做一片，我一见大势不妙，就赶快撒腿逃回家里。一会儿，就见三位妗娘，怒气冲冲同仇敌忾地走到我家，向我妈诉苦告状来。

妈正盘腿坐在灶间一张搭起来的门板上，腿弯之间兜着我那才几个月的森弟。妈手拿一本小学课本，跟着我爸“ba—爸，ma—妈”地学习汉语拼音。听了妗娘们的诉苦，妈将课本一丢就说：

“我娘就是那个死脾气！你们不要和她一般见识。不过话也得说回来，她那一谷耙是扔鸡，到底也不是故意扔人的！”

三妗娘说：“就算不是故意扔人的，可蹲在那里的若不是‘囡儿假种’而是她的‘真种’，只怕是一场的谷子全叫贼给收了去，看她那谷耙扔也不扔！”

二妗娘接着说：“还有更没道理的呢，囡儿要读书，读的是我们自家的工夫，自家的钱，她偏又不许……”

妈说：“说这个你们有气，我比你们更气！娘这辈子生了四个儿子，就我这么个囡儿；在别家，珍珠宝贝着呢。她呢，整个儿将我当路边草！家里再穷，兄弟们一个个都要正儿八经地供着读书的，我呢，光给她当拐杖挈尿壶倒马桶！有几年，学堂就办在我们家堂屋里，整日价书声琅琅，我馋得不行，求着她好话说了几箩筐，她才皇恩大赦般丢出句话来：读吧，耽误我一点点活儿可小心你的头！……你们晓得我那几年书是怎么读的？四更天，困头正重呢，强撑开眼皮起床，先将一大镬的粥煮好；天刚蒙蒙亮，便提着一鹅兜的衣服尿布到河头去洗，树鸦子叫起来吓死人；吃罢早饭正洗碗呢，堂屋里先生已在点名了，甩着双手的泔水跑出去应声‘到’，慌慌张张跑回来洗完了碗才去上课。屁股还没将板凳坐热呢，她那边又催命了：三弟哭了！四弟尿了！不赶快死回来烧中饭来不及了！……就这么断断续续地读了三年，死活再也不让读了。那时候我已许给了钱家，我便托人请钱家老爷来说情。我公公对我娘说：亲家母，阿莲早晚是我家的人，看在她那么迷读书的分儿上，你就让她读吧；这学费书钱和笔墨纸张的一应开销，都由我家出资可行？我那死老娘说：好亲家公哩！我晓得你们钱家有的是钱，哪里在乎个学费书费笔墨钱？可是我这囡儿是当丫头使的，你让她去读书，你就讨个丫头还我，只是这丫头么，也要像莲儿般地看着顺眼使着顺手不多口舌不惹闲气不偷不摸不谎不诈不勾引我家儿子的！……死老娘硬是像掐奶般掐断了我的读书，害得我如今教这一年级的书还得跟阿丹爸现籴[①]现卖现学现教呢！"

我妈对外婆的这类控诉后来我又听过不知多少遍，这类控诉似乎达到好几个效果，一是妈出了气，妈对外婆的苛刻从来耿耿于怀；二是妗娘们平了气。既然对唯一的亲生女儿尚且如此，何况你们为数众多的"囡儿假种"？三是证明妈有多么民主多么公平，妈控诉完了往往都这么总结道，我做娘就不这样，儿也一样，囡也一样，只要是能读能上进的，我讨饭卖血也要供他们读！

妈不是信口开河讲大话，妈后来确实是这么做的，所以妈在我们姐弟妹的眼中，有着神灵般的威严和威望。

这时候，我的春表妹满脸通红地跑到我家，她那好看的嘴巴此时正难看地一撇一撇着：妈、婶婶，不好了，奶奶跟三猫娘吵大架呢！我们听了都吃了一惊，外婆虽然脾气不好，虽然总是怨骂我们"囡儿假种"，跟邻居们却从来是井水不犯河水的。于是我们大大小小一班人马匆匆向外婆的老屋赶去。还在辘轳把胡同里，就听见三猫娘那破铜锣般的声音：

"烂心烂肺的跛脚婆！你将我家的鸡都打半死了吓疯瘫了蛋崽子都打散了，你赔你赔你赔！"

外婆也用同样高的嗓门回敬道："长舌婆黑心婆！吃人家的谷生自己的蛋，黑心算盘打得巧，你养不起鸡就勿用养！"

"养不起孙子就勿用养！"三猫娘拍着手，跳着脚。三猫娘也是一对小脚，居然能跳能蹦，让我惊诧不已，"你养不起孙子，拿我家的鸡出气呀？"

"屁话臭话笑话短命话！"外婆大大地生气了，苍白的眼睛就有点突出了，"我四个儿子，还怕生不起孙子？"

"欺你现今就没有！一时三刻难得有！"三猫娘顺手就抓过一个看热闹的鼻涕虫，一把推到外婆面前，"馋死你！馋死你！"

外婆将脸一扭："臭鼻涕虫，白给我我还扔出去呢！"

---

① 籴：买进。

三猫娘便又跳脚，这一回跳得很有节奏，她跳一下，骂一句，像念顺口溜：五十岁没得孙，茅坑头无法蹲，前世作孽重，有儿也没得孙！

这太恶毒了，外婆五十出头还没有孙子已经很痛苦，三猫娘还用尖刀去捅外婆的心窝；更恶毒的是三猫娘还嚷嚷“有儿也没得孙”，这不但是咒了外婆，同时在咒我四个舅舅都断子绝孙！

外婆将骨骼粗大的手伸向三猫娘。我不知道她是想指着骂三猫娘呢，还是想抓她一把。只是她跟三猫娘还有一步距离，她想站起来完成这一步距离，可她的双腿只有抖索的份儿，哪里还站得起来？

妗娘们只是在一旁看着，带着各种各样的表情看着，妈到底是亲生囡儿，便上前训三猫娘：“好没道理的东西，跑到我们家里吵架来了，不看你这把年纪的分儿上，我一把将你拎出去！”又对鼻涕虫们说：“去，喊你们爸来！”妈是郑家湾生郑家湾长，长大了又嫁在郑家湾，妈说话行事从来是极有威信的，况且那些鼻涕虫和他们的父辈们，有的是妈过去的学生，有的就是现今的学生。三猫娘一听我妈发话，就先软了三分。这时候我的妗娘们便上去推她，推推搡搡地到了台门头，那老太婆忽然又回过头，余兴未尽地嚷嚷道：

五十岁没得孙，茅坑头无法蹲，臭！臭！臭！

外婆“大爿园客，大爿园客”地喃喃着，却弯下了身子，紧紧地按住胸口，我知道她的胃病又犯了，赶紧就跑进屋里给她拿胃舒平。四妗娘正在镬里炒沙子，外婆一闹气，四妗娘就赶忙炒沙子，然后用滚烫的沙袋，去安慰外婆那疼得死去活来的胃。

这一回外婆躺倒了三天。三天来，外婆不吃不喝，只是用拳头一遍一遍地捶着床杠，一遍一遍地哼哼道：“阎罗王，阎罗王我前世到底作了什么孽？作了什么孽呵？”

可是阎罗王不答话，且又不知道他住在哪里。从那开始，我就认定了阎罗王是个混账官儿，既然下狠心惩罚我外婆，惩罚得四个舅舅四个妗娘都生不出一个儿子来，为什么又不告诉外婆她到底作了什么孽犯了什么罪？外婆就是要改正错误，要赎罪，也不知从何做起。

那一天郑家湾来了个完全陌生的算命先生，算命先生戴着一副墨黑墨黑的眼镜，手抱一把很长很长的三弦琴，一路弹拨出噔噔的曲子，一路向外婆的老屋走来。我手拿几瓶爸爸捎来的胃药，正送到外婆的床前，外婆一骨碌从床上坐了起来。喊道：芝兰（我四妗娘的名字），请算命先生！又对我喊：阿丹，拐杖！一会儿，病恹恹的外婆就和红光满面的算命瞎子在廊檐下相对而坐了。

瞎子的话极奥妙，极缥缈。我当时半懂半不懂，所以原话是学不上来了，却能够记个大概。那瞎子说，我外婆命中只有三子。外婆说：先生，我可要砸你的三弦琴了。那瞎子道：砸了我的三弦琴你也只有三个儿子。围观的妗娘们鼻子里就哼出许多不以为然来，我和春、夏、秋、冬、风、霜、雨、雪等等表妹，忍不住小鸟般叽叽喳喳。明明四个嘛，四妗娘四婶婶就站在你旁边嘛！

那瞎子便开始掐指头。他的指甲又黄又长，掐着掐着便掐出几分神气几分鬼气来，忽然做惊慌状道：老太太，这可是大大的不好了。外婆青了脸，忙问怎样的不好？那瞎子咳嗽几声，口中念念有词：老太太你阴气太盛，阴盛必导致阳衰，老太太命中只有三子，如今多出一子，那就是命中不该有的你有了，那命中该有的你便没有了。恐怕那孙辈之中，是光开花难结果的了。

一番话说得外婆微微颔首。外婆便将目光移到大门外的南瓜棚上，我们也将目光移到那个瓜棚上，我看到一满棚碧绿的瓜叶和金灿灿的瓜花。

"可有什么解法？"外婆问。那瞎子从一条肮脏的布袋里摸出一叠同样肮脏的、布做的、折叠起来的牌子，他将那些牌子打乱，又理顺，顿齐，然后排开，让外婆抽了一张。外婆急不可耐地展开那张牌，好像她的命运、外婆一家的命运都在这张牌上。

牌上面画着一个头顶上绾着头髻的人，看不清是男是女。这人右手执一把宝剑，正将自己左手的手指斫去，画面上有一摊夸张的血。画的左侧有两个字，头一个是"自"字，第二个我和妗娘们都认不得。那瞎子说，那便是"自戕"了。外婆急急地追问：什么叫"自戕"？怎么个"自戕"法？那瞎子举起个又黄又脏的指头，嘘了一声，说：天机不可泄露。遂拿了算命钱，弹着三弦琴，噔噔噔地走了。

那手执宝剑砍自己指头的家伙就留在外婆的脑子里。从那天开始，外婆那脸就少了些耷拉，一天一天地变出神圣、变出悲壮来。她仔细地观察自己的手指，那些手指骨骼粗大坚强有力。外婆的脚残了，外婆的手和手指在某种程度上就代替了脚。那阵子外婆特别爱喊"阿丹，拐杖"。那几年我的身高特别适合于给外婆当拐杖，春、夏、秋三个表妹其实都跟我差不多大，可外婆不喜欢她们当拐杖，因为表妹们身材体态婀娜远不如我结实，外婆那只支撑身体的大手落到她们肩上时，她们便摇摇晃晃跌跌撞撞自身难保，让外婆觉得没有安全感。

外婆研究着自己的手指，一边研究一边嘀咕，她一点都不心疼自己的手指，如果砍下一个指头能换得一个孙子的话，外婆愿意将自己十个手指都斫光。可是她砍掉了手指怎么走路？想到这里，便狠咒那个职业缠足婆"大爿园客"，也咒将她的双足交给职业缠足婆的老娘。咒完了，就下定决心砍掉手指头：将来不走路了，就窝在床上看看孙子们乐吧。可转而一想，不行，她若有了孙子，非亲自带不行，妗娘们年纪轻不晓事得很呢。她们会将她的孙子热着冷着饿着撑着，困觉太死又要压着！

外婆决定暂时不把手指头砍去。可是，有什么别的法子"自戕"呢？

外婆揉着她那总是作疼的胃，整整地思考了半个月，终于思考出一个她自以为是绝妙的、完美无缺的"自戕"方案，这个荒唐之极的方案使得外婆后来众叛亲离吃尽苦头。又累及了我外公和她的亲生儿女、三亲六眷以及我们这些带与不带“外”字的孙辈。

我穿过外婆的堂屋去上学。学校在变作学校之前叫新屋,新屋和老屋之间只隔了个窄窄的道坦。新屋极大极宽敞,原本住着两家地主。地主被赶跑了,新屋的四分之三做了校舍和外地教师的宿舍,剩下的四分之一就做了那叫村公所或者村委会的办公室。

外婆见了我,便喊:“阿丹,拐杖!”

那天早晨我们班要听写,我有点害怕听写也有点害怕迟到,况且我当了几年的拐杖,外婆从来就没有叫我声“好宝宝”,所以那个早晨叫我当拐杖我就有点不乐意。可是外婆叫了,我又不敢不乐意,我只得过去,怏怏地将背对准了她。我虽然长大了些也更结实了些,可外婆那只大手从空中落下的时候,我还是摇晃了一下。

外婆指路说:出大门。我心里奇怪却不敢问,因为外婆从来不出大门。小小的我像小小的拖轮,拖着外婆这沉重的负荷,缓缓地移过了大门。外婆又说,去新屋。我便又拖着她走过窄窄的道坦,走进了学校的后门。外婆说,找明哲去,于是我又拖了她去那个叫村公所或者村委会的地方。

外婆在明哲叔的办公室里很有来头般地坐定,上课的铃声就急骤地打响了。我转身就要往教室跑去。外婆喊:回来囡儿假种!你将我丢在这里我怎么回家?我只得住了脚,一任委屈的泪水在眼里乱转。

外婆说:明哲侄儿,近来可好?明哲叔说:不好。外婆问,怎么不好?明哲叔说:还差一个“地主”的任务没法子完成,明天要来工作组,批我右倾撤我的职倒不要紧,若是又从头折腾一次,岂不是要苦死人难死人?

外婆将手往膝上一拍,说:这还不容易!我今天来,就是救你这个苦,解你这个难的,那个地主没人当,我来当!

明哲叔像被锥了一下似的跳了起来,他那十分年轻的紫膛脸因为意外因为兴奋而闪闪发光:

“先生妈!(我外公一直教书,郑家湾人叫我外公为先生,叫我外婆先生妈)你该不是寻我的开心?这又不是参军当兵安排工作的好事儿,你没听人家都在念:评成分,评着地主不承认!评阶级,评着地主真苦极!”

“我就是要这个‘真苦极’!”外婆说。

明哲叔很怀疑地打量着我外婆,他一时弄不清我外婆发哪门子神经。我也很怀疑地打量着外婆,小小年纪的我弄不清外婆葫芦里卖的什么药。

明哲叔说:“先生妈!你家郑先生是个老爱国,你家二哥三哥又是打游击斗地主出身的,怎么说也不能将地主帽子往你家头上安呀!”

外婆说:“我什么时候叫你将地主帽子往他们头上安?我说的是自个儿,我独自个儿！你看看，我一不种田，二不晒谷，三不洗衣裳，连走走道儿，还得个坚实的人儿给我当拐杖，整个的靠剥削过日子是不是？你那个地主呀，非让给我当不可！”

明哲叔着实被我外婆给难住了，又想着明天对付工作组更难，他只好抓挠自己的头皮，直抓得头屑沙沙地往他面前的一摞纸上掉。抓挠够了，他对我外婆说：“好吧，就照你先生妈的意思地主一回，对付过工作组再说——喂先生妈，你叫什么名字？”

外婆很庄严很神圣地回答：郑家湾叶氏。明哲叔在那张落满头屑的纸上记下了这三个字，我也在我那幼稚的心里记下了这三个字，自以为掌握了一个异乎寻常的秘密。郑家湾忌讳长辈名字将上头亲人的名字说出来叫“卖”，郑家湾也只是“卖”爸爸“卖”爷爷“卖”太公的，从来不曾有人“卖”过外婆。

那个晚上，我将这个秘密“卖”给了春、夏两位表妹，却压根儿忘了将外婆已当上地主的消息告诉任何人。为了这个，我慈爱的外公和亲爱的舅舅们后来将我骂了个狗血喷头，说我其实是金玉其外败絮其中；我妈则举起那个和外婆一样骨骼粗大的巴掌，“啪”地给我个相当响亮的耳光。

第二天的课间休息时间里，我穿过学校后屋那细细的弄堂去上厕所，忽然感觉到哪儿不对劲起来，那一间平日里堆放杂物的黑屋，门开着，破桌烂凳被推到一旁又码了起来，空荡荡的一边墙壁上，斜贴着我的外婆，她的手腕上吊着根搓得很粗糙的稻草绳，稻草绳的另一头随便地拖在地上。

我不知道是谁将外婆弄到这儿来的，又是谁当拐杖将外婆拖到这儿来的。三天后明哲对着我那日夜兼程从部队赶回郑家湾的三舅解释说：原本是打算让先生妈凑个数儿的，一不分她的田地，二不搞她的批斗，可是工作组一来，发现了一个特殊身份的地主，勒令立即抓起来……明哲叔又凑近我三舅，很知己地说：“我看你也别去找这个麻烦了，弄不好说你为地主分子翻案，那可是真个吃不了兜着走了！”

那一天我外婆就像一条巨大无比的壁虎，紧紧地贴在那间黑屋的墙壁上，她那双该死的小脚站不住，墙上又无窗无洞无柄无把无一件可以抓住的物件，外婆只得摊开了双手趴着墙壁保持身体平衡。几年之后有一次我偶尔走进一个教堂，看见一个名叫“耶稣”的男人很健美地钉在十字架上，我便很自然地想起趴在黑屋墙上的外婆，觉得他们简直是同出一辙。

侧着脸贴在墙上的外婆看见我，便喊道：阿丹，端条凳子……这时候我才发现外婆头发蓬乱面容憔悴眼仁惨白。我肯定是吓坏了，我无法克服外婆那副尊容给我带来的恐惧。我没有给外婆端凳子，也没有告诉任何人给外婆端凳子就溜回了自己的教室。

那以后就开了外婆的几场斗争会，台子便搭在学校的操场上。就有人提出让我妈也揭发揭发外婆的罪行。妈跳到了台上，想都没想就指着跪着的外婆控诉道：

我可被这个地主压迫惨了！有个北风怒号大雪纷飞的日子，她（从那开始妈提到外婆就不再喊娘而光说她）竟逼着我上奠耳河去洗屎布，我赤着脚顶着噎死人的风雪深一脚浅一脚地往河边走，脚下一滑，臂弯里沉沉的鹅兜就滚了出去摔作几爿。三猫娘见了便说：这个鬼天气，狗都打不出门，天底下再也寻不出第二个这般狠心娘！她晓得后倒把三猫娘给骂了一通，说亲生囡儿你也挑嘴弄舌，将来还不知怎样挑弄我儿媳呢！妈说到这里还特别地喊三猫娘说：是不是这样你做个证！三猫娘连连说道，正是正是，这跛脚婆早该是地主了，又对着我外婆举起拳头喊，地主婆，黑心婆，我挑弄了你儿媳妇没有？挑弄了没有？

那个傍晚，在八里外村小里教书的四舅，在镇上印刷厂当排字工人的二舅和在郑家湾种田的大舅和妈都集中在外婆的老屋里，他们气急败坏义愤填膺地指责外婆昏头昏脑莫名其妙，讨个地主当当害得他们有口难辩狼狈不堪难以做人。外婆先是拉长个脸听着，嘴角带着明显的不屑，直到妗娘们都鹅一句鸭一句地插上来了，外婆突然大吼一声："都给我住嘴！浅眼皮没眼色的东西！我当着地主让人家跪着斗着骂着猴子般牵着都受得了，你们反倒受不了啦？这叫作自戕！自戕！懂吗？"

舅舅和妈妈越发地不懂了，可是我懂，和外婆一块儿算命的妗娘们懂，大妗娘就将那算命瞎子的话学说了一遍。二舅舅听了这话反倒暴跳如雷，他大嚷着，混蛋！百分之一百的混蛋！你以为这么斗斗就完事了？告诉你，我的入党问题吊起来了！妈妈也接嘴道：我的优秀班主任也泡汤了！

外婆先是怔了一下，接着又撇嘴道：我不信。我跟明哲说好了的，我当我独个儿的地主，跟你们不相干的！再说，党员、优秀什么用？当不得吃当不得穿，断子绝孙才是最最要命的！

外婆实在是太辛苦太疲倦了，便丢下了众人，叫我领着她向床上躺去。四妗娘悄没声息地跟了过来，递给外婆一个熨帖的沙袋，也递给外婆一句熨帖的话：

"妈，我明天到如意崖。求求送子观音去。"

我早就听人说过，如意崖是个极好玩的去处，上面的送子观音，又是极灵验的。只是路远，从郑家湾到山脚就有二十里，上山还有十多里。妈说我太小走不动，而且我也不需要和送子观音打什么交道。

然而四妗娘不怕那二十里平路和十几里山路，当然，她已经到了非向送子娘娘求助不可的时候了。临出门的时候，外婆塞给她几张票子，嘱咐她路上买点心吃，这让我好生嫉妒了一阵子，长到那么大，外婆连一块糖、几颗炒豆都没有给我过，却一下子递给四妗娘这么一卷子的票子！

四妗娘很沉着地上了路。两天之后她回到了郑家湾，那脸上一点疲倦都找不到，反倒添了许多精神。一个月之后，四妗娘又去如意崖住了三天，回家时带来一大捧的杜鹃花。不晓得是杜鹃花映红了四妗娘的脸，还是四妗娘的脸映红了杜鹃花，反正我觉得四妗娘和杜鹃花都格外地滋润，格外地美艳。稍稍停停地又过了一个月，四妗娘第三次提出要上如意崖，这时候恰逢我的农忙假，我便揪住四妗娘那裁剪得很是合身的衣裳一角，说："好妗娘，带我去吧！"

四妗娘先是打了个怔，继而便说：你走不动的！我说，我走得动，过年时我跟着我爸走了趟乐城，乐城离我们郑家湾也是三十多里嘛！三妗娘说，你妈也一准儿不让你去的！我说，我去问问妈。妈放农忙假了还待在学校里批改学生作文，我跑到办公室，那次妈出乎意料地爽快答应了，还说，芝兰一个人跑来跑去地还真叫人不放心，你去给做个伴吧！

第二天吃过早饭，我牵着四妗娘的手，兴高采烈地踏上了去如意崖的路程。出了郑家湾，四妗娘便一反在郑家湾的沉静，又是说又是笑的，还哼哼着什么"山茶哪个花来么山茶花啊，十哪个大姐采山茶啊"，咿咿呀呀，很是好听。走了四五里路的样子，四妗娘说要到路边那个村子的姨娘家弯一弯，嘱咐我在路边等着。等了约莫一顿饭的工夫，四妗娘提着一袋刚刚贴好的热乎乎的米饼子出来了，我们一边咬着又香又甜的米饼，一边继续赶路。忽然，四妗娘像个淘气的女孩跑到了紫云英田里，采了一把紫云英花，一边走一边往我的头上乱插，又很仔细地挑了两枝，很仔细地插到自己的鬓角。紫云英在四妗娘鸦黑鸦黑的头发上颤颤悠悠，让四妗娘整个人儿变得楚楚动人。

我说："四妗娘，你着实漂亮！"这时候，从我们后边大踏步地走来一个男人，那男人很年轻，笑嘻嘻地露出两排很坚实很洁净的牙齿。我知道我们女的走不过男的，更何况郑家湾从我记事起就教导我女的该给男的让路，于是我拉着四妗娘的手，侧身站住了。可是那男的好像并不想赶到我们前头去，只是微笑着看看我，看看四妗娘，最后将目光落定在四妗娘头上的紫云英上。四妗娘便别转了脸，也不让路了，拉了我的手继续赶路。这以后的路，那男人一直没离开，也一直没超过我们，就那么不即不离的。四妗娘也没有理他，只是不住地和我叽叽呱呱，不住地发出阵阵震撼四野的笑声。

上山了，便见了红杜鹃。越往上，杜鹃越旺，且红得烂漫，红得放肆。旁边还盛开着白刺薇、黄刺薇，摇摇曳曳，迎风招展。我忘乎所以地尖叫着，欢奔着，一会儿就采了一大把的红杜鹃和黄白刺薇。

再往上，我便觉得累了。四妗娘开始拉我，拉了几次，我那双脚却越发地沉重起来。拐过两道弯弯，前面忽然发现一条又高又陡好像要通到天上的石级。

我倒抽了一口气，一屁股在头一个石级上坐下，说："小妗娘，我走不动了！"一边脱下鞋来数脚上的泡泡。

"叫你不要来不要来你偏要来，"四妗娘说，却并不生气，"看看，还吹牛不？"四妗娘接着告诉我，这条岭叫"下马岭"，马儿都过不去的。又说，怎么办？我背你一会儿吧？我说，四妗娘你那么个苗条人儿，我又是小胖墩，哪儿压得起？

这时候那个男人走到我面前，往地上一蹲，向我亮出个结实的脊背，说："我来背你！"

我当时的第一个感觉是受宠若惊。自我的记忆开始，我的脊背，曾背过弟弟，背过妹妹，背过妗娘家的风、霜、雨、雪、云、霞、雾、露等表妹们，可从来没有一个别人的背脊背过我！接着，郑家湾的闺训就在我八岁半的脑袋里敲响：你一个小囡儿家怎么好意思麻烦一个陌生男人？你一个小囡儿家又怎么可以让一个陌生的男人背着？妈晓得了，准会揍下你的下半截来！

四妗娘看出我的心思，她抿着嘴，指着蹲在我前头的男人笑道："他是我的表哥，放心，不会吃你的！你妈那头，我们谁也不说，什么都不要说，谁说了谁是小狗！"

我终于抗拒不了那个背脊的诱惑，我伸出了小指头，和四妗娘勾了勾。想了想，又伸出小指头，对那个男人说：我喊你什么呢？那男人说，阿龙表叔。我说，阿龙表叔，我们也勾一勾。勾过以后，心里忽然就踏实了许多。

接下去我很幸福很享受地趴在阿龙的背上，那个背脊像条会爬滩的舴艋舟，载着我稳稳扎扎地上山。

如意崖其实并不单单就一块如意崖，应该说是由许多怪石凑成的风景点。走着走着，四妗娘就指着左侧的一块石头说：像不像小兔舂药？我说，有点像。走了一阵，四妗娘又指着右前方的一块巉岩问：像不像老翁钓鱼？我说，这是老翁么？我看着怎么像老太婆呢！四妗娘便拍了我一下，我得意得直踢脚。又绕了几个弯弯，四妗娘指着一处道：快看快看，像不像娘舅背甥？这一回我仔细地端详了一番，说：像，像极了，就像我们现在这个样子，阿龙是娘舅，我是外甥，旁边还走着妗娘呢。四妗娘啐了一口说：死阿丹瞎说八道什么！却绯红了脸。因为我是在阿龙背上往下看的，我看见那绯红红到了四妗娘的耳根、脖子，还一直红到一部分的颈背去。

终于到了山顶。远远望去，那如意崖又窄又高，恰似一条悬挂云头的如意。近了，才发现中间、下边都是空的或凹进去的，且大得很，前前后后四面八方都砌着我当时叫不上名字的庙宇殿阁。四妗娘就带着我们去看送子娘娘。于是，在庄严神秘的气氛里，香烟袅袅烛影憧憧之中，我看到了那位大智大勇大慈大悲救苦救难的观世音菩萨。

这是位一身金装的送子观音，体态丰腴脸廓饱满，一双赤裸的大脚稳稳踩在一朵庞大的莲花上，一对慈眉善目很友好地看着芸芸众生。她的怀抱里，肩膀上，膝盖头，爬满了一个个胖嘟嘟乐乎乎的男娃儿，他们总能从不同的角度以不同的姿势，很自然很骄傲地探出自己那很漂亮的小鸡鸡。

我莫名其妙地想起我外婆，如果我外婆也是一双大脚，如果我的妗娘们生的都是带把把的，那么我外婆肯定也是体态丰腴、慈眉善目的了。

四妗娘将香烛点燃，拉了个蒲团跪下去便拜。阿龙表叔站在一旁，咧着两排雪白的牙齿笑，这笑容鼓励了我，我也学着四妗娘的样子拜了起来。四妗娘嗫嗫嚅嚅地说些什么谁也听不明白，我却像背书那般朗朗地说道："观世音菩萨你那么多的儿子分一个给我四妗娘吧，左臂弯的这个也行右臂弯的那个也行膝头上的也行脖子上的也行只要给一个都行……"我正说得起劲，四妗娘却猛推我一把说：你瞎嚷嚷什么，看人家笑话！我说：你这般牙疼样哼哼，连跪在你身边的我都听不见，那送子娘娘高高在上怎么听得见？她听不见又怎么能给你儿子？我们这趟路不是白跑了，我外婆的地主也白当了？

四妗娘便正了色，极认真极虔诚地重新再拜。那一晚我们就宿在观音堂侧的用松木板隔成鸽笼般的小屋子里。我和四妗娘躺在用半边松树架起来的"求子"床上。我听着松涛的轻唱和四妗娘的和声；闻着松木的芳香和小妗娘的体香，一会儿就睡熟了，那一觉我睡得很死，连身子都没翻一翻。第二天清晨，只听得四妗娘那快活得像喜鹊般的喊声从外边传来：阿丹！快起来，看看初阳是怎么从松林的缝缝里钻进来的！

回到郑家湾，四妗娘便回到了原先的那种沉着。只是天气在一天天热起来，四妗娘身上的衣服在一天天少下去，终于有一天，我像发现个大秘密般欢呼起来：四妗娘的肚皮大起来了！

外婆从此便忙碌了起来，她首先托人到上海买荔枝花的小衣小裤，接着又差大妗娘上街去买鱼买肉，外婆自己则整天跪在长凳上，今天咚咚咚地剁馅子包那种只有外婆才包得起的蕃莳饺，明天又嗞啦啦地熬油炸那种灯盏模样的"灯盏糕"，她做的那些东西是专供四妗娘的，连一角都不肯掰给我和表妹们。倒是四妗娘义气，趁着没人就赶快往我们手里塞一点点，于是我尝到了天底下最为风味最为美味的食品，至今还可以在同仁们面前大大地炫耀一番。

在一个刚刚下停了大雪的清晨，四妗娘开始肚子疼。外婆打发大妗娘来喊我妈。外婆手下有那么多的妗娘，外婆家有大事还是要喊我妈，我和妈踏着没脚脖子的雪来到外婆的老屋，四妗娘在她的小轩间里，盖着厚厚的被子正疼得起劲，只是仍旧沉着，既不在被下滚来滚去，也没有装模作样地哼哼叫叫。

大舅在窗外道："我去喊老四吧？"那时候，四舅常常在学校过夜，一个星期也难得回家一次。妈说还早呢，等生下来再叫他，省得在这儿碍手碍脚。妈又挥手赶我上学去，一边将那些带着太阳香味的尿布片片、小衣小袄捋平叠好，又拿出一卷用过的却洗得极干净的扎脐带布，让大妗娘放镬里蒸去。

放午学的钟一敲响，我喊了声"冲啊"就往老屋跑，还在外道坦呢，就听见外婆家的风箱在激动地呱哒呱哒。我直奔四妗娘的小轩间，却见三妗娘威风凛凛地把守在门口，喝道："小孩子家，不许进去！"不许进就不许进，我便贴着薄薄的板壁听四妗娘屋里的动静。只听见几双鞋底移动的嚓嚓声，又听见妈和大妗娘二妗娘急急的说话声，就是听不见四妗娘一点点的声音。倒是妈说："你嚷嚷，你嚷嚷，嚷出声来就不疼些了。"二妗娘也说："这时候不嚷还等什么时候啊？"四妗娘硬是一声都不吭，让我越来越觉得她不是个寻常的人儿。

哇！一声骄恣的、横蛮的哭声，从小轩间里冲出，冲过漫天皆白的雪，向着整个郑家湾播放。一阵刀剪瓷盆的叮当声，我不顾一切地突破三妗娘的封锁线冲进了小轩间里，窗外的雪照得屋里很亮很亮，我看见我妈正把那卷蒸过的脐带布往刚刚剪断的、涂满了碘酒的脐带上绑去。新娃娃放肆地大哭，很夸张地舞动着双手，在我妈用一只手举起这个小小的身体并将脐带布绕向背后的时候，我看见那双蹬动的、皱巴巴的双腿之间，颤动着一个乌紫乌紫的，涂满了血屎，又丑又脏的小鸡鸡！

是男娃儿！男娃儿！男娃儿！挤进小轩间的表妹们兴高采烈地嚷嚷起来。

"阿丹，拐杖……"堂屋里传来我外婆变了调的嗓门。这时候我才想起一上午我就没见着外婆，我赶忙向堂屋跑去，只见尘封的祖宗牌位面前，燃满了已经烧得很短很短的香烛，我外婆正跪在四舅舅四妗娘结婚拜堂时的那个拜坛上，不知道已经跪了几个钟头。

外婆挣扎着要起来，我伸手去扶她，我的力气加上外婆的力气，终归无法让那个庞大的跪久了的身躯起来，我喊大舅大舅！大舅进了堂屋，双手伸到外婆的腋下，半抱半拖着外婆离开那个拜坛。"是个儿子。"大舅说。"是个儿子。"外婆也说。我头一回也是最后一回发现，滂沱的泪水，顺着外婆那因为胃病而发黄的脸庞，稀里哗啦地直浇了下来。

"郑叶氏，到学校听训话！"明哲叔突然出现在老屋的大门口，板着个脸说。老屋里因为生儿子的喜悦顿时跑掉了一半。自从外婆当了地主，不是十天半月地要听一次训话，就是要摊着什么惩罚性的义务劳动。我发现舅舅妗娘们都用懊丧甚至厌恶的目光斜视着外婆，可是外婆仿佛一点都不觉得。她很快活地对明哲叔说："我就来！我就来！"一边对屋里的大妗娘说："拿我衣柜里那个铁盒给芝兰炖人参汤！"

因为是上如意崖求得的孩子，又因为确实是称了外婆的心，遂了外婆的意，外婆就将小表弟起名叫"如意"。

如意实际上并不如意，岂止不如意，他还是个极怪的极恶作剧的娃娃。

也许四妗娘怀他的第一天开始，他便知道了自己对于这个家庭的不同寻常，所以一出世，仿佛就下定决心不闹出点古怪的事来就对不起谁似的。

月子的头几天，他就使出浑身的解数来哭，那哭声像猫叫春像狗打架像锄板刨镬像锉刀锉牙，要多瘆人有多瘆人，妈从来反对娃儿一哭大人便抱，她认为这样会宠出娃儿的许多坏毛病来。我家的弟弟哭了，亲友或者学生们要去抱，妈就说：别理他！让他哭！还怕把小鸡子哭掉下来不成？

如意倒也没有将小鸡哭掉下来，可是他却有法子把小鸡子下边的那个“灯灯”哭得奇大无比，且通红透亮。好像一碰就要破裂就要淌水流血的样子。外婆和妗娘叫它“小肠气”，爸爸和四舅叫它为“疝气”。有了这“小肠气”，如意仿佛是多了一个特权，只要他一哭，外婆就“如宝如贝如肉肉如心肝”地乱叫，一边忙不迭喊人将他抱起来。外婆又四处托人请医问药，又将药亲自熬了汤汁，用那柄总是随身带着的银羹匙，一匙一匙地给如意喂下去。

看看到了六七个月的样子，如意便开始长牙齿，奇怪的是他长一个牙齿，那小肠气便好一些，等到两排奶牙出齐，那小肠气便全好了。

可是小表弟立即就弄出了新花样，哭的水平也自然上了一个档次。“哇”的一声，若无人理睬或来不及理睬，他便将拳头一攥，牙关一咬，脑袋一仰，立马向后昏死过去，嘴里还螃蟹般地喷出泡沫来。每每这个时候，外婆一边“如宝如贝奶奶替你病奶奶替你痛”地诵着，一边掏出怀里的银羹匙，撬开如意的牙关，往他嘴里放一颗菜籽大的什么药，然后用温开水送下；一会儿，表弟紧闭的双眼便睁开了。

其他一些微不足道的小毛病，外婆同样不掉以轻心，比如说小表弟放个屁，外婆马上就说：“百邪尽消。”这“百邪尽消”是个咒语，外婆一念咒，好像就真的百邪尽消了。再比如小表弟打了个啊——嚏！这“啊嚏”跟郑家湾的“皇天”谐音，叫“皇天”就是要短命、要死人的意思，所以外婆格外警惕严阵以待，小表弟一个啊——嚏！外婆就喊：千岁！小表弟两个啊——嚏！外婆就喊：万岁！小表弟三个啊——嚏！外婆就喊：万岁万万岁！

然而外婆依旧是地主，隔三岔五地要被指派去扫个大路头，洗个茅坑板。外婆的腿脚自身难保，又放心不下不知何时何地牙关一咬就要昏死过去的如意，所以就将明哲叔指派给她的任务重新摊派给春夏秋冬四个表妹。对于这个摊派，大妗娘和二妗娘都忍下了，三妗娘却一蹦老高：荒唐荒唐实在的荒唐！我秋儿她爸在部队里人见了都“啪”的一个立正敬礼，他女儿在郑家湾倒成了管制劳动的小地主了。怒气冲冲的三妗娘有一次竟当着星期天回家的四舅指桑骂槐道：哪里来的小野种，折腾得家里老不像老少不像少地七颠八倒！那一次二妗娘也心里有气，随口接嘴道：真种龙种呢，怎么瞎说野种？我们郑家四个兄弟，全仗他传宗接代续香火呢！

四舅便灰灰地踅到我家，对我妈说：姐，我就寻思这儿子脾气怪，这般个哭法，这般个哭相，哪一点像我的样子？哪一点像我们郑家的种子？

妈立即就抢白道：得了得了，疑神疑鬼地干什么？你倒是说说，谁是这个哭相的？谁是这个哭法的？

四舅便没了词儿。妈对着没了词儿的四舅继续说：芝兰配你，有过之无不及，你哪点亏了？如意哭相丑不丑，小人儿家怎么说得准？你小时候的哭相也不好看。总归是你们兄弟四人就这么个儿子，自然娇贵些，自然稀罕难养些，等长大了就好了。我们妈为了他，平白无故讨个地主当当，他们三房都窝着一肚子的气没处出，你倒要自己先闹起来想将妈活活气死呀？

四舅从此就不再吭气。

看看到了小表弟周岁的日子，外婆忽然道：芝兰，送子娘娘给我们家送来了如意，我们怎么就忘了谢恩了？趁着如意周岁的日子，备上几件像样的福礼，上如意崖的送子观音堂前好好拜谢拜谢，回头如儿就好养了。

这一回是四舅陪着四妗娘上如意崖的。四妗娘过门四年，夫妻俩双双出门却是头一遭。三天之后，他们又双双回到了郑家湾。四妗娘从外婆手中接过了小表弟，很沉着地扯直他的衣袜，掖好他的裤腰又很沉着地吻了吻如意的脸颊，然后将这个怪怪的儿子和一纸怪怪的离婚证书一并递给了外婆。还没等外婆弄清楚怎么回事，四妗娘就给外婆磕了三个响头，拎起一个事先就准备好的包袱走了。

外婆便盯着四舅问怎么回事，四舅硬是三棍子打不出个屁来，问急了，干脆跑到学校不回来了。

第二年夏天，外婆家瓜棚上的南瓜长得特别地大。大舅不摘，一任它们老，直老得通红通红的瓜皮刀都切不进去，再摘了来煮吃，便香得透心，甜得粘住嘴唇。那些瓜太大，每煮一个，外婆全家是吃不完的，所以便叫了我全家来，协助他们吃。有一天我正在一条小板凳上大啖南瓜，如意不声不响地涉到我的背后，对着我毫无防备的背就是一口，就这么咬着我的背向后倒去，我疼得当即将碗摔在地上，半碗通红的南瓜摔作一地的血浆。我知道这个如意真种一打不得二骂不得，剩下的只有让我哭泣的份儿。外婆一边“如宝如贝如肉肉如心肝”地嚷嚷，一边拿那柄银匙撬他的牙齿，牙齿撬开了，我还继续呜咽不止，外婆便怒喝起来：哭什么哭囡儿假种？这么大个背脊咬一口哪里就咬死了？

我就不敢再哭，当然也不敢再吃南瓜了。舅舅妗娘，表妹及我的弟妹们，全都人人自危地站了起来，——谁知道这头小狼又要咬到哪个人的哪个地方去？

也许是因为天气热，也许是小表弟的牙齿奇毒，我背上的那个伤口头一天便开始红肿，第二天又开始发炎，第三天就开始腐烂了，而且很有耐心地烂了半年。直到今天，我的背上还留着这个心有余悸的牙痕疤疤。

如意就这么咬牙关，就这么突然向后倒去不省人事，可也和别的孩子一样慢慢地长大。渐渐地他就不满足我外婆怀抱，不满足老屋那窄窄的活动天地。学校的操练声唱歌声召唤着他，常常有圆圆的铁环和圆圆的皮球从学校后门滚了出来，在新屋和老屋之间的道坦上滴溜溜转动。学校的课外活动时间，也就是小表弟最骚动不安的时间，他常常扯着外婆的手，用奶声奶气的腔调固执地重复着：校校走哇！校校走哇！

外婆说：走不得！大公鸡要啄你，老牛娘要顶你，小马驹要踢你！那个课外活动的时间我遵照妈的命令回家干家务——郑家湾的女学生大多都被家长剥夺了课外活动权利，连我都不能幸免。我从外婆堂屋穿过的时候，正好听见外婆的这几句话。小表弟随即将拳头一攥，牙关一咬，天不怕地不怕地就要往后倒去。外婆忙哄道：如宝如贝如心肝勿急勿急，奶奶这就带你去，这就去！外婆挪了挪身子，总归是挪不起来，于是又喊阿丹拐杖，又喊春表妹给她抱着如意，我们四人就这么拉拉扯扯趔趔趄趄地向学校走去。

那一天，学校的操场（兼做球场）上面正在赛篮球，哨子声喝彩声鼓掌声此起彼伏，如意的小手就坚决地指向球场。外婆说，那么多人疯挤疯跑，挤着了踩着了怎么办？如意不管怎么办，他指到哪里，我们就得奔向哪里。外婆无奈，四周环视，目光落到球场旁边矗立的畚斗楼上，那个畚斗楼当时正住着人缘极好的老姑娘刘老师。外婆对春表妹说：你将如意抱到刘老师房里去，拖把椅子让他站着，从玻璃窗里向下看，记着将窗子插销插牢了，记着不要将他抱到窗台上去，小心仔细，不然当心我敲你的头！

外婆眼看着春表妹抱着如意，轻手轻脚地消失在楼梯尽头，她望着空荡荡的楼梯发了会怔，说胃疼让我领她回家吃药，我把外婆送回了老屋，回头又朝欢呼着的球场奔去。正当红队和蓝队打得难解难分之际，我听见刘老师的寝室里飞出一声惊骇之极绝望之极的惨叫，与此同时，刘老师的窗门被嘭的一声推开，我看到什么东西一闪，两个身子一先一后从窗口飞出，悄没声息地坠落在操场的墙脚边。

后来春表妹告诉我，她带着如意遵照我外婆的吩咐站在椅子上看球赛，看着看着如意便要站到窗台上去，春表妹不干，如意就又抓又咬，且拳头一攥又要向后仰倒作晕厥状，春表妹磨不过，想想窗子关得牢牢的并不妨事，就将如意抱上了窗台。如意看得高兴，不住地用手拍打着窗门，想是那插销被拍得跳了起来，小表弟就随着窗门的撞开飞出去了，春表妹本能地扑出去抱人，结果自己也从窗子里飞出去了。

小表弟彻底地昏死在楼墙脚下，当然不会哭；春表妹躺在离如意三尺远的地方，清醒的脑袋砸出了血，却不敢哭。

我魂飞魄散地跑去喊外婆。对着我的背脊，外婆是再也站不起来了，我拖起她的大手往我的肩膀上搭挂，她高大的身子却软软地往地上萎去。可是她又不能就这么萎在地上不动，她喘息着呻吟着，喊着“如宝如贝”，喘息着呻吟着开始爬行，正确地说是在蠕动，像一条蠢笨无比的大虫，一寸一寸艰难地蠕动。外婆就这么蠕动着爬出了二门爬进了院子，院子里淤积的泥水将外婆弄得像只肮脏的母猪；外婆爬上了三道石阶爬出了高高的大门门槛，石阶和石门槛将外婆的膝盖磕了淋漓的鲜血；外婆爬过了石板道坦爬进了学校的后门，粗粝的石板和学校后门的那段石子路磨破了外婆的衣袖裤管，磨得外婆双肘双腿部皮开肉绽。外婆终于爬到了那个出事地点，看见了双目紧闭大便失禁得臭烘烘一裤裆的如意。外婆一把搂住了小表弟，掏出那把瑟瑟发抖的银羹匙就往如意紧咬着的齿缝里撬。牙齿总算撬开了一条缝，外婆将一颗菜籽大的药丸放进表弟的嘴里，然后舀着不知是谁递过来的开水往如意嘴里送药。水从如意的嘴角淌出，又将那颗菜籽大的药丸带出，表弟顽固地闭着眼睛一动也不动。外婆绝望地将如意放回地上，当着全校师生和围观的郑家湾老少的面扑通一声跪倒，她一边将头碰得咚咚作响，一边悲凉无比地呼号：苍天哪苍天！我只有独个孙子独根苗苗！只要能让他活，我愿意代他死，即刻就死！求苍天将我的阳寿全部折赠给他……

我妈闻声赶回学校，她头脑清晰地喊：童尿童尿！老姑娘刘老师递过一个洋碗。妈抓住个一年级的男学生，立逼他朝洋碗里撒尿，那男孩很爽快地撒了大半碗。妈抱起臭烘烘的小表弟，用外婆的银羹匙坚决地、强横地往如意嘴里灌尿。一匙，二匙，三匙；外婆在一旁配合着妈把头磕得像鸡啄米似的，嘴里嚅嗫着：赠寿，赠寿，把我的阳寿全赠给如宝如贝。妈将那碗尿喂得差不多了，小表弟的喉咙咕噜咕噜一阵响。脸上的肉便像剥了皮的蛤蟆一般开始抽搐，那眼睑也像刚刚出茧的蛾子在颤动，一会儿，竟醒转来了。

回到老屋之后，外婆顶着额上的包包、顶着浑身的伤疼和胃疼，只唯恐自己的“赠寿”意愿不巩固，便择了个黄道吉日，请了一班和尚道士来，正儿八经地举行了“赠寿”仪式。在和尚道士唱唱念念手舞足蹈之中，外婆膝跪红毯头顶香案，对着祖宗神位，对着天王地王阎王，对着牛头马面黑白无常，极庄严极诚恳地宣誓：我，郑叶氏，辛丑年五月十六亥时建生，现年五十五岁，我愿意将我以后的寿元，全部赠送给我的嫡孙郑如意……

为了这个大张旗鼓的“赠寿”仪式，地主分子外婆作为“封建迷信复辟典型”被专门揪斗了一次，又被处罚洗刷学校的茅坑板半个月，春夏秋冬风霜雨雪雾露云霞十二个表妹又被外婆摊派着抬水的抬水，抹坑马的抹坑马，三妗娘终于忍无可忍，率领着她的秋、雨、云、霞跑到三舅的部队随军去了；二妗娘也不甘落后，趁着家里乱哄哄的当儿，卷了家里可以卷的东西，带着夏、霜、雾、露，到二舅厂里当她的工人家属去了。老屋一下子变得萧条，变得凄清；从前的那种闹猛和嘈杂，一去不复还了。

在外婆一次又一次地被揪斗和斗后的劳动惩罚里，受伤害最深的还是我妈，因为斗争就在学校的操场上，处罚又在学校的茅坑头，这对争强好胜事事认真的妈真是个无情的打击，妈妈的威信因此一落千丈，虽然全校师生和整个郑家湾都认为妈妈的书是教得最好的，可妈的模范教师每每报上去总是被驳下来。

那一次斗争会上，又有人提名让我妈揭发外婆罪行。妈想都不想就跳上台，指着外婆血泪控诉：八岁那年夏天的一个夜晚，一家大小都洗过浴在院子里的竹床上长凳上或卧或坐，一边拍着大蒲扇，一边看着月亮数着星星讲故事，只有妈独自在灶间洗着全家的那一大摞碗镬，还得不断地腾出湿淋淋的手来拍打身上疯叮疯咬的蚊虫；突然，灶脚有什么东西呼呼作响。妈端着墨水瓶做的冒黑烟的煤油灯照照，皇天！一条寸黑寸白的银环蛇竖起个犁头般的脑袋，鼓起了个蛤蟆肚样的嘴巴，呼地一声向妈扑来，妈顿时十分灵魂吓丢了九分，也不知怎样逃出了灶屋逃到了院子里，站在外婆的竹床边牙齿打架双腿打抖，半天也说不出话来。外婆却一扇柄敲了过来，指着她的鼻子骂道："该死的囡儿假种该死的败家精！你拿灯是怎么拿的？"那天晚上的月亮很好，妈看到自己手里的灯不知几时变作灯底朝上灯头朝下，一墨水瓶刚刚灌上的煤油早已洒得一滴不剩了……

妈说得情真意切苦大仇深，妈对外婆从小的虐待牢记在心没齿不忘。妈这类批判故事信手拈来取之不竭用之不尽；比起那些千篇一律千人一面的空洞批判，不知要生动精彩多少倍。妈那次批判结束，当场宣布跟外婆脱离母女关系。

妈跟外婆脱离了母女关系，我当然也跟外婆脱离了那层关系。从那天始，尽管我上学放学仍旧从外婆家的堂屋里穿过，外婆见了我，嚅嚅嘴唇，大概又要喊"阿丹，拐杖"，然终于没有再喊。后来我快要考初中了，听我的班主任说，有这样的外婆，初中可能就考不取。这让我进一步懂得地主的可怕可恨。为了和外婆彻底划清界线，我上学放学再也不从外婆的堂屋里穿过。

外婆五十九岁的那个夏天，离婚五年的四妗娘突然回到了郑家湾。她的手里拿着一个让我眼馋得要掉眼泪的男式书包——要知道我读完所有的书，还没有买过一个哪怕是最寒酸最简陋的书包——在辘轳把胡同里和我撞了个满怀，我们同时都"呀"了一声。四妗娘说："阿丹，长得这么高了，都快赶上我了！"我也细细地打量着四妗娘，五年不见，四妗娘不但没见半点老去，反倒添出许多的风韵来。

"走，陪我看看你外婆去。"四妗娘说，用一种请求的、恳求的目光看着我。我明白，离了婚的四妗娘再去拜访她从前的婆婆，肯定有一种尴尬；而断绝了关系划清了界线的我再去看我的外婆，同样有一种尴尬，可是两个人合在一起，那尴尬好像会减少不少。

我和四妗娘进了老屋的大门。老屋更苍老了，破败的门窗空洞着，像刚刚读过的"笑人齿缺狗窦大开"，院子里积水很深，不知谁家养的一对鸭子像鸳鸯般恩恩爱爱地游来游去。进了二门，拐了一弯，我们就看到了这么幅景象：原先四妗娘住的那小轩间腾空了，光光的砺灰地上，趴着我的五十九岁的外婆，她的衣衫破旧，骨骼突出，像一匹服役终生最后被淘汰下来的瘦马；她的背上，骑着她的宝贝孙子郑如意，她驮着他，挪动瘦骨嶙嶙的四肢，艰难地爬行着……

"妈！"四妗娘喊了一声，就哽住了。外婆一怔，暂停了动作。焦急了的如意用穿着小皮鞋的双脚一阵乱踢，嘴里恶狠狠地嚷嚷着：老马儿，死马儿，快跑，快跑呀！

四妗娘赶忙上前抱下了儿子。接着和我一人一边，用很大的劲搀起了外婆，一直将她搀到屋角的一张凳子上。外婆搓着自己满是灰尘的手掌，我看见那双手掌

上，结满了只有长期着地运动才有的硬茧。

“妈！妈……”四妗娘喃喃着，泪如雨下。

我仔细端详着外婆的脸，外婆的颧骨像装了两个马铃薯般地高高凸出，而双颊却像沟壑般深深地凹陷进去，配上她那双因为警惕而幽幽发光的眼睛，活脱脱一条守护狼崽的老狼。

“妈，我这一回来只是看看你，看看如意，并不想把如意带走。”四妗娘看出了外婆的心思，赶快说明。

外婆显然放心了些，便伸手揉着自己的腰，我发现外婆的腰也佝得很厉害了。

“妈，你实在用不着这么疼他的。”四妗娘搂过了如意，如意却一扭身挣开了，站到了外婆的身边。外婆将脸一拉，说：“我不疼他谁疼他？我不疼他又疼谁？你们说，你们倒是说呀！”

我们竟无话可说。四妗娘擦着泪，说：“你这样会累——”说到这，四妗娘犹豫了一下，看看外婆又黄又灰的脸，接着说：“会累死的。”

“累死了我心甘情愿。”外婆冷漠而又固执。

“可是你叫我，你叫我怎么能安心哪……”

外婆一下子爆发起来：“你不安心，你不安心！那你为什么要离婚？为什么要走？啊？为什么？”

四妗娘像是被噎住了，确确实实是被噎住了。好半天，她才缓过气来，断断续续地说：“是阿喜，是阿喜要我走的……他的心里，只有阿凤，阿凤，没有我……成亲那么些年，他只跟我上过一次眠床，还是当作我答应离婚的条件……妈你待我好，我知道你想孙子都想疯了，我若是不给你生下个孙子就走，太不仗义了……所以我就算好了时间，一个月上一回如意崖……”

外婆的双眼便开始发直，她那骨骼粗大却缺乏肌肉的手臂也伸得直直，她直直地指着四妗娘，颤抖的嗓音还抱着最后一线希望：

“那你说，如意，如意到底是不是我家的种子？”

四妗娘很悲哀的但却也很明确地摇了摇头。于是我想起那个开满了杜鹃和刺薇的山坡，想起那高高陡陡的下马岭，想起那个结实又稳妥的脊背，想起那散发着松木芳香的求子床……

就在我胡思乱想的时候，只听得一声瘆人的尖叫：“奶奶！”我看见小表弟像条受伤的黄鼠狼，极灵敏恐惶地向外婆蹿了过去，而我的外婆，却像一条抽了筋的病牛，晃晃悠悠地瘫倒在小轩间的砺灰地上，从她那耷拉着的嘴角，涌出一摊稠稠的，却并不十分鲜艳的血浆。

三天之后，外婆不再吐血，却拉出一摊柏油般的血屎来。

大妗娘赶到我家对我妈说：“姐，娘这病，竟是越发地重了，你看看，赶快拿个主意吧!”

妈自从宣布和外婆断绝关系之后，明里暗里却没有去看过外婆一次，就连外婆吐血也不例外。妈从来教导我们要说到做到，如果做不到，干脆就别说。妈在大事小事上都认真地做出表率来。

对着手脚无措的大妗娘，妈吟哦半天，问：这几年她都吃些什么药？

大妗娘说：吃什么药？这些年她早就把药全停了。老三老婆随了军，老三也不往家寄钱了，其余的兄弟们也都各家门各家户的，谁也照应不了谁；爸倒是月月捎钱来的，妈可好，全都买了冰糖奶粉西洋参给那个——说到这里，大妗娘打了个嗝，我知道她原本是要说“野种”的，可大妗娘宽厚地摇摇头，改成“给那个如意吃了”。

妈叹了口气，说：将她送乐城去，交给爸吧！爸也真是的，都这个岁数了，避起嫌来比我们还起劲。

于是大舅和我爸借了条小小的“河里溜”，将外婆装上，依依呀呀地向城里划去。那一天如意站在河埠头的榕树下，直着脖子喊奶奶也直跳脚。外婆叫大舅将他抱上船来，外婆没有搂着他再喊“如宝如贝如肉肉如心肝”，而是将他左看右看横看竖看，末了在他额上很有分寸地亲了一下，便坚决地将他推开了。

外婆一进了城里便被外公送进乐城医院。两天后，从城里回来的爸对妈说：“外婆这一回可真的不好了，医生说是胃大出血，也不光这一次出血，说几年前就断断续续在出了，医生说给耽误了。她自己心里也有数，总是反复地叨叨着：五十九，棺材横头翻跟斗。”爸说着就试探着问妈：“你怎么样？去看看吧？”妈皱了皱眉，很矛盾的样子说：“下星期检查团要来呢，等检查过了再说吧。”

妈那几天的确在迎接检查团，她在她们班教室的后墙开辟了一个“苗圃”，又在北墙上开辟了个“花坛”，于是满教室的大字小字作文造句图画美工贴得五彩缤纷；妈妈虽然总也评不上模范，可是她的工作总是做得比一切模范还要模范。

时间又过去三天，大妗娘去了趟县城回来。一见到我妈就说：姐，妈整个儿糊涂了，没日没夜地胡说八道。总是指着病房的窗子说：“阎罗王的手毛从左边的窗子里伸进来抓我，阎罗王的右手从右边的窗子里伸来抓我……”一会儿又说：“白无常拿着白绳索来套我，黑无常拿着黑绳索来套我……”吓得同病房的病人都跑掉了。姐，我刚过门那年，听得算命先生说妈的寿元星九十三岁，可她今年才五十九！那次“赠寿赠寿”的，恐怕真的把寿元都折给了那个如意了。

妈淡淡地说了声：迷信。却又问：有没有提我什么来着？妗娘说：没有。又说，提与不提，什么相干？你总归是要去看的，等检查团检过之后，你就去。啊？

可是外婆没等检查团来到郑家湾就过世了。爸和大舅又借了那条“河里溜”去接她，这一回外婆是装在棺材里的，棺材的两横头，一头坐着我外公，一头坐着我春表妹，后来春表妹告诉我，她是被她娘送到乐城医院去伺候垂死的外婆的。

大舅便四处拍电报打电话。三舅回电说，部队有特殊任务，请不得假。二妗娘差了夏表妹来说，二舅出差乌鲁木齐去了，三五天根本就赶不回来，且也不知道他在乌鲁木齐的落脚处。四舅倒是早早地来了，坐在老屋的屋角里一支接一支地抽烟，四舅这几年什么都没有学会，就学会了抽烟，从而填补了外公上下几代人不抽烟的空白。

在去不去给外婆送葬的问题上，从来雷厉风行的妈变得优柔寡断起来，她跟爸嘀咕道：去呢，学校里会讲我立场不分；不去呢，郑家湾会讲我不孝不仁。爸说：去呢，她也是你的娘；不去呢，她也是你的娘，你再也逃不了的，这跟你断不断绝母女关系是一回事。妈重重地叹了口气，说，那就去吧。但是去了哭不哭呢？不哭吧，郑家湾会说天底下哪有这样的囡，娘死了一滴眼泪都没有；哭吧，学校里会说，死个地主分子你还心疼哪……爸不耐烦了，说得了得了都随你，你爱怎么着就怎么着吧！

接下去的工作是缝“孝头帽”。所谓“缝”，就是象征性地扯五寸布料，粗针大线地绕几针——等送完了葬拆掉就可以做一条裤腰；至于布料，孝子孝女们是麻袋布，加上身上的麻片片叫“披麻戴孝”，孙辈们则一律用白坯布了。

名堂讲究在贴在孝头帽帽门上的小圆圆。小圆圆是用纸剪的，分红、黄、蓝、绿四种颜色；郑家湾的规矩，我等外孙女们该贴绿的，阿鑫阿森等外孙们则贴蓝的，春、夏、秋、冬等等孙女们是贴黄的，只有嫡孙“真种”才贴红的。我们蓝的绿的黄的其实只是种陪衬，凑凑热闹而已，只有红的“真种嫡孙”才是真正有资格送终的。所以送葬的队伍中，红圆圆越多，死人就越光荣越体面。一时间我们剪得满屋子的红圆圆绿圆圆蓝圆圆黄圆圆如彩蝶飞舞，对号入座地贴了。我们戴上这些贴着不同颜色圆圆的孝头帽，你看看我，我看看你，觉得十分有趣。

轮到贴如意的圆圆，大人们作难了；不管怎么说，如意是我外婆的孙子，唯一可以贴上红圆圆给我外婆送终的孙子；可他毕竟又不是……

如意见自己的孝头帽还是空白一片，急了；如意什么都习惯了多拿多占，岂能让孝头帽没有圆圆？于是他自己动手，抓了个红圆圆贴上，抓了个绿圆圆又粘，又伸手去抓黄圆圆蓝圆圆；表妹们就像山雀般叽叽喳喳开了：你到底是内孙还是外孙，是真种还是假种？如意什么也不听，只管贪婪地贴、贴、贴；贴成一簇吹起来的肥皂泡，贴作一把放飞得高高的气球；表妹们便越发嚷得起劲。当我伸手要将那些乱七八糟、不伦不类的圆圆撕掉的时候，如意忽然拳头一攥，牙关一咬，脑袋一仰又要作昏厥状，妈说：吵死了吵死了，什么内的外的真种假种。

送葬的队伍正待出门，明哲叔一脚踏进了老屋，对我大舅说：这棺材就不必上山了，抬到大爿园去搁着。

外公、舅舅和妈的脸一下子都青了。外婆活着的时候是地主，外婆死了仍旧还是地主，外婆没资格进郑家湾的祖坟，只能流落在郑家湾人十分忌讳的大爿园。

送葬的队伍冷冷清清稀稀落落，向着郑家湾东边、大田埠里头那个荒岛般的大爿园前进。我和春表妹一人提着一盏白灯笼，跟在棺材后头给外婆照路。春表妹忽然问我：通到阴间的路很黑么？我说：不知道。春表妹说：肯定是很黑的，不然为什么要我们提着灯笼呢？

我想找个人问问，四下望望，竟找不着可问的人，外公，爸，大舅和四舅在前头扛着外婆的棺材，扛得很是吃力；女眷、邻居们落在后头，因为披着同样的麻衣，戴着同样的遮脸孝头帽，竟分不清谁是谁，所以我也就不知道妈到底来了没来，哭了没哭。倒是三猫娘的破铜锣般的哭声无顾无忌地飞越出来，我不知道她到底是为了悲伤还是为了庆贺，还是为了那五寸宽的孝头帽布？

这时候，趿着一双拖鞋挂着一对鼻涕的如意窜到了我们身边。小如意也成了鼻涕虫了，不知外婆见了有何感想。我忽然想起春表妹的问题，便一把拉住了他，问，你知道通到阴间的路很黑么？小如意哧溜一下，将鼻涕抽了回去，翻了我个白眼说："我怎么知道？"一扭身便要溜走，我紧紧地攥着他的手说："你怎么会不知道？你不是死过许多回吗？"

"不告诉你！就是不告诉你！"如意猛一甩手，将自己的手抽了回去。到底是男孩子，手劲很大，甩得我的手生疼生疼。

如意像一条小狗般冲到棺材前头去了，他边跑边嚷嚷着什么。顶头风很负责地将他的声音捡起，又很负责地送到我们的耳边，我和春表妹同时都听到了那喊熟了喊烂了的四个字。

囡儿假种！

（选自《江南》1993年第6期）

钱国丹

女，笔名戈平。1944年出生，浙江乐清人。1989年毕业于南京大学中文系作家班。1970年参加工作，历任浙江海门机床厂铁门、椒江文化馆文联工作人员，台州市文联常务副主席，台州地区作家协会副主席。1982年开始发表作品。1993年加入中国作家协会。著有中短篇小说集《彩色的谋杀》，中篇小说集《闺中女友》，中篇小说《不曾沉没的小舟》(已改编为电视剧本并录制播出)等。《小小舴艋舟》获1982年《鸭绿江》作品奖，《雅典师者》获1993年《雨花》文学奖，《吃药》获1994年江苏文艺出版社优秀散文奖，《秋野》获浙江省1985—1989年作家奖，《师道》获浙江省1990—1993年优秀文学奖。

乡村教育

王　彪

何志文挑着铺盖走进乡中心小学大门，正碰上下课。一个像竹竿一样瘦长的男人拿着一只手摇铃，沿着教室外面的石板小路，慢慢走过来，他的模样如同手捏拨浪鼓走乡串户的货郎。铃声叮叮当当从他屁股后面响彻了校园。随着铃声，教室的门接二连三打开，几群学生拥到路口。他们站在空地上嬉闹，嗡嗡嘤嘤的声音恍若一个热闹非凡的集市。

何志文挤开熙熙攘攘的人流往里走。校园一角，一棵高大的野柚子树下，有个学生踮着脚尖，攀着柚子树的枝条，枝上几个零星的大柚子已经泛黄，在学生的攀动下左右摇晃，散发出一阵清香。何志文在学生跟前停了停，他说："请问，校长室在哪儿?"

学生好奇地看了他一眼，他摇着头，"我们这里没校长室。"

何志文说："那么校长呢? 他在哪?"

学生已经跑开，他擤着鼻涕，仰着脸蛋生涩地盯住何志文的铺盖。何志文又问了一句，学生在远处指指敲铃的男人走进去的方向，朝他嘻嘻笑了一声。

顺着学生的指点，何志文在一排平房的拐角找到中心小学的办公室，办公室里站着几个老师模样的人，正凑在一起聊天，其中有一个是刚才敲铃的瘦高男人。见何志文进来，都问他："你找谁?"

何志文说："我是来报到的。"

瘦高男人接过何志文递来的介绍信，匆匆瞄了一眼，满脸不高兴。"你怎么才来? 学校都开学好几天了。"

何志文的脸红了一红，不知说什么好。他的这份民办教师的差使，还是找了不少关系，费了九牛二虎之力才弄来的。乡里分管教育的张副乡长本来已把名额留给了他自己的一个远房亲戚，后来他亲戚另找了工作，让何志文顶了个缺，他爹为此卖了家中一头正上膘的大肥猪。尽管如此，何志文直到前一天才好不容易办妥手续。

瘦高男人拍着介绍信，气呼呼发着牢骚："又是乡里这帮人搞的鬼，再这么弄，这学校不如关门。"

边上一个穿蓝色运动服的小伙子插嘴说："就是嘛，说是管教育，其实是口袋里掐着人，哪一回不是要够了人家东西，才肯安排。"

何志文听着他们毫无顾忌的谈论，心里很不是滋味，他挑起铺盖，说："我去找校长吧。"

瘦高男人突然咯咯笑起来，他握住何志文的手，说："不用找了，我就是校长。"

几个教师也笑起来，何志文吃惊地瞪大眼睛。瘦高男人止住笑，说："我姓李，木子李，你就叫我李老师好了。"

何志文垂下头，他瞅着自己的脚尖，讷讷叫了声："李校长。"

李校长拍拍他的肩膀，说："你来了正好，我们就缺一个老师。我向乡里说了好多次了，这些狗日的不知打什么鬼主意。"

李校长看着何志文的尴尬相，又友好地补充了句："我不是说你。"

李校长把边上的老师一一介绍给何志文，末了，他指指一个三十余岁的中年妇女，说："这是姚老师，她也是我们校的会计，你生活上有什么事，找她好了。"

姚老师就朝何志文微微一笑，算是打招呼。李校长拿起小摇铃，又说："姚老师，你领何老师去寝室吧，先帮他住下。"

说完，李校长朝何志文点点头，走出办公室。随着他竹竿一样晃晃荡荡的背影，门外立刻响起清脆的上课铃声。

何志文的寝室离办公室不远，是一座二层小楼，外形破旧不堪。姚老师帮着何志文把铺盖提出办公室，何志文的铺盖沉得要命，姚老师提了几步，有些上气不接下气。何志文说："我自己来吧。"

姚老师笑笑，却没松手。她说："这么重，里面都是书吧？"

何志文说是。从家里出来时，何志文把高考用过的书全打进铺盖，他计划着一边教书一边复习。高中毕业后，他已连着两次落榜了。何志文怕姚老师会再问下去，便有意往边上别了别脸。但姚老师什么也没说。

打开寝室的门，里面传出一股浓重的霉味，一群老鼠在墙角落四处乱窜。房里的光线非常暗，看上去像是长久没有住过了。何志文站了一会，等眼睛慢慢适应房间的黑暗，他发觉小小的房内已经铺着一床铺盖。

姚老师说："这是茅老师的，你跟他住一个寝室。"

何志文哦了一声，动手将自己的铺盖放在另一张空床上。

姚老师抱歉地说："没办法，我们这里没房子，你先挤一挤吧。"

从姚老师的嘴里，何志文得知跟他同住的老师叫茅伟，就是刚才在办公室见过的那个穿运动服的小伙子。

一只老鼠旁若无人地从墙洞钻出，睁着双滚圆的眼珠，好奇地打量着何志文。姚老师跺跺脚，老鼠转身一溜烟跑走了。过了片刻，它又探头探脑爬过来，嘴里吱吱唧唧发出示威的叫声。姚老师苦笑着对何志文说："看看，这鬼东西连人也不怕了。"

何志文忙说："没关系的，能住下就行。"

姚老师无可奈何地叹着气，脸上的表情一下子阴下来。"这房子怕迟早会塌掉的。"

何志文抬头瞅了瞅天花板，他说："楼上会好些吧？"

姚老师突然骂了句粗话，说："好个屁！楼下是老鼠窝，楼上是鸟窝，夏天里满床都是鸟屎，窗子都关不住。"

从姚老师的话音里，何志文猜想姚老师就住在楼上，便跟着姚老师附和了两声。姚老师起身帮何志文铺棉被，何志文想拦住姚老师，姚老师不由分说推开他，她热情地说："这种事还是我们女人家在行，你就坐着吧。"

何志文的棉被又破又旧，被里子是已经泛黄的土制粗布，上面打满乱七八糟的补丁，他怕姚老师见了会笑他，脸上不由红了一红。姚老师却没在意，她只是轻轻叫了声："何老师，你还带这么多书啊？"

何志文那条硬绷绷的棉絮里面，鼓鼓囊囊全是一捆一捆的书。姚老师拿起本书瞟了一眼，何志文听见姚老师吃吃笑起来。

何志文抬起脸，姚老师把一双水汪汪的大眼正对着他。她忽然说："何老师，你不会在这里待久的。"

何志文说："为什么？"

姚老师哗啦哗啦翻着书，意味深长地冲何志文微微一笑。接着她转身走出房间，说："你好好歇一会，我该去上课了。"

第二天一早，何志文开始正式上课。他教一班的语文、算术，外加低年级两个班的体育课。从李校长那儿接过课程表，何志文犹豫了片刻，他没想到李校长会给他安排体育课。读高中的时候，何志文的体育成绩极差，好几次都是勉强及格，他到现在都弄不清一些基本的动作要领，何况体育课又没教材。何志文搔着头皮，为难地望着李校长。李校长却没领会他的意思，他对何志文说："体育课嘛，让他们跑跑步、踢踢球得了，要什么教材？"

何志文说："我怕误人子弟。"

李校长认真地瞪了何志文一眼，说："这样吧，你先教一段时间再说。"何志文不好再说下去，李校长无精打采地摇摇头，又说，"这里不比城市，能开满课已经不错，你慢慢会习惯的。"

听了李校长的话，何志文心里踏实不少，但临到上课，他马上又不知所措。学生排着队伍站在操场上，仰起一片漆黑的眼珠子盯住他。何志文吹响哨子，他的哨音是那么生涩，而且长长短短混乱不堪，自己听了都难为情。学生吵成一团，嘻嘻哈哈嚷起来："错了，老师错了！"

踏步走很快变成了散步，何志文起劲吹着哨子，学生已不听他了。何志文满面通红，他徒劳地挥着手，嘴里叼着那只铁皮口哨，一句话也说不出。

操场的另一头，茅伟带着一个班做体操，何志文班里的学生都扭转头往那边张望，那一刻，何志文真恨不得找个地缝钻进去。茅伟的哨声戛然而止，他向学生说了句什么，接着就朝何志文这边跑来。茅伟跑到何志文身边站住，威严地冲何志文的学生吼了一句："吵什么吵？"

学生安静下来，茅伟把学生分成几组，教他们玩一种扔手帕的游戏。这一招非常灵光，不一会儿，何志文班里的学生津津有味地围在操场上玩起游戏。

何志文松了口气，茅伟并没马上离开，他站在何志文边上跟何志文说："何老师，你不该这么客气的。"

何志文说："谢谢你。"

茅伟笑了笑，说："对学生一定要凶，这是我的经验之谈。"

何志文的脸又红了，他瞅着身穿紧身运动服的茅伟，说："我不是这块料。"

茅伟用劲拍了下何志文的肩，"哪里，何老师是秀才嘛。"

何志文说："我算什么秀才，茅老师莫取笑了。"

茅伟打量着操场上来回奔跑的学生，他的神色有些黯然。"我是大脑简单，四肢发达。说真的，何老师，我这人一点用都没有。"

体育课后，何志文与茅伟的关系一下子密切起来。茅伟是个热心肠的小伙子，有了茅伟的帮衬，何志文觉得他以后的日子会顺利多了。

晚上，何志文早早回到寝室，找出书本，坐在灯下一门心思复习起功课。在此之前，何志文已在区中学高复班回炉过一年，要不是家里的经济原因，明年他本是满有希望的。从高复班回来后，何志文曾大哭一场，但不得不接受他爹的安排。爹说："阿文，爹老了，不能供养你一辈子的。"

说这话时，他爹的喉结像一部老朽的拖拉机不停喘息起来，脸上的皱纹缩成一堆。何志文不敢看下去，他答应了爹的安排。他娘坐在灶台旁的矮凳上，喜极而泣。何志文的心却凉了半截，那会儿，何志文感到上大学的希望离他越来越远。他娘一面用衣襟抹着泪，一面为他整理衣物，她对何志文说："阿文，咱们这种人家，找份工作就满不错了，你别死心眼。"

何志文怔怔盯着书，心里突然乱起来。这时茅伟从外面进来，他见何志文瞪着书发呆，笑着说："何老师，这么用功啊！"

何志文说："晚上没事，我是打发时间罢了。"

茅伟凑过身子瞅了眼何志文的书，说："莫骗人了，你明明在复习功课嘛。"

何志文支吾了一声。这种事他本来是非常忌讳的，万一考不上，弄得满城风雨，这学校他就别想待了。茅伟对何志文的心理毫无觉察，他大大咧咧地抽出烟，递给何志文一支。

何志文说："谢谢，我不会。"

茅伟已替他划着火柴。"这东西提神，看书有好处的。"

何志文闷闷吸了一口，喉咙一阵发涩，但心里却好受多了。茅伟突然说："何老师，我求你件事。"

何志文有点吃惊地望着茅伟，茅伟的神情不像在开玩笑，他吞吞吐吐地嗫嚅着嘴唇，面孔红得厉害。"是这样，"茅伟说，"我想请你帮我复习文化课。"

何志文没想到茅伟说出来的是这样一件事。他本来还想推辞一下，但一看茅伟充满真诚的眼睛，还是很快点了点头。

茅伟准备考的是体育专业，前两年他都因为文化课太差没被录取。不过茅伟只看了一会儿书，便有些瞌睡。他打着哈欠，不好意思地对何志文说："我这人一看书眼睛就发黏。"

果然，何志文很快听见了茅伟的鼾声，他把头压在书本上，已经睡着了。何志文轻声笑了一下，茅伟惊醒过来，他拍着脑勺，说："我打扰你了吧？"

"什么？"

"我睡着就打呼噜。"

何志文说："没事，你先睡吧。"

茅伟不再作声，合上书，爬上床铺。何志文怕亮着灯会影响茅伟，也钻进被窝。

灯熄下来后，何志文睁着眼好久没有入睡，地上的老鼠开始窸窸窣窣奔跑，窗外是初秋凄凉的蛙声。何志文呼吸着床上浓重的霉味，暗暗对自己说：明年你还是考出去吧……想着，他翻了个身，后来终于沉入梦乡。

教室外面的土墙突然热闹起来，一群村民推着手推车，运来大堆砖头和沙泥，动作迅速地沿着教室的墙根，搭起一排砖墙。何志文站在教室的讲台上，心不在焉往窗外望，后来他终于明白，村民们要在教室外面造一间房子。乡中心小学所在地是一个名叫洪家的村子，周围的地皮都属于这个小村。教室里已经乱了套，学生停止诵读，伸长脖子，七嘴八舌看着窗外。何志文让这种声音吵得心烦意乱，他用黑板擦敲了敲讲台，想叫学生安静下来。

学生静下来后，外面的嘈杂声又高起来，砰砰啪啪的砖块声里，还夹杂着村民粗野的玩笑，那都是些关于男女间的荤话。何志文听得心里怦怦直跳，学生们却是一副司空见惯的样子，交头接耳打着眼色，发出窃窃低笑。

何志文懊丧地丢开课本，他退到墙角落，身子靠住黑板，抱着胳膊看着屋顶，心里升起一股莫名的悲哀。学生们被何志文的样子吓住了，闭上嘴，怯生生仰视着何志文。何志文清了清嗓子，刚要开口对学生说，李校长捏住一只手摇铃，像蚱蜢似的跨着长腿，跳到教室外面。何志文听见李校长高声喝了一句："住手，你们都住手！"

村民对李校长的话恍若未闻，他们继续兴冲冲地搬动砖块，头都没抬一抬。

李校长脸色煞白，他走到一个村长模样的人跟前，又喝了一声。这一回，村民仿佛真听见李校长的话了，他们愣了一下，随即又呵呵笑起来。

何志文看见李校长被这阵像风一样稀里哗啦的笑声吹得全身晃荡，竹竿似的身躯越发显得瘦长了。何志文有点替李校长难受。李校长突然摇了摇铃，说："你们笑个屁！你们知不知道在这里搭养鸡场，会影响学生学习？"

教室里的学生听见铃声，都拥了出来，何志文也跟着走到外面。李校长转身不满地看了何志文一眼，说："你们怎么出来了？还没下课呢。"

一个学生说："刚才你打过铃了。"

李校长说："去，去。"他朝何志文和学生挥挥手，再次敲响铃声。"现在又上课了，你们快回教室吧。"

何志文没有进教室，而是一个人走回办公室，后面的吵骂声愈来愈响，李校长的嗓音很快被村民的喧嚷淹没下去。何志文在办公室门口站住身子，远远地，他看见李校长舞手舞脚说着什么，神情十分激动，但他一句也听不见。

办公室里议论纷纷，茅伟带着几个老师，要去找村民评理。刚走到门口，李校长回来了，他拉住茅伟，哑着嗓子说："都别去了，这事我会找乡里反映的。"

茅伟不服气地冷笑："找乡里？你以为这帮王八蛋真会替学校说话？"

姚老师一边打毛线，一边说："就是嘛，这学校还怎么办啊？满校园都是鸡叫，那股气味难闻死了。"

李校长砰地拍了下桌子，他的脸色十分难看。"别说了！都去上课。叽叽喳喳的，像什么老师！"

何志文还是第一次看见李校长发火，倒吃了一惊，他没想到这个竹竿一样的男人发起火来会这么凶。老师们都住了嘴，拿起课本低头走出办公室。何志文随着大家往外走。茅伟伸了伸舌头，向何志文做个鬼脸，一溜烟跑了。

晚上，何志文坐在灯下看书。茅伟仍然在想白天的事，心神不宁地走来走去。何志文闭着眼，口里念念有词。茅伟推他一把，说："你怎么还看得进书啊你？"

何志文说："怎么了？"

茅伟说："你看你看，你好像不是这个学校的老师，我可咽不下这口气。"

何志文回过神来，放开书本，说："可是这不是我们管得了的。"

"管得了管不了又怎样？"茅伟气呼呼说，"我告诉你，这些村民太难弄了，他们寸土不让。现在好了，让他们搭成鸡场，要不了几天，他们会把猪场、鸭场什么的都搭到校里面。"

何志文勉强笑了一下。他觉得他应该安慰茅伟几句,但他只张了张嘴,一时又不知道自己该说些什么。他有些茫然地叹了口气。

茅伟怔怔地把眼睛盯着窗外,情绪十分低落。"我真想不通,"他说,"村里的不少孩子都在这里读书,他们怎么可以这样做!"

天花板下的电灯泡发出昏黄的光,一只蜘蛛伏在半张破残的网上津津有味地吃着蚊子。何志文让茅伟这么一搅,看书的兴趣也没了,两人面对面呆坐着,都不说话。隔了一会,茅伟起身爬到桌子上,从口袋摸出一只灯泡,将头顶的旧灯泡换下。灯重新亮起来的时候,房间里的光线蓦然明亮了许多。何志文让明晃晃的灯光刺得眼睛眯了一眯,他说:"你哪儿弄来的灯泡,有六十瓦吧?"

茅伟说:"秀才,你的眼睛都凑到书上了,我看你该去买副眼镜戴戴。"

换过灯泡,茅伟又变得有说有笑,好像把刚才的事丢到一边了。他仰着脸,笑嘻嘻地望着大放光明的电灯,不无得意地说:"这一回姚碧莲会肉痛死的。"

何志文说:"是姚老师吗?"

茅伟唔了一声,说:"她是个管家婆,你别看她笑嘻嘻的,门槛精得很。"

何志文不再作声,低头管自己看书。茅伟却什么也不干,他坐立不安地在床上躺一会,又起身把书翻得哗啦哗啦响。何志文让他闹得烦不过,说:"你还有事?"

茅伟怪怪地把眼睛翻了翻,突然说:"何老师,你有女朋友吗?"

何志文说:"没有。"他心里有些奇怪,茅伟怎么问起这个来了。读高复班的时候,有一个名叫陈敏的女同学跟他很要好,但只是要好而已,他们还说不上谈恋爱。而且眼下何志文也不想把这事告诉茅伟。

何志文便又说:"你问这个干吗?"

茅伟脸红了红,他没有回答何志文的话,却说:"何老师,我请你帮个忙。"

弄了半天,何志文才明白,原来茅伟刚和外面村子一个姑娘谈上恋爱,他晚上是想约姑娘到寝室幽会。

何志文笑着走出寝室,茅伟在后面说:"就一个钟头,委屈你到办公室坐一会。"

何志文没去办公室,他信步走到校门外。田野上漆黑一片,何志文摸索着走过一条田间小道,然后在河边的土墩坐下。初秋的夜风开始转凉了,不远处的村庄显露出黑黝黝的轮廓,里面夹杂着夜行人的脚步和狗的吠声。

寝室那边的灯一直亮着,何志文瞅着窗户透出的光亮,突然想起陈敏。他想,什么时候得去看看她。

夜露很重,何志文不知道时间过去多久,后来,他摸一摸身上,头发和肩膀那个地方,厚厚一层水。

回到寝室,茅伟的那个姑娘还没走,见何志文进来,她羞涩地低了低头。那是个异常漂亮的姑娘,看上去还不满二十岁,她笑起来的时候,两腮露出一个极深的酒窝。茅伟喜滋滋地把何志文介绍给这位名叫桂花的姑娘,他说:"这是我们的大学生。”

茅伟的手亲昵地搭在桂花肩上，一脸幸福。桂花的头发有点乱，她转身时，何志文发觉桂花胸襟前的一颗纽扣还没扣好，里面露出开领很低的红色铅丝棉毛衣，何志文尴尬地移开视线。这时茅伟被何志文身上水淋淋的样子吓一跳，随后他哈哈笑道：“秀才，你也真老实，就这么在外面蹲到现在啊？”

桂花白了茅伟一眼，她的脸涨得绯红。茅伟还要再说，桂花生气地甩开茅伟的手，一跺脚跑走了。

茅伟追出门外，他叫了桂花一声，桂花没有应。过了好一会，何志文听见桂花在远处带着哭腔说：“你把我当什么？沸沸扬扬的，你要让他们人人都知道啊？”

星期天，何志文一早起来，他没回家，而是去陈村小学看他的同学陈敏。

陈村小学离何志文所在的洪家村有五六里路，那天刚下过雨，土路泥泞不堪，走到陈村小学门口时，何志文的一双球鞋早浸得透湿，走起路来吱咕吱咕响。

何志文穿着吱咕作响的鞋子，找到陈敏的寝室。他敲了敲门，陈敏在里面说：“谁啊？”

何志文说：“是我。”

陈敏好像仍没听出来，含糊不清地嘟哝了一句，语气很不耐烦。“你等等，我还没起床呢。”

约莫过了十分钟，陈敏打开门，她满面倦容，睡眼惺忪地打着哈欠，“什么事啊？这么早！”

何志文被陈敏鸡窝一样乱蓬蓬的脑袋吓一惊，这时陈敏已看清是何志文，她高兴地叫了声阿文，把何志文让进寝室。

何志文还对着陈敏的头发发愣。陈敏推了他一把，“怎么，不认识我了？”

何志文笑笑，说：“你也变时髦了。”

陈敏轻描淡写地说：“不就烫了个头嘛，看你大惊小怪的。”

陈敏到陈村小学当民办教师后，何志文还是第一回来。陈敏的寝室比何志文的略小，但只有她一个人住，看上去也非常整洁。何志文在陈敏的床上坐下，他说：“你这里还挺不错啊。”

陈敏说：“不错个鬼！我都烦死了，整日跟这帮萝卜头打交道，有什么趣儿。”

何志文说：“彼此彼此。”

陈敏瞄了何志文一眼，说：“你可跟我不一样。”

何志文让陈敏这一说，耷下脑袋，苦着脸说：“有什么不一样？我还不是照样混日子。”

他没说他比陈敏住得还差，而且教连自己也不懂的体育课。陈敏没再说下去，她的神情懒洋洋的，好像已提不起兴致。以前陈敏是个十分健谈的女孩，上高复班时，他们俩常为一道题目争得面红耳赤。何志文看着陈敏的模样，闭上嘴不作声，心里边隐隐闪过一丝不安。

正在这时，门外有人在叫陈敏。没等开门，那人已推开门走进来，是个年龄跟何志文相仿的小伙子。小伙子见陈敏房里有人，便站着跟陈敏说话，原来他是来叫陈敏一块去镇里看电影的。

陈敏对小伙子很不客气，她板着脸说："我今天不舒服，你自己去吧。"

小伙子还黏着不走，陈敏就连推带搡将小伙子赶出门外。她说："讨厌，你没见我这会儿有客人。"

小伙子有点怨恨地瞪了何志文一眼，讪讪离开。何志文觉得陈敏太过分了，他正要跟陈敏说句什么，陈敏忽然抿着嘴笑起来。

何志文说："他是你同事吧？"

陈敏止住笑，说："怎么？你不认识他？"

何志文说："不认识。"

陈敏"噢"了一声，她走到窗边，那个小伙子已踩着泥路一摇一摆走出校门口。陈敏把背对着何志文，半晌，她说："你该认识的，他就是张副乡长的公子。"

听了陈敏的话，何志文怔了一怔，陈敏仍目不转睛地看着窗外，何志文心里有些犯酸，他说："是这样，他好像在追你呢。"

陈敏蓦地转过身，她的脸色变得非常难看。"你都说些什么？阿文。"陈敏的眼里冒出了星星点点的泪花。

何志文没想到陈敏会发这么大的火。陈敏发狠地跺着脚，又说："阿文，你把我看成什么人了！"

何志文垂下头，不知道说什么好。陈敏是个极要强的女孩，而且又十分自尊，这一回她是真生他气了。

房间里出现了长久的沉默。过了好一会，何志文听见陈敏幽幽叹了口气，她蹙着眉，像要把什么事赶走似的晃着身子，说："真傻，我们都吵什么呀？阿文。"

何志文却怎么也高兴不起来，陈敏挨着他坐下，摇着他的手说："我们谈点别的吧。"

何志文勉强笑了笑，"谈什么？"

陈敏突然将她的上半身靠在何志文身上，她仰着脸，说："阿文，你答应我一件事。"

何志文的心"咚咚"跳了两下，陈敏温软的身体紧挨着他，他感到自己的呼吸一下子停住了。

陈敏的脸慢慢滑过来，她的前额抵住了何志文的下巴。后来，她把眼睛闭了闭，她的嘴唇小心接触着他的耳轮，何志文听见她不住地喃喃说："阿文，明年你一定要考上，一定……"

何志文搂着陈敏的腰，激动得快哭出来。陈敏安静地缩在他怀里，何志文低头嗅着陈敏头发上淡淡的香水气息，说："我答应你，小敏。我们一块考，离开这个地方。"

陈敏倏忽睁开眼，她认真地逼视着何志文，很快又移开视线。她眼里的光亮有些黯淡。何志文看见她张了张嘴，想说什么，终于又没说。

星期一早晨，何志文照例去操场参加展会。升旗仪式开始前，李校长走到队伍前面，他清了清嗓子，刚要讲话，操场外面忽然像赶集似的闹成一片。一群村民推着满手拉车的雏鸡与母鸡，出现在教室外面新建成的鸡场旁。乡中心小学没有围墙，雏鸡叽叽喳喳的叫声一无遮拦，李校长的声音很快被压下去，学生们心神不宁地四处张望，操场上出现了持久的骚动。这时，手推车上的铁丝笼被打开，一群母鸡扇着翅膀跳到路上，村民在后面赶着母鸡，嘴里发着"嘀嘀"的吆喝。李校长打了个哆嗦，他大张着黑洞洞的嘴，好半天没有合拢。

有几只母鸡离开石板路，跳到操场中间，伸长脖子悠闲地散起步来。这时国歌已经奏响，旗杆上的国旗迎着晨风缓缓上升。李校长退到队伍一边，他的一只手按住腹部，菜色的脸上冒出了豆大的汗珠。一切又复归安静后，学生和老师们都把目光聚集到李校长身上，等他讲话，但他只是无力地挥挥手，一句话也没说。

队伍解散，学生和教师陆续走开来，李校长仍然站在那儿，他的神情有些恍惚。何志文走上去不安地推了李校长一下，说："李校长，你病了？"

李校长摇摇头，"没事。"

何志文瞥了眼李校长的腹部。李校长已经把手挪开了，他笑笑说："我的肝不大好，老毛病啦。"

何志文说："你该到医院看看。"

李校长好像没听见他的话，自言自语说："我还是到乡里去一趟，我得马上就走。"

他把那只手摇铃交给何志文，说："何老师，今天就麻烦你替我打铃，我去去就回。"

何志文用力地朝着李校长点点头，他看着李校长走出校门，好久没有回转身。茅伟在远处看见何志文一动不动立在操场上，高声喊："何老师，你发什么呆啊？"

何志文说："没什么。"

茅伟笑起来，"何老师，你该不是想什么心事吧？"

何志文别了别脸，他不想让茅伟瞧见他脸上的表情，他觉得他此时的心情恶劣极了。

茅伟讨了个没趣，倒没生气，尾随着闷声不响的何志文回办公室。

刚到办公室门口，姚老师在前面拦住他们，她一把拉住茅伟的胳膊，说："好啊，茅老师，我正找你。”

茅伟说：“找我做什么？”

姚老师说：“你还装傻啊？都是你干的好事。”

何志文听出来，姚老师问的果然是那天换灯泡的事情。何志文尴尬地涨红了脸。还好姚老师没对他说什么，她只是扯住茅伟，连珠炮似的抢白他一顿。“你摆什么阔啊？”姚老师说，“集体宿舍规定是十五瓦的，都像你这样，学校的电费还怎么交？”

茅伟不满地嘟哝道：“大惊小怪的，我自己付好了。”

姚老师哼了一声：“说得好听。”她终于松开茅伟。茅伟拍拍被姚老师拉皱了的衣袖，说：“拉拉扯扯，有话好说嘛。”

姚老师扑哧一声，脸上仍一本正经。她说：“我也不要你付电费，你把灯泡换回去得了。”

看着姚老师的背影，茅伟突然冲墙角吐了口唾沫。何志文听见他骂骂咧咧说：“这个公共汽车……”

何志文让茅伟说得摸不着头脑，他问：“公共汽车？什么公共汽车？”

茅伟意味深长地朝他眨眨眼睛，说：“没什么，往后你会知道的。”

校园边上那株野柚子树最后只剩下一只柚子，高高挂在树梢顶上，也许它长得太高，学生最终没能把它摘下来。何志文有一天从边上经过，就找来两条凳子，爬上去摘了，宝贝似的捧回办公室。

姚老师坐在桌子旁打毛线，看见何志文四处找刀，要把柚子劈开来吃，皱皱眉头说：“你弄这东西干吗？”

何志文说：“我尝尝看。”

姚老师便捂着嘴叫道：“酸死，吃不得的。”

何志文不信，打开来吃一口，果然酸涩，舌头都麻了。他吐着口水说：“奇怪，样子看着蛮不错嘛。”

老师们都看着他的样子笑，姚老师说：“这学校风水不好，种什么都是坏的。”

何志文有些丧气，把柚子连皮带瓤丢进垃圾桶，心里却怎么也想不明白。

时间到了初秋，乡政府那边仍然没有消息。学校隔壁的养鸡场里，母鸡已经咯咯地开始下蛋，小鸡雏已长成一斤来重的仔鸡了。李校长三天两头往乡里跑，但每次都疲惫不堪又一无所获地归来，脸上的表情一天比一天阴郁。

一天黄昏，茅伟从姚老师那儿借来只煤油炉，独自在寝室捣鼓。何志文叫他吃饭，他神秘兮兮地笑笑，没去，等何志文从食堂回来，他先闻到房间里满屋子的香气。何志文抽着鼻子，说：“好香，你在烧什么？”

茅伟砰地关好门，他鬼鬼祟祟冲何志文嘘了一声，说：“轻点，你嚷嚷什么？”

煤油炉上的沙锅"扑扑"冒出一股热气，何志文揭沙锅盖子，沙锅里炖的是一只老母鸡。何志文忍着馋，说："不就是一只鸡嘛，看你大惊小怪的。"

茅伟很古怪地笑起来。何志文愣了一愣，马上明白过来，他有些扫兴地扣上沙锅盖，说："你是从养鸡场偷的吧？"

茅伟说："这能叫偷吗？"

何志文说："不叫偷叫什么？"

茅伟说："那就叫偷吧。君子取之有道，我是给他们一个小小的惩罚。"

叫茅伟这么一说，何志文心里反倒悲哀起来，他摇着头说："没用的，你总不能把他们的鸡都偷光。"

茅伟说："别酸了，秀才！"

何志文想了想，又说："反正这鸡我是不吃的。"他的话还没说完，肚子里突然叽里咕噜一阵乱响。茅伟狐疑地瞪了他一眼，"怎么？你不是刚吃过晚饭么？"

何志文也笑了，他费劲地吞着唾沫，揉揉肚皮说："见鬼！它在造反啦。"

茅伟撕下一只鸡腿，塞到何志文嘴里。"秀才，瞧瞧你的脸，难民一个。"

何志文真的有一两个月没见油腥了，便不推辞，抓着鸡腿啃起来。正吃着，桂花来了，茅伟又从床底下找出一瓶白酒，三个人围着桌子，边吃边聊。

茅伟喝不了几口，脸上泛出红晕，话也多了，拉着何志文的手，唠唠叨叨说："来，何老师，我们再干一碗，祝你明年考上大学。"

何志文说："什么话，要祝贺的是你们俩。"他说着瞟了桂花一眼。

茅伟还拉住何志文不放，桂花有点看不下去，她皱皱眉，搡了茅伟一把，说："别喝啦，你都醉成什么样子。"

茅伟说："笑话，谁说我醉了？"

桂花气呼呼背过脸，何志文忙向茅伟丢了个眼色，茅伟却浑然不觉，一仰脖子又喝干半碗酒，大着舌头说："咱们……今晚一醉……醉方休……"

桂花夺下茅伟的酒碗，砰地扔到桌上，说："方休个屁，你去挺尸吧！"正闹着，门外一阵乱响，何志文打开门，姚老师站在门口，她扶着门框，似笑非笑斜眄着屋里的几个人，高声说："捉贼拿赃，这会儿我是人赃俱获了。"

茅伟酒醒了一半，他说："姚老师，有话好说，你可千万别去告诉李校长。"

姚老师不理，扭着腰走到桌前，从沙锅里捞起块鸡肉，放嘴里嚼了两口，扑一声笑起来："茅老师，味道不错嘛。"

茅伟怏怏说："装神弄鬼的，我都让你吓死了。"

几个人重新坐下，姚老师啃着鸡，一边嘻哈哈跟茅伟说笑。她见何志文在一旁默不作声，就说："何老师，你也学坏啦。"

何志文含糊地应了声，不知说什么好。茅伟指指姚老师手里的鸡骨头，说："你不也一样，销起赃来比谁都快。"

姚老师认真地瞪了何志文一眼，摇摇头说："我们是无所谓了。何老师，你不该的……"

姚老师唏嘘两声。她的神情变得懒懒的。房间里的气氛沉闷下来。过了好一会儿，姚老师突然对茅伟说："茅老师，什么时候吃你的喜糖？"

茅伟红着脸傻笑，他说："我不急你急什么！"

桂花让茅伟的话说得浑身不自在，在边上哼了一声，冷笑道："谁答应你了？我才不结婚呢！"

茅伟的脸又白了，他拉着桂花说："怎么？你反悔了？"

桂花说："什么反悔不反悔，这鬼地方，哪个要待。"

姚老师拍着手，说："看看，茅老师，你这位姑娘心还真不小呐。"

桂花走后，茅伟又独自喝了会闷酒，终于酩酊大醉。姚老师打了个哈欠，她走到门口，忽然又回转身，对茅伟说："茅老师，你小心点。"

茅伟说："什么？"

姚老师说："当心让她飞了。"

茅伟睁着醉意蒙眬的眼睛，人快滑落到桌子底下，他抓着一条桌腿，挣扎着站起来说："我能有这么傻？我早把她给……"他做了个含糊不清的动作，接着一屁股坐在地上。

茅伟的床上很快传出了鼾声，何志文怎么也睡不着，酒精在脉管里流得很快。额角那儿跳得厉害。他爬下床，走到门外小便，一抬头，发觉楼上姚老师房间的灯还亮着。这时，有一个人影走上楼梯，何志文认出那是李校长。他不由怔了怔，李校长这么晚了上楼做什么？正想着，李校长的脚步已在姚老师房外停下来，片刻之后，姚老师窗上的灯光随之熄灭。

何志文提着裤腰，好久没尿出来。他蹲在地上，看着黑漆漆的校园，心里边一阵恶心。

翌日，何志文一早起来，头有点晕，他支撑着去上了两节课，回到寝室，茅伟仍在熟睡，何志文推了他一把，他翻个身，又呼呼睡过去。

外面乱成一团，办公室里的老师全下到班级，如临大敌。姚老师一阵风似的跑来，拉住何志文，满脸焦急。"看见茅老师么？"

何志文说："他还在睡觉哩。"

姚老师急得乱跳，"该死！"

原来是张副乡长来了，李校长这会儿陪着他正在校园转悠。

何志文说："这样吧，我来替茅老师的课。"

姚老师说："替什么！你还有事哩。张乡长让学校打份报告，给校园砌垛围墙，他们急着研究。李校长说叫你写。"

何志文:“我?”

姚老师说:“你的文笔好。”

何志文刚要推辞,李校长和张副乡长已走过来。张副乡长是个矮胖子,两人站在一起,李校长差不多高出他两个头。何志文看见李校长哈着腰跟张副乡长说话。身子弓得像只大虾米。张副乡长似听非听,眼睛却骨碌碌地盯着姚老师。何志文把到嘴的话又咽回去,他对姚老师说:“好吧,我来写。”

中午,李校长在食堂摆了一桌酒席,宴请张副乡长,何志文也去了。姚老师特意弄来了两瓶洋河大曲,张副乡长眉开眼笑,嘴上却说:“弄这么好的酒,太破费。”

李校长堆着笑脸,说:“张乡长难得来,应该的。”

张副乡长说:“学校还很穷嘛,下不为例,下不为例。”

姚老师有意无意用肩膀撞了撞张副乡长,半侧着身子,咯咯笑着说:“张乡长说这话就见外了,我们欢迎张乡长常来指导。”

张副乡长眼也斜了,他就势捏了下姚老师的手,说:“那当然,有小姚这句话,下回我能不来吗?”

大家都笑,何志文下意识地瞟了一眼李校长,李校长正佝着肩膀给张副乡长倒酒,脸上乐呵呵的。

何志文感到昨夜的酒又涌上来,他捂住喉管,不敢动筷子,好在大家都没注意他。张副乡长是海量,他不停地找姚老师干杯。何志文还是头一次见识姚老师的酒量,不由呆了一呆。姚老师喝得满面绯红,整个人摇摇晃晃地直往张副乡长身上靠。

后来,张副乡长的一只手慢慢落到姚老师的大腿上,他粗短的手指快速蠕动起来。姚老师只是咯咯笑,把胸脯抵住桌沿。因为只有何志文坐在姚老师身边,张副乡长的小动作刚好映入他的视线,何志文赶快别过脸。

吃罢饭,姚老师带张副乡长先走。张副乡长醉得站立不住,他扶着姚老师的胳膊,说:“小姚,我到你房间坐一会吧。”

姚老师娇嗔地拍了下张副乡长的手,说:“这像什么?你一个大乡长……”

张副乡长说:“大个屌!乡长也要与民共乐嘛。”

李校长的肝又疼了,他蹲在地上,双手按住小腹,哧哧哧哧像屙屎似的哼了两声。何志文问:“你没事吧?”

李校长说:“没事。”

何志文想起写报告的事,说:“李校长,这报告不用写了吧?”

李校长一时没听明白,说:“为什么不写?”

何志文才意识到自己说漏了嘴,他红着脸支吾了一声。李校长撑着膝盖立起来,他抓住何志文的手腕无力地晃了一晃,说:“写吧写吧,让这帮狗日的看看也好。”

过了大约一星期，何志文写的报告批下来了，张副乡长还拨了笔款子。李校长很是高兴，他找来民工，买了一批砖头沙泥，很快在校园外砌起垛围墙。围墙砌好后，学校显得安静多了。唯一遗憾的是那株野柚子树，因为刚好长在地界中间，砌围墙时被壁去一大半，剩下小半棵半死不活地长在校园里面。何志文觉得可惜，他到办公室叫了几声，可没人理他，也只得作罢。

那天早晨，又轮到星期一的晨会，等升旗仪式一结束，李校长上台训话。他直挺挺地站那儿，眼睛看看围墙，好一会，他说："妈的，这才像个学校啊！"

老师和同学都肃然，随后便又都笑起来。何志文心里有些感动，眼里不知不觉冒出一股泪花，自己也不知道为什么。事后想想，却觉得有些好笑。

最开心的要数姚老师，那几天，何志文看见她有说有笑在校园里走来走去，衣服的颜色特别鲜艳，好像拾了什么宝似的。茅伟对姚老师的洋洋自得极为反感。他刻毒地对何志文说："瞧她乐的，倒像这围墙是她给砌的。"

何志文说："你不能这么说姚老师。"

茅伟说得越发露骨了，"为什么不能？卖了一次×，就把自己当功臣了，不要脸！"

姚老师在远处瞧见何志文和茅伟指指点点说话，走上来笑说："好啊，你们都在编派我什么？"

何志文让姚老师的话吓了一跳，忙说："没什么，我们说着玩儿。"

姚老师说："是吗？"她朝何志文眨眨眼睛，又说，"何老师，你那份报告写得真不赖，张乡长都说好哩。"

茅伟在边上哼了一哼，他恶狠狠地往围墙上吐了口唾沫，撇下何志文和姚老师，一言不发就走。

姚老师望着茅伟的背影发愣，她的脸白了一会，说："他发的哪门子火？莫名其妙！"

何志文怕姚老师误会，不再吭声，也赶紧走了。走了几步，回头见姚老师还站在那儿，心里又有些过意不去。无精打采回到办公室，却见桌子上有他的信，原来是陈敏寄来的，随信还寄了两本高考复习用书。看过陈敏的信，何志文的心情才好一点。陈敏在信里问起他的情况，一再劝他用心复习。但陈敏对她自己的事，却不知为什么一句也没提。

有了陈敏的鼓励，何志文的劲头又上来了。晚上，他早早回到寝室复习，房里只有他一个人，茅伟不知跑哪里去了。将近十一点，何志文瞌睡上来，洗过脚，刚要爬上床睡觉，门外呼呼响了两声。何志文打开门，茅伟随着移动的门板一头栽进来。他喝得大醉，一身酒气，头上满是汗水。何志文把茅伟扶进屋，问："你怎么醉成这样？"

茅伟喉咙里咕噜噜一阵乱响，捂着肚子又跑出门外，伏在石阶上吐个不停。

吐完后，茅伟回到房间，他问何志文要了杯水，漱过口，倒头便睡。何志文见茅伟这副模样，知道他心里不开心，也熄灯睡觉。忽然听见茅伟那边传来呜呜的哭声，何志文吃一惊，又打亮灯。茅伟蒙着棉被，脑袋拱在枕头里面，肩膀一动一动。何志文还是头一回看见一个男人忍禁不住的痛哭，一时倒不知怎么好。待了一会，他过去推推茅伟，问："怎么啦？"

茅伟从床上爬起来，泪也不擦，蔫着脑袋一言不发。何志文又问了他一句，茅伟拉住何志文的手，眼泪又冒了出来，"我们完了。"

何志文让茅伟说得摸不着头脑。茅伟已经冷静下来，说："是我和桂花的事，我们闹翻了。"

原来，桂花和村里的几个姑娘已商议好去城里的一家丝厂打工，明天一早就走。尽管那家丝厂的条件很差，但比起村里来，不知好到哪里去了。听完茅伟的话，何志文明白七八分，他的预感果然被证实了。他心里替茅伟难过，嘴上还是安慰了他几句。他说："桂花出去打工，你们的关系仍可以保持嘛。"

茅伟说："这你就不知道了，她说过，她永远不会再回来的。她的心太高，我们迟早要分手的。"

何志文一时无话，茅伟指指自己的心口，说："你也别劝了，其实我早料到有这一天，她心里没有我，从来没有。"

何志文哑然，半晌才说："你振作点。"

茅伟又难受起来，他佝着身子干呕了几声，却什么也没吐。何志文扶茅伟躺下，茅伟痛苦地扭着腮帮子，说："我还是吐掉。"他伸出手指在喉咙里挖了一会，哗地喷出一盆酸水。

何志文让这盆呕吐物熏得自己也直想吐，他捏着鼻子赶紧把它倒掉，茅伟跟着往外走，一边走一边搡何志文的肩，嘴里喃喃说："我们算什么东西啊……算什么！"

折腾到后半夜，茅伟终于安静了。两人躺在床上，都没睡，黑暗里何志文听茅伟说："秀才，你跟那个陈敏怎么样了？"

何志文含糊地应了声，"还好。"

茅伟却莫名其妙咯咯笑起来，"你还是早点把她搞到手，我说的是实话。"

何志文脸红了一红，心不由砰砰乱跳。茅伟跟他说起他和桂花的事，何志文听得心越发乱起来。茅伟说："对女人千万别心慈手软，否则你会吃亏的。"

何志文看见茅伟贼亮的眼睛在暗夜里闪个不停，不禁打了个战。他用力朝茅伟点点头，又摇摇头，但他发觉茅伟其实什么也没看见。

第二天一早，何志文被一阵砰砰啪啪的声音惊醒时，以为自己还在梦乡之中。他揉了揉眼皮，声音越来越清晰，而且夹杂着淅淅沥沥的雨声。几个月前，何志文躺在自己老家的旧木床上，听着他父亲挥动一支竹梢，劈劈啪啪驱赶他家那头大肥猪远去，也是这么个凄凉烦人的雨天。他父亲瘦小的身影踉踉跄跄消失在土路尽头，他母亲坐在灶台前无声地抽搭着，那种声音以后在何志文耳边萦绕不去，并且多次将他从梦中唤醒过来。那一刻，何志文总想象着他父亲灰黑的脸，他在张副乡长的跟前谦卑微笑着，比哭还难看。他家的那头大肥猪恍惚间变成了一叠整齐的纸币，被父亲畏畏缩缩塞进张副乡长肥厚的手掌。

何志文再也睡不着，外面的声音骤然高起来，好像有人在砸什么东西，接着何志文的寝室也被震得晃了晃。

声音是从寝室不远的厕所那边传来的，何志文跑出去一看，几个村民正趴在厕所的屋顶，用锄头扒瓦片。周围已聚集了几个老师，他们拦住村民不让拆。

学校的这座厕所建在围墙外面，地基原本是洪家村的一间废仓库，建学校时把仓库拆了，但墙界上的碑还在。洪家村因为近日要在外面搭一排养猪场，要求学校归还这片地皮，学校不肯，事情就拖下来，没料到洪家村的人趁着雨天动手了。正闹得不可开交，李校长披着外套匆匆跑来，他的一只衣袖还没穿上，晃晃荡荡挂在外面，脸上一副迷糊不醒的样子。村民们见是李校长，倒住了手。李校长抹着黄糊糊的眼屎，说："怎么？连学校都敢扒了？王法还要不要？"

一个领头模样的村民说："什么王法？这地基本来就是我们洪家村的。"他走到厕所边上，挖开一截墙基，一条青条石上果然露出"洪家村地界"五个字。

几个老师都傻了眼，犹豫不决地退下来。村民见占了理，胆子大壮，那个领头的村民喝了声"扒"，举起铁镐就往墙上砸，但没等他砸下，李校长一个箭步跳上墙基，他说："要扒就先扒我！"

那个领头的村民气得满面通红，他举着镐子久久没有砸下。"我操！你们还算老师啊？一点理都不讲！"

僵持了几分钟，几个村民上来想把李校长拉开，推推搡搡间就扭打起来。何志文起先只是旁观，后来见闹得不像话，心里一急，不管三七二十一，也跟着边上的老师冲上去。场上越发混乱了，何志文挨了几下拳脚，眼看已经败阵，忽然听见姚老师在那边尖声叫道："耍流氓啦……耍流氓啦……"她紧揪住一个村民不放，身子直往他胸前挤。"呸，你摸什么？占老娘便宜么？"

经她这一喊，村民都愣了一愣。趁着这一间隙，茅伟抓起一把镐子朝空中乱舞，嘴里呱呱大喊："拼了，拼了！"

茅伟双眼发红，一副不要命的样子，姚老师吓得脸都白了，她撇开那个村民，赶紧抱住茅伟的腰，说："放下，你寻死啊！"

茅伟不领她的情，一把甩开姚老师，说："走开，没你的事。"

姚老师被茅伟一个趔趄摔倒在地，好半天爬不起来。何志文拉起姚老师，说："由他去吧，你劝也没用。"

姚老师打着哆嗦，人瘫在何志文身上，说："会出人命的，何老师，你快让他别胡闹了。”

但何志文却站着没动，场上的气氛一触即发，姚老师又催了他一遍，何志文说：“他心里有气，让他打一架也好。”

姚老师气狠狠瞪了何志文一眼，厉声说：“何老师，你怎么会说出这种话？出了人命谁负责！”

茅伟那边真的干上了，刚才那个被姚老师羞辱一番的村民一口气没处出，跑上来和茅伟扭在一起，村民用的是蛮力，没几个回合，茅伟渐落下风，但他愈战愈勇。混战间，村民的镐柄啪一声击中茅伟的小腿，茅伟哼了一哼，一屁股坐在地上。

村民占了便宜，也怕真闹出事来，叫喊几声，赶紧收兵走了。茅伟还坐在地上，裤腿让血浸得透湿，吓得姚老师哇一声哭出来。李校长惊出身虚汗，兀自站在那里还没反应过来。

姚老师招呼何志文把茅伟抬回寝室，她眼泪汪汪不住朝李校长和何志文抱怨。没等姚老师和何志文近身，茅伟自己扶着墙根站起，他谁也不瞧一眼，垂头低声喝了句：“滚开！”接着一瘸一瘸拖着条伤腿，独自走回办公室。

厕所事件平息下来后，没过多久，乡中心小学又出了件事。那时已临近寒假，学生正准备迎接大考，一日，从姚老师那儿传出一个坏消息，民办教师的工资发不出了。消息被证实是第二天下午，李校长从乡里开会回来，他带回了一张由乡政府打的白条。

何志文得知这一消息时，正夹着课本准备上课，刚出门口，茅伟瞅着他冷笑，说：“秀才，都什么时候了，你还充积极啊？”

何志文说：“怎么了？”

茅伟一脸激愤，“咱们都让那帮混蛋给耍了，狗日的要克扣我们工资。”茅伟越说越气，办公室里的老师听见茅伟的嚷嚷声，跑出来听，他们附和着茅伟的话，议论纷纷。茅伟又说，“他们喝酒吃肉的，让我们喝西北风，这课我们还上个鸟！”

几个年轻老师一齐叫道：“不上了，不上了。”

茅伟夺下何志文的课本，扔到桌子上，说：“这可不是说着玩的，有种的，咱们今天就罢教！”

何志文开初还以为不过发发牢骚，等到茅伟他们真的说干就干，心里不免有些发毛。李校长摇着铃走过来，见一群老师乱哄哄站在办公室门口，就把铃又摇了摇，说：“你们都聋啦？还等什么？快去上课。”

老师们你看我我看你，站着不动，李校长又喝了声，姚老师先走出人群，她讪讪笑着说：“上就上，反正这样也解决不了问题。”

茅伟说：“就是，别人身上的虱，自己不痒的，管他干吗。”

姚老师愠怒地白了茅伟一眼，“你这话什么意思？”

茅伟说:“什么意思,你是公办老师,再扣也扣不到你头上。”

姚老师急了,说:“你把我当什么了? 我是这样的人吗?”她赌气要走开,走了两步,见老师们仍然站在那里,犹豫了一会,又返身走回来,委屈地对茅伟说:“也罢,要死死一块儿。”

李校长听着老师们七嘴八舌的议论,一声不吭。后来,他抱着脑壳慢慢蹲到地上,那只手摇铃被他夹在裤裆里,铃锤儿一晃一晃的,发出一阵喑哑的响声。茅伟提议教师都到乡政府请愿,他的话激起了一片掌声,有人已拿了墨汁与白纸,摩拳擦掌就要写请愿书。李校长还是蹲着没动,隔了好一会,他说:“你们有火冲我发吧,是我无能。”

茅伟说:“得,校长,你是怕我们闹事吧?”

李校长说:“算是我求你们了,行吧?”

看着李校长悲哀的脸,何志文不由鼻子一酸,茅伟却不饶他,说:“你怕丢乌纱帽,我们没什么好怕的,大不了不当这狗日的老师了。”

李校长呼地站起来,那只手摇铃掉在地上,当当响了几声,磕出一个缺口。他急促地喘了口气,想说什么,眼里却迸出一层泪花。他马上泄了气,耷着脑袋重新蹲回到地上,自己对自己发狠说:“你还当什么校长啊! 你什么都干不了,你还有脸么?”

教室里拥出一群学生,好奇地站在走廊上打量着李校长,接着他们很响又毫无顾忌地笑起来。李校长抬头瞅了瞅学生,眼里露出一种痛楚的表情。他把姚老师叫过去,凑着她的耳朵吩咐了几句,而后他直起腰,清了清嗓子,眼看着屋顶,说:“都去上课,完了再到姚老师那儿领钱,我决定先从学杂费里挪用一点。”

姚老师急得把头乱摇,“不行不行,这会出事的。”

李校长说:“别说了,出了事我负责。”他凄凉地笑了一下,这才把眼睛落在老师们身上,声音变得柔和起来。“都快过年了,也得让大家买点年货。是不是,姚老师?”

姚老师仍然摇头,李校长又从口袋里摸出一把钞票,交给姚老师,说:“这样吧,晚上我请客,姚老师你替我张罗一下。说到底,是我这个校长没当好。”

姚老师不敢接李校长的钱,推了几下,手一松,那些纸币便掉落下来,飘飘扬扬撒了一地。茅伟走过去往纸币上踢了一脚,无精打采地走开了。他的腿伤还没好,走起路来一瘸一拐的,他头也没回,慢慢走进了教室。

何志文也跟着几个老师,夹起课本走向教室。学生不知什么时候回到课桌上,何志文在教室门口停了一下,他下意识地往刚才那个地方瞟了一眼,李校长还呆呆站在那儿,手里抱着那只破摇铃,一阵风吹来,地上的纸币像鸟一样四处乱飞。何志文眼角有些发潮,他背过脸想用手掌擦一擦,但脸上事实上什么也没有。

学期结束那一天，教师们开始忙着整理东西，准备回家过寒假，学校里空荡荡的，几个值日生抬着课桌在打扫教室，道路上尘土飞扬。何志文因为盘算着住校复习，一个人留在办公室没走。他随手抓了本书看，看了一会，发觉什么也看不进。一旦真空下来，心思又乱了。他本来是个好静的人，没想到教了半年书，反倒生出许多想法，自己也有点把握不住自己。

太阳落在围墙的尽头，何志文拿出碗筷，锁好门。今天是食堂最后一餐，往后他不知道往哪儿搭伙。他懒洋洋敲着搪瓷碗，无人的走廊上，这种孤寂的声音传出了很远。

在食堂门口，何志文迎面碰见姚老师。姚老师向他打了个招呼，“何老师，你还没走啊？”像想起什么，先笑起来，“瞧我，都给搞忘了，你是留下来复习吧？”

何志文不否认，含糊地应了声。姚老师拉何志文一块坐下，说：“该休息还是要休息，别把身体搞坏了。”

姚老师的态度十分认真，何志文感动得点了点头。姚老师又说：“你自个儿开伙不容易，要是不嫌弃，索性到我这儿吃得了，反正我也是一个人。”

何志文忙说不了，姚老师便有些不高兴，她往何志文碗里夹了几块肥肉，说：“别婆婆妈妈，又不是给你弄山珍海味，搭个伙嘛。”

何志文不好再说什么。姚老师闷头扒饭，过了半晌，她说：“何老师，莫听人家乱嚼舌头，真的。”

何志文还瞪着碗里的那几块肥肉发呆，一时没听明白姚老师话里面的意思，后来蓦地想起茅伟说的“公共汽车”的绰号，心里不由惴惴的，怕姚老师会问他什么。姚老师却用指头点了他一下，笑笑说：“不说了，吃吧吃吧。”

何志文猛地咬了口肥肉，弄得油水嗞嗞直冒。他张了张嘴想吐出来，姚老师一脸关切，“别浪费，这东西挺营养的。”

何志文心不在焉，“是吗？”

姚老师说：“以前毛主席说过的，肥肉补脑子。”

说得何志文也笑，他想，事实上姚老师是个不错的女人。这么想着，不由对姚老师又笑了笑。姚老师似乎也看出了他眼里的意思，有意无意地岔开说：“何老师，考上大学，往后别忘了我这个老大姐啊。”

回到寝室，茅伟的铺盖不知什么时候卷走了，屋里一下子好像空了许多。何志文怔了怔，再细细一看，茅伟的东西果然所剩无几。何志文马上生出一种不祥的感觉。几天前，他曾听茅伟隐隐约约说过，他要离开这里，当时他以为茅伟是说着玩儿，没想到真的说走就走。

桌上压着一张信笺，是茅伟留给他的信。信很短，有几个地方的字写得特别重，纸上留了一个一个窟窿，字迹也显得十分潦草。茅伟告诉他，他要到城里打工，不管干什么，反正他是不想回来了。茅伟没说他是不是去找桂花。在信的最后，他祝何志文尽早考上大学。

读罢茅伟的信，何志文只觉得身上发冷。屋外万籁俱寂，窗门上响着西北风长一声短一声的呼啸。他索性合上书，想一会茅伟，又从茅伟想到陈敏，肚子里翻江倒海一般，一颗心怎么也落不到实处。

忐忑不宁地挨了将近一刻钟，何志文终于走出寝室，他想他得找人谈谈，哪怕不管跟谁坐一会也好。他第一次感到了自己的孤独，好像茅伟把他身上的某种东西也带走了。他站在台阶上往姚老师的房间张望，姚老师的窗户亮着灯，何志文摸黑走上楼梯。楼上极静，姚老师那边的门突然吱了一声，接着传来两个人笃笃的脚步声，何志文赶忙又走下楼，站到走廊的拐角处。那两个人影也下来了，一个是姚老师，另一个是李校长，他们低声说着话，身子挨得很近，看上去十分亲热。何志文不敢出声。李校长走到石阶外面，拉开裤子哗哗撒起尿来，姚老师站在边上，没有躲避的意思。李校长抖着尿水，对姚老师说："回吧，外边冷。"

姚老师靠着李校长的背，一只手在他的衣服外慢慢摸索，"别太苦自己，累了就歇歇。"

李校长嗯了一声，他抱着姚老师在她脸颊上唧唧叭叭亲了几下。何志文还以为李校长会说句什么私房话，李校长却很快推开姚老师，他无力地在她手背上拍了拍，说："谢谢。"

李校长走老远了，姚老师那儿响起了砰的关门声，何志文扶着墙壁，立在寒风里打战，自己也不晓得刚才他都看见了什么。他很响地笑了一声，他听见他的笑声有些刺耳，泪却不争气地在眼眶里转。后来他一头扎在床上，抱着被头，直想痛痛快快哭一场。

转眼到了除夕，何志文一早收拾停当，打算回家过年。几天前，他爹托人捎信，让他尽早回去，他爹说，他娘都急病了。爹的口气颇不高兴，快半年时间里，何志文几乎没回几趟家，回了也是匆匆忙忙。他爹说，他卖了一口猪，没想到把儿子也给卖了。

陈敏进来的时候，何志文正提着包准备出门，冷不防跟陈敏撞了个满怀。何志文吓一惊，待看清是陈敏，手上的包啪地掉在地上，模样有些狼狈。陈敏瞅着他笑，"巧了，你真还没走啊！"

何志文激动得有点口吃："你，你怎么来了？"

陈敏给他带来好些年货，像模像样用红纸头扎成包头，这种东西都是乡间正儿八经送礼时才用的。何志文嘴上推辞着，心里甜丝丝的，不免多想了另一层意思。他说："我哪能要这么多东西。"

陈敏说："带着吧，给你家的。"

何志文想了一想，说："也好，我就说是你送的。"

陈敏淡淡地说："说谁都行，只是别说我。"

何志文高兴得昏了头，也没细想陈敏话里头的意思，他拉着陈敏坐下，说："反正都一样，你迟早总得去我家嘛。"

两人说了会话，不免又搂搂抱抱一番。陈敏的举止比那次相见时亲昵多了，何志文不知怎的忽然想起茅伟跟他说的话，茅伟说，对女人千万别心慈手软。何志文心里来了一阵冲动，他低头往陈敏的脸蛋上不辨东西地乱啃了几口，一只手偷偷按住她的胸脯。陈敏闭着眼不吱声，身上没抗拒也没迎合的意思，神情间有些发木。何志文顿时泄气，好像做了什么见不得人的事，赶忙把手挪开，一张脸早红到脖子根。这时陈敏合着的棕刷似的睫毛微微颤动起来，接着一滴清亮亮的泪珠无声地从乌黑的眼影下滑出来，停在鼻翼上一动不动。

何志文还以为是刚才的小动作惹陈敏生气，忙不迭声向陈敏道歉，不料陈敏很快又笑起来，她背过脸抹去泪水，说："谁说我哭了？是一根头发……"

这么一说，两人倒一下子生疏起来，对坐着一时无话。陈敏有一搭没一搭地翻着何志文的书，何志文自怨自艾，懊悔方才管不住自己。

陈敏起身告别，何志文恋恋不舍，挽留了几句，陈敏执意要走。何志文说："也好，过完春节我来看你。"

陈敏说："不用了，你还是管自己复习吧。"

何志文就开了句玩笑："我可不放心你啊！"

陈敏奇怪地说："不放心我什么？"

何志文皱皱眉说："那个张公子，我最看不惯他像苍蝇似的盯着你。"

陈敏把脸变了一变，厉声说："瞎说，我的事不用你管。"

陈敏的态度非常生硬，何志文愈加不放心，又说了几句，都是提醒陈敏的话。陈敏这回真恼了，她气咻咻地横了何志文一眼，说："这种事轮不到你来教训我，何志文。"说着，摔开门就跑。

何志文追到门外，陈敏已出了校门口。何志文朝陈敏喊了几声，陈敏头也不回，走得更快。何志文下意识跟着跑了几步，蓦然想起他的包还在寝室，便想不如带了包跟陈敏一块走。当下停了一停，楼上那儿有人嘻嘻发笑，何志文仰脸一望，他的目光和姚老师碰了个正着。姚老师把头探在窗户外面，漫不经心嗑着瓜子，好像看他笑话。何志文的脸腾地烧红了，姚老师扑一声朝他吐了个瓜子壳，很快缩回脑袋。

第二个学期开学时，茅伟果然没回来，乡中心小学又来了名新老师，据说是张副乡长的外甥。那是个年龄比何志文还小几岁的毛头小伙，叫吴一鸣，长得五大三粗，面皮墨黑。因为何志文寝室空了一张床，李校长把吴老师安排进来，何志文倒没意见，只是觉得这位吴老师看上去有点憨，说起话来，也没像他以前与茅伟那样投机。但过了几天,何志文却叫起苦来。这吴教师特别贪睡,夜间八点钟不到,就钻进被窝震天动地打起呼噜,搞得何志文一页书也看不进。何志文旁敲侧击跟他说了几次,吴老师好像什么也没听懂,只是嘿嘿笑,第二天依旧故我。何志文被弄得毫无办法,憋了一肚子气,就搬到办公室复习。有时课间忍不住和其他老师说起来,老师们也深有同感,都摇头:“这是个实心萝卜,不开窍的。”于是大家背地里便叫吴老师“萝卜”。

一天,何志文又收到陈敏的来信,陈敏在信中告诉他一个惊人的消息:她马上要结婚了。何志文读了几行就傻了。那天刚好轮到何志文上公开课,附近村小学和乡里的领导都来了,黑压压坐了一片,何志文心里有事,把课上得一塌糊涂。从讲台下来,棉毛衫叫冷汗浸得透湿,听课的老师在后面议论纷纷,李校长脸上挂不住,把何志文叫到外面训了一顿,他说:“何老师,我算看错了你!你拆李某人的台,也莫拆学校的。”

何志文有苦说不出,闷头听李校长训,整个人靠在墙壁上,软绵绵快瘫下去。李校长以为何志文有意跟他闹别扭,火气越发大了,后来,他骂了何志文“猪猡”。

何志文实在熬不住,跳起来冲李校长冷笑道:“好,猪猡,我是猪猡。告诉你,我这民办教师就是用猪换的,我不是猪猡是什么!”

何志文的脸变成了猪肝色,李校长没料到何志文会这么冲动,也后悔自己把话说重了,怏怏地后退了几步。周围几个听课老师和学生听见吵闹声,围过来看热闹,何志文忍着泪花,一字一顿不客气地继续对李校长说:“你才是一头公猪,整日往女人家床上拱,你把人家门都拱破了你这老公猪!”

这么闹了一场,何志文心情越发恶劣。晚上坐在寝室,“萝卜”不知从哪儿听了他跟李校长吵嘴的事,嘻嘻哈哈问他老公猪是什么意思。何志文一肚子不耐烦,勉强应付了几句,“萝卜”听得兴致勃勃,他朝何志文做了个猥亵动作,说:“看不出他还有这一手啊。”

没说上一会儿,姚老师又来找何志文,何志文才意识到祸闯大了。姚老师把何志文叫到门外,说:“我有话跟你说,这里不方便,去我寝室吧。”

到了姚老师寝室,姚老师关好门,请何志文坐下,又给他泡了杯茶。何志文以为姚老师找他谈的是她与李校长的事,头皮一阵发麻,就不敢喝姚老师的茶,笔挺挺坐在那儿,等姚老师发作。但姚老师却什么也没说,她眼睛看着窗外,脸色极其平静。过了半晌,何志文听姚老师说:“那天我都看见了,你别太难过。”

何志文一时没听明白,姚老师把脸转过来,清澈的目光落在他身上,“有些事勉强不来的,俗话说,强扭的瓜不甜,何老师你想通点。”

原来姚老师说的是他和陈敏的事,何志文惊了一惊,心里却有些感激姚老师。姚老师叹了口气,摇摇手像要把什么东西赶走似的,说:“不说了,说来说去都是不痛快的事,人活着连趣都没有。”

那天晚上,何志文在姚老师的房里待了好久,他们谈得十分投机。姚老师显得非常快乐,何志文也感到陈敏带给他的伤痛慢慢平复下来了。半夜何志文离开时,姚老师跟在后面送他。何志文打开门,姚老师忽然把整个人倒过来,何志文猝不及防,门又砰地关上。姚老师的重量全压在何志文身上,何志文扭过身,姚老师的脑袋抵住他的脖子,乱蓬蓬的头发遮了他一脸。她小声地在他耳边说:"我知道你心里苦。莫活得这么累,何老师。"

何志文的泪水夺眶而出,他背靠着门板,人好像被抽空了似的一点一点往下滑,心里边是一阵尖尖细细麻木了的疼。姚老师晃着两只丰硕的乳房,在他下巴摸了一把,说:"什么也别想,我会让你快活的。"

何志文捂着脸,一只手揪住姚老师的裤管,第一次真的哭出声来。

春天姗姗来迟,校园边上的那半株野柚子树,竟然开出了一片小白花,花香,惹得蜜蜂嗡嗡嘤嘤地在花叶间飞来飞去。何志文每次经过那儿,都驻足停下看上一会。老师们见了,也说怪,这东西贱,劈了大半还能活过来,还能开花,说不定秋天还能结果。何志文听了,心里动了一动,每次玩赏过后,便带几朵小花回来,夹到书本里。夜里无事时常翻出来看,一会儿想到高考作文,暗忖要是写一篇抒情散文,就写野柚子树赞,说不定会是篇好文章。但想归想,构思了几天,又觉得落不了笔,里面有些东西,他一时竟想不透彻。

随后是夏天来了,这段时间,何志文接受了一项任务:夜间替学校看守瓜田。乡中心小学围墙外面有一块土地,是多年前半农半读时留下的,后来学校改了全日制,那块土地仍属学校所有。周围的村子都很穷,每年常有偷庄稼的事发生,为此闹出的纠纷不少。今年地里头种的是甜瓜,眼下已长到拳头大小,为了防止旧事重演,李校长早早召集几个年轻老师开会,何志文和"萝卜"也被派进去。

李校长说,根据以往经验,偷庄稼的多半是妇女,她们眼明手快,偷了就跑,要是有人来追,她们会当着你的面脱裤子,结果最终给吓跑的往往是看守人自己。李校长说到这里,把脸板了一板,严肃地说:"所以,这不是件儿戏,你们得有思想准备,莫以为他妈的坐着就万事大吉。"

何志文听见几个教师暧昧不明地笑起来,李校长恶狠狠瞪了他们一眼,又说:"这事说白了,跟大伙都有关,弄好了,学校还能捞点外快。说到底,见了人家媳妇儿的屁股,别先自己的腿酥了,丢咱们老师的脸!"

众人又哄地笑成一团,七嘴八舌地站起来,刚要散会,"萝卜"结结巴巴说:"要……要是她真脱……脱了裤子怎么办?"

李校长说:"她脱你不会脱吗?"

"萝卜"噢了一声,满意地拍着脑壳,低声对何志文说:"是这样,我怎么没想到呢?"

守了一阵子，想象中的事却没发生。有一天何志文偶然去检查瓜地，发觉瓜少了不少，明显是被偷过了。李校长知道后，把何志文他们叫去又骂了一顿。但查来查去，没一个老师说撞见偷瓜人，于是都说是出了鬼了。只有"萝卜"整日嘿嘿憨笑，好像拾了宝。夜里躺在床上，莫名其妙折腾起来，弄得床板吱吱乱响，让何志文苦不堪言。

"萝卜"真出事是几天以后，那天一早，何志文还没到办公室，老远听见有人嚷嚷，洪家村来了一大帮人，围着李校长指手画脚叫骂，神态凶巴巴的。原来"萝卜"看瓜时搞了村子里的一个妇女，"萝卜"用了李校长教的法子，见那妇女朝他脱裤子，他也动真格儿地解自己的裤带，不料那妇女是个姑娘，从没真的见过这一套，当下把腿也吓软了，"萝卜"还以为姑娘有意，拉着她就干起好事。

洪家村的人在学校闹了一场，将办公室的玻璃砸得粉碎。这一回李校长没敢吭声，他悲哀地站在一边看，两条麻秆似的瘦腿儿打摆子似的抖个不住。洪家村的人闹够了，扬长而去，李校长蹲在地上，慢腾腾捡着碎玻璃，捡了一会，又扔了，头上冒出虚汗。何志文知道李校长的肝病又犯了，想扶李校长起来，李校长想了想，咬牙说："去找吴老师来。"

何志文在校园找了一圈，没找着"萝卜"，也许他得到消息，早跑走了。何志文失望地回到办公室，李校长还蹲在那里。听了何志文的答复，几个老师都恨得牙痒痒的，一致要求再去找"萝卜"，李校长却不住摇头，他说："算了，反正我也不会待久了。"

隔了几天，乡政府果然下来一纸文件，免去李校长的校长职务。来学校宣读文件的是张副乡长，他说了一大堆李校长管理不善的话，对几天前发生的事一字没提。李校长坐在边上半闭着眼睛听，身子一动不动。开罢会，何志文最后一个走出办公室，他见李校长仍然坐着没动，以为他睡着了，顺手推了他一下。李校长却像一根木头，毫无知觉地往后便倒，何志文吓得手足冰冷，不顾一切叫起来。走出门口的张副乡长听见叫声，又返回来。这时李校长醒了，他推开何志文说："你嚷什么？我不是好好的吗。"

李校长面色蜡黄，他盯着张副乡长，张了张嘴，张副乡长忽然想起什么，说："对了，老李，这次乡里的决定，本来就是考虑你身体不好。你莫多想，没别的意思嘛。"

李校长点点头，喘了口气，闭上眼说："这我就放心了，我都这把年纪了，再背个错误，也没脸见人啊。"

张副乡长捉住李校长的手腕，用力摇了摇，何志文看见他背过脸时，眼里有什么东西闪了一下，但他马上又爽朗地笑起来，他说："老李，安心养病，你的医药费乡里会考虑的，这事包在我身上。"

当天下午，何志文和姚老师把李校长送进乡卫生院。安置好病房，姚老师拉着何志文去医生那儿打听李校长的病情，医生以为姚老师是李校长的家属，没等她多问，劈头就数落她。医生说："都像你们这样，这医院不要开了，谁让你们这么晚了才送来。"

姚老师惊得脸也青了，说："还能治么？"

医生摇头，"试试看吧，具体情况要到化验出来后才知道。"

还没等走出医生的房门，姚老师抹着泪哭起来，何志文也觉得不妙，心里想安慰姚老师几句，又不知道该怎样出口。姚老师执意要留下来陪李校长，让何志文先走。何志文想了一想，就同意了。姚老师说："等李校长家属来，我就回校。"

出得医院，何志文顺路往镇上拐了一圈，打算买几本复习用书。走到新华书店门口，忽然瞥见前面有个女人非常眼熟，当下下意识地紧走两步，那女人这时回了回头，果然是陈敏。她挽着一个青年男人的胳膊，神态异常亲热。陈敏显然也已看见他，但她镇定自若地移开了视线。青年男人把一只手搭在陈敏的臀部，旁若无人地轻轻抚摸着。何志文一阵冲动，他快步冲到两人前面，想面对面叫陈敏一声，他觉得这会儿他应该让她出丑。他的样子一定非常可怕，那个青年男人停住脚步，狐疑地瞪了他一眼，陈敏顺着男人的目光，冲何志文微微一笑。何志文猛地张开嘴，可是一刹那他的喉咙像痉挛似的哽得死死的，怎么也发不出声音，他眼睁睁看着陈敏风摆杨柳般地走过去，扔下一串比阳光还要灿烂的笑声。

第二天中午，何志文又去了姚老师的寝室。一进门，就拦腰抱住姚老师，也不知哪来的力气，用劲把姚老师摔在床上。姚老师给摔蒙了，问："你这是怎么啦？"

何志文默不作声，手上下起狠劲。姚老师推他几下，急切间推不开，蹦起来打他一巴掌，恼道："你还是人吗？何老师！"

何志文被打得清醒过来。回头一想，倒吓出一身冷汗。姚老师眼圈红了一红，一只手摸索着去扣松开的纽扣，又说："你不能这样，真的，不能。"

几只麻雀从窗外飞进来，叽叽喳喳钻进屋顶的瓦楞间，翅膀扇起的灰尘像从天而降的雪霰，飘飘荡荡在空中飞腾。一摊鸟屎准确地落在何志文头顶，何志文有气没处出，骂了声晦气，张开手臂厌烦地想把麻雀赶开，麻雀闹得更欢了。

姚老师瞪着眼看着何志文赶，手抱在胸前。半晌，她说："别弄了，没用的。"何志文还不歇手，姚老师拿毛巾上来替何志文揩掉头上的鸟屎，脸色缓了一缓。"我们的事已经结束了，何老师。你是聪明人，有些事只能一次。"

何志文弄得大汗淋漓，心里有些悲哀，他望着姚老师，点点头艰难地说："我明白了。"一时又想起茅伟所说的"公共汽车"的绰号，便想，我也该下车了，嘴上不由就说出来，"我到站了。"

姚老师没听清何志文的话，她像是安慰似的摸摸何志文的肩，柔声说："好了，你该走了，还是去复习功课，什么也莫想。"

何志文忽然涌起个念头，这个念头是如此强烈，以至于他不由打了个噤。他较劲似的盯住姚老师，一字一顿说："不，我哪儿也不去，我在这里教一辈子书。"

姚老师哑然，随后扑哧笑起来，她点了何志文一指头，说："瞎说。"

何志文的态度十分认真，姚老师又慌了，但她还是坚定地把何志文推出寝室，她在后面轻声说："傻瓜，女人这种事，有一次就够了，往后你不会摔跟斗的。我这片苦心，你还猜不透么?"

八月里最热的一天，何志文接到大学的录取通知书，是省城一所师范院校寄来的。那会儿乡中心小学只有他一个人，何志文拿着通知书，慢慢踱出办公室，他奇怪这一刻他竟然没有一丝儿激动，好像那是别人的事。

围墙边上那棵只剩一半的野柚子树，现在结满了青色的小柚子，望过去像一树的铃铛，在无风的阳光下闪闪发光。何志文站在树下，掏出通知书又看了一遍。他第一次来乡中心小学时，柚子刚刚泛黄，转眼间倏忽就是一年，临到走时，他倒生出莫名的伤感，自己也不知道为什么。痴痴想了一会，不由偷偷发笑。

下午，何志文去了趟卫生院，李校长还住在那儿，情况似乎越来越糟。何志文先到街上买了一大堆礼物，拎到卫生院门口，忽然又觉得这份礼物太重了，正在犹豫，姚老师从里面走出来，她不知什么时候得了消息，笑着向何志文祝贺，何志文淡淡应付几句，随后问起李校长的病情。

姚老师马上一副要哭出来的样子，"怕不行了。"

何志文虽然心里有些准备，但还是大吃一惊。"有这么严重吗?"

姚老师点点头，说："是肝癌，已经晚期了。医生说长则一二个月，短则几天。"

何志文头脑里嗡嗡一阵发响，麻木地跟着姚老师走进病房，姚老师又在他耳边小声说："你别告诉他，他还不知道哩。"

李校长躺在床上，人瘦得不成样子，但精神尚好，见何志文进来，挣扎着硬要坐起身，拉着何志文的手说："这回是真的大学生了，恭喜恭喜，何老师。"

何志文不知说什么好，脸上勉强笑了一下，结果做出的是比哭还难看的怪相。姚老师在一旁向他丢眼色，何志文便又笑了一下。

李校长问起何志文考的学校，何志文回答后，李校长说："这学校我知道，我有几个同学也是从那儿毕业的，现在他们都是教授了，不像我，混了一辈子。"

何志文鼻子一酸，忙转开话题，说："好歹你也是校长。"

李校长的眼神有点恍惚，他说："这算什么，我心里明白的。"

何志文忽然说："其实我也不一定走，这里挺好的，你，还有姚老师对我都……"

没等何志文说完，李校长打断了他的话，他的神情十分焦灼，"傻话，人往高处走，水往低处流，这里有我们这些人就够了。何老师，快莫胡思乱想。"

李校长转脸看着窗外，天上的晴空万里无云，炽热的阳光像火球一样在不远处的房顶滚来滚去。李校长一点一点异常吃力地伸过手，轻轻拍了拍何志文的膝盖，眼睛仍然不看他，慢慢说："考上了就莫回来，以后也莫回来。我说的是心里话，志文。"

何志文还是头一次听见李校长叫他名字，心里不由轻轻抽了两下。李校长好像突然用完了劲，颓然仰面躺下，闭上眼，咻咻喘气，再也没说一句话。

姚老师把何志文送到门口，说："回吧。"

何志文点点头，却站着没走。头顶上的太阳一下子大起来，满耳都是阳光烤灼的滋滋响声。姚老师蠕动着嘴唇，想说句什么，后来什么也没说。何志文站了一会儿，说："好吧，我走。"

走了两步，何志文忽然想起校园里的那株柚子树，又走回来，他对姚老师说："下次摘柚子的时候，别忘了给我留一个。"

姚老师泪莹莹地看着他点头说："噢。"

(选自《东海》1995 年第 7 期)

王　彪

1961 年出生，浙江黄岩人。1982 年毕业于浙江师范大学中文系。历任浙江淑江市第一中学老师、市地方志办公室编辑，浙江省新闻出版局审读，副编审。1992 年开始发表作品。1997 年加入中国作家协会。著有小说集《致命的模仿》《隐秘冲动》，评论《论艾青诗歌的力感》《无所指归的文化悲凉——论〈金瓶梅〉的思想矛盾及主题的终极指向》《作为叙述视角与叙述动力的性描写——〈金瓶梅〉性描写的叙事功能及审美评价》。中篇小说《干净》《错误》《病孩》《欲望》《庄园》《在屋顶飞翔》《死是容易的》《乡村教育》《历史叙述》《残红》《隐秘》《哀歌》，短篇小说《青丝》《手相》《复眼》等。组诗《莽海上的家族》获《江南》优秀作品奖，中篇小说《大鲸上岸》获浙江省 1990—1992 年优秀文学奖，《历史叙述》获 1993—1994 年《江南》优秀作品奖。

残　棋

赵秀林

一

边杰英彻底栽了。

堂堂镇党委副书记，带着工作组蹲点包大王，班子搞半天等于没搞，村里工作样样差劲，落后面貌一点没变。灰头土脸回到镇里，一头扎进自己办公室兼卧室整整三天没出门。病了。

纪检委员席扬拉了何玉良，两个人蹲在边杰英窗台下闲唠。

“小何，咱们的改革家回来了，咋不见有什么好经验给咱传传呀?”

“屁的改革家!”何玉良鼻子里哼一声，“开口闭口改革改革，改来改去倒把自己改一边去了!”

“究竟毛嫩。农村的事要这么简单，倒显得咱这些人只会喝酒了!”

“当初我没少劝过，大王是个老泥潭，偏不听！逞能，逞得了么？活该!”

墙倒众人推。边杰英在屋里气得发抖。谁叫自己逞能呢？谁叫自己在大王一点成绩没搞出来呢？席扬就是这号人，自己不干工作，总盼着别人倒霉。又跟郭镇长关系特殊。镇长跟书记老黄闹矛盾，偏偏老黄又处处支持自己，席扬持这态度就不足为怪。奇怪的是何玉良。当初咱俩在大王一块干了一年，怎么也这样落井下石?

真想回县里找组织部，找陈书记要求调动工作。但才一动这念头就感到太蠢。从县里下来才一年就干不下去，自己太窝囊不说，上级会怎么看？陈书记会怎么看？可是不挪窝这个三河镇自己还能蹲吗？头一炮就打哑了，这个党委副书记还怎么当?

正胡思乱想，武装部长朱前进来了。

“边书记，明天开各村书记村长会，老郭叫问问你能不能参加?”

边杰英一愣:“老郭？哪个老郭?”

“还有哪个老郭？镇长呗!”

“郭镇长，不是病着么?”

“好了！老黄要调走，他病还不好?”

边杰英吃一惊:“老黄要走？调哪里?”

“升官了！调县里当副县长。分管农业。老黄风光，老郭也来劲了。明天各村领导座谈，后天在‘知味居’举行酒宴，既是祝贺也是欢送老黄。”

边杰英回来一直没见老黄，没想到老黄一下升了官！

老黄怎么一下就当副县长了呢？论年龄五十出了头，离退休没几年了。讲文化只有初中毕业。说到水平，正如他自己常说的，也就是农村情况熟一些，钉子碰得多一些，有了点实际经验。别的就是会喝酒，上上下下关系都搞得挺顺溜。这也算水平么?

不过老黄也确实不容易。眼下农村工作不好做，基层干部难当。老黄土生土长，在基层一干就三十年不挪窝。从农业技术员一直干到镇党委书记，一步一个脚印。虽说有时实在没办法也难免糊弄一下，但多数时间还是踏踏实实干工作。特别是他人随和没个架子，经常深入底层，跟下边的干部、群众关系没的说的，他的话别人也都爱听。再想想，去年三河镇也确实成绩不小。植树造林、春耕春播、粮食征购、计划生育、国库券推销，等等，几乎都是全县第一，获得的锦旗奖状挂了满满一墙。说实话，老黄这样的基层干部，还真是很难得的呢！

边杰英这样一想，就觉得老黄也确实该提一提。

第二天，老郭召集各村书记村长开座谈会，边杰英没去参加。直到全镇干部在“知味居”欢送老黄，他才硬着头皮去了。自己毕竟在老黄领导下工作了一年多，老黄对自己又处处支持，处处关心照顾，不最后告别一下实在说不过去。

书记升了官，全镇露脸，这酒宴就不比平常。

边杰英去之前做好了两方面的准备：听风凉话；喝醉酒。不料老郭席扬几个面子上捧老黄升官，心里却高兴老黄一走空出了书记位子，倒顾不了来说他的风凉话。

这更好。边杰英就豁出一醉，跟老黄朱前进几个狠喝。汾酒是好酒，就是度数高，容易醉人。边杰英本来酒量不大，再加上耳里又听着别人一口一个黄县长黄县长叫得肉麻，就越发醉得快了。

二

老黄一走，镇长老郭很快当上党委书记成了第一把手。

老郭跟老黄不一样。老黄性直话粗，心里怎么想嘴里就怎么说。老郭就不同了，心里想的跟嘴上说的总是不很一致。一副高深莫测的模样，说出话也总是叫人难揣摸。

老郭比老黄年轻好几岁，他俩搭档得不怎么顺手。老郭三天两头称病在家等着老黄退下来自己好接班。不料老黄不但没有退反而升了官，老郭虽然接班当了第一把手，心里却酸溜溜地难受。

老郭当了书记，席扬何玉良他们又张罗去“知味居”。上次是欢送老黄，这次是庆贺老郭。

边杰英不喜欢揣摸老郭，就没去。

他没去，老郭倒来了。

老郭平时难得到下属屋里串一回门，这回当上书记却变了。边杰英正诧异，老郭倒很亲热地坐在他床上，盘了腿嘘寒问暖，海阔天空闲唠起来。唠着唠着就唠到老黄身上。老郭眨眨眼问他：

“知道老黄怎么一下就升了么?”

边杰英不知道，又不喜欢揣摸，就不说话。

老郭叹口气：“现在要升官，第一靠关系，就是靠山。朝里有人好做官嘛！第二呢，靠钱。钱能通神，有钱什么事不好办？第三才能轮到工作成绩呢。”

边杰英说：“那老黄肯定靠的是第三啰。”

“当然当然。”老郭嘿嘿笑几声，“其实这工作嘛，也就没个深浅了。”

边杰英不懂：“工作就是工作，又有什么深浅?”

“跟我装糊涂呀小边!”老郭抽口烟，“咱没当过泥匠没抹过墙，还没见过?”

边杰英本来对老郭长期装病不工作就有意见，听他这样一说就更反感。

“那，老黄就全靠着糊弄上级了?”

老郭连忙摆手：“我不是这意思。老黄在咱镇里还是很有成绩的嘛!”

边杰英冷冷地说：“有成绩没成绩，我看总比那些站一边什么也不干的强!”

老郭见谈不到一块儿，讪讪地扯几句天冷天暖的闲话，走了。

事情过去好几天，有人告诉边杰英，老郭那天是来拉他的，可惜白费半天工夫。

边杰英是县里下来带职蹲点的年轻干部，在老郭眼里他是同老黄一线的。这次老郭当上书记有意来跟他套近乎，结果不欢而散，老郭心里记了仇。又见边杰英在公开场合对他有微词，心里就更恼恨了。就想这人不能共事，留下他成事不足，败事有余，但又不能公开撵他走。于是，他心里打起了小九九。

当务之急，老郭认为先要把领导班子调整好，关键的一环节，就是控制好镇长的人选。镇长掌握在自己的手里，以后的戏就好唱了。席扬是自己人，把他提到镇长位置上，既否定老黄又挤了边杰英，一举两得。但这事毕竟不好一个人说了算，于是老郭就主持召开党委会。

老郭先把会议议题扼要讲了，就叫大伙都谈谈，提个名。

边杰英想想去年几次党委会，自己总是跟别人拗杠子，吃的都是多嘴的亏，就想先听听别人意见再发言。

朱前进也低了头不作声，心里却在骂老郭不地道。老黄走了，你老郭当了书记，边杰英副书记接替镇长，是顺理成章的事，哪还用什么商量？

何玉良也不作声，心里想的却是另一路。这人眼皮薄，脑瓜子特灵。老黄当书记，他紧跟老黄；老黄一走，立刻靠到老郭这边来。会前老郭跟他通气，叫他会上带头提席扬，他应得挺仗义。后来一想这么轻易被利用，倒显得自己不值钱，就装聋作哑不急着发言。

最明白老郭意思的当然是席扬。见别人都不开口，心里急得厉害，偏偏自己不能开口。一开口就得提名，总不好自己提自己吧？干着急没办法，就低了头一口一口抽烟。

会议冷了场。

老郭自己是书记，又是会议主持人，不好率先表态，就一个劲朝何玉良瞪眼。

"我看这事也没什么为难嘛！不就是个主持工作么？范围又不大，就咱几个党委成员，提一个就行了不是？我可不喜欢开会马拉松！"

老郭这一催，没催动何玉良，倒催得朱前进发了燥：

"我看这事原先就用不着商量！我们都是委员，就边书记一个副书记，主持政府工作还不是顺理成章？我提边书记！"

朱前进横插一杠，把老郭的计划搅个乱七八糟。

朱前进人粗性直，又软硬不吃，老郭没敢私下做他工作。心想会上何玉良一提席扬，再有人附和，自己再一表态，事情就算定了。

不料事情搞得这么糟！

老郭心里一急，拉下脸又朝何玉良瞪眼。心里骂道：这个咋这么滑头？底下应得痛快，到了会上则一言不发，坐山观虎斗！这种人算是见识了，往后倒要多提防！

其实何玉良心里也很后悔。开始，他不过想叫老郭急一下，抬抬自己的身价。现在麻烦了，弄巧成拙。这时候再提席扬，首先得驳倒老朱，又得否定边杰英。边杰英倒不怕，就怕老朱。不顺眼的事，他不管什么场合都敢说敢叫！但又不能老不开口。老郭席扬惹不得，再装聋作哑下去，以后肯定吃大亏！

正为难，边杰英自己倒开口替他解了围。

"这不行不行！我才下来一年，去年分工包大王干得怎样有目共睹。老朱你也清楚嘛！我连一个村都搞不好能挑起管理一个镇的担子？不行不行！"

朱前进虽粗些，毕竟在基层工作多年，一见这阵势，想想就明白是咋回事。看看别人还没说什么，边杰英自己倒这样，心里火透了。人家在挤你呢，你还笑着拱手道谢！又想老郭也太差劲，明知席扬是个光说不干的货，怎么能主持政府工作？正要开口再说，何玉良倒抢了先。

"老朱说的挺对的，但边书记说的呢，也很有道理。这样看，倒不如叫席扬同志先主持一段时间为好。”

老郭生怕再生枝节，也不敢再征求别人意见，一张口就拍了板：

“原先我也考虑该边书记主持的。既然大家都认为席扬同志合适，那就叫席扬同志主持一段吧。”

老郭这一说，边杰英倒愣了。不是只有何玉良一个提到席扬吧，怎么一下倒成了“大家都认为”了？

正在那里发怔，老郭宣布散了会。何玉良立刻说：“席镇长也得表示一下是不是？还上‘知味居’吧？”

席扬挺豪爽地一挥手：“行行。走，‘知味居’，喝汾酒！”

边杰英心里一下窝了火。

在会上，他说的全是真心话。自己年轻没经验，主持政府工作确实没想过。现在一看这情形，他才明白他们早预谋好了。何玉良也太不像话！席扬不过临时主持几天工作，怎么就镇长镇长的乱叫起来？席扬呢，也真像当了镇长，任别人叫也不脸红。还有老郭，也不纠正一下。大家都是党委成员，什么风气嘛！心里不高兴，扭头就走。老郭连喊好几声他都没听见。

何玉良见朱前进站在门边不动，就说：

“走哇老朱。少他一人，饭店也关不了门。”

朱前进冷冷地哼一声：“今天酒虫病了，没得神儿，尽恶心！妈的！”

三

三河镇要召开人代会，正式选镇长。

关于镇长候选人，老郭又开一次党委会。有了上次教训，这次会开得干脆利落，老郭一开会就总结，说席扬主持政府工作以来各方面成绩不小，候选人就定了席扬。

这时候，边杰英才发觉被人耍了，当初老郭叫席扬主持政府工作，就是为今天的顺理成章铺土垫路呢！自己那几句高姿态，正好做了台阶，叫老郭的算盘打得挺如意。

老郭的算盘打得正如意，偏偏事情又有了变化。当初，镇里只报上去席扬一个候选人，不料县里批下来时又加了个边杰英，叫差额选举，两个里头选一个。

老郭又来了，跟上一次一样挺亲热地坐在边杰英床上。只是这次没工夫唠什么泥匠不泥匠，一坐下就苦了脸发牢骚：

“县里也真是，就不考虑下边实际困难。两个选一个，总有一个落选是不是？喧天驾雾搞半天没选上，不影响威信？还怎么工作？”

边杰英倒笑了:"我看这也没啥。群众信任谁,选谁。选上了,干工作。选不上,照样还是干工作嘛!"

说实话,边杰英起先根本没什么野心要当镇长。只是一想到老郭这样不光明正大心里就有气。再一想席扬除了挖苦人,屁本事没有。负责纪检工作不管纪检的事,人家找上门来,他不是推就是躲,告状的人只好跑到县里找县纪委。主持政府工作一个多月,除了天天"知味居",什么政绩也没有。自己再不行也是实实在在干了的!他知道老郭这次来的目的,心里早就打定主意再不上当!就算明知道选不上,也决不主动退出,叫他们高高兴兴捡便宜!

见老郭皱着眉头不说话,就说:

"郭书记找我,该不会要我主动退出选举吧?"

"可没这意思,边书记。"老郭尴尬一笑,"只是作为党委书记,应该了解候选人的态度,是不是?"

边杰英一下站起身:

"我态度明确:选!选上了,当镇长;选不上,继续当好副书记。"

老郭碰了钉子,心里咬牙,脸上却笑眯眯的:

"对对,这才是正确态度嘛。选上选不上,都是为工作!"

选举日子一定,就成立选举领导小组。老郭叫边杰英当组长,朱前进当副组长,具体负责选举筹备工作。

朱前进说:"边书记,叫你当组长,你就干?"

"筹备组是临时机构,但工作重要,总得有人做吧,我还能推着不干?"

"工作重要,那咋不叫席扬干?上级要求这次选举工作书记要亲自挂帅,老郭咋不挂帅?人家是怕你选上呢!不把你缠在具体工作里,别人怎么腾开身子下去活动呀?"

"嗨!选谁不选谁权在代表,又不是哪一个人说了算。"

边杰英确实太年轻,太实诚了。他没想到过,镇人代会代表大多是各村书记村长,哪个不听党委书记的?再加上,老郭已经领着席扬到各村跑了整整六天!六天,能说多少话,能办多少事?

而这六天里,边杰英几乎没离开镇大院一步。领着他的人马印选票,搞票箱,布置会场,安排代表食宿。忙得昏天黑地。

朱前进提醒几次,见他总是不开窍,也就摇摇头不说了。

选举大会由镇党委书记老郭主持。先宣布选举规则,接下来介绍镇长候选人。老郭先介绍边杰英:

"这位是边杰英同志,去年刚从县里下来,担任镇党委副书记。去年在大王蹲点包片,工作很有成绩……"

对边杰英在大王调班子搞改革摔跤跌跟头的事,各村干部早就知道。现在听老郭说他“很有成绩”，立刻，就有人在底下偷偷窃笑。

接下来介绍席扬，老郭说：

“席扬同志大伙都熟悉，就不多说了。他现在正在主持政府工作，是个实干家。”

下一项是候选人述职报告。还是边杰英先来。

边杰英不会说假话，就实事求是地讲。他讲去年包大王，一再说自己年轻没经验，对农村情况不熟悉，干一年各项工作都没上去……

朱前进在旁听得直瞪眼，心里骂他大笨蛋！这是人民代表大会，要选镇长，又不是党委生活会。是做述职报告不是做检查。好话都说不过来，还哪壶不开提哪壶！自我批评也不看什么场合！

轮到席扬说了。

席扬工作不行，嘴皮子的功夫可过硬。一上台，首先向代表们恭恭敬敬三鞠躬，又来一句“尊敬的各位代表”，这才说正题。

“说起来，在咱镇里工作时间不短了，也算个老人了。要说还有点成绩的话，都应该归功于在座各位代表的大力支持和帮助……”

“今后呢，总体方面的工作就不多说了，说几件具体事吧。首先，得盖个像样的电影院。咱三河这么个大镇，没个电影院，咱不方便，别人也笑话。第二呢，搞个电视差转台。咱们镇离城远，中央二台老收不到。镇政府办公楼不盖，也要先办好这两件事。另外呢，要狠刹一下吃喝风。从我开始刹。咱三河再富，也经不住长年累月折腾，馋嘴吃倒泰山……”

话不多，句句敲到点子上。代表们既想有个电影院，又想看中央二台，同时也最恨大吃大喝挥霍无度。再加上席扬一会儿就来个“尊敬”的抬举，心里就都惬意。人嘛就这德行。

最后一项是投票。

公布选票结果，边杰英的名字只喊了六声，然后就剩下一片席扬，席扬……

54 名代表，边杰英只有 6 票！

朱前进没等散会就走了。他并不怨代表们选了席扬，只怪边杰英太笨蛋！

掌声。散会。

台上台下人都走光了。边杰英还呆呆地坐着。

他确实输得够惨。

其实不管什么人，很多时候总是先听你说再看你干的。干好干坏一时半刻看不到，说好说坏却是立竿见影。就是看你干，也只看结果，看你干得好不好。至于过程——你究竟干了还是没干，又有几个人注意？甚至，干得不好还不如原先就不干！

边杰英不懂这道理，所以注定要输。

大王支书刘有根领着副支书侯三、支委刘小顺来到边杰英跟前。几个人知道他心里有气,就说:

"走吧边书记,咱去好好喝两盅。"

"走走,喊上老朱小何,好好聚一聚!"

边杰英摇摇晃晃往外走,侯三刘小顺忙去找朱前进何玉良。朱前进很快来了,何玉良却没找到。

朱前进本来心里恨他太笨蠢,这时倒觉得他挺可怜,就说:

"算了算了,边书记。现在好多事就这样,小人得志,好人受气。妈的!走走,喝酒去,一醉解千愁!"

进了"知味居",一看,老郭席扬何玉良几个早已吆五喝六地干开了。老郭见了边杰英进门,远远就喊:

"来来边书记,席镇长早说要好好敬你几杯呢!"

边杰英望着刚刚还在大谈狠刹吃喝风的新镇长,脸上木木地一句话不说。

朱前进扯嗓子喊:"杨师傅!你这'知味居'就这一间屋呀?"

杨师傅赶紧把他们领到隔壁小房里,桌子一抹,立刻上酒上菜。

边杰英没等人劝,举起酒杯一下就干个底朝天。

朱前进一愣,忙说:"来来老刘,咱几个今儿豁出一醉,舍命陪君子啦!"

几个人喝着酒,不停地说些安慰的话。

边杰英呆呆地,话一句没听清,酒倒一杯接一杯往肚里灌。灌着灌着头晕起来,心里却越来越清醒。清醒了才明白,自己是彻底栽了,完了!

四

真正叫边杰英感到栽了的,并不是没当上镇长。

人代会以后,朱前进接替席扬管纪检,何玉良当了副镇长。两人虽说还是副局级待遇,习惯上也算上了一级台阶,进入了镇主要领导干部行列。

只有边杰英原地站着,还是副书记。

新领导班子安排就绪后,老郭就开党委会研究重新分工包片。

分工好分。

书记老郭负责党委全面工作,兼管组织。镇长席扬负责政府全面工作,兼管财务。接下来,朱前进负责纪检,兼管政法民政武装部。何玉良分管农业宣传乡镇企业。这样一来,边杰英只剩下了一项计划生育。

自然又是老郭席扬嘀咕好了的,开会,只不过是一种对结果进行宣布的形式而已。

朱前进说:“边书记就只管一项计划生育?去年,组织宣传乡镇企业可都是边书记管的。”

有了上次教训,老郭对他早有防范,立刻挺大度地笑了:

“计划生育是国策。尤其在农村,工作更是难做。边书记担子不轻呢!按上头要求,本来该我这个党委书记亲自抓的。边书记能力强,由他分管计生工作,我放心,也轻松多了。对吧老朱?”

朱前进瞪着眼没了话,心里却骂老郭不是东西,耍了人还叫人没话说。

分工分完了,又研究包片。还是东西南北中五大片。

书记镇长要抓全盘,就不具体包片,剩下边杰英五个人一人包一片。朱前进东片,何玉良西片,武装部长南片,团委书记中片,边杰英呢,依旧包北片。

老郭问一声:

“大伙要没什么意见,就这么定了。”

“我有意见!”朱前进脸黑黑地说,“你们书记镇长有权,就这样算计人!都知道北片难包,都知道大王是个老泥潭子,边书记去年包北片,今年又包!明知道他情况不熟悉,这不是欺负人么!”

席扬抽口烟,阴阴一笑:

“老朱这话可不对了。正因为北片难包,大王难包,才由边书记包嘛!论职务论能力论文化边书记哪点比你我差了?怎么是欺负人呢?分明是你小看人了!要不,你跟边书记换换?”

“换就换!”朱前进真火了,“不就一个大王么,吓死人了呢!我老朱不怕搞不好,反正我又没野心非要当什么镇长!”

席扬光翻眼讲不出话来,老郭挺严肃地摆摆手:

“老朱,这是党委会,研究工作呢!又不是做买卖,讨价还价争争吵吵的像什么话?边书记,你看呢?”老郭迅疾将球踢了过来。

边杰英目瞪口呆。

分工,他有些意外。去年工作没搞好,他本来想拣个重担子挑挑,好好补偿一下。不料却叫他只管一项计划生育。计划生育听起来担子挺重,其实在基层只是个突击性任务。任务一紧党委政府满杆子齐上,书记镇长都挂帅,根本不存在什么分管不分管。起初他没搞明白,后来细细一想才懂了:老郭是想削他权!他在心里苦笑,镇长都选不上,还能跟书记争什么权?

但这样包片,他又不懂了。不懂就朝老郭看。

老郭很舒服地坐在沙发上,正眯着眼朝他笑。那笑很明白——你不是改革家么?你不是有本事想逞能么?去大王好好栽几个跟头,看你还怎么回这个三河镇!

再看席扬。席扬把头仰在沙发靠背上,跷着二郎腿悠闲自得地抽烟。抽一口,吐个烟圈儿。望着那烟圈儿冉冉上升,在顶棚上慢慢散开。然后再吐,再望……

边杰英终于彻底明白，人家并不满足于削他点权，而是下决心把他彻底整垮，挤走！

好，老子不干了！此处不留爷，自有留爷处。我边某又没卖给你三河镇，非得在这一棵树上吊死？就不信，想干工作倒没个干的地方了！

边杰英头一仰，哈哈笑了：

“好。很好。好极了！”

老郭一说散会，席扬立刻烟头一扔叫：

“走，‘知味居’！”

朱前进见边杰英情绪太坏，就劝他：“边书记，你不舒服就别去了。”

边杰英眼一瞪：“我咋不舒服了？走！我舒服得很！”

进了“知味居”，满堂红三杯，边杰英筷子都没动，咕咕就倒进肚里。

三杯过后，打通关。老郭笑眯眯问：

“老朱小何你两个谁先来？”

两人没说话，边杰英早把酒杯举过来：

“这回，我先来！”

席扬在旁冷冷甩了一句：

“边书记，酒是公家的，命可是自己的啊！”

老郭也笑着说：“还是老朱先来吧，边书记那点酒量……”

边杰英立马打断他的话头：

“郭书记这话就不对了。谁天生就什么都会，什么都行呢？关键是学习，是进步嘛！原先不会的能学会，原先不懂的慢慢也能弄懂。老黄原先当过县长？一进步不就当了？你老郭原先也没当过书记吧？一学习，不也就当得挺舒服？来，干！”

说完，也不管老郭脸上甚表情，自顾自把杯里的酒一口喝干，又转向席扬。

“席镇长，咱俩可是配过对的。论交情，谁也比不得！感情浅，舔一舔；感情深，一口闷。咱来硬通关：只喝酒不吃菜，谁输了谁认罚！”

边杰英抓过两只茶杯，各倒十盅酒，自己举一只，把另一只推到席扬脸前：

“咱先来十盅垫垫底咋样？不是说要狠刹吃喝风么？我这个副书记头一个支持你，咱今天就带头狠狠刹一下这吃喝风！”

话说完，一杯白酒咕咕就进了肚。朝席扬一亮杯底：

“干！”

席扬举着杯子目瞪口呆。

好好的一场宴席不欢而散。

众人蔫头蔫脑出了“知味居”。老郭席扬几乎没怎么喝酒，脑子倒晕晕的像醉了。

边杰英倒一点没醉。拖辆车子骑了就去县委找陈书记。

陈书记正跟几个局领导谈工作，边杰英闯进门就说：

“调我回来吧陈书记！三河镇那鬼地方，我是坚决不干了！”

陈书记见他这样子，挺冷静地笑笑：

“你坐下小边，有什么事慢慢说。”

边杰英一屁股坐在沙发上，也不管好多人在场，满肚子的委屈一口气倒个干净。

在陈书记面前，他觉得什么话都可以说。

当初，是陈书记从一堆干事中发现了他，栽培了他。陈书记爱才，识才。他呢，也不负陈书记一片苦心，样样工作干得出色。后来，组织部考虑提拔他当县委办公室副主任。陈书记说先不急，得先找他谈谈看他有什么意见再说。他想一想说：“我缺少实际经验，还是先深入基层锻炼两年吧。”

陈书记笑着拍拍他的肩：“好，年轻人就该有这志气！有什么困难来找我。”

他到了三河镇，到了大王。他一次也没找过陈书记。在最困难的时候也没有。

可是这回，他已毫无退路。他相信陈书记一定理解他。

但是，他想错了。

陈书记一直不动声色地听他说，不打断他，也不插话。他说完，陈书记一下就沉了脸。

“你说人家整你，人家整你什么了？你蹲点包大王没成绩不是事实？叫你再次包大王就是整你了？叫你分管计划生育就是整你了？计划生育是国策，全党都要抓。不重要？没选上镇长就是整你了？镇长是人民代表无记名投票选的，又不是哪个人定的。合理合法！你说说，人家究竟怎么整你了？”

陈书记劈头盖脸一通狠训，边杰英才发现老郭几个也实在有水平！明明是整你挤你，还叫你说不出一句不是来。人家都是为工作，你却在闹意气，记私仇！有理树都是人家栽的，你的理，却一句摆不到桌面上！

陈书记的话冷冷的：

“你以为工作就是下棋打扑克，高兴了玩一会儿，不高兴就收摊子不玩？一有困难就不干了，就想回城，你下基层工作还是镀金？我们党的干部政策是任人唯贤。贤是什么？就是有德行，有才能。就是在任何困难境遇下，都能出色地完成任务，做出贡献！不是会哭的娃儿有奶吃！”

一头撞到南墙上，最后一线希望也破灭了。而他过去一直认为，这希望最靠得住。

碰了大钉子，边杰英心里倒有些明白了。

明白了陈书记跟他的真正关系。

陈书记爱才，爱的是人才，不是蠢材！当初赏识你，看重你，是因为你有强烈的进取心，工作干得出色。现在一遇到困难就开溜，连个镇党委副书记都干不好，又有什么爱的价值？又有什么栽培价值？

他明白了自己的处境。

在三河，他没法再干，又必须干下去；包大王，他不想包，又非包不可。他忽然认识到，自己根本就不适合做官。甚至在官场上，他这种性格软弱的人根本就无法生存！

他感到自己的悲哀。

更悲哀的是，适合不适合，这官都非做不可。能不能生存，都得生存！

要生存，无非只有两条路：一条是忍气吞声往下混。这样他不甘心。不甘心老郭席扬决不会容他。不想混，就得改弦更张换一套干法，在奋争中求生存。以前一套，现在一套，都不行。得有新的一套。这很困难。几乎无异于改变自己的人格。

但是，他别无选择。

边杰英彻彻底底变了个人。

回到镇里，首先找老郭认错，又找席扬赔礼，一口一个郭书记席镇长叫得比谁都响亮。然后又主动在党委会上做检查，首先检查去年包大王的失败，把自己说得要多无能有多无能。又检查自己各方面不谦虚，工作态度简单粗暴。最后表示一定要在书记镇长领导下好好干，把各方面工作搞上去。

他知道这没用。老郭席扬并不会因此而宽容他放过他。

但他还是按想好的一套方针去干，虽说对老郭席扬不会起什么作用，但不等于对所有的人都不起作用。

团结就是力量，第一就首先搞团结。

他不再像以前那样，没事总待在自己办公室搞个人那一套，别人去的地方他都去。对镇大院所有的人，不管是不是领导，一律的和蔼谦恭，一律的诚恳热情。下面的书记村长们来镇里办事，本来不是找他，也主动请到自己办公室抽支烟喝杯茶……

酒决不能不喝，而且越喝量越大。

县里来人村里来人镇里干部聚会上"知味居"回回不缺。他不像老郭席扬那样，没喝酒没吃饭在心里就先把人分成三等九级，不管县干部村干部，一律平等对待，一律一醉方休。

喝酒就是团结。

一喝酒，上上下下关系立刻水乳交融。

好多人对他这只落架的凤凰十分同情，甚至后悔当初选举时没投他的票。同时又觉得他人年轻，肚量倒大，不记仇。相比之下，倒感到老郭席扬几个对他处处压制太霸道。

团结有了。但光有团结不行。

团结是基础，工作是手段，成绩才是目的。

问题是，他只是个党委副书记。在基层，正职与副职是有本质区别的。他是副职，就只有被人使唤的份儿。成绩再大，也得记到老郭账上。他的角色注定了这个结果。

他必须避免这个结果。

什么叫工作，工作就是斗争。

他看不起老郭席扬那一套，上欺下压中间斗，把战斗的堡垒搞成了堡垒里的战斗。他要选择最积极最先进最科学的斗争方式。

五

边杰英为自己设计的第一步是植树。

植树，在整个农村工作中微不足道。再有成绩，也决不会有什么太大影响。

但边杰英却不这么认为。

去年包大王，第一个跟头就栽在植树上。今年首先要在植树上爬起来，站稳脚跟。

去年是植树造林质量年，重点抓质量，今年不同了，质量数量一起抓。

植树，对老郭来说同样重要。

去年老黄当书记，在植树造林方面大大露脸，夺了全县金牌，还争了个“三河标准”。今年老郭当书记，自然要比老黄更露脸。

但这很困难。

困难就是老黄。老黄把去年起点搞得太高，要保持已非容易，要超越更是难上加难。

老郭没办法，只好在别的方面想办法。

动员会都要开，老郭跟老黄干法不一样。各村书记村长都来了，老郭先不开会，都叫骑车子去各村检查。检查去年栽的树。

其实不检查也知道结果。老郭要的就是这结果。果然，除了通县城的两条路，各村的树基本上全没了。

回到镇里，各村书记村长都蔫蔫的，唯独大王三个村干部倒无动于衷。村村都这样，大王落后什么了？

否定完老黄，老郭这才开会。

老郭一样坐在台上，一样头顶上吊个二百瓦大灯泡。却不像老黄那样鼻尖上冒汗，也不翻什么笔记本，脸白白地说：

“去年栽的树都看了，金牌不金牌标准不标准我不多说，各人心里有数。咱只说今年。今年也不多讲，就两条：第一，保质保量按时完成。第二，到时候哪村任务完不成，书记村长给我递个辞职报告来。好，就这两条。”

几句话好多人没听清，老郭就噔噔噔下了台。也不管人们嘀嘀咕咕地明白不明白。

边杰英走出会议室，刘有根和侯三在门口等着，三个人就骑车子回大王。

大王还是原来的大王。除了又有几处新房动工，跟去年也没什么两样。村里人言短，见来了人，只咧嘴笑笑，也不开口招呼。边杰英也就入乡随俗，不说话，跟碰见的人点头，笑。

进了村，刘有根问：“边书记，这回住不住？”

边杰英说：“住。好好住。”

刘有根就又把他安排在李来家住下。

不几天，镇里统一拉回树苗，各村都开始买苗子栽树。刘有根找边杰英商量：“边书记，咱也买点苗子吧？”

边杰英说：“咱有苗圃，还花这冤枉钱？”

刘有根苦笑：“咱那苗圃……边书记，今年这阵势，不够质量怕不好交代。”

“等等吧，还有几天呢。”

没几天，老郭叫各村回镇汇报。见刘有根发愁去了没话说，边杰英就说：“我正好回镇里办点事，就顺便汇报吧。”

回到镇里，没等老郭问，边杰英就先叫苦：

“大王那村子！一没苗子二没钱，人又不好使唤。去年就没栽成一棵树。唉！也就全凭村子背，上头不去检查……”

老郭一听，立刻一脸严肃说：

“去年是去年今年是今年。植树造林又不是为了应付上头检查！”

边杰英连忙点头：“回去一定努力克服困难。”

又两天，镇里就快要进行交叉检查了，大王还是一棵树没栽。边杰英被刘有根几个催不过，就说：“老侯你辛苦一趟，去镇里联系一下树苗吧？”

侯三一下瞪大眼：“都哪会儿了还有什么树苗？！”

“我问过经管站，有。”

侯三找到经管站老贾，老贾说：“有是有，得书记镇长说话。”

老郭不在，县里开会去了。侯三就去找席扬。席扬抽着烟，说那苗子早就卖给邻乡了。

侯三垂头丧气回到村里，边杰英倒一点不急：“没了就没了吧。”

“没了咱栽什么？要不，用咱那苗子吧？”

“咱那苗子能栽？一般的筷子也比它们粗！”

“那咋办？咱总不能一棵树不栽吧？”

“要不你再去邻近各村跑跑，看能不能支援咱一些？”

“扯淡!”侯三直跺脚,“哪村不是按任务买苗子? 这不是白跑么!”

明知道白跑,还是风风火火去跑。跑半天两手空空返回来。边杰英却回了县城。

侯三急得直叹气:“明天镇里就要交叉检查了! 这样子怎么交账?”

刘有根说:“边书记说,镇里不来咱村。”

侯三大叫:“哎呀! 怎么敢这么肯定? 去年没来是老黄当书记。今年谁当? 老郭! 老郭跟边书记那关系,没缝儿还想下蛆呢!”

两个人都猜不透边杰英究竟想干什么,心里就都盼着镇里真的不来检查。

镇里交叉检查,果然没来大王。

交叉检查组的人没来,老郭跟席扬倒坐车来了。见大王一棵树没栽,席扬阴阴地倚在车门上一口一口抽烟,老郭沉了脸批评刘有根:

“老刘你也老同志了,怎么这样对待工作? 镇里再三布置,全不当回事!”

侯三忙解释;“也不能全怪老刘,主要是苗子解决不了。我们的苗子不够质量,镇里苗子又没了……”

“歪理!”老郭一挥手打断他,“镇里一直就没苗子么? 你们早干什么了? 根本就没把任务当回事嘛!”

刘有根两人也搞不懂边杰英为什么不叫早些联系树苗,又不能往他身上推责任,就都垂头不作声。

老郭跳上车,砰地一摔车门就走了,也没说大王一棵树没栽怎么办。

老郭席扬刚走,边杰英回来了。

侯三劈头就说:“书记镇长刚来过。”

边杰英笑笑:“明天县里要检查,他们还能不来摸摸底?”

刘有根一愣:“县里要来检查咱村?”

“一定来。”

侯三绝望地叫喊:“完蛋! 咱一棵树没栽,领导来了不挨剋么?”

“咱马上栽。”

“马上栽? 苗子没一棵,拿什么栽?”

“苗子马上就到,咱看怎么栽吧?”

“苗子马上就到?”刘有根几个村干部都有点蒙。不是开玩笑吧? 看边杰英的神态又不像开玩笑,难道他会变戏法?

边杰英没说,谁也不好再问,不管咋,反正完成任务就好说。几个人就商量如何栽树。

侯三说:“有苗子就好办。咱马上组织突击队,连夜栽。”

刘有根提醒:“只是时间太紧张,栽了也怕浇不上。”

时间确实够紧张。统共才一夜工夫,六千株树苗连栽带浇,得组织多少人的突击队？

侯三急得挠头皮，边杰英倒胸有成竹地说：

“栽树就按老侯说的，搞个突击队，连夜栽。浇水呢，是不是跟学校联系一下，叫学生们出点力？”

两人一听就连声说行。

第二天，副县长老黄带着农委、林业局领导下来检查。镇里老郭席扬领着，坐了车第一个奔大王。

老黄见老郭来这手，心里又恨又怒。明知道大王老大难，倒第一个拿大王开刀！还不是连捎带打冲着我和边杰英？心里不高兴，就沉了脸一句话不说。老郭席扬倒一路上有说有笑异常轻松。

一进大王，老郭席扬顿时白了脸，老黄倒一下展了眉头。

大王不仅树栽得多，而且苗子棵棵超标，棵距横竖成行，间隔完全符合要求。每棵树上都刷了一米高的白灰，还有红漆画个圈儿。远看近看一溜笔直。

老黄咧着嘴，笑嘻嘻看过树，扭脸又去看老郭。老郭站在那里，脸白白地不说话。昨天他还亲自来看过，昨天大王还灰刮刮地没栽一棵树。这个鸡巴边杰英！

边杰英领着刘有根几个村干部迎上来，老黄笑着拍拍他的肩：

“行啊小边！还真有一手啊！”

边杰英笑得很谦虚：

“黄县长夸奖了。还不是郭书记席镇长领导得好！”

老黄瞥一眼老郭，又笑。

老郭腮帮子动一下，觉得老黄这笑挺恼人。就像煮熟的饺子，皮子鼓鼓的好看，里面却包满剁碎的杂馅儿。

老黄抓一株小树摸着：

“这苗子不错。镇里统一组织的？”

边杰英叹气：“我们说迟了，镇里苗子没了。全凭四处磕头求爷告奶说好话，也够难的！”

其实他根本没说实话。老郭开会一布置，他就给县林业局的同学打招呼，叫留下六千株好苗子。昨天又去定了车送来，还搞清县里来检查的具体情况。叫侯三去镇里联系，去各村求援，实在是个幌子，有意做给老郭看的。他料定老郭一定会借县里检查这机会给老黄来难看，更是为了出他的丑。镇里交叉检查，老郭有意没来大王，他就知道老郭是想麻痹他，搞他个措手不及。最后他没有被麻痹，老郭倒被他麻痹了，上个大当！

一个圈套。

一个本来该属于边杰英的圈套，结果，钻进去的倒成了老郭自己！

第一步，他成功了。玩得漂亮。

办法都是逼出来的，心计智谋有时也是逼出来的。在游泳中学会游泳，在斗争中学会斗争。他开始为老郭也为自己设计第二步、第三步……

牛刀小试，边杰英对自己充满信心。

六

大王迫切需要一口井。一口深井。

说起来大王井不少，连大带小十八口，但全在河滩稻田里，坡上一口也没有。

大王三千亩土地，除了河滩八百亩稻田，地都在坡上。虽说坡上都修了渠，但渠里总是旱得底朝天。没有井，种了庄稼浇不上，靠天收。

靠老天的庄稼不能旱涝保收，也不能种菜种小麦。

刘有根努力好几年，坡上还是没口井。大王人还是吃不上小麦吃不上菜。

边杰英要打井，就对刘有根说：

“老刘你打报告，跟镇里要钱。”

“镇里？镇里哪有这个钱？”

“咦！县里年年都拨水利款，水利款不搞水利建设搞什么？”

“嗨！那钱整理渠道维修旧井都不足，能给咱打井？”

“行不行先打报告，去镇里直接找老郭。”

刘有根也很想有口井，就拿了报告找老郭。

老郭还记着植树的事，报告没看完就沉了脸说：“老刘你也老同志了，头脑要清醒，不要跟着泥猴耍大刀，给我出难题嘛！”

刘有根知道这“泥猴”是谁，赶紧说：

“可没这样事呢郭书记。我们村情况你清楚，除了稻田没水地。”

老郭低头想想，没说行也没说不行，把那报告还给他：

“你先去找边书记，他是包片领导。”

边杰英拿过报告，笑一笑，一叠，随手装进口袋再不提这事。

过两天，边杰英去找县水利局田局长，请他来大王指导稻田水利。

这田局长也是基层干部上去的，当过好几年乡党委书记。边杰英在县里工作时就认识，后来又一块开过几次会，就更熟。有一次还在一个房间住过好几天，两人很谈得来。只是田局长见他不会喝酒就挺遗憾，说：

“你这小边，要能喝二两该多好！五大三粗的男子汉，咋也不学学？”

边杰英先把田局长请到自己住处歇着，吩咐刘有根准备午饭。

刘有根搓着手一脸为难：

“人家田局长头回来，可咱村这条件！要不去镇里‘知味居’订一桌吧？”

“不用不用。”边杰英摆摆手，“这田局长跟我还有点交情，人实在，也不讲究什么八八六六的丰盛。去镇里买点猪蹄猪耳朵回来，他离不得这个。别的有什么上什么，实惠点就行。酒也不必太好，老白烧。”

刘有根转身要走，边杰英喊住他：

“你跟我陪田局长看稻田，午饭叫老侯小顺安顿，到时候都过来陪。”

侯三刘小顺办事利落。边杰英他们看过稻田回来，猪蹄猪耳朵和几碟凉菜早已上桌，一边放两瓶老白烧。

田局长一见就咧嘴笑了：

“够意思哪小边！几年了，还记得咱这老毛病！”

边杰英也笑：“怎么是毛病了？猪蹄猪耳朵下酒是上品，高级首长都眼馋！”

众人说笑着入了座，边杰英向田局长介绍过大王几个村干部，说：

“大王是个穷地方，你来了，全体干部倾巢出动。这桌饭呢，也算是倾囊相待了！没办法，就这水平。不过有一条：一片诚心！”

田局长连声说好，举起筷子就下手。

“等等！”边杰英伸手一拦，“俗话说，酒无好酒宴无好宴。大王人倾囊待你，你大局长就好意思白吃？”

说着从口袋里摸出那报告，往田局长面前一摊：

“一口井，也算留点小意思。”

田局长朝那报告扫一眼，立刻哈哈笑起来。

“行啊小边！几年不见，倒学了不少真玩意儿呢！彻头彻尾一个鸿门宴嘛！吃人嘴短拿人手软，这报告看来还真得批呢！”

“错了。”边杰英也笑，“该说是看大王人一片诚心，也看你我多年交情！”

“好好，还是你小边能来词儿！”

边杰英抱拳：“那就谢啦！”

“慢着。”田局长哈哈一笑，“我老田也有条件呢！”

“你讲。”边杰英拍拍胸脯，“只要我边杰英力所能及，两肋插刀啦！”

“嗨嗨，没这么严重嘛！不就是三万块钱么？”田局长笑着摆摆手，“咱赛酒。就这两瓶老白烧，就咱两个人。我输了，马上签字批报告。你要输了呢？抱歉，这报告你先装着，咱下次再赌。”

说完，拿两只茶杯过来，一只给自己，一只推给边杰英。

刘有根几个见他来这手，一个个脸上变了色。侯三首先沉不住气：

“田局长，您讲大王我当尽地主之谊，这酒理应我来陪您。”

“不行。”田局长手一挥，“我来是小边特邀，我跟小边相处了好几年，什么交情都有了，还就缺这个交情呢！怎样哪小边？要不行，可以认输。”

“谁说不行了？”边杰英一下站起身，“倒要提醒你大局长一句，说话算数！”

“小看人呀小边！我老田甚时候给你说话不算数了？”

“那好。咱赌！”

边杰英手一伸抓过一瓶老白烧，叭一声咬去瓶盖，一仰脖，咕咕就干个底朝天。盯着田局长望一眼，又拿起另一瓶，往两只茶杯里一分，举一只朝田局长伸过来：

“来，干！”

田局长哈哈笑起来：

“我老田喝一辈子酒，还是头一回输了呢！好，好，输了认输。输在你小边手里，我老田心里痛快！”

一把抓过那报告，刷刷就签了字。

把田局长送出村外，坐车走了。边杰英还没转身就哇地吐了，吐得一片狼藉。侯三刘小顺扶了他慢慢往回走，心里充满感激。为大王，边书记可是连命都拼上了！

几个人动了真情，逢人便说边杰英如何如何。末了，说的人听的人就都赞叹：镇里干部要都这样，多好！

七

边杰英在大王重重放了两炮，放得很响。

老郭席扬立刻感到这小子还真有点不简单，对他的成绩更加讳莫如深。镇里几次开会，好坏不提大王。

谁知这一来，更是大大错了一步。

首先，在舆论上就输了一着。

不仅在大王几个村干部处处替边杰英抱屈，就连镇大院不少干部，也都觉得老郭席扬太过分，小肚鸡肠容不得人。朱前进更是气不平，也不管什么场合不场合，一有机会就叫嚷：

“嫉贤妒能！还书记镇长呢，什么水平！”

上上下下都议论，边杰英自己倒一点不在乎。见了老郭席扬，依然郭书记席镇长的叫着谦恭。

转眼又到了稻田育秧季节，边杰英就跟刘有根几个商量：

“咱看今年这稻田怎么管理？改改呢，还是照去年办法？”

侯三说：“要改就得重新动地。就育秧呢，地怕不好动了。时间上来不及。不如还照去年办法，先把泵放下去再说。”

刘小顺皱眉：“眼下村里的电线铁丝都没了，要买可不是小数，得一大笔钱，这钱从何来？一开泵，又有个电费问题紧跟着。咋弄？”

边杰英把脸扭向刘有根:“老刘你看呢?”

刘有根半天才说:“我们听边书记的。”

他确实没什么好说。这小半年,他发现这个年轻的边书记,早已不再是去年那个只有一股热情什么都不懂的边书记。好多事,他在问你时早就想好了办法。他佩服这年轻人的胆识和能力,却又有些担心他的心计。这心计一旦用偏了,后果可怕!

果然,边杰英不再盯着他问。

“那就还照去年办法,先放泵。钱的事我想办法。”

边杰英的办法,就是叫侯三去请铸铁厂领导来大王聚一聚,说:书记厂长一定要请到。

铸铁厂紧挨着大王,这几年又包着村里一口鱼塘,两家关系挺不错。

铸铁厂领导请来了:书记,厂长,还有一位副厂长。

这次是特意招待,专门去镇里请了厨师,菜做得多,也精。有鸡有鱼,喝汾酒。

这回边杰英没动茶杯,却主动热情,跟三位客人一杯一杯干。很快客人就不行了,一个个手捂住酒杯连声喊:“醉了醉了!”

边杰英笑吟吟地说:

“铸铁厂跟大王是老邻居,老关系,这几年各位对村里工作可支持不小。我们早想着该意思一下,无奈村里这底子,实在是有心无力……”

厂长人挺实在,听他这一说就连连摆手:

“边书记这话可说反了。这几年,倒是我们沾了大王不少光呢!就说这鱼塘吧,我们只出三万元承包费,一年的上下应酬、职工福利就全有了。搞好了,还能向外卖点呢!”

边杰英就等这话头。

“厂长说到鱼塘,我们也正想跟各位商量这事呢。”

书记脑子转得快,一说鱼塘挺敏感:

“边书记,那鱼塘又出什么问题了?”

边杰英叹气:

“本来这事不该说,说了伤感情。可是不说呢,又实在回避不了。没办法,只好实话实说跟各位商量了。反正都是自家人,什么话也好说是不是?”

厂长说:“你说你说。”

“说起来真不好意思。”边杰英一脸为难,“见你们这几年包鱼塘受益不小,村里不少人眼红了,吵着要接过去。说铸铁厂出三万,他们出五万也要包!”

厂长一下急了:“我们受益是受益,可也投资不小呀!边书记,你可得替我们多做工作呢!”

“我们工作还能做少了?谁知道越做工作越背黑锅,倒好像我们几个背后吃了什么贿赂！后来吵得更不像话，说村里再这样，就上县里告我们！”

边杰英在说假话。

刘有根几个都呆了。谁也没想到边杰英会说假话，而且把假话说得比真话还真！

“去年为这鱼塘，老刘不是还挨耳光？挨耳光也还是要包给你们。为什么？为集体利益，为大多数群众利益嘛！今年呢，就正好相反了，理在人家手里呢！咱总不能说，有人多出几万元承包费，对集体对群众尽坏处没好处吧？”

三位客人都呆了，边杰英瞅了他们一眼，又说：

“其实呢，你们那么大个厂，也不在乎一个小小鱼塘。我看干脆就放弃算了！双方都少麻烦。”

“放弃？”书记一下跳起来，“边书记，我们跟村里可是签了合同呢！”

“这我知道。”边杰英稳稳坐着，“可是合同不合理，甲方有权提出修改。有这规定吧？”

书记说不出话了。

厂长副厂长也说不出话。

大王真的有人出五万承包鱼塘，他们不信。但要说边杰英说假话诈唬，又不太像。那态度可够干脆够坚决。莫非，另有别的什么单位趁机打主意？这不行！那鱼塘他们已经搞了整整五年，人力物力不说，光资金投入了多少？这样现成便宜，说什么也不能扔给别人捡！

“我们不放弃。”厂长说，“无非是多出点承包费吧？”

书记挺冷静地问：“依边书记意思，承包费提到多少呢？”

边杰英挺干脆：“六万。”

“六万！提一倍！”

“别人出五万，你们只好出六万。这样还有人再说什么，我跟老刘几个豁出挨耳光替你们做工作。毕竟老关系了嘛！”

书记没想到边杰英这么狮子大开口，明明是逼人往套里钻，嘴上还这么堂皇！就想着最好的办法只有拖，拖一时算一时。

“我们回去商量一下吧，边书记。六万元的支出，也不能算小事。”

边杰英立刻笑了：“你们几个领导不是都在么，还用回去商量？再说我们也不敢再拖。拖久了，出事！”

最后一条退路也堵了。书记没办法，就朝厂长望。厂长没办法，就叹口气说：

“六万就六万吧，我们包。”

边杰英一顿饭给大王吃回来整整三万元，稻田用的电线铁丝电费一切问题全部解决。刘有根本该高兴，却怎么也高兴不起来。侯三刘小顺也高兴不起来。想一想，觉得倒不如塌些饥荒心里平稳踏实。

八

计划生育结扎任务下来了。

计划生育是国策，是硬任务。从上到下书记挂帅，全体上马。老郭县里开会回来，立刻召开全镇计划生育会。

开会是开会，大王却只通知一个刘有根。倒像把边杰英这个分管计划生育的党委副书记给忘了。

见老郭忘了，边杰英笑一笑，也就趁机忘了。不通知就不去开会。

农村工作两大难，计划生育加敛钱。计划生育是第一难事。老郭可以忘记边杰英，刘有根几个可不敢忘。一散会，就立刻来找他商量拿主意。

边杰英问："咱多少任务？"

刘有根说："还没具体定。年年都是先报育龄妇女，按人定任务。"

"那咱多少育龄妇女。"

"五百四十。"

"今年咱们可不能报这么多。"侯三说，"西周跟北庄比咱少不了几口人，去年才报二百多。结扎任务一下来，还抵不上咱一半。"

刘小顺也说："就怪咱太老实。年年老实年年吃亏！"

边杰英摆摆说："别人怎么干咱不管，咱首先不搞弄虚作假那一套！有多少报多少，实事求是。"

侯三跺脚："你实事求是，上头也实事求是呢！报得多，任务就多，咱工作可难做！"

刘小顺嘴一咧："还有结扎对象的奖励是个大问题，人家一扎了就立马跟你实事求是，咱拿什么给人家兑现？"

边杰英问："以往扎一个奖多少钱？"

"不奖钱，奖地基。"

边杰英手一挥："今年重奖！扎一个奖一块地基，两千块钱。"

"两千元！"侯三跳起来，"这样实事求是报，少说也得十五六个任务。一个奖两千，得三四万！"

刘小顺也急了："还有地基！十大几块，土地局能给咱批这么多？"

边杰英望望刘有根，见他蹲一旁低了头抽烟，没有要说话的样子，就不再朝他望：

"那也得实事求是报。别的问题再说。"

刘有根又去镇里开会。带回十七个结扎任务。

边杰英问各村情况，刘有根皱皱眉说：

“咱村最多。全镇才五十多个任务，咱一村就占三分之一。”

侯三忍不住又叫：“鸡巴做法！这不是鞭打快牛么！”

刘小顺冷冷一哼：“谁叫咱实事求是呀？”

边杰英知道两人嘴不好，倒不计较，依然平平静静问：

“时间呢？”

“十天。”

“十天？好。咱两天动员，三天手术，前后五天完成，拿头牌。”

“五天？光下户动员五天也紧张！”

“不下户。咱几个分工就行。老侯负责跟镇里联系车，跟手术站联系床位。小顺写几张通知贴出去，重点说奖励办法。另外，在喇叭上喊两遍。老刘坐镇村委会，有人报名按顺序安排上站时间。行吧老刘！”

几个人见他挺自信的样子，就都点头。

边杰英说：“我回县里去一趟，批地基，弄钱。”

回到县里先贷款。本来这事找陈书记，写个条子就办事，但他不去找。并不是上次碰了钉子对陈书记有意见，而是认为找领导也得讲究艺术性。大事小事都找，领导心里烦，也认为你无能。不找就自己想办法。毕竟在县里工作几年，行长们都是见面熟，再加上不少同学朋友，关系扯关系，也没怎么费劲就从县农行贷出10万元款子。

贷完款，又去找土地局。什么话不说，把局长副局长办公室主任业务科长一伙人都请到城里最有名的“都满意”饭庄，吃了喝了一人揣一条好烟。连请三次，到底请得人家沉不住气，就问到底有什么事。边杰英一说，局长挺仗义，说计划生育该支持，当下就给大王批了十七块地基。

边杰英挺满意。

土地局也满意。

“都满意”果然都满意。

边杰英一路顺风回大王，一进门，刘有根几个都愁眉苦脸等着。

“怎么，不顺利？”

“两天了，才报五个。”

边杰英倒沉得住气：

“万事开头难嘛！一开始就五个还少？再跟镇里具体联系一下，明早八点准时来车接人。老侯小顺你俩就领着去吧。手术站不是有饭店么，都叫好好吃一顿。营养补品多买些，不要怕花钱。”

又把批好的贷款条子递给刘有根：

“老刘具体办一下吧。我都说好了，先提五万现金，兑现计划生育奖金。”

刘有根嘴角抽搐一下，没作声。侯三在一旁叫起来：

“又贷十万！边书记，咱原先就有十万贷款呢！年年利息都打不起……”

“不贷咋办？咱又没栽着摇钱树！”边杰英瞟他一眼，“怕人家不贷呢，怕咱不敢贷？”

从边杰英那里出来，侯三刘小顺一路走一路嘀咕，说边杰英过日子大手大脚不讲实际。刘有根听得烦，就说：

“尽扯淡！是窟窿是害谁不清楚？清楚了又咋？任务总得完成，不贷款，眼下过不去这一关。”

第二天下午，侯三刘小顺领着五个做过结扎的妇女回来，刘有根跟会计也办好贷款手续，提回五万元现金。

边杰英说：“老侯你开喇叭，叫做手术的各家来个人，领奖金，办地基审批手续。”

侯三开喇叭喊两遍，很快就有人来领钱领地基。村委会门口围了不少人，眼见别人兴冲冲拿走一叠票子又领一块地基，当下就有不少人报名。

前后刚五天，十七个结扎任务都完了。

老郭见大王工作处处领先，心里酸酸的很不是滋味。席扬嘴里就嘀咕：“大王那么大村子，就这几个育龄妇女？”

老郭一听，立刻就叫人去派出所翻户口。不料翻半天，只翻出个实事求是！

老郭心里大骂边杰英做事太滑头，又想着三年总不愁个闰月年，收拾他的机会多的是。

就在老郭心里盘算怎么收拾边杰英时，刘有根却在为大王的光景发愁。

大王村子穷，年年尽支出没收入。前几年开发河滩就已经拖了十万贷款，现在一下又加十万！任务是完成了，今后的日子怎么过呢？

边杰英看出他的心思，就说：

“大王这几年经济上总是翻不了身，我看主要还是没副业。看看邻近几个富起来的村，还不都是靠大铁锤子砸？别人能搞咱也能。不是还剩五六万贷款么，咱也安台夹棒锤。你说老刘？”

刘有根不说。边杰英就对侯三说：

“老侯你就负责吧。”

九

夹棒锤安得正红火，资金没了，只好半途停下来。几个人就商量怎么办。

刘有根这回没犹豫：“咋也不能半道上扔了，该贷款就再贷吧。”

侯三刘小顺想想也没别的办法，就都同意再贷款。

谁知边杰英倒不同意了，问：

“咱还有多少村民拖欠款？”

刘有根说：“大约十万多点吧。具体数目都在会计账上。”

“底子清么？”

“清。”

“那好，咱清拖。守着十来万，倒勒紧裤带过这光景！哪些人欠最多？”

“刘清，田满红，陈仁旺……”

边杰英手一挥：“那就先清这几个！”

侯三说：“这几个可不好清。都是些灰菜旗杆，打麻将输了都没人敢要账！”

边杰英哼一声：“什么旗杆不旗杆！有钱赌博打麻将，倒没钱交拖欠。歪风邪气这样抬头，不治治怎么行？”

侯三说：“要清，除非动法律。”

刘小顺眼一翻：“法律就那么好动？一动法律，清回的拖欠就得按比例上缴，咱还能剩多少？图甚？不说咱还得跟人结死仇，下辈子都解不开！”

刘有根说：“先搞刘清几个，万一不顺利，后头工作更难做。我看还是多发挥党员干部的作用吧。都带头清了，咱再下去一家家动员。”

边杰英沉吟：“只是这样时间上怕拖长了。不过也行。老刘你就主持开个党员干部会，动员吧。”刘有根望望他：“你不参加？”

边杰英说：“好长时间没回镇里了，有些急事也得处理一下。你们先开吧，反正也就那意思。”

边杰英快半夜了才回来，带了派出所长老申和一个干警。不声不响一进村就奔刘清家。

这几年农村麻将风盛行，村里干部没人敢站出来正经管管。这些人就全不顾忌，白天黑夜吆五喝六的门都不关。老申两个进门站当地了，刘清几个赌博的还没发现。

老申冷冷说：“玩得挺过瘾呢！多少钱的注？”

几个赌博的一抬头看到两个大檐帽，一下都慌了，七手八脚划拉桌上票子。老申喝一声：

“都别动！”

几个立刻不敢动。

“都起来，靠墙站着。”

几个人乖乖靠墙站成一溜。

老申指着刘清喝问：“叫什么名字？”

刘清不说，老申照腿上就是一脚：

“站好！说！”

这一脚看上去平平淡淡不起眼，其实踢在正经地方，力道也够重。刘清一条腿立刻站不住，身子一歪差点摔倒，老申趁势抓住一条胳膊一扯：

“叫你站好！”

这一扯，一条胳臂差点被扯断。刘清鼻尖上立刻冒出冷汗，半天呻吟道：

“你……你们怎么打人哪？”

那干警闪过来：

“打人？谁打人了，啊？”

嘴里说着，手一抬，乒乒就是一串耳光。

这耳光打得也实在有水平，快得连刘清自己都没看清是怎么到脸上的。只觉半边脸颊火辣辣的憋胀，整个牙床痛得要从嘴里掉出来。

“说！姓名！”

刘清再不敢不说，口齿不清地报了姓名。

接下来一个个都报了。

干警把名字一个个记在本子上，说：

“聚众赌博，犯法！你们知不知道？”

“知道。”

“大声点！”

“知道！”

“知道？哼！知道了还赌？知法犯法！”干警双手叉腰，“国家法律都不怕，村里镇里的规定就更不在乎了，是不是？以为谁也管不了你们，谁也惹不起你们了，是不是？告诉你们，目前全社会都在抓综合治理！你们都明白点，不要当什么不安定分子！”

几个人被训得垂了头不敢作声。老申说：

“赌博犯法都知道，党的政策呢你们也都清楚。这几天你们先检查，从思想上好好认识认识，挖挖根源。具体怎么处理，咱看表现。不过有句话先告诉你们：法律无情！不管是谁，敢不守村规民约耍无赖耍厉害，法律可不认得什么旗杆不旗杆！”

赌博违法，怎么处理又不说，几个人心里更是嘣嘣得不踏实。也不知究竟该怎样“表现”才算表现。

这一夜，老申两个一连抓了三伙赌徒。除了刘清，田满红、陈仁旺几个统统在数。

回到住处，边杰英正笑嘻嘻等着。

“怎么样老申，收获还可以吧？”

老申笑笑：“还是边书记有水平啊！敲山镇虎。我两个可被你当枪使了呢！”

边杰英也笑："看看这叫什么话！维护社会治安不是你们职责？又不是白干，罚的款都归你们派出所呢！"

几个说笑几句，边杰英说：

"先好好睡一觉。醒了叫老李多做几个菜，好好陪你们喝两盅！"

上午，正是出工的时候，村里大喇叭忽然响起来。点着刘清几个人名字，叫中午十二点以前把拖欠款全部交到村委会。

人们刚听说昨黑夜刘清几个叫抓了赌，现在又听要清他们拖欠，就都等着看。

刘清一伙人昨夜尝了厉害，这时才搞明白是边杰英在后头坐镇。醉翁之意不在酒。赌博不处理，是等着叫我们这样"表现"呀！一个个恨得咬牙。但再恨人家毕竟也是镇里副书记，不比村干部可以动拳头耳光。再加上派出所又在村里等着综合治理，几个人再旗杆也不敢跟法律顶杠子，就都老老实实交拖欠。

中午，村里贴出通告，公布各家拖欠数目，限三日内交清。

大多数人原先就觉得拖欠缺理，种粮纳税天经地义。只是见刘清几个硬不交村干部也没办法，心里气不平。这一来自然都交了。

大王十万多元村民拖欠，三天就全清了。

刘有根的动员会白开了。党员干部想带头也来不及。

边杰英摆酒欢送老申，叫李来去请三个村干部来陪。侯三找不到，刘有根病了，只来一个刘小顺。

十

老郭终于抓到一个收拾边杰英的机会。

县里叫各乡镇书记开会，总结汇报工作。老郭在会上汇报完全镇工作，又去找陈书记单独汇报边杰英。先说打井，又说鱼塘，接着是计划生育，抓赌，清拖欠……

其实陈书记对边杰英的情况还是很关心的。毕竟是县里派下去的，干不好他这"伯乐"也脸上无光。上次给了他钉子，就担心他破罐破摔。现在老郭一汇报，陈书记立刻感到自己到底有眼力。边杰英年轻有能力，干了不少工作，到底没白培养他。对老郭反倒有了看法。

老郭汇报完，陈书记慢条斯理问：

"大王不需要井？"

"需要不需要，这种手段……"

陈书记不理他，"大王要打井，没有先跟镇里打招呼？"

老郭想到刘有根拿了报告找过他，是他自己推开没管。于是就不说话。

陈书记又问："是不是大王拿打井的钱干了别的事？"

大王确实需要井也没挪用专款，打井的钱确实打了井。这样说来，边杰英倒没一点把柄可抓。老郭心里暗骂边杰英年纪轻轻的太狡猾，嘴上一句话不说。

陈书记见他不再说井，就说鱼塘：

“鱼塘包给铸铁厂，有合同么？”

“有。”老郭一下抬起头，“可边杰英说变就变，承包费一下提高一倍！”

“怎么，没通过铸铁厂，大王单方面就变了？”

老郭噎了一下，张张嘴讲不出话。

“计划生育奖地基，占了耕地？”

老郭嗫嚅：“是……旧场院。”

“土地局有手续么？”

“听说……有。”

陈书记“唔”一声又问；

“奖金呢？”

“我们定一千，大王偏奖两千！”

“可据我了解，你在会上讲，镇里只定原则数，各村可以根据具体情况上下浮动。是不是这样？”

老郭心里大骂自己太笨蛋！计划生育这么大的事，自己又那么大张旗鼓开会做动员，县里能不知道？陈书记能不知道？都知道了，自己还在那里闭着眼睛编瞎话，不是专找不好受么！

果然陈书记脸色严峻了。

“你们三河镇谁负全面责任？”

“边书记分管计划生育。”

“计划生育是国策，书记挂帅，县里开会你没参加？我问你谁负全面责任。”

老郭垂了头：“我是党委书记。”

“你们镇整个任务咋样？”

老郭额角冒了汗。三河镇计划生育任务没完成，全县排队倒数第二。

陈书记依然不依不饶：

“赌博犯法吗？边杰英协同派出所抓赌禁赌，维护社会治安，错了？大王村民拖欠拖了多少年，边杰英三天就清了，这也不对了？这样说，就数什么工作也不干最好了！无功无过，不得罪人。群众没反映，领导也没话说，对不对？”

老郭低头找不出辩解的话。陈书记严肃冷峻地说：

“最后奉劝你一句，党委书记同志！把心思用到工作上，不要总算计人！不干工作老想着算计别人，要栽大跟头的！”

老郭在边杰英背后捅刀子的事很快传开。三河镇上上下下都说老郭没水平没肚量，见不得别人工作有成绩。这样嫉贤妒能诬陷人，怕这书记也当不长了。

只有边杰英什么话也不说，也像什么都不知道。见了老郭席扬依然笑眯眯的，一口一个郭书记席镇长的叫得亲热。

老郭在陈书记面前碰了大钉子，挨了批评，回来又听不少议论。一打听，才知道陈书记跟边杰英早就是老关系。这才意识到自己做了件天大蠢事！没认清庙门就乱告状，岂不正好说明边杰英在大王工作有成绩？话都是他这个党委书记亲口说的，边杰英自己一点没表功，陈书记也一点没袒护他。这样一想才更是吓一跳。再不想办法，怕屁股底下这椅子还真有些摇晃！自己在基层混了十几年，没想到在一个年轻人手里栽个大跟头！

栽了认栽，老郭立刻改变策略。一开会总是说大王各方面工作如何有成绩，一说大王就表扬边杰英。

大王落后面貌彻底改变，一跃成为全镇先进典型。

没想到的是，就在大王各方面一路顺风之时，支书刘有根忽然又要辞职！辞职报告一递再递，搞得上上下下莫名其妙。

只有边杰英心里明白，这样下去刘有根几个确实没法再干。光经济上塌这么大窟窿就没法再干。他感到有些对不起这个善良朴实的老支书，但又决不能叫他这时候辞职不干。支书辞了职，他这个包片领导除了重新搞班子，还有什么别的戏？他却必须要有别的戏。

老郭开会研究刘有根的辞职报告，边杰英一反平日谦恭，沉了脸说：

“大王是我包的点，有句话我得先说在前头：哪个批准刘有根辞职，大王的一切工作就由谁去负责！”

十一

大王清回来十万多元村民拖欠，就商量这钱怎么花。

刘有根辞职不成，知道是边杰英硬拦着，也就叹口气不再提起，埋下头跟他一块考虑工作。开会商量花钱，刘有根说：

“先还点贷款吧。老这么拖着欠着迟早总是害。”

侯三首先不同意：“咱那夹棒锤才安一半，得赶紧投资搞完了投产。拖一天就是一天的损失！”

刘小顺也有自己主张：“坡上那井早打成了，到现在还没配套。再拖下去，雨季一到，报废了我可负不起这责任！”

几个人各唱各的调，还没商量出个正经结果，村里却出了件天大事故！

事故出在学校。

几天的连阴雨，学校几十间教室一下塌了顶！幸亏赶上星期天，没伤着人，只砸坏一些桌凳。

大王学校是"文革"时建的。那时候政治挂帅，干什么都讲立竿见影。讲了速度，就顾不得什么质量不质量，胡搭乱挂，能尽快抓革命就行。房子盖起不到十年，墙壁就裂了缝，椽子檩子都弯了，横七竖八用杠子顶着。顶住椽檀顶不住屋顶，外头下大雨屋里下小雨。村里没力量翻新，只好头疼医头脚疼医脚，哪儿漏了哪儿胡乱抹几锹泥。根本问题不解决，危房情况越来越严重。

这情况边杰英去年就知道，也跟镇里老黄提过几次。后来许多事忙得焦头烂额，也就再没顾上管。

边杰英知道学校危房迟早是个大隐患。今年又包大王，一有空就去学校转转。他知道转也白转，靠学校靠村里都不行。要从根本上解决问题，只有彻底翻新。一翻新就得说钱，大王没钱，就想没钱的办法。

首先以村里名义打报告，一份给镇里，一份给县教育局。除了讲清学校危房的严重情况还提出三条资金来源的具体方法：一是村委会筹集一部分，群众集资一部分；二是镇里拿出一部分；三是县教育局拨给一部分……

报告打上去，镇里和县教育局都没重视。

别人不重视，边杰英首先自己重视。开支委会，开党员干部会，开群众代表会，动员集资。并且责成支委刘小顺专门负责抓。搞半天虽说集资还不足一千元，毕竟是有了行动。

学校一出事，边杰英和刘有根几个倒很快统一了口径：清回的十万元拖欠一分钱不留，全部投资盖学校。

大王学校教室塌顶虽说没伤着人，到底也算不小的事故。第二天一早，县委陈书记就带了教育局长赶到现场。

学校出了事，村里首先向镇里报告。老郭席扬一听没伤人，就没十分在意。直到听说县委书记亲自到了大王，这才慌了手脚，急急忙忙坐车赶来。进了村，陈书记早已看过现场，向边杰英和刘有根几个了解大体情况。

陈书记眼睛盯着教育局长："大王学校的危房情况，你们事先知不知道？"

局长讷讷："村里曾经有过报告……"

"你们下来具体核实过吗？"

局长低头不说话。陈书记又转向老郭席扬：

"你们呢？你们应该更了解情况。村里也给你们打过报告吧？"

席扬望老郭，老郭声音低低的：

"是。"

"大王学校有多少危房？"

"听说，大概有……"

"我要你说具体的！"陈书记很不客气地打断他，"究竟多少间？不要听说啊大概的!”

老郭实在具体不来,就朝席扬望。席扬也具体不来,就盯住自己两个脚。

“不知道是吧?不知道我告诉你们!大王学校共有房屋四十间,其中教室三十一间,就有危房二十七间!”陈书记盯着两人,声音冷冷的,“你这党委书记做大了!你这镇长做大了!恐怕连学校大门朝哪儿开,都得听人汇报吧?人家村里早就打报告向你们汇报过,你们不理不睬,连报告也未认真看看,像话吗?!”

老郭席扬头上脸上尽是汗。

陈书记站起身,声音不高,却比发火怒吼更严厉:

“都讲重视教育,都讲百年大计教育为本,你们究竟怎么重视了?本在哪里?统统讲在口头上!你当教育局长,不管教育的事,你还管什么?还有你们,一个书记一个镇长,一级党委政府最高领导!你们都领导什么了?连最普通的农民群众,你们都比不上了!大王这么穷,群众还要搞集资,村里还要筹集十来万!你们呢?大权在握,究竟为群众干了点什么?你们都忙什么去了?幸好事故没伤人,不然,我送你们上法院!”

陈书记转向边杰英,脸色立刻变得温和:

“小边,你们具体怎么打算?”

“盖。马上动工盖新的。”边杰英想都没想,“我们动员全部人力物力财力,由支部书记老刘亲自挂帅当总指挥,副书记侯三同志负责筹款备料,支部委员刘小顺同志已经去县里联系工程建筑队了。”

“好!有什么困难,直接来找我。”

陈书记跟边杰英刘有根几个握握手,出了门坐车就走。对愣在那里的教育局长和老郭席扬,看都没看一眼。

不几天,县委联合发文,对县教育局和三河镇党委政府主要负责人提出严厉批评。大王村党支部村委会同时受到通报表彰。

边杰英名声鹊起,成了不可多得的年轻改革家,处处为群众排忧解难的好干部。

事故变成了成绩。灾难变成了机遇。

边杰英当然懂得如何抓住这个机遇。

大王学校破土动工。旧房全部拆除,盖楼房。

边杰英没有去找陈书记。

干工作,自然离不开领导支持。但不管大事小事,一有困难就找领导,还要你干什么?

刘有根倒是经常来找他。找是找,却什么话不说,只是默默地闷头抽烟。边杰英再三问他有什么事,他总是摇头:“没事没事。”边杰英知道他有事,知道他是为学校的事。

学校动工前，研究具体施工方案，边杰英就同他们有分歧。盖楼房，三个人都不同意。盖平房，盖瓦房，有清回的十万元拖欠就差不多。盖楼房就不行了，就得再贷款，再塌新窟窿。大王还经得起新的窟窿么？

边杰英却坚持一定要盖楼房。

“眼下看，我们是得再贷点款，再过几年紧日子。但从远看呢，我们却给子孙后代留下一笔巨大财富！这样造福子孙后代的大事，好事，还有什么犹豫的？”

话确实有道理。

为了子孙后代，谁还能再说什么呢？

刘有根嘴上不说，心里却一直不同意。不同意就来找他。知道说什么也没用，就什么也不说。他知道边杰英的聪明，知道他会明白，他来找他，本身就是一种提醒，一种劝告。

边杰英却不需要任何提醒和劝告。

因为他心里什么都明白。

十二

最终决定边杰英飞黄腾达的机遇是秋耕。

经济要发展，农业要大上，要翻番，关键一步是秋耕，区里两次发文，县里多次召开专门会议强调，对具体时间和质量标准都做了全面安排。

边杰英立刻意识到，他等待已久的最好机遇终于来了！

镇里开罢会，边杰英立刻把刘有根几个找来落实。县里要求二十天，镇里要求十五天，边杰英要十天完成秋耕，保质保量。

侯三说：“质量标准没问题，只是时间上怕不好保证。主要是农机不行。咱村三台拖拉机都卖给个人，现在两台跑外头推鱼池挣钱，剩下一台也坏着。”

刘小顺却从另一方面提出问题：“还有不少庄稼都在地里没收呢，怕一下也腾不开。”

边杰英说：“庄稼没收的限时间，三天全部腾净。农机好说，咱村没有，外头雇。”

“各村都秋耕呢，到哪儿雇？”

“咱出高价雇！各村的拖拉机不是包就是卖，反正都个人经营了，哪个不讲经济效益？别村耕一亩五元，咱出双倍，一亩十元！”

“咱三千亩地呢！一亩十元，得多少钱？”

边杰英发了燥：“不管多少钱，关键是抢时间！”

刘有根砰砰磕掉烟灰，重重咳嗽几声。边杰英以为他要说什么，等半天却没开口。

边杰英扭过脸不望他：

“老侯你两个马上出去联系拖拉机。不行咱出三倍价！中午另加一顿饭。”

侯三刘小顺出去一亮价，邻近各村的拖拉机立刻抛下本村秋耕任务，呼啦啦涌到大王。三名支委马上分工：刘小顺负责督促腾地，抓质量；侯三领着全部拖拉机马上开机耕地，抓进度；刘有根不舒服，留家里张罗午饭。

一天，两天，三天……大王的秋耕工作既轰轰烈烈又扎扎实实。

秋耕任务一下来，边杰英就去找县委陈书记，汇报他的想法和决心。

县委要在秋耕工作中抓点带面，地委也要抓先进典型推广全区。他清楚什么时候去找陈书记最合适。

果然，陈书记立刻表示出极大兴趣。

“县里要求二十天完成，只是个起码要求，你能不能提前五天，十五天完成？”

“我十天完成。保质保量。”

陈书记伸手在他肩上一拍：

“好，十天以后，我组织全县乡村干部到大王开现场会！”

边杰英怎么也没想到，一直很顺利的秋耕，竟然在最后一天出了岔子！

快中午时，刘小顺急急忙忙跑回来，说有几块地没腾完，挡了道。

边杰英跑地里一看，果然有好几块地里庄稼基本没动手收。好几辆拖拉机码在地头动不了。

“谁的？”

刘小顺说：“水塔老四，老福全，还有……”

边杰英没等他说完就瞪眼：

“你工作怎么做的！限三天全部腾净，这都几天了？”

刘小顺低了头：“这几家没人手。老四看水塔脱不开身，福全老汉是老光棍……”

侯三也跑过来：“边书记，是不是先缓一缓？我们组织人帮他们突击一下，咱明天再耕？”

“不行！”

边杰英脸黑黑的。明天？明天陈书记就要来开现场会！地耕不完，还开什么会，典什么型？自己二次包大王，苦心经营整整一年，忍辱受气，全部的希望都押在这关键的一步上！好容易抓住这个机会，创造了这个机会，还会有什么明天！

“不负责任！整个大王重要还是几块地重要？马上开机，耕！”

侯三瞪大眼：“可……这庄稼一点没收呢！怎么开……开机耕？”

边杰英一挥手：“翻。翻进去！”

侯三刘小顺一下呆了，张着嘴半天说不出话。

翻进去？好好的庄稼，春种秋收锄耧耙耢，多少汗水催大的庄稼，就这样翻进去？他们怀疑自己一定是听错了。庄户人一年的艰辛，一年的企盼，一年的希冀呢！怎么能就这样说翻就翻进去？

两个中年汉子，搀着一位白发老汉，蹒蹒跚跚走过来，墙一般立在地头，堵在拖拉机的车头前。

老汉老了。树皮般的脸上沟壑纵横，乱杂的白发上沾着几缕草屑……

三个人坚定地站着，谁也不说话，眼睛里，充满着一种漠然的悲壮。

这土地，这庄稼，是他们一年的心血，是他们的命根子！他们铁了心跟它们同存共亡，他们要豁出命来保护他们的命。

边杰英被深深地震撼了。

转身向后望望，刘有根三个村干部脸上木木地没一点表情。周围，不知什么时候聚了一大群人，一道道冷漠的目光刀子般盯着他。

怎么办？他该怎么办？

退让，很容易。庄稼不翻了，地不耕了，现场会不开了……但是后果呢？功亏一篑！整整一年的苦心，所有的心计，全部的努力，都付诸东流，完了！这不行！这一步毕竟太重要，太关键，他舍不得。这是决定他生存荣辱最关键的一次机会。也许，是最后一次……

坚持，同样很容易。他是"官"，凭他手中的权力，在场的人谁都阻拦不住他。但是这样一来，翻进去的还仅仅是庄稼么？明天，万一他们也这样往会场上一站，往领导跟前一站，后果又将是怎样？

不行，这不行！他们必须为我让路。我一定要推开他们，我必须推开他们。但决不能用手，用力。

大丈夫能屈能伸。我边杰英既能跳龙门，同样也能钻狗洞！他猛地一咬牙，单腿一屈，跪下了！朝着那老汉，朝着挡住他的三个人，跪下了……

所有的人一下都惊呆了！

"老天爷！"老汉跌跌撞撞扑过来，嘶声大叫，"自古以来民跪官，哪里见过……啊呀边书记，这不是要折杀我这老光棍么！边书记……"

边杰英头垂得低：

"自古以来民求官，这一回，我这个做'官'的可要求你们了！为了大王，为了三河，为了咱们全县，我求各位抬抬手，让一让……"

沾着草屑的白头猛然一晃，眼角边有老泪一闪再闪。

世界静极了。

没有风。秋日的艳阳均匀地铺下来，暖暖地溶进这空空荡荡的土地。

红的高粱。

黄的玉米。

十三

大王的秋耕工作全县夺标。

时间提前整整十天，全村三千亩土地没留一块白茬，质量全部超标。更主要的是，创造了很有指导意义的“横畛竖耕法”……

本来应该是全县秋耕工作现场会，陈书记到地区一汇报，地委领导十分重视，马上决定在大王开全区现场会。大王的秋耕经验赢得参会领导的一致赞誉，很快以地委行署名义行文全区各县推广。边杰英的魄力与才干，也很快被地委领导“发现”。

大王成了全县先进典型。

边杰英被破格提升为县委副书记，成了全地区最年轻的县级领导干部。

一步入阁。

边杰英要走了。

正因为要走，还没走的这几天就更宝贵。

他的屋子里白天黑夜人挤得满满的。何玉良更是一天跑好几趟。

不该来的都来过了，该来的却一直没来。边杰英知道朱前进的为人，越是这时候越是不肯巴结人，就主动上门去找他。

“跟我回县城吧老朱，我一定给你弄个好单位！”

朱前进盯着他什么话也不说，像望着一个突然闯进门来的陌生人。

边杰英荣升，老郭席扬自然慌了，说不完的好话软话。

边杰英倒挺宽容：

“过去的都过去了。再提，没意思。”

相逢一笑泯恩仇。边杰英笑都没笑，只是大度地挥一下手。

对这两个人，他实在应该感激的。没有他们逼他压他，处处搞阴谋挤他，他也许还是过去那个什么都不懂的边杰英，一辈子只能当个镇党委副书记的边杰英。不，没有他们，他肯定无法生存！

是他们逼着他学会生存，是他们教会他如何生存。

为了生存，他跟他们斗争了整整一年。

最后的结果是他们败了。

他们应该败得心服口服的。在游泳中学会游泳，在斗争中学会斗争。他学会了，他们却没有。他们没搞明白工作与斗争的关系，不工作光斗争，这不行！除了耍嘴皮搞阴谋整人挤人，没能力没本事没头脑，这样的人，当个乡镇领导也已是侥天之幸！

但是，如果没有他呢？没有他的存在，没有他的威胁，他的斗争，两个人这书记镇长是不是会当得更安全，更轻松？

他忽然间倒有些理解了他们。

边杰英要走了。镇大院上上下下忙起来，十分用心地张罗着欢送他。

老郭提前好几天就跟“知味居”打招呼，再三叮嘱杨师傅：一定要亲自下厨，一定要拿出最高水平！席扬专程跑一趟县城，高价买回来两瓶茅台……

一切安排就绪，去请边杰英时，找遍整个大院却不见他的人。

边杰英又回到大王，坐在大王刘有根家小土炕上。

土炕上，摆着简陋的小炕桌，摆着简单的饭菜，倒满并不名贵但却是十分纯净的酒……

告别的酒菜，边杰英吃不下也喝不下。

去年包大王，他失败了，但大王却没有失败。今年又包，他成功了，但大王呢？

他给大王带来了先进，带来了光荣，带来了一面旗帜。上上下下都这么说，都这么看。但只有他自己心里最明白，他究竟给大王带来了什么，留下了什么。

树，栽了，全县第一。但栽了就没再管，一棵不剩全死了，没了。白白糟蹋六千株树苗。

井，打了，但没配套。大雨一冲，坍了，塌了。大王坡上依然没有井，但在县水利局的统计表上，却已经有了！以后再拨款再打井当然不可能。有了，还打什么？

学校呢？基建规模太大，投资跟不上，盖了不到一半就停了工。原先还有几间破教室，现在什么都没了。孩子们只好一人一只小板凳，坐在院子里上课。

还有安了一半的夹棒锤。

还有计划生育，清理拖欠，秋耕……

还有什么呢？

贷款！原先还有十万元村民拖欠与之相抵，现在连拖欠也没了，只剩下贷款。三倍于前的贷款！

一盘残棋。

一盘无法破解的残棋。

刘有根确实没法再干下去。侯三刘小顺确实没法再干下去。任何人都没法再干下去。

他来，除了向他们告别，更主要的就是来劝他们辞职，都辞职。

毕竟在一条道上同甘共苦了两年，毕竟在一块儿滚了整整两年。他不能这样甩手就走，他不忍心就这样丢下他们不管。

三个村干部低了头谁也不说话。半天，刘有根轻轻叹口气：

“我们没法干,别人也同样没法干。没办法,还干吧。都辞职,都不干,谁干?”

边杰英一下瞪大眼睛,心头猛一阵战栗,胸腔中顿觉空空荡荡。

(选自《清明》1994 年第 6 期)

赵秀林

1952 年出生,山西省定襄县待阳村人。1975 年毕业于山西省中医学院。忻州地区文联委员,已发表中短篇小说、报告文学多部,出版有中篇小说集《八月·残棋》《医圣传奇》等。

摘 贫 帽

韦晓光

一

地区摘贫帽工作队进驻斋田乡，就遇上个云遮雾绕的日子。

地区农经委管副主任起得早了些，从房间里出来，满眼是雾，又退回房间，思想着如何抓好这次摘贫帽的点。

这次，说是全省要在二〇〇〇年前成为在全国率先实现现代化的省份，全省其他地方没多大问题，单就浮云地区可能要拖后腿，省领导多次指示，要浮云地区一九九七年前摘贫帽，到二〇〇〇年奔小康。地委、行署头头们被搞得猴急，研究来研究去，想出了个法子，对全区尚未脱贫的四十五个乡镇，实行地直单位挂钩包干，不摘贫帽不脱钩。管副主任所在单位农经委和财政局、土地局等几个单位，是比较有油水的，就挂钩了全区穷透了的乡——斋田乡。

摘贫帽是要挂钩单位抽调干部，组成摘贫帽工作队，吃住到乡里打扶贫攻坚战。可挂钩单位中农经委被地委、行署指定为牵头单位。工作队人员抽齐后，由于农经委是牵头单位，摘贫帽工作队的队长就责无旁贷地落到了农经委。农经委正主任，按照惯例不下乡住队，要留在单位里看家，自然点人头就要点到副主任的身上。农经委有四个副主任，可其他三个都推说有事去不了，搞得正主任很为难。管副主任见了，就说："我去。"

摘贫帽工作队是昨日进入斋田乡的，起程前，在地委大院举行了隆重的欢送仪式。地委书记、专员等头头脑脑都来送行，地委书记还握着管副主任的手，拍着他的肩膀说："老管，就看你这个点了，你要带个头，当个典型，抓出经验，以便面上推广。"说话间，地区电视台的记者，就抢着一个劲地扫来扫去，搞得管副主任很激动，一个劲地向地委书记保证，不摘贫帽决不收兵。管副主任估计，电视台记者足足扫了十多分钟。本来这镜头当日就可上电视新闻，可斋田乡这山角落电视也是冒雪花花，就看不到自己和地委书记握手的场面了，想到这，管副主任不免有点遗憾，只好鼓掏鼓掏昨日让地委书记握过的手。管副主任记得，他自打参加工作起，就搞过七七八八，五花八门的说也说不清的工作队，回想起来，总是向农民“输入”的多，只是“雨过地皮湿”。可这次，管副主任总感到省、地确实是下了决心来打扶贫攻坚战。每个摘贫帽工作队，都带资金，搞扶贫项目。管副主任想：“这可是抓到点子上了。”想到这，就感到这次摘贫帽不是件轻松的事。

过了些时间，雾终于散尽，管副主任从房间里出来，下到乡政府大院中间，没个人影，眼光被涂涂抹抹在四周墙上的一些标语吸引过去：东边：“十年超英，十五年赶美！”西边：“政治工作是一切经济工作的生命线。”南边：“鼓足干劲，力争上游，多快好省地建设社会主义！”北边：“抓纲治国，一抓就灵！”管副主任看着墙上的标语，不免有些感想。原来，管副主任在斋田乡所在的区，当过区委书记，他依稀记得，他当书记时，斋田乡就这个老样子，抓纲治国这条标语，就是他到乡里搞点时叫写上的。后来，他从区委书记提拔为县组织部长；再后来就调到地区农经委当副主任。他想着这些事，不免心里感叹：“物换星移，可江山依旧。”叹着，管副主任又转悠到乡政府门口，又一条猩红的大标语映进了眼帘：

“苦干三年，脱贫致富奔小康！”

管副主任又有感叹，这时丁乡长来叫，说：“管主任，早饭好了！”管副主任说：“他们呢？”丁乡长说：“早到早吃！”管副主任说：“不行，吃饭不能稀拉。”丁乡长说：“乡里没准儿的，就让他们睡算了。”

管副主任说：“现在的干部都变修了，日头过山还死在床上。”说完，管副主任就“咚咚”“砰砰”一间一间去敲门。

敲完了板壁，管副主任就候在乡食堂门口，一个个地等。等了些时间，只稀稀拉拉来了几个工作队员。丁乡长说：“管副主任，乡里不比城里食堂讲钟点，管他，先到先吃。”

听了这话，管副主任脸色有些难看地说：“工作队要宣布一条纪律，吃饭要讲时间。你看看，让人等多不好。”边说边端起桌上的碗饭，很不高兴地吃起饭来。

管副主任吃完了饭，还有几个工作队员眼糊糊地来吃饭。最后一个到的偏偏还是工作队副队长，地区土地局的袁副局长。管副主任看了，心里更气，把筷子摔得有些重地离去。袁副局长没意识到，端起饭碗夹着碟子里的苦益菜，送进口里，说：“这菜好吃，他娘的，在城里找遍了菜市场就买不到。”又夹一把苦益菜送进口里，那样子，津津有味。可几个年轻的工作队员，扒了几口苦益菜，却咽不下口，烟草局的小陈说：“这又不是忆苦思甜。”农业局的小邢附和说：“现在还叫我们吃二遍苦。”报社记者小彭说：“吃了算了。”几个年轻的丢下碗，去了。留下袁副局长单个，他就有些火地把桌上的几碟菜一扫而光，并痛痛快快地打了几个饱嗝。

袁副局长是个老工作队员，凡是要蹲点什么的，局里都是他，局长和一位副局长结成联盟，另二位副局长就把“有油水有肉的”捞去分管，而把查处违法土地等得罪人的工作分给袁副局长。袁副局长也是个明白人，说：“我没肉吃，骨头也不啃。”

还说:“我不会帮人当黄狗。”袁副局长在局里一年到头是“闲事不管,饭吃三碗”。袁副局长还给自己搞了副对联:“一生奔波劳碌命,一事无成贱骨头。”横批是:“命该如此”。为了眼不见为净,每逢局里要派人蹲点什么的,他就提包一拎,下来了。

管副主任把袁副局长找了去,说:“老袁,你看这摘贫帽怎么搞?”

袁副局长说:“管主任,这可要等财神爷陶副局长一起来研究,你我先做主,人家会有想法。”

管副主任听他这样讲,就有些为难,说:“那大家在等他,闲着不好!”

袁副局长一笑,说:“等也是干革命嘛。”

说到等,管副主任心里又来气,本来昨日下来,地区给了面包车送,可财政局陶副局长说单位里手头还有点事放不下,过日再来。管副主任一眼看透了陶副局长的心思,他是嫌这车差,要自单位派车,可单位派车,又怕太露眼,影响不好,就推说单位有事,迟日来。当时,管副主任心里就骂:“他娘的,现在当官的都娇生惯养了,连面包车都不愿坐,一个比一个腐败。”

管副主任见袁副局长一副等着研究工作的相,说:“也罢,十多个人总不能吃干饭!”袁副局长又是一笑,说:“管主任,你还没法派工嘛。”

管副主任一想,说:“我看这乡政府卫生很差,就叫大家搞一天的卫生。”

“这很好,给乡干部留个好影响。”袁副局长很赞同。于是,管副主任和袁副局长进行分工:管副主任找乡干部谈谈,先摸个底,了解了解乡里的情况。袁副局长负责带工作队员搞卫生。

分了工,袁副局长走到乡政府大院,通知摘贫帽工作队员搞卫生。

过了一阵,工作队员断断续续圈在袁副局长身边。烟草局小陈说:“袁副局长,摘贫帽就搞卫生?”

袁副局长答:“你还不懂,党叫干啥就干啥。”

农业局的小邢操起扫帚调侃说:“一切听从党召唤。”报社的记者小彭说:“毛主席说,扫帚不到,灰尘照例不会自己跑掉,搞卫生啦。”

管副主任摸底子,就先找文书老董。他记得,他在当区委书记时,老董就是文书。

老董被管副主任叫到房间,一听是摸乡里的情况,就叹苦说:“老领导,这乡没路啦。”

管副主任一脸的疑问,说:“怎么没路呢?”

老董说:“我是真人面前不说假,老领导面前我就实话实说了。”说完,老董文书见房间门还开着条缝,就过去关了个紧,接着说:“这种乡不穷死了才有鬼!乡主要头头是面和心不和。乡书记是县上下派的干部,说是为了加强贫困乡的领导力量,可书记三天两头跑县城,说是跑项目,贷款花了几大笔,就没见个影子。乡里的事全撸到丁乡长的身上,可他又是本地人,做做也心死。乡里的干部见主要头头都这个死样子，就做一天和尚敲一天钟，混着过日子。”

管副主任听了，问：“那乡里的财政情况呢？”

老董答：“吃了上顿没下顿，还欠了一屁股的债。”老董文书举例说，银行信用社的贷款不说，就连附近的几个餐馆，接待费就有六七万元未付，乡政府天天有人来要债。乡干部到商店赊包烟都赊不来。都要书记、乡长亲自出面。老董还向管副主任透底，昨日工作队来了，丁乡长赊了包云烟，递给几个工作队员。

管副主任听了，有点急，说：“还有这样的事。”

老董说：“老领导，你别气了，有上头的领导来，烟是一包一包地赊，吃就更不用说啦！”

管副主任更是透不过气来，老董又说道：“管副主任，现在穷得乡政府卖掉了也不够抵债了。”

半天，管副主任才又嘀咕出句话：“那工作队伙食怎么开支？”

老董仔细地看了眼管副主任，放胆说：“丁乡长正为这事犯愁，说是要看看有没有违反计划生育、违章建房，逮住罚点款，补充补充。”

这一说，管副主任脸都青了，说：“老董，这次工作队的伙食，不要乡里补，我们自掏腰包。”

老董文书一听这话，慌了神，说：“老领导，乡里还在乎这点吗？已是债多不愁，虱多不痒了，靠你这样也是无济于事。更何况，你们是来摘贫帽的。”

管副主任说：“那也得管住这张嘴啊！”

谈了这些，老董文书走时一再交代，说：“管主任，我说的这些烂事你心里明白，千万不能说出去，要不我是要当水老鼠，两头受气。”

管副主任说：“有数有数。”

接着，管副主任又找了几个乡干部谈，说的烂事都和老董文书谈得差不多。于是，管副主任就下来看工作队员搞卫生，一看又来气，哪里是搞卫生，简直是画花。管副主任就发脾气，说：“连地都不会扫，还能摘贫帽。”

吃了中饭，管副主任就卷裤脚，抡袖子，亲自出马，带着工作队员重新搞卫生，弄得一些年轻的工作队员直翻白眼。可管副主任越发认真起来，跳进脏兮兮的阴沟，一把一把地抓，袁副局长看了，也以身作则，立马跳下去。搞得一身污泥。

丁乡长和老董文书看了这场景，直赞叹说：“这种干部不多不多啊！”可几个年轻的工作队员听了，鼻子直哼气。

搞卫生其实没多大的工作量，只是几条阴沟，没多大工夫，就鸣金收兵。

接下来，工作队就单等“财神爷”地区财政局陶副局长来研究部署工作。

二

摘贫帽工作队等了一日，直到日头落岗，“财神爷”才开着辆公爵王的轿车，嘀嘀进了乡政府。

陶副局长一钻出车门，就说：“他娘的，今日差点报销了！”

原来，从大公路转进斋田乡，有二十多公里的机耕路，公爵王轿车底盘低，老是让坑坑洼洼卡住。到了个陡弯，轿车差点冲了出去，全靠陶副局长眼明手快，抓了把方向盘，才捡回了命。

几个工作队员和袁副局长见了搞得黄泥样的轿车，说：“你这几十万元的车子，滚黄泥团子，太可惜了。”

陶副局长没好气地回了一句，说：“给他们用去泡妞，还不如滚黄泥团子。”

这时，管副主任出来，说：“老陶，等你这财神爷真难等。”

陶副局长说：“工作忙啊，脱不开手。”

管副主任只是哈哈一笑。大家闹腾着把陶副局长安顿下来。

吃罢晚饭，管副主任就召集全体工作队员研究部署工作，并叫了丁乡长和老董文书等几个乡干部参加。

第一件事，就研究工作队的伙食问题。管副主任说：“我们这次是不脱贫不脱钩，在乡里不是一天半日。吃饭是个大问题，全都乡里负担，乡里吃不消，我看，伙食按标准吃，大家把住勤补贴吃了算。”

管副主任话未说完，陶副局长就反对，说：“现在是啥年代了，还自掏腰包。”

“对对，身体是摘贫帽的本钱，饭还是要吃的嘛。”袁副局长也附和着说。

丁乡长一看这场面不对味，说：“管主任，吃饭好说，乡里还是负担得起，你们来扶贫就辛苦了。”

坐在角落的老董文书，很有意思地笑了笑。

管副主任还是坚持己见，说：“住勤发来就是当伙食吃的嘛。”

陶副局长说：“老管，你这是老皇历了。”

财政局的“财神爷”都这般说，管副主任被弄得有点拿不定主意。倒是袁副局长解了围，说：“我看就吃床板。”

“吃床板？”大家一脸的问号。

袁副局长不紧不慢地把“吃床板”的吃“法”道了出来。“吃床板”就是在发票上提高住宿费，把剩余部分的钱，用来当伙食。

大家听了，都说：“吃床板”这法子好。管副主任听了，说：“大家都赞成吃就吃。”

可农业局的小邢愁眉苦脸地说:“住宿发票开高了,单位报不掉。”陶副局长听了,大手一挥,说:“小邢,你的都开到我头上。”

说完,一副财大气粗样。

正准备研究下步工作,却被一阵哭天喊地的哭闹声打乱了。大家都不约而同地下去看,管副主任下去,一眼就认出领头的是东瓜村的九斤支部书记,后面跟着几个人,都哭哭啼啼的,就叫了句:“九斤。”

九斤支书模模糊糊中也认出了管副主任,叫:“管书记。”

丁乡长说:“管书记调地区了,叫管主任。”

九斤叫:“管主任,”接着一副苦瓜脸;说:“管主任,没脸啊!”

管副主任催促说:“有事,你说嘛。”

九斤支书刚开口,跟在后厢,衣衫破烂的一个婆娘,一把泪一把涕地叫了起来。

“莫吵!”九斤支书很有威地叫了句,那婆娘立刻止了声。

管副主任问:“这是谁家婆娘?”便有个中年男子钻到管副主任面前,他一看,有些吃惊,说:“是你啊!”

管副主任记不起这男子的名字了,村人都叫他烂稻草。烂稻草有些好吃懒做,家里很穷。他当区委书记时,到过他家,家里连个碗都是缺口的。一次,烂稻草烧田埂把山林烧了个光,他没等人来查,就自个挑着个破棉絮到县里森林派出所去投案。派出所里的人一看一了解,知道他是割肉没血的,就把他打发了回来。这事,一传十,十传百,大家都说:“烂稻草是烂人有烂福。”

这时,烂稻草的婆娘见大家管主任管主任地叫,就认定管副主任是个大官,就“扑通”跪在管副主任的面前,哭泣着叫:“大官啊,帮帮我家啊!救救我家啊!”

在一旁听着的丁乡长,已估摸出了事情的大概,就说:“起来,莫丢人了!”

九斤支书见丁乡长发话,也说:“莫丢人倒脸了。”

过了一阵,九斤就把事情的原委倒了出来:前几天,烂稻草的父亲死了,没钱买棺材下葬,放了两天,烂稻草就找着九斤支书,要村里救济。可东瓜村也死穷,连买记账簿的钱都要乡里出。九斤支书无奈,就带着几个人来乡里要救济棺材的钱。

丁乡长有些气地叫:“老董,你带去叫写个条子解决了。”九斤支书等几个听了,千恩万谢,颠颠去了。

财神爷陶副局长有些吃惊地问:“丁乡长,你乡里还要救济棺材?”

丁乡长叹苦说:“一年要十多口。”

陶副局长说:“真是太穷了。”停了一下,又说:“小丁,你乡里打个报告,我回去给你这棺材的钱解决了。”

袁副局长说:“丁乡长,你以后就找这个财神爷。”

管副主任说:“财神爷,你发慈悲了。”

陶副局长连连摇头,说:“小事一桩,小事一桩。”

忙了救济棺材的事，工作队又开始研究工作。可大家被救济棺材的事弄得是有些说不出滋味，闷闷的，没了先前那种热烈的气氛。

管副主任是老基层，就借题发挥，说："今夜，救济棺材的事，给我们上了生动的一课，我们就先从调查研究入手，弄清家底，对症下药，再摘贫帽。"

袁副局长说："对，没有调查研究，就没有发言权。"

说完，没人吭声。

管副主任问陶副局长，有没有意见，陶副局长摇头，说："没有。"

当夜，工作队其他人都安稳地困去，单是报社的小彭记者，为救济棺材的事，挑灯夜战。他独自一人，在乡文书的办公室里，拟一份题为"从斋田乡救济棺材，看摘贫帽的艰巨性"的内参。

丁乡长也是个热心人，见报社记者在开夜车，以为是为乡里做什么大文章，就烧了碗点心送去，一看，小彭写的是救济棺材的事，当即看得脸青一阵白一阵，找不出词语来说话，唯唯诺诺地把碗点心一放，就出来。小彭记者正入神写稿，也没注意丁乡长的神态。

可这一夜，丁乡长却踢破了被子。

去春，大约也是这个时候，省里一个什么"扶贫千里行采访团"到斋田乡，丁乡长如实向采访团反映了县里一些部门七卡八卡，造成农民缺粮的情况。不想，报社记者回去后又妙笔生花，在省报头版头条刊登了题为《官僚主义作祟，农民过冬断粮》的报道。县里几个主要头头很不高兴，说是丁乡长家丑外扬，有的还说是往县委县政府脸上抹黑。可报纸登了，也没有下文，登了也白登，乡里农民还埋怨丁乡长没卵用，省报登了还弄不来救济粮。搞得是丁乡长两头受气。今年县上的头头又响亮地提出，下死决心摘掉"贫困县"的帽子。倘若救济棺材的事捅出去，岂不比去年缺粮的事，娄子捅得更大。

丁乡长踢腾了一夜的棉被，直到天亮，想来想去，只有硬着头皮去找管副主任。管副主任已老早起来，不在房间。丁乡长又找到院子里。管副主任裹着一身的雾气，从外头田里回来，开口问："小丁，怎么田里连花草都没了。"

丁乡长答："死啦！都图省力用化肥。"

管副主任又问："农民经济作物种不种？"

丁乡长说："连田都懒得种，还会种经济作物?!"

管副主任听了，脸沉沉的，半日吭不出声。丁乡长便说："日后总要想点法子。"

管副主任说："这种乡，真是该穷啦。"

丁乡长说："是没路了。"

说着，丁乡长立马想起那件事，就放胆说："管主任，要请你帮件事。"丁乡长就把报社小彭记者把救济棺材写内参的事说了一遍。

管副主任听了生气地说："写这么大的事，都不跟我通气。"

“他都把稿子写好了。”丁乡长见机又补了句。管副主任没答，丁乡长又说：“管主任，这事捅出去，我乡长倒霉倒罢了，万一县上头头不高兴，对乡里七卡八卡的，倒霉的是全乡农民!”

“我去说，这事不能写。”管副主任一脸严肃地说。

管副主任心里盘算着如何说通记者小彭。他知道，记者这批鬼是剥了皮都会窜的人，吃软不吃硬的。

管副主任找到小彭，说：“听说你写内参？”

小彭愣怔了一下，答：“是写了。”又说：“怎么啦?”管副主任露出个很和善的笑，说：“我想同你商量。”

“商量什么?”

“写内参可以，但你知道不，这事捅出去，倒霉的是这个乡。”

“怎么会呢?”小彭惊讶地说。

管副主任说：“现在的事是弄不清了。知道不，去年省报登了这里缺粮的事，县头头和县里的部门就给乡里颜色看，卡乡里，你这次真的搞出去，无疑是火上加油，弄不好，我们工作队都吃苦头。”

小彭一脸的大问号，说：“有这事?”

管副主任说：“你深入调查一下，就知道了。”

被管副主任一番说，小彭心动了起来，说：“这种情况，我还写狗屁文章。”

小彭就有些火地把拟写好的内参，一把火解决了。但望着白涤涤的纸灰，心里又有些后悔失去了这样一个内参的好题材。

三

落村搞调查研究，按管副主任的意思，三个带长的各带一些人，下到三个村去。这样，调查的面可以广些。可是，袁副局长和陶副局长不大同意，说是就那么几个人，干脆搞大呼隆，都到一个村，这样可以调查研究得透些。管副主任见大家都有这个意思，就顺了。于是，工作队就开到九斤支部书记的东瓜村开展调查研究。

本来丁乡长要亲自陪同，管副主任不同意，说是东瓜村他熟得很，瞎着眼也摸得到，叫丁乡长在乡里看家。

东瓜村离乡政府有十多里路，管副主任清楚地记得要翻三个岙、四个岗才会到村。

这日，没雾，天上是一片的晴朗，这里的山高，晴朗朗的天，看上去就像是贴在山顶上。工作队吃罢早饭，就上路。

工作队一行十多人，刚翻了个岙，大家就有些气喘不过，败政局陶副局长就喊吃不消。管副主任一听，心里就骂："没卵用。"可他心里骂归骂，脸上还得很随和地说："那就歇歇。"

于是，大家就在岙背上歇气，报社小彭记者，望着晴朗朗的天，说："这真是天高云淡。"

农业局的小邢续了下句："望断南飞雁。"烟草局的小陈说："狗屁，连鸟毛都没有。"

土地局的袁副局长却冒出句："空气新鲜。"

"新鲜个屁，气都喘不过来。"陶副局长反对说。

说着，只见乡里老董文书气喘喘地追来，到了面前，大家才看清老董文书手里拎着腿猪肉。

管副主任问："老董，你这是？"

袁副局长和善地笑着，说："老董，你这是提亲去呀。"

大家笑看着老董，过了一歇，老董透过气来，说："这肉给你们带到村里当油水。"

陶副局长一听，说："我们下村还要自带肉？村干部吃屎去了。"

老董忙解释，说："陶局长，这里的村都穷得很，就是村干部也是过年过节才会提点肉。眼下正是春荒，许多村民烧菜的铁锅都是生锈的。"说完，老董有些重地把腿肉放在地上。这一说，陶副局长哑着没了话。

十几个人，看着腿肉，都闷闷地说不出话来。

倒是老董文书打破了沉默，说："乡里还有事，我得走了。"

大家眼送着老董文书从岙下走去。管副主任说："上路。"

袁副局长看着白生生的肉没人愿意拎，说："我多做点贡献，这肉我来拎。"

十几个人又上路了。袁副局长就拎着那腿肉。

走着，一路没人吭声，心里似乎都在想着什么。

又翻了几个岙和岗。

管副主任开口说："过了这个岗，就到东瓜村。"

烟草局的小陈，瞄惯了气枪，眼尖些，说："看，岗上有房子。"

大家抬头望去，远远地，岗上确实建着很气派的房子。

陶副局长说："铁锅都生锈，能造这样好的房子。"

说着，到了房子前，大家才看清是座新建的庙宇。

管副主任有些感叹地说："东瓜村该穷啦。"

陶副局长又说："铁锅生锈，哪还有钱造这么气派的庙。"

袁副局长说："农民造庙积极性高得很。"

陶副局长说："乡里就不管了？"

记者小彭说了句很深奥的话："人类只要有痛苦，迷信就不可能消失。他们宁可把希望寄托于虚无，却不想好好奋斗，这是不是人类的一种悲哀？或者说丑陋的人性？”

管副主任瞟了眼小彭，说：“咱进村吧。”

工作队进了村，一些上了年纪的村民，还认得管副主任，就和管副主任拉手，管副主任一路哈哈打去。

到了村支书九斤家。管副主任一看，还是老样子，没点变化，房子摇摇欲坠。管副主任“九斤九斤”喊了几句，没人应，一看，才知是门锁着。管副主任就叫工作队员等着，他自个去找九斤支书。

管副主任满村找九斤，找了半日，差不多找遍了整个东瓜村，管副主任额头上都沁出汗珠子，还是没个影子。管副主任边找边抱怨，说：“九斤死到哪里去了。”

这时，倒是个村民提醒说：“九斤支书在砖瓦窑。”

管副主任又到砖瓦窑，果然，不但九斤在，而且九斤的婆娘也在，九斤牵着条老黄牛，后厢跟着婆娘。“畜生畜生”地吆喝，炼着黄泥塘里的黄泥。

管副主任一看，笑着说：“九斤，你带头办窑瓦厂了。”

九斤一看是管副主任，忙措措地丢下手中牵着的黄牛，呼哧呼哧地从黄泥塘里赶到管副主任面前，伸过手去，忙又缩回来，说：“都是泥。”又说：“管副主任真罕见。”

管副主任拍拍九斤的肩膀骨说：“九斤你这样好，带头办砖窑致富。”

九斤忙说：“我这是做帮工。”

管副主任有些吃惊，说：“这砖窑不是你办的。”

九斤笑，说：“我九斤肚皮都填不饱，哪能办砖窑。”

管副主任听了，半天才挤出句话：“这砖窑是谁办的？”

“狗精。”

管副主任隐隐记得，他当区委书记时，狗精因为犯事，本来是要坐牢的，由于年龄不够，才放了他一码。狗精也能办砖窑？管副主任倒想见一见，说：“狗精呢？”

九斤就笑着带管副主任钻进砖寮，说：“狗精，大官来了。”

狗精正在算账，说：“什么大官？”

九斤忙拉过管副主任，说：“管书记管主任。”

管副主任说：“狗精，不错嘛，带头致富。”

狗精说：“混口饭吃。”

九斤忙插言：“村里就算狗精是能人，这几年办砖厂，让村人赚了零工钱。前回，村里造学校，他一口气就捐了一万元。”

管副主任见九斤还要夸狗精，就说：“狗精，我们再聊。”又说：“九斤，工作队在你家里等着。”

九斤有些不自然地说：“那去。”可这时，九斤的婆娘也钻进来。九斤一看，立马黑下脸,说:“臭婆娘,你还死着,家里有客人。”九斤的婆娘立马屁颠屁颠地去了。九斤脸才好看些,说:“管主任,你真深入,到这破村穷村来。”

管副主任说:“九斤,这回工作队可要住几日了。”

“这好这好。”九斤满脸笑着说,可心里却酸死了。工作队一来就十几个人,这吃饭的伙食就没地方开支了。以前,乡干部到村,顶多是吃一两餐就走,村干部贴也就贴了。可这日子,又是春荒,满锅子生铁锈,这吃饭问题如何解决?九斤盘算来盘算去,总找不出个法子。

走着,管副主任见九斤闷声不响,说:“九斤,工作队是来搞些调查研究。为村里办一两件实事。”

九斤琢磨了管副主任的话,说:“这好这好,我这村子真的要你们救一救了。”

说着走着就到九斤家,袁副局长等得有些不耐烦,埋怨说:“老管,你满天飞,让我们死等。”

管副主任说:“你没见我找得满头是汗。”

九斤见了这场面,忙叫几个到屋里坐。陶副局长没进去,在九斤屋外一堆挖来当柴烧的树根前蹲下,一个劲地挑树根。

几个喝着茶水,九斤的婆娘把九斤叫到灶间,乌着脸,说:“叫客吃白饭?”

九斤支吾着,看了眼在地上缩着的老母鸡,说:“把它宰了。”

“生蛋。”

“宰了。”

“宰了,就绝了。”九斤婆娘心疼地说。

九斤火起来,跳过去,一把抓起老母鸡,用手把鸡头一扭,随手把鸡丢在地上,只见老母鸡挺了几下爪子,就断气了,婆娘见了眼湿湿地拎起地上的鸡,褪毛去了。

九斤从灶间出来,袁副局长指着挂在圆柱子上的一腿肉,说:“九斤,把这肉拿去当油炒。”

九斤一听,差点爷都叫出来,说:“袁领导你咋不早说啊。”

袁副局长听不出九斤话里的意思,还补充说:“这是乡里叫带来的。”

“还是乡里想得周到。”九斤边说边把腿肉送到灶间,心里就有些火地说:“这鸡不能白吃。”九斤又出来,管副主任从外面的茅厕进来,说:“九斤这次我们下来,你可得好好配合啊。”

九斤说:“配合。”

说着,财政局陶副局长手里晃着个树根子进来,一脸的高兴,说:“真绝,这树根子。”

袁副局长瞟了一眼,说:“不就个柴根吗?”

“你懂?”陶副局长说。

袁副局长被说得有些尴尬,说:“这有什么不懂。”

“你看出什么？”陶副局长手里又晃着树根子说。

管副主任也凑过来，盯看了老半天，说：“真看不出来。”

陶副局长说：“这是绝对的正宗货，巧夺天工啊。”说完，又一脸的神秘。

几个被弄得如坠云里雾里。

九斤看陶副局长把树根搞得这样稀奇，很好笑地说：“这卵东西，当柴都没法烧。”

“哈哈。”陶副局长笑着说，“九斤，难怪村里死穷哟。”

“穷跟树根子没关系。”九斤不服气地说。

“知道不？这树根子是值钱东西。”陶副局长说。

“值钱?!”九斤一脸的大问号。

陶副局长又把树根一晃，说：“实话告诉你们，这树根子国内价至少值三千元，国际市场价至少说也上万元。”

“真的。”九斤脱口说，双眼紧盯树根子，那眼神恨不得把陶副局长的树根子抢了过来。

管副主任说：“老陶，这回你可要发一把了。”

这一说，陶副局长好像是意识到自己说漏了嘴似的，说：“我是说着玩的。”便不再提树根子的事。

这时，烟草局的小陈、报社记者小彭和农业局小邢，从外头转了一圈回来。

小陈说：“这地方真穷，穷得麻雀都没有。”

小彭反对说：“这和穷没根本的关系。”

小邢说：“我认为有关系，因为稻谷少了，麻雀也就大迁移了。”

摘贫帽工作队到村忙了这些，就到吃午饭的时间。

四

九斤的婆娘把菜端上来，九斤一想，自己没酒量，劝不来酒，就去把狗精叫来陪客。狗精没推托，爽快地来。一落座，见九斤拿的是三两半酒，就说：“九斤，啥年代，还喝药酒啊？”又说：“你到我家把两瓶五粮液提来。”

管副主任听了，马上反对，说：“酒不喝了。”可他的话没止住，九斤支书就拔脚到狗精家，提来酒。管副主任见了，说：“真不好。”然而，其他工作队员，却对狗精另眼相看，一个劲地称：“狗精是个大能人。”

狗精给大家倒了酒，把手中的酒一顿，说：“能人称不上，只不过比别人多赚了几个铜板。”

管副主任说：“是实话。”

在一旁黑着脸的九斤却说："村里就算狗精本事，会赚钱。"

袁副局长端起酒，说："首先感谢你的酒，其次感谢九斤的鸡。喝！"

大家都干了，就陶副局长没响应，他对这种酒见惯了，脑子里还思想着树根雕。

狗精又和袁副局长对着杯，说："感谢工作队，帮助村民摘贫帽。"

接着，几个就热火朝天地干了起来。正在兴头上，门外却有人"九斤支书救命啊！九斤支书救命啊！"地叫进来。

九斤连眼也没睁，就说："烂稻草家的，莫乱吵，你不见地区领导在吃饭？"烂稻草婆娘像是跟九斤支书配合过似的，一眼就缠住管副主任，叫："地区领导救命啊！"管副主任跳了起来，说："有事好好讲。"

刷地，烂稻草婆娘想拉下裤子，狗精很恼火，说："你要骚去骚你的烂稻草。"

烂稻草婆娘就"哇"地哭出来，说："家里揭不开锅啦，那死鬼要宰我……"

"你再嚷，我一拳修了你！"狗精眼睛喷火地骂着。

管副主任皱了皱眉，摸出张十块头，递给她，说："你把这拿去……"管副主任话还没讲完，那婆娘就一把把钱接过来，喜颠颠地赶紧走了。

大家被烂稻草婆娘弄得很不是味道，就没了先前的兴头，没喝几杯，也就散桌。管副主任就把袁副局长、陶副局长、九斤支书和狗精叫到一块，商量如何开展调查摸底。最后形成的意见是：先开个村民大会，再到户里去看。

可下午开村民大会，九斤支书还是嘀咕，说是村里大包干后就没开过，村民不一定叫得来。管副主任说，拉也要拉来开。无奈，九斤只好叫起村里的党员，分头到各户去通知。可是，尽管全村党员跑累了腿，喊破了嗓子，直到日头落山，只是稀稀拉拉来了几个上了年纪的老人。这结果，搞得管副主任眼都花去。可几个年轻的工作队员，却像是意料之中的事，说："不开更省事。"这一说，搞得管副主任更是气，狠狠盯了一眼。倒是陶副局长出来解了围，说："夜里开。"管副主任说："夜里不是都一样。"陶副局长笑笑，说："我有法子。"于是，陶副局长就把九斤支书叫到一旁，交代了几句。

到了夜里，管副主任到会场一看，果然是满满一堂人。管副主任心里纳闷，陶副局长用何法子把村民叫起来？正想向陶副局长问个究竟，不想，九斤支书就叫管副主任上台作报告。

管副主任上了台，也换了个法儿，只来了几句开场白，就说要听听村民的心里话。先是会场没点声响，村民你看看我，我看看你。经管副主任一再引导，才热闹起来。有的村民说："你们有没有带钱来？没钱就不要说了。"有的说："扶不扶贫不要紧，关键是要来点实货。"说着争着，整个会场就吵得像蜂窝桶。管副主任见村民说来说去都说不到点子上，就上台把摘贫帽工作队来村的目的、要求以及村民如何配合等，一股脑儿宣讲了老半天。临末，九斤支书上台，叫："开会的村民到村会计处登记领钱。"

“轰”地，村民就拥到村会计面前，按人头一人一元领去。中间，有几个村民的婆娘把抱在怀里的孩儿，也要当人头领钱，村会计不肯付，吵了起来，还是陶副局长爽快地说：“跪了还在乎拜吗？付！”

到这时，管副主任才明白，这村民大会是陶副局长出钱（回单位开支），才把村民叫来开的。这事，搞得管副主任心里没滋没味。报社记者小彭，也感叹说：“农民啊农民！”袁副局长听了小彭的感叹，说：“农民怎么了？农民就这个样子。”又说：“年轻人，你是少见多怪！”管副主任说：“不说了，先休息。”

于是，九斤就一个个带到户里去睡。管副主任在临上床前，交代小邢，明日要仔细了解一下，看这村子能否搞点“短、平、快”的种植项目。小邢也说，他正想着这事。

第二日，摘贫帽工作队又做了些调整，小邢和小彭负责调查了解东瓜村种植经济作物的情况。按管副主任的意见，先到烂稻草家去。九斤喊起来，说：“管副主任，先去烂稻草家，缠住半日出不来，还是先到其他家好。”

管副主任说：“那好，九斤就你带路。”

九斤立马窜到前头。几个跟着九斤走了段曲里拐弯的村道，顺着到一个小弯里，看上去有点像房子的房子前。几个脚还未止住，便“哞哞”地冲出了牛叫声。袁副局长说：“九斤，你就叫我们调查牛栏？”九斤嘿嘿地笑，不答，自顾爬上墙边安着的木梯子，到了二层，钻了进去，陶副局长见几个没紧跟上去，就手脚快些，爬上去“九斤九斤”叫着，钻进了顶层。没一下，陶副局长就捂着鼻子，从顶上面连滚带爬地下来，几个正想问，陶副局长“喔喔”地呕吐出来。管副主任等几个，感到有些奇怪，就爬上，钻进一看，比屁股大不了多少的牛栏背上，竟还住着一家人。小陈几个被牛栏和屋子里的霉味呛得忍不住逃了出来。管副主任是当头的，就不好走了。只好硬着头皮做些调查，袁副局长倒也跟着。九斤就对户主说：“周宝，地区领导体察情况来了。”这个被叫周宝的户主，没点反应样“噢”了一声。管副主任眼睛光线适应了些，一数，一家 5 口人，两个儿子和一个女儿，都窝在被窝里，就说：“叫你两个儿子搞副业去。”听了这话，窝在被窝里的两个儿子，反倒还把头也蒙进被窝去，死了样。户主忙说：“儿子都不识字，跟瞎子差不多，出不去。”袁副局长说：“那你叫两个儿子砍柴卖总可以吧。”户主的婆娘插嘴说：“儿子没体格。”

听了这话，管副主任就转话题，问：“口粮够吧？”户主说：“一年总差三四个月。”管副主任又问：“这三四个月怎么过。”九斤说：“东借西凑。”户主说：“我家还欠九斤一千斤粮。”

聊了这些，几个从牛栏背上下来，陶副局长已是吐得一塌糊涂，下午吃在肚子里的鸡爪什么的，都翻在地上了，袁副局长看了，说：“老陶，你真经不住考验。”

陶副局长听了，脸青青的，很不高兴地答了句：“你娘个头，你能经得住考验？”

小陈等几个听了，都捂着鼻子，吃吃地笑。管副主任叫：“九斤你带路！”

九斤又带几个转出岙，到了一个破庙前，只见一龙的男人在庙的墙脚下晒太阳，管副主任数了一下，加上那个上了年纪的，足足有八个。九斤见管副主任疑疑惑惑的，就说："这是严良松家，这都是他的儿子？"

管副主任有点吃惊地问："他有七个儿子？"

九斤忙解释，说："他还有个儿子到外村当上门女婿去了。"

袁副局长说："那是八个不是七个。"

九斤说："对，村里人都说他家有福气，生了八大金刚。"

几个听了都有些哭笑不得，就转进破庙里，看了一圈，除了三块石头垒着的一口大铁锅，还算像样外，其他就没有像样的东西。管副主任连声叹："穷透穷透。"小陈感叹地说："真可谓家徒四壁。"

几个叹着从庙里出来，见严家七个汉子样的儿子，还纹丝不动地坐在原地。管副主任蹲下身子一个一个地问过去。问大儿子，大儿子只是抬头一个劲地瞄太阳；问二儿子，二儿子低下头，一个劲地抠脚指头……问到七儿子，干脆打了个哈欠给管副主任，算是作答。

管副主任被搞得没点兴趣，就带着几个离开了破庙。陶副局长就说："这种家穷，说不过去。"

袁副局长更是咬着牙说："活该。"有一句话大家心里都填着，吐不出来：中国人穷，偏又爱生孩子，在全世界，人口多得出奇。人口多，又不能凭劳力养活自己，这人口对家庭、对社会、对国家不是一个负担，一个拖累吗？但偏偏许多人对人口的认识又那么愚昧，农村更加愚昧，这个问题不解决，怎么脱贫！

说着，就到了烂稻草家，几个正想进去，里面传来了烂稻草和婆娘的嘻嘻哈哈声，几个止住听：

"穷有穷福。"

"福个屁，要不是我唱了这出戏，你有个卵酒喝。"

"对，只要你把戏再唱下去，你老公就有酒喝。"

两个说了一些不堪入耳的粗话，嘻嘻哈哈了一阵。

袁副局长反应极快，说："老管，你上当了。"

管副主任没答，推门进去，烂稻草见是管副主任，随即把碗酒倒下肚，一旁十几岁的儿子，却掰着碗，叫："给我喝。"烂稻草火起来，给儿子吃了一巴掌，儿子哇哇地哭了起来。

管副主任见了，忙说："别打了，我们只是来看看。"

烂稻草说："好，领导看。"边说边把碗橱开给管副主任看，管副主任瞄了一眼，十几个碗都是缺边缺角的。烂稻草婆娘又窜过来，一把拉起管副主任的手，带到里间，只见一张木床，还是缺腿的，用几块石头支着，破草席上的棉被，像是团揉皱的马粪纸。管副主任看了看，正被刺鼻的霉味搞得想退出房间，可烂稻草婆娘不肯放手，又砰砰嘭嘭卸了谷仓的门板。管副主任又是看了看，谷仓除了散落着零星的谷屑外，就空空如也。

管副主任说："有数了。"

"管领导，我这种家真要政府关心关心救济了。"烂稻草不知什么时候钻进来，哈着脸说。

九斤说："领导都有数了。"

于是，几个就出来。袁副局长很气地说："老管，这种人你还睬他？"陶副局长接过话说："死了也别管。"小陈等几个，也说："是这样。"

管副主任说："调查研究嘛。"

一日就这样下来。入夜，山风徐徐抖来，黑暗淹没了的山村更显得荒凉和悲怆。

到九斤家吃早饭，陶副局长还记挂着那树根，一看，全都不翼而飞。问九斤，九斤骂："日他娘的，全偷光了。"陶副局长很有意思地看了眼九斤，没说什么，闷闷地吃早饭。

吃了早饭，按管副主任的意见，要再蹲点几天，再做些调查，可大家都反对，说："调查了也就这个情况。"

管副主任想了想，也说："那就先回乡政府。"

回来的路上，陶副局长脸沉沉的，有说不出的火，管副主任看了，就关切地问："老陶，昨夜睡不好？"

不想，陶副局长杀出句话："九斤，小人！"

五

摘贫帽工作队一下村，县上就电话一个接一个往里催，要落实早稻面积一千亩。说是到时县里还要组织检查验收，超一亩奖三百，少一亩罚六百。丁乡长听着电话，说："乡里笼统九百亩水田，会飞天啊。"县上的领导在电话里还用话气他，说："多落实点有好处，农民就不会春荒了。"气得丁乡长半日透不过气来，他恨恨地搁了电话，心里就骂开了：县里头头就是好大喜功，劳民伤财，为了摘贫帽，全县搞什么强行启动，把粮田就一畈畈地搞工业开发区。报纸上还净吹，工业开发区搞得多红火有多红火，数字哧溜溜地往上蹿。可实际呢？圈了地，就荒着了，什么卵毛都没有。上头压下来给县里的早稻任务没法落实，就往下死里压。这些没本事的领导。

丁乡长心里骂归骂，可还是为落实早稻的事搞得死急，眼巴巴等着工作队回来拿主意。

日头灿灿地照到乡政府，管副主任等人回到乡里，丁乡长即把县里要落实一千亩早稻任务的事说给管副主任听。管副主任听了说："县里这件事抓得准，脱贫首先要解决温饱。"

丁乡长黄着苦瓜脸，说："全乡总共九百亩水田。"

袁副局长插言，说："老管，光种早稻这贫帽子是死也摘不掉。"

陶副局长也附和，说："摘贫帽不能单打一，吊死在一棵树上。"

管副主任说："你们说，这帽该怎么摘？"

袁副局长说："通过到东瓜村调查，我感到摘贫帽关键要从实际出发，因地制宜。"

"怎么个制法？"管副主任问。

袁副局长说："搞养殖业。"

"养什么？"

袁副局长说："到底养什么东西，要摸摸市场再定。"

这般说了，没人吭声，管副主任又开口，说："老陶，你说说看。"

陶副局长支吾了几声，说："依我之见，摘贫帽要多条腿走路，向上讨向上要，也不失为一条路子。"

丁乡长听了，说："讨得来要得来最好不过。但是，向上头要钱要物都要有关系，送东西，乡里很穷……"

"傻瓜，只要打得进去，贷款去弄都合算。"陶副局长跳起来说："丁乡长，你们这种乡难怪要穷，连钓鱼的道理都不懂。"

大家谈了这些，都感到摘贫帽工作队窝在一块搞大呼隆不是个事，要分头作战。于是，工作队进行了分工：管副主任和农业局小邢为一拨，留在乡里抓早稻面积的落实和春耕生产；袁副局长和报社小彭，到外面摸市场，找门路，到底养什么。陶副局长和烟草局小陈负责去向上讨钱要钱。

分了工，正想各奔前程，嘟嘟嘟一龙的小车开进了乡政府。一看，是县里财政局、土地局、烟草局的车，来接袁副局长、陶副局长和小陈去县里。说是下来这么长时间，该到县上去洗个澡，其实是叫他们几个到上面去改善改善生活，跳跳舞什么的。这龙车里，单没有农经委、农业局的，虽然上头一再强调，农业是基础，可这两个带农字的部门却没有财政、土地这些单位这样财大气粗了，所以，没车来接。

几个来接的单位的头头，一见管副主任，是县里的老领导，都拉着叫着："去县上洗个澡。"管副主任还是脸色有些不自然地推了，说："我不洗澡，要落实早稻面积。"袁副局长也说："县上就不去了，车子把我和小彭送到地区去，得赶紧去摸市场。"县上就陶副局长和小陈去。

几个人一走，乡政府一下显得空荡了许多。

丁乡长叹道："管主任，你老领导是给自己出难题，这早稻面积……"

“小丁，这关键是看用心不用心，认真不认真。”管副主任打断了话说。“任何事只要下死心，没做不到的。”

被管副主任说了几句的丁乡长，马上附和，说：“是这样是这样。”

一旁的小邢看了，感到有些好笑。其实管副主任心里也不是没底，农民不愿种早稻。可他想，摘贫帽工作队总要抓几件事，否则，回去没法交代。于是，他心里定下谱：落实早稻面积这一炮一定要打响。

这一炮怎么打？管副主任自有他的法子。他把小邢叫来拟通告。第一号通告，致全乡人民的一封信，响应号召，种足种好早稻；第二号通告，要求全乡农民立即行动起来，做好早稻种子的落实；第三号通告，要求全乡党员干部带头种好早稻；第四号通告，要求全乡农民认清形势，不种早稻每亩罚六百元。

小邢根据管副主任的意图，以乡政府和工作队的名义写出了四号通告，管副主任亲自过目，作了些修改后，就一面抄写张贴出去，一面在乡广播上轮番播出，声势搞得老大老大。接着，管副主任又抓落实，把全体乡干部集中起来，按行政村按人头，分成一拨拨，下去摸情况，下任务。日常稀拉惯了的乡干部，都说：“管副主任真会做工作，抓得这样紧。”

大家下去，管副主任也下去。说要把东瓜村作为重点来抓，就带着丁乡长和小邢到东瓜村。整个村子转了一圈，村民普遍反映，没早稻种子，说上头搞突然袭击。管副主任心中有了数，就当场拍板答应，种子包在他身上。

另一些乡干部，其他村转过来，因管副主任不在场，农民说话就很难听，说上头就是神经病。有的村民听说是管副主任定的任务，就把管副主任在区里当书记时的陈年老账都抖来，说他是割尾巴书记，死卵才会睬他。

下村的乡干部陆续回来，管副主任又把大家叫起来凑情况。乡里的干部也灵精得很，在管副主任面前只是说农民没种子和种早稻的积极性不那么高。

凑完了情况，管副主任说：“种子我包。至于农民种早稻的积极性，这就要我们引导发动。否则，还要我们干部干啥？”

说得在场的乡干部连声说“是”。

忙完这些，管副主任就去落实早稻的种子，早稻的种子是用电话落实的。管副主任叫老董文书挂电话给县农业局长。这局长是他在当组织部长手里提起来的。老董挂通了电话，管副主任来接，那局长在电话里一听是管副主任，连叫几声老领导，老部长。管副主任等他叫了几声后，说：“老领导要你落实九百亩的早稻种子。”农业局长一听，又是几声老领导老部长后说：“早稻种子没了。”在电话里，农业局长还向管副主任解释，说是县里也没考虑到今年上头那么重视早稻，少留了一手，早稻种子没备足。管副主任很气地搁了电话，说：“县里真是笑话，这边叫人落实任务，那边又没种子。”一旁的丁乡长见机插话说：“县里这样好笑的事还多着呢。”管副主任说：“叫人怎么做工作。”

管副主任说归说，气归气，又向单位里挂电话，叫主任落实这早稻种子。讲这事时，单位里主任也推推辞辞，管副主任有些火起来，说："这几斤早稻种子都不帮助落实，我就打道回府。"那主任听管副主任口气很重，就连口答应，亲自去落实。

果然，没几天地区农经委就用专车把早稻种子送到乡里，并且不要钱，作为扶贫捐赠。

于是，管副主任就用乡广播通知，叫村里的农户来领早稻种子。乡广播通知了几遍，管副主任还怕不落实，又叫住村干部下到各村去通知了一遍，就候着农民来领种子。过去好些天，眼巴巴到了早稻下田育秧的日子，乡里没点动静，农民像是串通好似的，脚迹连乡政府都不踏。

早稻种子送农民，农民却不要。管副主任被搞得紧张起来。丁乡长见管副主任脸由青变黑，就说："管副主任，管他，真的没人种，到时乡里报数字。"管副主任白了眼丁乡长，说："农民真变了。"

说着这些，管副主任又来了主意，交代下乡长把早稻种子按田亩按农户分好，等着他县上回来处理。于是，管副主任就带着小邢直奔县里去。

到了下午太阳傍山时，管副主任就兴致勃勃地带着县机关四百多名干部，乘坐着七八辆大客车，回到乡政府。原来，管副主任一到县上就去找县长，这县长才三十出头，从进入第三梯队到当副县长，都是管副主任一手拉起。到他调地区农经委当副主任时，这青年蹿得比他还高——当了县长。管副主任对他说了乡里早稻种子没人要的事，这县长也很知恩图报，马上答应他来想办法。于是，他就立马组织了四百多名干部到乡里来送种子。四百多名机关干部拥来，把乡里闹得像个大蜂巢。管副主任就叫丁乡长宣布了要种早稻农户的名单，把干部分成一拨一拨，由住村干部带路，到各村去送种子。

四百多名干部来送种子，在这乡里是第一遭，声势又是搞得老大老大的。

种子送到农户手里，管副主任又把小邢叫来，写种好种足早稻的评论员文章。小邢按管副主任的意思写出来，又在乡广播上连续播发了一论、二论，一共有九论种足种好早稻的评论员文章后，管副主任就带着小邢到东瓜村抓点。去的路上，管副主任对小邢说："抓点就抓两头促中间。"小邢问："抓哪两头？"管副主任说："抓党员村干部和贫困户这两头。"

到了村口，正巧碰上九斤支书在田里播种子，管副主任看了，乐得脱了鞋，跳到田里帮九斤播了一阵的种子，连声赞："九斤这样的干部好，能以身作则，带头种早稻。"九斤答："这都是你老领导压的任务，没办法。"

播了一阵的种子，管副主任从九斤家的秧田出来，就和小邢转到烂稻草家，一进门，稻谷香就扑鼻而来，转进灶间，把管副主任看傻了眼：烂稻草和婆娘把早稻种子炒了当爆米花吃。小邢注视着管副主任的神态，他是恨不得把那红彤彤、热烘烘的锅子砸了个透。可他还是忍住，说："烂稻草，你这样真没救。"

说完，就出来，不想烂稻草却追上来，连声说："管领导，真感谢你给我家送来早稻种子，要不这春荒就过不去了。"

管副主任心情很不好地转了些农户，见着的不是把早稻种子束之高阁，就是干脆把种子放在地上让鸡啄。眼前这种情况，是管副主任做梦也想不到的。

九斤从田里回来，管副主任问："这早稻怎么下田？"九斤答："我只能带头，别的就没法。"管副主任看了看泥巴巴的九斤，又问："真的没法了？"九斤像突然想起什么似的，说："狗精肯出面，还有点办法。"九斤也弄不懂村里的事，只要狗精出面，没办不成的。前回，村里建庙，建学校都是狗精出来说话，一会儿就弄成了。管副主任说："那去找狗精。"可九斤又支支吾吾地说："狗精可能不肯出面。"管副主任说："怎么？"九斤只是看了一眼管副主任，不肯直说。管副主任又催，说："九斤，有话直说么。"九斤才放胆说："狗精以前处理过，弄不好心里还留着疙瘩。"管副主任听了，沉了一下气，说："这有啥，我同他说去。"于是，就叫起九斤和小邢直接到了狗精的砖窑。狗精刚好在，听管副主任说了早稻难落实的事，狗精只是很有意思地笑笑，说："是难啊。"管副主任琢磨着狗精的神态和话语，就说："狗精，以前的事，你不要放在心上，向前看嘛。"狗精说："我没放在心上，只是我没那件事，现在也不会在这混田泥了。"管副主任说："这是实话，那种年代害人啊。"狗精一听管副主任说得真切，就说："管主任，这种破事不提了。"顿了顿说："还是讲早稻的事。"管副主任立马递过话，说："你看早稻怎么办？"狗精思想了一下，爽快地答应："看在老领导的面上，我落实。"管副主任以为耳朵听偏了，又追问了一句："真的？"狗精说："我全包了。"

从砖窑出来，管副主任总感到心里还有些不踏实，又问九斤："狗精说话算数不算数？"九斤说："说一是一，说二是二。"管副主任心里有了底，但一想，光叫狗精一人去发动种早稻，把村党支部放在一边，这事张扬出去，会不会有闲话？想着，他就交代九斤支书，说："落实早稻的事，你和狗精一起出面去落实。"九斤没领会管副主任的意思，说："狗精出面，就足够。"管副主任沉下脸说："狗精能代表党支部吗？"九斤这时才明白管副主任的意思，说："我再叫几个党员和狗精一起去落实。"管副主任说："这样妥当。"

果然，到夜里，管副主任和小邢正准备上床，九斤和狗精就来说："全落实了。"管副主任听了，简直都有些不相信，狗精有这般能耐，就说："你怎么落实法？"狗精有些得意地说："我对村民说两句话，第一，看在老领导的面，不管三七二十一，这早稻要下田；第二，每亩我贴二十元。"讲完这些，他们走了。

管副主任和小邢听傻了眼，许久都不说一句话。管副主任沉默了一阵，突然问小邢："你说，敢不敢把狗精这种人提起来当村干部？"

小邢一听这话，来了兴致，从被窝里挺起来，说："管主任，你老有思想！"

管副主任被恭维得有点得意，说："这段时间，我一直在想这个问题，农村到底要让哪种人作为带头人。比如说，九斤这样的支书，人品好，也勤勤恳恳，可要他带领群众发展经济，就没办法，没号召力。长期下去，只能是越当越死。相反，狗精在村里，却有些一呼百应。”

小邢听了，说：“管主任，我看应该把狗精这样的人，充实到村班子中来。何况，他过去的那种事，说起来还应该看作是‘极左’路线的受害者。”

管副主任说：“就怕有人有看法，旧眼光改不过来。”

小邢说：“这有啥？市场经济，从某种意义上说，就是能人经济。”

管副主任说：“真的敢用？”

小邢说：“不但敢，而且要大胆起用。”又说：“当然，起用后，要加强教育和引导。”

管副主任说：“小邢，你讲到点子上了。”两人谈论了一会儿，就安稳地睡去了。

第二日，管副主任回到乡里后，就号召发动其他村学习东瓜村的经验，请能人出来落实早稻下田。同时，管副主任叫小邢对狗精落实早稻的事迹，写了篇广播稿，投寄到县广播站，进行了表扬。

不久，地区报上还刊登了小邢撰写的题为《摘贫帽工作队狠抓粮食生产，斋田乡九百亩早稻全部落田》的报道。

管副主任戴着老花镜，看了报道，眼前就出现了一片丰收在望的景象，心里不由说：“工作没白做。”

六

日子一天天飞快地过去，应该到了早稻开镰的日子。管副主任预想早稻丰收的景象没有出现，而他所费的心血，得到的是早稻绝收。这近乎残酷而荒诞的事实，是管副主任做梦也想不到的。

农民有自己的算盘。早稻落了田，就让它茅草样长在那里，不伺弄，不施化肥，那毛黄黄的早稻落在田里，就是摆样子给上头看。管副主任后来才知道，农民心里算过账，早稻绝收了，种单季，比丰收了还合算。

早稻开镰的日子，白赤赤的烈日下，管副主任蹲在田地里，看着农民把长得茅草样的早稻，一把火烧了的景象，再也抑制不住感情，泪水模糊了他的双眼。

工作队员、村干部，在管副主任央求、催促下，做了多少思想工作，才跟他一道去做农民的工作，结果几个月辛辛苦苦的奔波劳累，最后的结局是早稻绝收，这对管副主任打击太大了，一夜之间似乎就瘦了许多，苍老了许多。管副主任向小邢叹息道：“看来，摘贫帽，要有新法子。”

正是管副主任被早稻绝收搞得心灰意冷的时候，袁副局长、陶副局长、烟草局的小陈和报社的小彭又带来了一个新希望。他们在地区、县上来来回回地跑，一边和管副主任一起抓旱稻，一边抓他们的项目。

一天，小彭拎来了笼子，只见笼里三条毛油油的、比猫大不了多少的东西。悠来晃去。大家自然地圈成一圈，惊奇地看着，不由问："这是啥东西？"

袁副局长微笑着，说："你们猜猜看。"并用眼示意小彭不要说。

大家就猜，有的说是水獭；有的说是狐狸；有的说是进口货荷兰鼠。袁副局长又是神秘地笑笑，说："再猜猜看。"大家说："死也猜不着。"

袁副局长才抖开谜底，说："这叫獭狸。"

獭狸！大家又惊奇地看了一阵，陶副局长还用报夹戳进笼子，獭狸"吱"地尖叫了一声，就说："这东西怪吓人的。"

袁副局长说："这东西能赚大钱呐。"

獭狸能赚大钱，大家又是一阵议论，袁副局长又叫："小彭，你把报纸拿出来。"

小彭便把一叠报纸分给大家，说："这是登在我们报纸上的广告。"

报纸上醒目地刊登着："一条獭狸＝十头猪。"

管副主任看了广告，说："这东西有销路？"

"市场上畅销得很。"袁副局长说，"老管，我就怕养不出来，你现在拿来，有多少我包销多少。"

这一说，管副主任没了话。袁副局长看大家还有些疑虑，又从公文包里掏出叠合同，说："这是包销合同。"

大家又转过一圈看，合同上确确实实印着血红大印，包收包销獭狸。袁副局长还向大家透了个底，说是自己直接销钱赚得更大，只是提供獭狸种的公司不肯，要包销。

丁乡长听着这些，又用报夹戳得笼里的獭狸"吱吱"叫，说："这东西蛮可爱。"

袁副局长说："不是可爱，是可赚大钱。"顿了顿，又说："这是农民脱贫致富奔小康的好门道。"

凑了这些情况，陶副局长已根据报纸登的广告和合同，对养殖獭狸的效益作出了测算，结果刚好是"一条獭狸＝十头猪"。

工作队问丁乡长有什么意见，丁乡长只是不吭声。大家也就都默了言。谁的心里都明白：种旱稻也是一条致富道路，农民不干，你有什么办法？养獭狸，农民还不干呢？不是又白费一番心血！管副主任也是低头不语，陶副局长急了，说："管主任，你表个态呀，你带队下来不是要大家一起想办法帮农民奔小康吗？我们几个项目搞到了，贷款也有希望了，连合同都搞好了，你怎么反而没有一点劲了呢？"

管副主任眼里闪过一点悲哀，那只是一闪，小邢早瞧在眼里，他理解管副主任的心情。这时管副主任咬咬牙说："咱们重整旗鼓，再干一番，不能承认失败！丁乡长，你说呢？"丁乡长也知道，不管成功与失败，都要试一试，不然斋田乡只有绝路一条。于是，摘贫帽工作队和乡里形成了统一意见，决定全乡大力发展养殖獭狸业，以此来带动农民摘贫帽、奔小康。

定下来养殖獭狸，摘贫帽工作队又做了些分工，养獭狸由袁副局长去发动；陶副局长继续到上头讨钱要钱；管副主任由于忙了前一阵子，加之老胃病又犯了，回单位休整一段时间。

分了工，陶副局长又找了些树根和管副主任一道，回地区去了。

养獭狸如何发动？袁副局长与丁乡长商量的结果是：村村去发动。

于是，袁副局长、丁乡长和小彭等几个，就拎着笼子里的獭狸，带着块小黑板，下到各村去。几个先到一村，就分头挨家挨户把村民叫到祠堂里开村民会。村民到齐了，袁副局长就让村民看上一阵笼子里的獭狸。村民看了，除了生出些惊奇外，没有点联想和说法。丁乡长就宣布，说："今天把大家叫到一起，开个村民会，也可以说是致富动员会。下面，就请地区袁领导给大家作动员报告。"

丁乡长说完，袁副局长接过话，说："报告我就不作了，我给大家说说发财经。在座的大家不是做梦都想发财吗？可以这样说，世界上发财之道有千万条，斋田乡人民发财致富究竟走哪条？这次，我们摘贫帽工作队，经过跑码头、跑埠头，摸清了市场，为你们找到了一条快速致富的路。"他边说边把写着"獭狸"字样的小黑板亮在村民眼前，村民耐不住叫："快说。"

村民又轰地拥到笼子前，争着看獭狸。看了一阵，袁副局长又说，"你们猜猜看，一条獭狸值几头猪？"

又是一阵窃窃的说话声。有的村民说："那卵东西，一个猪头也不值。"有的说："顶多抵一头猪。"有的甚至说："狐臭臭的东西，送人都没人要。"

袁副局长鼻子一哼说："村民们，一条獭狸等于十头猪呀。"

村民"哗"地滚过一声，一个个眼珠子都弹出来。"十头猪，十头猪"地叫。

袁副局长又借题发挥，说："大家掰掰手指头看，一条獭狸等于十头猪，那么，一户农户一年只要养十条獭狸，就等于养了一百头猪。"

村民又惊奇地张着圆嘴，袁副局长说："大家说划算不划算。"

这时，一个村民问："这东西怎么卖？"袁副局长答："你们只管养，一切包销。"说完，就把合同递给村民看。村民又相互看了一阵。很多人不识字，只是装装样子。

袁副局长就叫村民订合同。可村民们好像通过气似的，都说："让我们想想。"就散去。

袁副局长、丁乡长和小彭又找村主要头头做工作，说："要解放思想，带头养獭狸。"村头头回答说："其他村养，我们也跟着养。"

无奈，袁副局长等几个人又到二村、三村去发动。发动的结果都是差不多意思，说是其他村养也跟着养。

几个村转过来，袁副局长看看没点结果，心里不免有点焦急。就和丁乡长商量，把东瓜村作为重点来突破。

他们还是想让狗精出头。

九斤和狗精看了獭狸又看合同，狗精说："你们又在劳民伤财哟。"袁副局长听了，说："这话要看怎么说。"

"难说。"

袁副局长胸脯一拍，说："这次你一定要信我们。"又说："我们为了保护农民的利益，有最低保护收购价。养獭狸，只赚不亏！"

村主要骨干，对保护价听不懂，议论着。袁副局长又解释，说："保护价，说得透彻点就是亏了亏政府，赚了是农民自己的。这叫做包赚不蚀。"

可最后，不管袁副局长说破了嘴，东瓜村也是那句话：其他村养，他们也养。

满乡跑过来，都是这么个情况，袁副局长几个，被搞得灰心丧气，报社小彭记者对村民的心态作了概括，说是有"三不养"：一是要我养，你政府要拿钱，你不拿钱我不养；二是你要我养，你政府要收，你不收我不养；三是你要我养，我亏了，你政府要赔，你不赔我不养。袁副局长听了小彭的概括，说："这里的农民不但保守，而且狭隘，没有一点新意识新观念，新思想，又目光短浅，只看近利，图小便宜，自私。丁乡长，你们穷定了。"丁乡长说："袁局长，只有认穷吧。"

几个望着笼子里黑油油的獭狸，感到许多无奈和感慨。丁乡长见袁副局长被搞得没点兴致，就说："袁局长，让我再想想，总有办法让它养起来。"

果然，第二日，丁乡长就想出了个令人叫绝的办法，对袁副局长一说，袁副局长连声说："这法子好。"

接着，这法子就紧锣密鼓地实施起来。袁副局长和小彭去地区运獭狸种，丁乡长在家里抓落实。丁乡长破天荒第一次把乡干部和全体家属叫到一块开会，大家都被逼得懵懵懂懂。

丁乡长看到齐了，没绕弯儿，直截了当地说："我看干部家属闲着没事，整天还吵吵闹闹的，今天，我找点事儿给你们干。"

"干什么，干你个头。"乡干部家属没等丁乡长话说完，就嚷起来。

丁乡长说："养獭狸。养也得养，不养也得养，不养，干部停职！"

乡干部和家属看丁乡长的神态，不像闹着玩的，有点怵，就说："养獭狸好是好，就是没本钱。"

丁乡长又说："本钱乡里贴，你们只管养。"

这样一说，大家都说养，就你十只，他十只，认养了数百只獭狸。过了二日，袁副局长和小彭把獭狸种运到乡里，就被乡干部家属抢养一空。

由乡干部家属带头养獭狸，丁乡长就叫乡广播员，一日三次在广播上宣传。乡长家属养多少，副乡长家属养多少，七员八员养多少，末了，还请乡干部家属上广播谈养獭狸的经验和好处，声势又被搞得老大老大的。

丁乡长这一招果然灵，全乡村民的心被鼓动起来，眼疯红疯红，都说："乡干部都做的事，肯定是有大钱赚，养！”

于是，斋田乡各村的农户，都纷纷养起了獭狸。这时，管副主任回到乡里，他马上到各村转了一圈，发现养獭狸的技术跟不上，就同袁副局长商量，各村要配一名科技副村长，负责落实养獭狸的技术问题。袁副局长听了，也认为是个好主意，就向丁乡长建议，丁乡长也说好。在确定各村科技副村长人选时，其他村没什么争议，只是议到东瓜村要狗精当科技副村长时，乡里几个头头意见统一不起来，说是狗精这人很难弄。管副主任就开导说：“市场经济是能人经济，要敢于起用能人。”停了停又说：“我看，狗精这种人，只要引导好，教育好，完全胜任科技副村长。”乡里几个头头，见管副主任这样说，也不作声，顺了。定下狗精当东瓜村的科技副村长，管副主任就叫起丁乡长几个，一道到东瓜村。到村后，没直接找狗精，而是先同九斤支书通气。一说，九斤支书倒说：“狗精肯挑点担子，村里倒真能早日富起来。”于是，管副主任就把狗精找来谈，狗精先是推让，说：“我不够水平，只能混黄泥，烧砖瓦。”管副主任就直说：“这科技副村长，是我管主任叫你当的。”这一说，狗精整个身子振了一下，他定睛看了一眼管副主任，说：“管主任，说实话，这些年，难得你这样的老领导，不把我另眼相看，这般信任我……”说着，狗精就有些眼湿湿的：“这科技副村长，我当！”

狗精当上了科技副村长，就把砖窑都卖了，搞起了全乡最大的獭狸养殖场。

报社的小彭记者，还妙笔生花，把养獭狸的事写成报道，在地区报登出来。报道说：“斋田乡农民通过大力养殖獭狸，到年底农民人均光养殖獭狸一项，就可增收五百元，乡里也将摘掉贫困帽。”

报道一出，到斋田乡参观学习养獭狸的人，也络绎不绝。连县里主要头头来看了，都纷纷肯定：养獭狸是一条摘贫帽的好路子。

斋田乡，沉浸在养獭狸的一片喜悦之中。

七

当村民养的獭狸“吱吱”地叫得欢腾，獭狸的狐骚味便充斥和弥漫了斋田乡，时令已进入立冬。

摘贫帽工作队又全都聚在一块，陶副局长和烟草局的小陈跑贷款的事有了结果。给乡里贷来三十万元。当陶副局长把单子交给丁乡长，丁乡长手都抖起来，惊喜之情，难于言表。丁乡长立马就死拖硬拉把几个弄到餐馆，狠狠“撮”了一顿。

时光过得快，獭狸天天长大，到了可以出售上市的时候了，摘贫帽工作队又分头忙去。管副主任、陶副局长各带乡干部分村包干，发动养獭狸户，做好出栏准备。袁副局长和小彭去叫提供獭狸种的公司来收购獭狸。

过了一日，公司就开着几辆车来收购獭狸。他们是很遵守合同的。可是，通知了几遍，就是没人送来。几个感到奇怪，连叫："出鬼了。"这时丁乡长如法炮制，同先前样，叫乡干部家属带头送来收购，又叫乡广播员在广播上作了一番番的宣传。可是，这次没奏效，一点动静都没有。

等了一日，来收购的几辆车说是等不住，急着要走。袁副局长几个七说八说，最后才同意再等一日。没办法，工作队和全体乡干部又连夜下到各村分头去工作。下到村，农民非但说不肯，还拿话气工作队，说是先前说过"一条獭狸等于十头猪"，现在价格只值三头猪，等好了价再卖。气得袁副局长只是连声骂："他妈的，死也不管了。"

其实，丁乡长还暗地里摸到农民的另一层意思，他们说，獭狸卖这个价，肯定是工作队和外地客串通好，从中宰一刀捞好处，要不，工作队不会这样死催叫着收獭狸。

无奈，来收购的几辆车，只好空着开回去。工作队望着空荡荡开回去的车子，心里有说不出的火。袁副局长又发火，说："这些死卵，笃定吃苦头。"

管副主任也嗅出农民不肯卖獭狸，埋伏着的火药味，忧心忡忡地对乡长说："这事要说通农民，弄不好真要出大事。"

陶副局长也很痛心地说："市场不等人呐。"

一说，大家神经又绷紧起来，不管怎样，还得去做说服宣传工作。于是，工作队、乡干部又开始各村跑，动员，磨破了嘴皮，农民总是拗着不送来收购。

摘贫帽工作队和乡主要头头，累得死急，农民却还纹丝不动地等着獭狸卖好价。

转眼就到了年关，大地迎来了第一场纷纷扬扬的大雪。摘贫帽工作队，也已到了撤回去的时间。正是工作队准备走的头一日，养獭狸的农民像是从梦中醒来一般，要把养着的獭狸卖出去。这时，村民才明白，过了冬，獭狸在市场上就是销售的淡季，出口价格要大跌。

村民就三三两两来找工作队和乡里，袁副局长就忍不住骂道："妈拉个×，你们做梦醒了。"

那些农民见袁副局长发火，就去求丁乡长，还说："跑得了袁副局长，跑不了丁乡长。"丁乡长被农民搞得没办法，只好同袁副局长几个商量。管副主任毕竟是老基层，说："这事不能意气用事了，赶快联系。"袁副局长还有火，说："不要找乡长，去找市场。"

几个就拼命劝袁副局长，不要一般见识，弄不好，到时工作队也撤不回去。东瓜村的狗精，也钻进来说："大人不记小人过。"丁乡长还说："闹出事来，这年也过不安分。"

袁副局长也觉得在理，叫上小彭，便一路"妈拉个×妈拉个×"骂着去了。

山里又是起风起雾，夹杂着纷纷扬扬飘着的雪片。工作队员、乡干部望着漫天飞舞的雪花，心被越悬越高，越拧越紧。养獭狸的村民却越来越多，把整个乡政府围成了个大蜂窝。村民都是来等消息的。

管副主任把围着的人群看了一遍，眼光停在烂稻草的身上。他感到奇怪，烂稻草没养獭狸，他怎么也来？管副主任就把烂稻草叫到一边问，说："你怎么也来了。"烂稻草嘿嘿地笑，说："保护村民权益嘛。"管副主任听了，差点气破了肚皮，说："好你个烂稻草！"

又过了一日，出去联系的袁副局长和小彭打回了一个电话，说是赶快叫村民把獭狸送到乡政府，他们马上带车进山，收购獭狸。

管副主任听了电话，急速走到人群前，看了眼下雪的天，声嘶力竭地说："你们还愣着，赶快去把獭狸送到乡政府。"

愣着的人群，才还魂过来似的，各自奔回去。管副主任叫丁乡长在广播上通知，叫村民赶快把獭狸送到乡政府。

丁乡长在广播上死命叫了几遍，管副主任还是放心不下，又马上叫起工作队，和乡干部下到几个重点村去。等到全乡的村民把獭狸都集中到乡政府，已是后半夜了。

雪，还是疯狂地飞舞着。狗精和九斤支书走到管副主任面前，骂："这鬼天。"

村民一张张皱巴巴树皮样的脸，露出近乎绝望的神情，圈着的人群开始骚动。

管副主任、陶副局长、丁乡长等几个，相互对着眼，心头掠过惊慌。面对恐慌和骚动的人群，丁乡长硬着头皮，说："事情到了这个地步再等等，看袁副局长能否回来。"

焦急和绝望地等着。

突然，人群中传过来声音："回来了回来了。"

人群自然让开了一条路，只见袁副局长和小彭雪人样，跌跌撞撞地进来，圈着的人群，又露出希冀的神情，挤了过来。在袁副局长断断续续的叙述中，大家听明白了一个五雷轰顶的消息：

"由于大雪封山，来收购的车辆全部进不了山。"

大雪封山，这是一个残酷的事实——乡里和外界的通道彻底断绝了！

獭狸送不出去了。

圈着的人群，先是目瞪口呆，继而是愤怒地骚动起来。"工作队骗人""工作队坑人""要赔偿损失"的声音，就一浪高过一浪地掠过人群。

疯红了眼的人群，又滚过一声炸雷："揍死他们！这些害人精！"丁乡长和乡干部拉起手，护在工作队员的身前。

气氛剑拔弩张！令人窒息！

人群成了一燃即着的火药桶。一触即发。

这时，站出一个人来，人群冷静下来，是狗精。只听他说："农民兄弟，獭狸卖不出去，怨谁？不能怨工作队，要怨我们自己没眼光，等着卖好价，错过了机会。"

狗精话未说完，人群有人叫："工作队发动我们养的。"狗精说："工作队叫我们养是不错，可我们自己想想看，工作队是想叫我们快点富起来，他们是好心哪！"

"好心个屁，害人坑人啊！"人群中又有人哭诉起来。

狗精说："獭狸卖不出去谁不心痛啊？大家都心痛。说实话，我是卖了砖窑，来养獭狸的，明算也要亏六七万元。我难道不心痛？可我都不闹，你们还闹什么哟！"说着说着，狗精就哽咽起来，泪水模糊了一脸，整个人就软塌下去。

全场一片呜咽声。

渐渐地，村民把獭狸全都丢在乡政府，恨恨地离去。乡政府满院满地都是奄奄一息、嗷嗷待哺的獭狸。袁副局长想不到半年的心血，得到的是这样一个结果，就再也控制不住，呜呜地哭出了声。管副主任也一个劲地抹眼子。丁乡长见了，说："算了，獭狸的事，我会把贷来的三十万元，全部赔给农民。"

摘贫帽工作队回到地区后，每个工作队都要汇报情况。这次汇报会，规格特别高，地委书记、专员等主要头头脑脑都来听。临到管副主任汇报时，管副主任没发言，只是向与会人员分发了他和小彭记者根据斋田乡情况，撰写的一篇题为《扶贫——关键是要加大精神扶贫力度》的调查报告。

地区主要领导互相传递看了调查报告，都没有作声，面上神情严肃，大家似乎都知道，这样的报告总有一天有人要写出来，他们没想到写的人竟是地区一个毫不起眼的农经委，而且是一个毫不起眼的管副主任，而且这个报告不发生在别的地区、别的土地上，偏偏发生在他们管辖的地盘内。

他们也明白，解放几十年来，帮助农民走富裕道路，是党的基本政策。过去，做了多少努力，农村还是富不起来。改革开放，从农村开始，但真正取得巨大成效的却是城市。应该公正地说，农村绝大部分地区，不仅富裕起来了，有的是大富起来了，例子比比皆是，感人至深。但有些地区就是非常艰难。其艰难的原因，不是自然条件，不是没有好政策，而是农民陈旧的思想、落后的文化，还有许多丑陋的东西。是他们自己身上的落后东西，妨碍了他们奔小康的实现！

扶贫，关键还是文化扶贫，精神扶贫呀！

（选自《上海文学》1996 年第 8 期）

韦晓光

1961 年出生，浙江丽水人。1976 年初中毕业后，先后在工厂、文化馆、越剧团、报道组工作，1985 年考入杭州大学法律系攻读法律专业，1987 年毕业后任宣传干部，镇、乡党委副书记，办公室主任，丽水地区文联副主席。主要作品有《摘贫帽》《村办厂》《事犹未了》《告村长》《乡长老田》等。

分享艰难

刘醒龙

八月的夜晚,月亮像太阳一样烤得人浑身冒汗。孔太平坐在吉普车的前排上,两条腿都快被发动机的灼热烤熟了。车上没有别人,只有他和司机小许,按道理后排要凉快一些,因为离发动机远。孔太平咬紧牙关不往后挪,这前排座如同大会主席台中央的那个位置,绝不能随便变更。小许一路骂着这鬼天气,让人热得像狗一样,舌头吊出来尺多长。小许又说他的一双脚一到夏天就变成了金华火腿,要色有色,要味有味。就差没有煺毛。孔太平知道小许身上的汗毛长得如同野人,他忽然心里奇怪,小许模样这么白净,怎么也会生出这许多粗野之物哩,他忍不住问小许是不是过去吃错了什么药。小许说他自己也不明白,接下来他马上又声明自己在这方面当不了冠军,洪塔山才是镇里的十连冠。孔太平笑起来,说洪塔山那身毛没有两担开水泡他几个回合,再锋利的刀也煺不下来。两人说笑一阵,一座山谷黑黝黝地扑面而来。吉普车轰轰隆隆地闯了进去。小许伸手将车门打开,并说,孔书记,到了你的地盘。违点小规也不怕了。孔太平没说什么,他先将车上的拉手握牢,另一只手将车门打开。一股凉风从脚下吹向全身,酷热的感觉立即消散了许多。

刚刚有些凉爽的感觉,吉普车忽然颠簸起来,孔太平赶忙将车门关好。小许说不要紧,路上有几个坑。孔太平却厉声说,关上门,不怕一万只怕万一!小许没敢吱声,赶紧关上车门,同时减小油门让车速慢下来。这以后,两人都没说话,路况好,车子走得平稳时,这种沉默有些不对头。孔太平知道自己刚才说话声音太大了。便有意找话说说,缓和缓和气氛,他掏出烟,一次点燃了两支,并将其中一支递给小许。

小许抽了一口烟后,马上告诉孔太平这是假的阿诗玛,小许说,这烟是县城南边金家坳的农民做的。

孔太平说,金家坳是我县唯一一个有希望进入亿元级的村子哩。

小许说，若将那些假烟一查禁，恐怕同我们西河镇的情况差不多。

孔太平说，是该查禁，不然国家的事就全乱套了。

小许说，昨天我听人说了一副对联：富人犯大法只因法律小犯大法的住宾馆；穷人犯小法皆是法律大犯小法的坐监牢。

孔太平想了想，觉得这副对联有些意蕴，他问小许，你还听见什么没有？

小许说，洪塔山近期内可能要出事。

孔太平忽然敏感起来，他问，出什么事？

小许说，县公安局还在整洪塔山的材料，似乎是经济上有问题。

孔太平说，不对，经济问题应该由检察院办理。

小许说，那要么就是嫖妓搞女人。

孔太平正要再问，迎面一辆汽车亮着大灯扑过来，灯光刺得他俩睁不开眼睛。小许踩了一脚刹车让吉普车停下，然后拉开车门跳到公路中间破口大骂起来。那辆车驶近了停在小许的身前，孔太平认出是一辆桑塔纳。他马上猜测可能是镇里养殖场经理洪塔山的座车。果然从桑塔纳车门里钻出来的那个人正是洪塔山的司机。小许用拳头擂着桑塔纳的外壳，说那司机也不屙泡尿照照自己，敢在西河镇里亮着大灯会车。那司机分辩说，是因为小许没关大灯他才学着没关的。

小许说，今天得让你付点学费。认清楚在西河镇能亮大灯会车的只有老子一人。

小许正要抬脚踢那桑塔纳的车灯，孔太平大声阻止了他。孔太平下车后，那司机赶忙上前赔不是。孔太平支开话题，问那司机去哪儿。那司机说是送一个客人。孔太平见车内隐约坐着一个人，就挥挥手让桑塔纳开过去。桑塔纳走后，孔太平又说了几句小许，他担心那车内坐的是养殖场的客户。小许说那人绝不是什么客户，那副妖艳的模样，一看就不是正经路上的人。听说是个女人，孔太平也不再数说小许了。倒是小许来了劲，不断地说现在太不公平了，洪塔山算什么东西，居然坐起桑塔纳，书记镇长却只能坐破吉普。小许说他若有机会，一定要治一治洪塔山，不让他太嚣张。

小许的话说得孔太平烦躁起来。这时，吉普车已来到镇外的河堤上。孔太平让小许停下车，打开车门时，他叫小许开车先走，自己一个人慢慢地走回去。

吉普车消失在镇子里，四周突然静下来。被太阳烧烤透了的田野，发出一股泥土的酽香，月亮被醺醉了，满面一派橘红。热浪与凉风正处于相持阶段，一会儿凉风扑面，一会儿暑气袭人，进进退退地叫人怎么也安定不下来。

河堤外边的沙滩上，稀稀落落地散布着一些乘凉的男女青年，女孩子嗲声嗲气的话语和男孩子有些浪意的笑声，顺着河水一个涟漪就漂出半里远。孔太平想起小时候自己从县城里来乡下走亲戚时，舅舅带着他走上几里路，同垸里的男女老少一道来这河滩乘凉的情景。有天夜里，满河滩的人睡得正香，忽然有人喊了声狼来了狼来了，惹得许多人慌忙逃个不迭。后来舅舅大喊了一声；说这么多人还怕几只狼，一人屙一泡尿就可以淹死它！舅舅的喊声制止了河滩上的慌乱，大家镇定下来以后才知道是有人在闹着玩，目的是想吓唬那几个睡成一堆的女孩子，舅舅走上前去揪着那人的耳朵，一使劲就将其扔到河水中去了。那人在水中挣扎时，大群女孩纷纷抓起沙子撒到他身上，直到那人急了，说若是谁再敢撒沙子，他就将身上的衣服全脱光，这才将女孩子吓退。那人从水中爬起来时，舅舅对他说了几句预言，断定其人将来不会有出息。孔太平记起这个故事，却不记得舅舅所说的这人是谁了。在当时他可是知道这人的姓名的，时间一长竟忘了。忘不了的是这人如今也该四十岁了。

想起舅舅，孔太平的目光禁不住拐到另外一个方向上。远远地一座小山之下，忽明忽暗地闪着一架霓虹灯，西河养殖有限公司几个字一会儿绿一会儿红，往复变幻不停。空洞的夜晚因此的确添了几分姿色，美中不足是那个“殖”字坏了半边，只剩下“歹”在晃来晃去。舅舅的家就在养殖场附近，虽然离得不算远，可他已有一年多时间没有进过舅舅的家门。孔太平打定主意，近几天一定要去舅舅家坐一坐，不吃顿饭也要喝几杯水。

孔太平从县商业局副局长的位置下到西河镇任职已有四年了，头两年是当镇长，后两年任的是现职。论政绩主要有两个，一是集资建了一座完全小学和一座初中，二是搞了这座养殖场。现在镇里的财政收入很大一部分来源于这座养殖场。所以他对养殖场格外重视，多次在镇里各种重要场合上申明，要像保护大熊猫一样保护养殖场。实际上，这座养殖场也关系到自己今后的命运。回县城工作只是个早晚时间问题，关键是回去后上面给他安排一个什么位置，这才是至关重要的。小镇里政治上是出不了什么大问题的，考核标准最过硬的是经济，经济上去了就是一好百好。

凉风一阵比一阵紧了，暑气明显在消退，河滩上几个女孩子忽然唱起歌来。孔太平心情好起来，他正要加快步伐，迎面走来两个人影。不知为何，孔太平一下认清那两人是镇完小的杨校长和徐书记，竟下意识地躲进河堤旁的柳丛里。

杨校长走到他跟前时忽然停下来说，等一下，我屙泡尿。

徐书记嗯了一声说，我陪你屙一点。

好半天没见水响。杨校长说，妈的，白等了半夜，哪知他竟留在城里偎老婆不回来。

徐书记说，这热的天再好的女人偎起来也没味道。

杨校长说，人家不像我们这些穷教师，去年家里就装了空调，改造了自己的小气候，你还当是大环境啦！

徐书记说，你别笑我土，我还真没见过空调是什么模样哩！

杨校长说，恐怕是你不注意，县城里好多楼房的外墙上挂着些像麻将里的一饼、二饼那样的东西就是空调。

孔太平差一点笑出声来。

杨校长继续说，胡老师突然发病住院，也不知是好是歹，三个月没发工资了，医疗费还要学校先垫付，他妈的这是什么道理！

徐书记说，镇长书记只管自己升官发财，哪里会真心实意地关心教育。你没听见刚才开车的小许在镇委大院里嚷，要全镇人勒紧裤带给镇里买台桑塔纳，不然出门太丢人了。

杨校长说，也是，县里随便哪位领导卖台车子也够全县教师好好过上一个月——喂，老徐，我这一阵不知怎么的，屙尿特别费劲，老半天也挣不出一滴。

徐书记说，莫不是前列腺有问题吧，得赶紧查一查，男人这地方最容易患癌症。

杨校长说，患了癌症才好，我就可以解脱了，死不死活不活反让人难熬——好好，总算屙出来了！憋死个人！

一阵水响过后，两人终于走开了。孔太平听出他们要去镇医院。孔太平明里暗里听惯了别人的牢骚话，他知道杨校长是在说自己，抬腿将眼前的柳树狠狠踹了几下后，心中的火气也就去了多半。

孔太平没走多远就碰上了地委奔小康工作组的孙萍。孙萍一个人正顺着河堤散步，孔太平一见她那模样就开玩笑，问她是不是又收到男朋友的信或者是刚刚给男朋友写完信。孙萍挺大方，说不是这两样，而是一个三年不通音信的老同学突然莽撞地给她写了一封求爱信。孔太平问她感觉如何，孙萍说她发现老同学的文章写好了。孔太平提醒她留心对方是不是抄了哪个名人公开发表的情书。孙萍笑着表示了认同。接着她告诉孔太平，镇里人都知道他今天回来，包括杨校长在内的好几拨人一直在镇委院里等着他，直到小许一个人开着车进院后，他们才散去。孔太平问清除了杨校长是准备找他要钱的以外，别人都是来申冤告状的，便多多少少有些放心下来。他告诉孙萍，这年头只要不涉及钱，一切都好办。说了一阵闲话后，孔太平要孙萍给他帮忙做件事，马上到镇医院去看看那个姓胡的老师到底是什么原因住院的。孙萍答应后，便往镇医院方向去了。

一进镇子，街两边乘凉的人都拿眼光看他，同他打招呼的人很少，偶尔开口也是那几个礼节性的字。孔太平平常进出镇子总是坐车，同镇上的人见面的日子不多，这般光景让他有些吃惊，自己刚来镇上时可不是这样，那时谁碰见他都会上前来说一阵话，反映些情况，提点建议什么的。孔太平看见街旁一位老人还在忙个不迭地招呼几个孩子，就走上去询问他家中的情况。他以为老人的儿子、媳妇外出打工去了，谁知老人气呼呼地告诉他，孩子的父母都让派出所的人抓了起来。老人说，自家几个人在一起打打麻将带点彩犯什么法，开口就要罚款三千。那些个贪官污吏怎么不去抓，那么多贪污受贿的人怎么不去抓？老人一开口，四周的人都围拢来了。大家七嘴八舌地说了半天，孔太平总算搞清楚了，原来镇派出所前天晚上搞了一次行动，抓了四十多个用麻将赌博的人，清一色是镇上的个体户，不要说是干部，就连农民也没有一个，他们认为这一定是派出所的预谋，十几万罚款够买一台桑塔纳。孔太平借口自己刚回，不了解情况，转身往人群外面走。老人在背后说，我将话说明了，要钱没有，要命有几条，孔太平没有理睬。老人又说，这哪像共产党，连国……孔太平不等他更刺耳的话出口，便猛地转过身大声说，不是共产党有意睁一只眼闭一只眼，让你们这些私营业主先富起来，你们能有今天这么大的铺子？钱来得太容易了，就想赌，是不是？莫以为自己逃税的手脚做得干净，让你逃才逃得了。孔明知道关羽会放曹操才让他去守华容道。不让你逃时，你就是如来佛手中的孙悟空。得了共产党的恩惠却想着王八的好处，这叫什么，这叫混账王八蛋！前年订《村规民约》时，你们都签过字，赌博就要挨罚。不想交罚款的人明天到镇委会里同我打个招呼。

孔太平一吼，街上突然静下来。他什么也不再说，一溜烟地回到镇委院内。也不理睬别人叫他，站在院子当中扯着嗓子大叫：老阎，老阎在家吗？分管政法的阎副书记应声从自家门口钻出来，孔太平要他马上将派出所黄所长叫来。

他刚开门进屋，住隔壁的妇联主任就送了两瓶开水进来，并随口问他怎么这次出去时间延长了三四天。孔太平说，刚开始只准备参观一下华西村，后来大家都闹着要去张家港市看看，参观团的领导只好修改日程安排。妇联主任问他有些什么收获，孔太平一边叹气一边告诉她，经验很多，可是太先进了，他们一下子学不了，还得敲自己的老实锣鼓。

孔太平开始解上衣纽扣，并说自己要冲个澡。妇联主任说，你冲你的澡，我说我的话。孔太平说，那我就脱裤子了。妇联主任笑着说，你那东西我家里也有，吓不着人。妇联主任说笑之间人也起身站起来，她跨过门槛后又回头告诉孔太平，他不在家时，宋家堰村超生了一个人。她说，本来差一点就是三个，另两个被她抓住了时间差，抢先将工作做妥当了。孔太平说，今年一切工作都白做了。他叹了一口气，随手关上门，一个人怔了一会儿后忍不住自言自语道，这些骚女人，老子非要用焊枪将她们毙了不可。

孔太平打开水龙头，放水冲了一阵身子，他刚用肥皂将身子涂抹一遍，水龙头里就没有水了。他打开窗户探出头冲着楼下叫道，一楼的，等会儿再用水好不好，让我将澡洗完。叫了两声，水龙头里又有水了。他赶忙凑过去。这时，电话铃响了起来。孔太平一怔，马上意识到一定是老婆打来的，目的是探听他的行踪，她总是怀疑自己在镇里有别的女人，常常出其不意地搭车跑来或在半夜三更打来电话。孔太平冲出卫生间，抓起电话大声说，是我，我是孔太平，我已经准时回到镇里，你该放心了吧！别用什么孩子不听话，钥匙找不见了等借口来掩盖自己的别有用心，我都明白，你不要耍这种小聪明！他吼了一通后，电话里竟无一点反应。他又说，有话你就快说，不声不响地到头来还得我付电话费。电话里轻轻地响了一下，接下来是一串蜂鸣声。孔太平愣了一会，伸手拨了自己家里的电话号码，电话铃响了一阵后有人拿起了话筒，他对着话筒说，我爱你，你放心，我不会三心二意的！电话里忽然传出儿子的声音，儿子说，你是谁，不许你爱我妈妈，我妈妈只能让我爸爸爱！孔太平说，儿子，我就是你爸爸！儿子在那边欢叫道，妈妈，爸爸要爱你！孔太平放下电话，继续将身上的肥皂液冲洗干净。

派出所黄所长进来时，孔太平刚刚将裤子穿好，天气太热，他懒得再穿上衣，光着膀子，开门见山地问抓赌的情况。黄所长说他们的确是选择了镇上干部发工资的前几天行动的，因为这时干部们口袋里都是瘪的，无钱上麻将桌，这样可以减少许多麻烦和难堪。只不过他们没有考虑到镇上那些个体户竟敢公开抵抗，到现在连一分钱都没收上来。他们准备明天先放几个女人，探探风向。孔太平沉吟一会后，表示不同意这种做法，他说政权机构做事就得令行禁止，不能半途而废，否则就会失去威信。孔太平答应镇里出面帮他们维持一下，条件是收上来的罚款二一添作五，两家对半开。派出所长不同意，他们正指望用这笔钱添一些交通工具。孔太平告诉他，老百姓已猜出他们是想买辆桑塔纳，他们若真的这么做，会失去民心的。因此，不如将这批罚款分一半出来，捐给镇里，专门发放拖欠了几个月的教师工资。黄所长有些松口了，只是不同意交出一半，他觉得太多了，教育上困难，公安部门也同样困难。孔太平思考了半天后改变主意。提出只要明天一天，到时收到多少算多少。黄所长很高兴地同意了。

门外响起了高跟鞋的磕磕声。孔太平连忙抓住上衣往头上套，孙萍刚进来时，他那铜钱大的肚脐眼还没有盖住。孙萍刚坐下，黄所长便起身告辞，那模样似乎有点避嫌的意思。孔太平留他没留住，只好由他去了。

孙萍将乌黑的披肩长发甩到胸前，像瀑布一样垂着，然后说她想喝口茶。孔太平正要重新泡一杯，孙萍已拿过他喝过的茶杯，有模有样地抿了一口。孔太平想阻却来不及，他看着孙萍那粉做的一样好看的手，心里咚咚地响了两下。

孙萍抬起头来说，孔书记这茶叶太好了，是哪个村里做的？

孔太平说，我这茶叶算什么好，这回出去考察，你们地委组织部的人那茶叶才真叫好哩，一连八九天，就是看不见他们茶杯里有哪片叶是两芽的。

孙萍说，那还不是下面乡镇的干部送给他们的。其实我们镇上也应该搞点特制土特产，这对开展工作有好处。

孙萍这话是双关意思，暗里还指疏通关节可以早点向上提拔。孙萍是昨天回到镇里的，她在地区团委工作，团委同组织部在一层楼上办公。她这次回去休假，刚好遇上东河镇的段书记鬼头鬼脑地在组织部门口转，一看就知道是上门送礼的。孔太平本来对孙萍说话的口气有些恼火，但她话里的内容却很重要。东河镇的段书记是他的主要竞争对手，地县领导连续三次考察，都是孔太平排第一，老段排第二。这次地委组织部组织外出考察，人员名单都是戴帽下达的，上面没有东河镇的段书记，他原本有些暗暗高兴，没料到人家却来了这一手。

孙萍说，现在考察干部并不是光看政绩。

孔太平说，我不会这么贱，胡子一大把了，还低三下四地去巴结那些二十来岁的毛头科长。不说这个了，说说医院里的情况吧！

孙萍说，胡老师可能是中暑了。但医生还不敢贸然下结论，一般的中暑醒过来就没事。胡老师却是醒过来后又接着昏过去了。所以非得住院观察。

孔太平嗯了一声。孙萍继续说，同胡老师一个病房里还有宋家堰村小学的一个民办教师，两人的症状几乎一模一样。

孔太平想了想说，我得马上去看看，不然万一出了事可没法交代。

孔太平领着孙萍走到门口时，看到院子里空无一人，他很奇怪，往常大家总是整个晚上都在外面乘凉，怎么一下子就变得不怕热了哩！他下到院子中央大声说，都睡了吗？还没睡的请出来一下。喊声刚落，家家户户都有人从门里钻出来，孔太平告诉大家，他准备到医院里看看两个住院治病的老师，谁家里有暂时用不着的罐头、奶粉、麦乳精什么的，请先借给他用一用。孔太平一开口，几乎人人都转身进屋拿出一两样东西来，一会儿就积成不小的一堆。孔太平也不客套，找上两只口袋装好后就往医院方向走去。

走了半天，孔太平回头一看，只有孙萍一个人跟在后面。往常这种事他不用开口，鞍前马后总有几个人跟着，特别是妇联主任，哪怕是有意想甩也甩不掉。孙萍走上来，接过他左手提着的那只袋子时，无意中碰了一下他的手。顿时，一种别样的滋味袭上心头。他一下子明白过来，大院里的人为什么要躲进屋里，为什么一个人也没跟上来。他心里骂一句：这些狗日的东西，是想创造机会让我跳火坑哩！孔太平想到这里，脚下迈动的速度忽然加快了。孙萍跟不上，一会儿就被拉开几丈远。急得她不住地叫着等一等。结果，二十分钟的路程，他们只用了十五分钟。

一到医院，孔太平就嚷着找院长。见面后他二话没说，就要院长写一个收条，还注明时间是几点几分。写完收条后，他们才去病房。一边走院长一边同他说了实话。胡老师他们的病因其实已查明了，主要是营养没跟上，身子太虚了，又赶上双抢季节农活太累，所以中暑的症状就特别严重。院长对政治问题比较敏感，知道现在教师的情况很复杂，搞不好一颗火星可以燎起一场大火，所以特别吩咐主治医生将病情说含糊一些。院长说杨校长他们推测出了几分，再三追问是不是有营养不足的问题，他们咬紧牙关没有说出真情。孔太平听说胡老师一家人已经有两个月没敢花钱买肉吃，就连端午节时也只是买了一堆杂骨熬上一锅汤。而那个民办教师情况更糟，民办教师有个孩子在地区读中专，为了供孩子上学，暑假期间，他除了下田干活以外，每天还要上山砍两担柴挑到镇上来卖。昨天中午他柴没卖完，人就晕倒在街上。院长的话让孔太平心里格外沉重起来。

孔太平出乎人意料来到病房，胡老师他们特别感动。杨校长和徐书记还没走，他俩心里对镇委领导有些气，听孙萍说孔太平一到家就赶到医院里来，也不好一见面就发牢骚，但脸上的表情没有胡老师他们好看。孔太平不大理睬他俩，他询问了胡老师和民办教师的情况以后，当着大家的面表了硬态，他说，这个月十五号以前不将拖欠的教师工资兑现了，他就向县委递交辞职报告。孔太平这么一说，杨校长就不好再挂着脸色了，他主动上去说自己想了个减轻镇里负担的办法，让学生们再挤一挤，腾出几间教室租给别人办企业，只要一个月有它三五千元的收入，学校就可以维持下去。孔太平瞪了他一眼说，这样做你不怕人背后骂，我还怕哩，你若是想当校长就只管教书，若想做生意就将校长的位子让给别人。

这时，门口跑进来一个女孩，冲着孔太平问他几时回来的。孔太平反问她怎么在这里，是不是家里有人生病了。躺在床上的民办教师忙说是学校里安排田毛毛来照料他的。田毛毛是孔太平的表妹，是他舅舅的独生女，高中毕业后在村办小学里当民办教师。田毛毛也不管是否有正经事，一下子就将孔太平拖到病房外面的走廊上，撒着娇非要表哥给她帮一回忙。田毛毛长相很动人，孔太平从小就很宠这个表妹，他早就在舅舅面前表了态，一定要给田毛毛找个合适的工作。他的确联系了几个地方，可惜田毛毛都不愿去。孔太平以为又是找工作的事，就开口答应了，谁知田毛毛竟要他写个条子给洪塔山。让洪塔山以优惠价卖给她一千只幼甲鱼。

孔太平很奇怪，就问，你要这东西干什么？

田毛毛说，当然不是放在家里养，是别人托我要买的。

孔太平说，毛毛，你别以为现在钱好赚，生意场上的深浅太变化莫测了，你涉世太浅，经不住这种折腾。

田毛毛说，就这一回。赚点小钱将自己打扮打扮。

孔太平说，你要是想买什么就对我说。

田毛毛一撇嘴说，罢罢，我可不敢沾惹你家那只醋罐子。

孔太平笑起来，他抽出笔，就近处找到一张处方笺，随手写了几行字后递给田毛毛。他告诉田毛毛，幼甲鱼平常卖时要二十五块钱一只，他让洪塔山以十八块钱一只卖给她。他要田毛毛别出面，直接将条子交给那要买幼甲鱼的人，然后按差价的百分之五十拿回她应得的那一份钱。他怕田毛毛上人家的当，再三叮嘱她，要她一手交条子一手收钱。田毛毛不以为然地要他别太小看她了。

孔太平返回病房时，医院院长正同杨校长谈给自己的孩子换个班的事，院长说现在的班主任对他的孩子一直有些歧视。杨校长先否认有歧视这回事，但还是同意考虑，只不过得找个恰当的理由。孔太平来也就是看看，并没有具体的事，他向躺在病床上的人抚慰了几句，便转身往回走。

院长送了一程后正要打住，孔太平却要他一起走一走，一路上，院长不断讲些小故事，逗得孙萍笑个不停。院长说现在搞计划生育的真正阻力是男人，所以有的地方就针锋相对地让男人去结扎，免得他们搞些借腹怀胎的鬼名堂。有一回，他随计划生育工作组到一个村里去打堡垒时，一个七十多岁的老头缠着他们，非要代儿子做结扎手术，工作组不同意，老头反将工作组的头头训了一通，说他们挫伤了他计划生育的积极性。孙萍的笑声让孔太平心里很难受，他知道孙萍是下来镀金的，时间一到就要飞回去，再艰难的工作，在她看来也只是谈笑之间的事。然而，对他们来讲，越是让局外人发笑的事情，做起来越要呕心沥血，绞尽脑汁。

镇委会院子里依然没有人，孔太平拖着院长在院子里的空竹床上坐下来，直到有人从屋里走出来他才放其回去。孔太平回屋再次冲了一个澡，然后也搬了一只竹床到院子中间。他还没下楼就发现院子里满是乘凉的人。

坐定后，不断有人凑过来问这问那。食堂炊事员最后过来，该问的别人都问了，炊事员就问华西村那么富，馒头是不是还用粉蒸。一院子的人都笑起来。孙萍一边笑一边说，何师傅，你这种问法，真有点毛主席的味道哩！孙萍这话提醒了孔太平，别人都睡着了以后，他还望着天上的星星和月亮心里细细琢磨。人再富吃的馒头也还是粉做的，一把手身上的脏东西多数是二把手偷偷扔的，这都是基本规律，到哪也改变不了。孔太平下决心要在三天之内搞清楚，自己不在镇里的这段时间，到底发生了什么事。同时，他也要看看镇长赵卫东的政治手腕有没有长进。

鸡叫过后，天气转凉了。孔太平咳嗽一阵，翻身吐痰时，看见一个人影在一旁徘徊，有点欲前又止的意思。他认出是副镇长老柯。老柯平时跟他跟得很紧，有什么小道消息绝不会放在心里过夜。现在连老柯都犹豫起来，可见问题的严重性。

孔太平一翻身就想出了一个对策。

天亮以后，孔太平让办公室主任小赵通知早饭后开一个党委、政府和人大负责人会议。小赵告诉他，赵镇长原定今天到县里去要钱，这时恐怕已走了。孔太平知道小赵与赵卫东是亲戚，他有意说，镇长知道我回来了，怎么连照面也不打一个就走，该不是我哪儿对不住他吧！小赵是孔太平与赵卫东之间有些摩擦以后，孔太平有意提拔起来的。老柯开始还替他担心，唯恐小赵为虎作伥。但后来的情况让老柯打心里佩服孔太平，小赵当了办公室主任以后，常常直接从孔太平那里领略到许多暗含杀机的话语，小赵当然会转告赵卫东，可赵卫东又不能就这些话有所表示和反应，那样就等于出卖了小赵，由于这种顾忌，赵卫东不得不多方做些收敛。

赵卫东果然没敢走，而且是第一个赶到会场。等人一到齐，孔太平就宣布开会。他说今天会议议题有两个，第一个议题是如何搞好社会治安，协助派出所收缴赌博罚款。孔太平没有说出自己昨晚与黄所长协商达成的协议，只说今天在家的干部都要上街，由他自己带队。有两个人当即表示不同意这么做。其中就有老柯。老柯平时总与孔太平保持高度一致，他一反对，反让大家迷惑不解起来，一个个都不敢轻易表态。事实上，老柯的反对是孔太平会前安排的，什么缘由他却没有说明。孔太平借口让大家再想想，转而进行第二个议题。他先问赵卫东有多长时间没有回家。赵卫东说差不多有四十天。他又问了几个人，得到的答复是最少的也有二十天了。这时，孔太平才说，第二个议题是干部休假问题。因为双抢已基本结束，所以他提议镇里的干部分三批休假，第一批优先照顾三十天以上没有回家的人。大家对这提议都表示赞同，只有赵卫东不同意，但一点用处也没有。孔太平说他若再不回去，老婆闹离婚时，组织上一概不负责任。大家都笑着劝赵卫东接受这个提议。赵卫东只好勉强地笑着答应了。孔太平又要小赵以组织的名义通知赵卫东家里，从今天起给他七天休假。孔太平说，赵镇长太累了，必须强制他休息一阵。说着，他就回到第一个议题。九点钟时，他一敲桌子，说不能占了赵镇长等人的休假时间，第一个议题过后再说。

孔太平知道别人都不愿上街和群众对着干，他开这个会的真正目的只是放赵卫东的假，收罚款的事他自有主张。散会后，几个干部围着他说，他们还以为孔太平今天只是传达出外考察的情况。孔太平说这事过一阵有了空再坐下来细细地说。接着他又指出他们用词不当，考察情况只能汇报，不能传达。干部们都说，你是一把手，怎么能向我们汇报哩，只能是我们向你汇报。孔太平对这种回答在心里表示满意，他已经看出来刚才的会开始立竿见影了。

小赵按孔太平的吩咐，让税务所和工商所的头头带着所有的人都来镇委会开会。同时又以镇委会的名义发出了一个通告，要那些收到派出所的罚款通知书的人，在今天之内将全部罚款送交到镇委会，否则后果自负。税务所和工商所一共二十多人，孔太平领着他们先上街走了一圈，他没有向他们作什么交代，只是叫他们一个个跟紧些，路上说说笑笑可以，但不准打打闹闹。当然制服是必须穿的，这是孔太平让小赵通知他们时最郑重地重申的一点，转了一圈回来，孔太平让他们集中在二楼会议室打扑克下棋，自己则一个人又到街上走了一圈。见了人也不说话，有人同他打招呼他也不理睬，顶多只是用鼻子哼一声。从街上往回走时，他到镇广播站里去了一趟。他刚回到镇委会院子，镇上的几个高音喇叭就同时响了。先是报时的嘀嘀声，然后女播音员说，现在是北京时间十一点整，离镇委会上午下班时间还有半个小时，离镇委会下午下班时间还有七个小时。无论是镇委会院子里还是街上的人，一下子就听出了那种最后通牒的倒计时的味道来。

孔太平上到二楼会议室，他要大家再出去走一趟，他要求这一次人人面孔必须十分严肃。天气很热，一出门大家身上的制服就被汗水湿透了。因为镇里一把手在头里带队，他们也不好说些什么，加上心里对这些安排一直不摸底，神神秘秘的反让他们做起来挺认真。冷冰冰铁板一块的模样在小镇的窄街上流动时，虽然已近夏日正午，却也有一股凉飕飕的东西直接渗到四周的空气中。

孔太平正在当街走着，一辆桑塔纳迎面驶来。他看出那是洪塔山的座车，理也不理，昂着头仍然不紧不慢地走着，桑塔纳赶紧靠到街边，接着个子和模样都让人看了不舒服的洪塔山从车子里钻出来，老远就大声说，孔书记，我有急事正要找你。

孔太平说，过了今天再说，今天我没空。洪塔山还要开口，孔太平突然说，你那养殖场的干部有没有人赌博？惹毛了我，就是经济命脉，我也要查封。洪塔山一愣说，你这是说的哪门子话？孔太平说，我还想见识一下，在西河镇有谁屙得出三尺高的尿！洪塔山也是在生意场上炼成精怪了的人，他意识到孔太平是在敲山震虎，马上露出一副骨头软了的模样说，我这饭碗还不是书记你给的，我可不敢让它变成石头来砸自己的脚。洪塔山站在街边，一直等到孔太平领着那群人走过去后，才转身上车。

上街转了两圈，食堂的饭已熟了，还不见有谁送罚款到镇委会来。孔太平心里有些不踏实，却不让表情露出来。他让两位所长带着自己的人到镇委会食堂去吃饭，一个人也不许回家。有几个女人推说家里有急事，想回家去。孔太平开始没有阻拦她们，等她们走到院子门口时，他才暴跳如雷地吼起来，将她们骂得狗血淋头，一声声都是说，今天是非常时期，就是家里死人失火，也必须坚守岗位到最后一刻。孔太平骂她们时，许多人都从院门外边往里望，那些话都是一个字一个字能听清的。孔太平平时对人态度不错，从不直接批评普通干部和群众，对女同志尤其和气。这也是他老婆对他不放心的地方。今天他一反常起来，大家立刻想到这件事的严重性和关键性。

女人们哭哭啼啼地回到食堂，孔太平让事务长公开地大张旗鼓地到镇委会门前的商店里搬回四箱啤酒，然后自己亲自带头上阵，举着酒杯同大家一起闹酒。税务和工商的干部酒量都练就得比较大，孔太平又让镇里一些会闹酒的人也加入其中，一时间，食堂里碗盏叮当人声鼎沸。转眼间四箱啤酒就喝光了，孔太平让事务长再去搬了两箱来。事务长搬了啤酒回来后，悄悄告诉孔太平，说是外面有些人借故有事，在偷偷地看动静。孔太平说自己心里有数，让他别着这个急。事务长刚走，老柯又凑过来，提醒孔太平是不是稍加收敛，这么大吃大喝传出去影响不好。孔太平说他现在不管好不好，只想影响越搞越大，大吃大喝多数时间是一种工作方法。

一顿饭用了两个小时，六箱啤酒全喝光了。大家都很高兴，连那几个挨了训的女人也都带着醉意说孔太平工作确实有方，跟着他她们愿意指哪打哪。孔太平没有醉，他只喝了很少几杯酒，看见拐角处有人在偷偷张望，他故意大声说，那好，下午依然是一边休息一边待命，一过六点钟就行动。

下午三点钟，广播喇叭里说离镇委会下班时间还有三小时。

三点过五分，小赵接待了第一个来交罚款的人。紧接着交罚款的人像穿珍珠一样，一串接一串地来了。交完罚款，他们都要问一个相同的问题，就是交了罚款以后还会不会吊销他们的营业执照。税务所和工商所的人听了很奇怪，他们从没有说过要吊销谁的执照的话。孔太平不让他们将谜底揭穿，他要他们对那些人说，现在个体户太泛滥了，该关的就要关，该管的就要管。这话一点也没有违反国家政策，但从孔太平嘴里说出来时，却有一股子杀气。孔太平说，现在这个时候，当领导的就是要时时透露一点杀气给人看。

孔太平看着小赵的登记表上已有了整整四十个人。抽屉里的现金塞得满满的，脸上立即堆起了笑容。正在开心时，派出所黄所长急匆匆地闯进来。

黄所长腰里吊着一把手枪，见了面就嚷，孔书记，你可不能将我们的油水揩干净了呀。孔太平说，哪里哪里，我们绝对保证只收今天一天，以后的全归你。

黄所长说，你们还会给我以后，不到天黑就会收光的。

孔太平说，不会的，绝对不会。小赵，我们收了多少人的罚款？

小赵心领神会，马上说，才二十多个。

黄所长说，赵主任，你别太小瞧我们的侦查能力了，你们已经收了三十九个人的罚款，正负误差不会超过两人。

孔太平心里吃了一惊，他怕事搞僵，忙说，我们也没料到局势会变化得这么快。

黄所长说，你大书记也别挖苦我们，我们有我们的难处，枪杆子不能对着人民专政，人民公安是保护人民，不像你们人民政府是管着人民。

孔太平说，都是为党卖命。我看这样，镇里这边就收到现在为止，剩下的都让他们去派出所。

黄所长很干脆地说，不行。

孔太平一见黄所长的态度很强硬，就先拐个弯说，要不这样，剩下的还是你们收，至于我们已经收了的，找个机会，我们再好好商量一下。

他这边一软，黄所长就不好再强硬下去，但他要求今晚就开始协商。孔太平想了想，见找不出合适的理由，只好答应他。黄所长一走，孔太平就叫小赵先将现金送到银行里存起来。小赵从未见过这么多钱，一个人不敢去，就叫上小许开车送。他俩刚上车，马达尚在叫着没有发动起来，办公室电话铃突然响了。孔太平拿着话筒一听，竟是赵卫东。

赵卫东上午出了大院门，其实并没有回去。孔太平不便问他躲在哪里。赵卫东说，有人给他透露消息，派出所准备派人半路拦劫，将镇里收到的罚款控制在手里，争取分配的主动权。黄所长判断镇委会的人不敢将这笔巨款存放在办公室，一定会在天黑之前送到银行里去，所以他已派人在工商银行与农业银行附近分别把守着。孔太平心里很恼火，他没料到黄所长竟会这么干。不过他又有点不相信。他将小赵从车上叫下来，让小许开着车出去转了一圈。小许回来说情况真如赵卫东所说，不仅银行门口有派出所的人，就是镇委会大院门口也有一个拿着对讲机的警察在望风。孔太平不由得对赵卫东心生些许谢意来。

他冷静地想了一阵，终于有了应对的办法。首先他亲自给县教委，电视台和县里分管教育的副书记、副县长打了电话，请他们今晚来西河镇参加一项重要活动。接着又给洪塔山打电话，调他的桑塔纳去接县电视台的记者。然后他让小赵坐上小许的车，到两家银行门口去逛几趟，将黄所长的人从镇委大院门口调开。小赵和小许一动身，大门口的那个警察果然就尾随而去了。接着洪塔山的桑塔纳准时开了进来，洪塔山也随车来了。他还是找孔太平有事。孔太平让老柯去县里将一应人都督促来。

孔太平在等待镇教育站何站长的空隙里，听完洪塔山要说的事。洪塔山的养殖场里，昨天来了几个客户，偏偏甲鱼池旁边的棉花地有人正在打农药。洪塔山怕被客户碰见会有不利因素，影响他们之间产销合同的签订，就亲自去劝那打农药的田细伯稍缓两天再打，结果双方几乎发生了冲突，田细伯差一点用锄头敲碎了洪塔山的头。田细伯是孔太平的亲舅舅。孔太平听了又气又笑，他答应明天抽空去帮助他处理这事。两人分手时，孔太平告诉洪塔山，他写了一个条子，答应给人一些幼甲鱼，希望洪塔山给个方便。洪塔山说得很漂亮，他说只要是孔书记的指示，他绝对百分之一百二十地照吩咐办。

洪塔山刚走，教育站何站长就来了。孔太平非常严肃地先要他用党性来担保，然后才告诉他，无论他想什么办法，一定要紧急通知全镇各学校校长，晚上八点钟准时赶到镇委会会议室开会，而且必须保密，开会之前不能让消息走漏给外界。何站长有些摸不着头脑，孔太平不肯透露半点信息，只说绝对是不让他们吃亏的事。何站长见模样真的有好处，就使出绝招，站到镇外的必经之路上，分别告诉一些回到各村的人，让他们给村小学校长捎信，说是有民办教师转正指标下来，要连夜讨论。

从何站长告诉第一个人算起，到最后一位校长赶到教育站，总共只用了一个半小时。来得最早的是镇完小的杨校长，完小里没有民办教师，但他意识到这个会可能有其他目的，他问何站长时，吓得何站长赶忙摇手叫他别瞎猜免得让自己犯错误。杨校长不管这个，继续追问是不是镇里想用那笔赌博罚款补发教师工资。何站长一方面叫他别再说下去，一方面又回答说这种推测有几分道理，现在的事没有比钱的问题更让人敏感了，何况又是从派出所荷包里掏出来的钱，那敏感程度则更要翻倍了。其他校长来了后，他们就不再说这个。校长们急着先要看文件。何站长拿不出来，便随口说，到时县里领导要来亲自传达。校长们到齐后，派出所黄所长也来了。黄所长说自己是来帮一个亲戚开后门的。何站长装模作样地记下了他那亲戚的名字。黄所长忽然问，怎么中学唐校长没来。何站长本是将中学给忘了，他下意识地撒了一个谎说中学里没有民办教师，倒是天衣无缝。黄所长走后，何站长越发感到杨校长的推测有道理。八点钟时，他带着一帮校长来到镇里，他一个人悄悄地将这一切都说给了孔太平，并重点申明自己是领会到领导的意图以后，有意不通知中学唐校长与会，免得引起派出所的怀疑。孔太平一点也没有给他面子，反说是画蛇添足，不让唐校长来才让人怀疑。何站长想一想终于悟出道理来，现在哪个会议不是毫不相关的人坐了半屋子，来与不来是对会议主题的态度问题。看着何站长灰溜溜地走到一边，孔太平心里又有些感叹，他觉得文人的自作聪明真是又可嫌又可怜。这时，黄所长带着他的两个副手全副武装地走过来。

孔太平老远就冲着他们笑，并大声说，天气这么热，还这么注重仪表。

黄所长说，我这是向税务所和工商所学来的，有些事情是得用点威慑力量。

孔太平说，要是你威慑到党委和政府头上，那可就要犯大错误哟！

黄所长听出这话的分量来，他不甘示弱地说，要不要我们回去重新打扮一下，再找几个公关小姐陪着来！

孔太平见好就收，他说，不用不用，我们这些做地方领导的还巴不得请两名武装警察站在门口哩，你们一威风，我们也跟着像个英雄形象了。

听到这话的人都笑起来。孔太平趁机将黄所长等三人请进办公室。跟着县教委主任、电视台记者和县委肖副书记都来了。孔太平让记者们先打开摄像机，他一边介绍情况时，他们就可以同时做节目采访了。孔太平开门见山地对着摄像机镜头说，他代表全镇五万人民感谢镇派出所在自己经济状况十分困难的情况下，仍向全镇教育系统捐款人民币十二万元。黄所长一时没反应过来，摄像的强光一照，三个人都有些发呆。肖副书记表扬他们的话，他们一句也没有听进去。直到孔太平请他们一起到二楼会议室同全镇教育界的代表见面，走出办公室时，室外的凉风一吹，他们才清醒过来。两个副所长借口上厕所，便一去不回。黄所长挨着肖副书记，他不敢走，而且还在聚光灯下，亲手将孔太平交给他的一大提包现金，转交给何站长。在十几位校长的掌声中，黄所长还说了一些堂皇的话语。何站长抱着大提包发表讲话时，黄所长趁人不注意，踢了孔太平一脚。

孔太平没有还手，他小声说，你应该感谢我让你出了名，他们说了，这条新闻可以上省电视台的新闻联播。另外上地区和省的日报一点问题也没有。

黄所长说，你不该设下圈套让我钻。

孔太平说，我这也是没办法，镇财政太穷了。

黄所长说，只怕是有些事到时候我也没办法。

捐款仪式一结束，黄所长就走了。这时，校长们已知道民办教师转正通知完全是编造的，惹得他们一个个有喜有忧。喜自然是拖欠的工资可以到手了，忧则是回去没法向民办教师们交代。肖副书记只对结果满意，但对过程提出了批评。孔太平说，如果县里给他们镇一百万，他绝对负责一切都照党章和宪法法律办事。他说正确路线不能当饭吃，不能当钱花。批评归批评，肖副书记也明白基层干部的难处，他说自己在理论上是绝对不支持这种做法。正经话说完以后，他甚至要孔太平付给他当演员的劳务费。孔太平听到大家都跟着肖副书记喊他孔导演，不由得苦笑几声。

大家一一告辞时，何站长也想走，孔太平叫他先留下。待肖副书记他们都走了，孔太平将何站长叫到办公室，当着老柯和小赵的面，他要何站长将十二万块钱中分出四万块钱给镇委会。何站长有些不情愿，他觉得教育站将各方情意都领了，不能只得打折的好处。孔太平不说话，只是阴着脸坐在那里。小赵和老柯不停地劝何站长，要体谅孔书记的一片苦心，没有孔书记这破釜沉舟的一招，这拖欠的几个月工资可能再过一年半载也没钱发放。何站长说这钱本来镇里就是要给的，现在名义上给了十二万，可实际上只得到八万，这之间的亏空，教育站实在没办法背负。做了半夜工作，何站长还是不松口，孔太平火了，他指着何站长的鼻子说，老何，你别给面子还不知道要。十二万都给你，你也多得不了一分钱，我要四万自己也不敢都贪污了，就这样定了。就现在，你数出四万给赵主任。说着他一甩椅子到院子里乘凉去了。

他刚坐下，孙萍就将自己的躺椅搬过来。两人相距不远也不近。孙萍告诉他，镇里对今天发生的两件事反响很强烈，群众都说孔书记真有水平，一天时间就将当今最霸道的人和最难缠的人都摆平了。孔太平问孙萍还听说其他情况没有，孙萍说别的没有，就只看见赵卫东赵镇长在街上拦住肖副书记的车，似乎是回县里去了。孔太平心里又有些不爽，赵卫东同肖副书记是高中同学，关系不同一般，两人这一路同车，也不知会说些什么对他不利的话。孔太平犹豫了一阵，到底还是开口问孙萍在地委组织部有没有比较好的关系。他以为孙萍会理解自己的意思，哪知孙萍只说了她有一个校友在组织部当干部科科长后，就没有下文。干部科正好管着孔太平这一类干部的升迁，孔太平对孙萍一下子重视起来。

这时，小赵走过来，说何站长已答应了，但他希望孔书记表个态，在镇里财政收入情况好转以后，采取某种形式给教育站增加四万块钱。孔太平毫不犹豫地说了两个字：没门。过了一会儿，他又斩钉截铁地说，这个先例不能开，党委和政府不是个体商店可以讨价还价。小赵回屋不久，何站长一个人提着大提包出来了，他有些垂头丧气地同孔太平打了个招呼。孔太平看着他的背影突然将他叫住，然后又叫小赵和老柯过来，他要小赵和老柯护送何站长到银行去，将钱存起来，以免出现意外。何站长苦笑着说，别人抢劫偷盗我都能对付，我只怕你孔书记，大家都以为孔太平要发脾气，谁知他竟哈哈大笑起来。

老柯从银行里回来后，坐在孔太平的竹床上，两人说了一通悄悄话，老柯告诉孔太平，赵卫东这一阵在镇里放风说孔太平要回县里去当商业局长。孔太平心里响了一下。镇委书记去当商业局长，看起来是平调，实际上是降职使用。这种类似的职务一般只给乡镇长，而书记则大多是到人事、财税、公检法等要害部门，或者到大委大办去，否则就有问题了。孔太平明白昨晚回来时的冷清场面，一定是这个原因，他没有责怪老柯不及时通风报信，老柯有老柯的难处，与他太亲近了，万一赵卫东当了镇委书记，他的处境会不妙的。他原谅了老柯还因为今晚的气氛已发生了变化，大家公开地说西河镇唯有他孔太平才能镇住，别人都不行。他对后面这句话感到特别舒服。但他心里还是打定主意要找机会让赵卫东出一回丑，杀杀赵卫东身上的那股邪气。他将小赵叫来，问他知不知道赵镇长现在在哪。小赵这次真算见识了孔太平的厉害，他不敢说假话，如实说赵卫东晚上才回去，整个白天赵卫东都在财政所同人下象棋。小赵说赵卫东是担心镇里今天有事万一用得着他，才没有走的。孔太平心里清楚赵卫东是怎么个想法，赵卫东一定是打算出来收拾残局的。他没有将这一点戳穿，他心里在担心赵卫东将财政所控制得太死了。镇里分工，他管人事干部，赵卫东管财政金融。他在内心作检讨，今后对赵卫东分管的这一块也不能太放任了。

夜深以后，院子里静下来，天上的星星此时格外明亮。孔太平又想起小时在河滩乘凉时有人喊狼来了的情节，他觉得如果现在能找到这个人，肯定十分有趣。

半夜过后，孔太平蒙蒙眬眬地感到有人用什么东西往他身上遮盖着。他以为是孙萍，睁开眼睛一看，是妇联主任。他没有作声，又将眼睛闭上。刚刚睡着，忽然有人将他摇醒了。摇醒他的人是洪塔山。洪塔山也不管他是否完全清醒，急如星火地告诉他，派出所将他的那几个客户抓走了。孔太平迷糊地问为什么抓他们，洪塔山说是因为有几个姑娘陪他们玩。这话让孔太平一下子惊醒了，他翻身坐起来，从头到尾细问了一遍。为了招待那几个客户，洪塔山专门从省城请来几个公关小姐，昨晚没事，哪知今晚派出所突然下了手。养殖场四周围墙上架有电网，派出所的人也做得出来，居然像特务一样剪断电网，从围墙上爬进养殖场，又用麻醉枪将几条大狼狗放倒，顺顺利利地钻进客房里，将那些男男女女光着身子逮走了。洪塔山说他们事先还专门请派出所全体人员吃了一顿，明明白白地请黄所长高抬贵手给企业一条活路，黄所长已答应只要不太出格，他们就睁一只眼闭一只眼。洪塔山断定他们出尔反尔只是为了报复镇委会和镇政府，因此这事非得由孔太平出面调解不可。

洪塔山的养殖场提供的税收占全镇财政收入的百分之五十以上，有时竟达到百分之六十左右，而这几个客户又保证了养殖场销售额的百分之五十到六十。派出所这一招实际上是冲着孔太平的咽喉而来，孔太平身上感到一股凉飕飕的寒气在弥漫，转眼之间浑身上下又有了一种火燎火烧的感觉。他朝洪塔山要了一支烟，吸了半截让人恢复冷静。他要洪塔山严格控制此事的知情范围，对养殖场内部的人要把话说绝，谁将此事告诉第二个人，就立即开除出场。对外部的人除了他以外，暂时谁也不要说。而且他估计，派出所那边也不会将此事大肆渲染，甚至有可能同样严格控制此事的知情范围。

洪塔山当即回场处理内部事宜。

孔太平一个人想了好久，才决定将此事扩大到小赵那里。他叫醒小赵并对小赵说这事到他那里应该画上句号，包括镇长暂时都不要让他知道，孔太平带着小赵往派出所走去。

让他们奇怪的是，派出所屋里屋外竟是一片漆黑。他们对着紧闭的大门叫了半天,也不见有人来开门。孔太平心里窝起一团火又不能发泄出来,他强忍着让小赵别再叫了,干脆回去睡觉,明早再来。

天亮后不久,洪塔山又跑来了,他告诉孔太平,五更里场里值班人员接到一个客户家里打来的电话,那个客户的老婆因为打麻将也被公安局抓了起来,家里要他赶紧回去救人。洪塔山也不管三七二十一,拉起半醒不醒的孔太平就往外走。孔太平生气地摆脱他,说自己总不能连脸也不要吧。他洗脸刷牙时,洪塔山一直在旁边催促着说,我的好书记,你动作快点吧!到派出所的路上,洪塔山将自己如何在场里做的安排,一一对孔太平作了汇报。孔太平没有挑出什么毛病,就说他是亡羊补牢。

派出所半掩着的大门前,一只肥猪正在拉屎,热腾腾的白气升起老高。孔太平正要吆喝,从门缝里飞出半截砖头,砸在猪身上发出肉孜孜的一声响。大肥猪一下子蹿出老远,并且像有绳子牵着一样,从门缝里拖出一个人来。三人一碰面,孔太平发现他正好是黄所长。

黄所长拿着一把扫帚说,孔书记和洪老板一大早结伴而来,是不是向我们这些穷公安捐赠点什么?

孔太平说,黄所长你也别叫穷,我们不会在你这儿揩油吃早饭,还是让我们进屋去说话吧!

黄所长做一个请的手势。派出所办公室的确有些寒碜,两只破沙发上,几团黑棉絮从窟窿里往外翻着,水泥地面上尽是大坑小坑,办公桌上油漆已经剥落了许多,上面印着的一条毛主席语录已经是残缺不全了。

洪塔山说,黄所长办公条件这样艰苦可不行,什么时候闲了到养殖场去走一走,我送几套办公用品给你们。

黄所长说,洪老板这么慷慨,我却不敢接受,艰苦点好,免得落下个腐败的嫌疑。

黄所长接着说,照我多年办案的经验,无论是当领导的,还是当老板的,如果是主动登我这破门槛,一定是有求于我。

孔太平说,黄所长你也别绕弯子了,我们的确是无事不登三宝殿,当然,话说回来,你这儿也太森严了,个个腰间都别着一把铁公鸡,好人也还怕枪走火哩。

孔太平使了个眼色,洪塔山忙说,请黄所长高抬贵手,将我那几个客人放了。小弟我还懂得规矩,知道如何感谢你们。

黄所长正色说,你这话是什么意思,别说我们这儿没有你们的什么客人,就是有客人被逮住了,也会绝对按法律条文办事,要谢你们到北京去对着天安门磕几个响头就行。

洪塔山说,黄所长别戏弄我,我们职工昨晚亲眼看见你的两个副手带人冲进客房里,将那几个人带走的。

黄所长说，这不可能，他们做事不可能不先同我打招呼。公安不同官场和生意场，钩心斗角互不买账。我们这儿是军令如山倒，官大一级压死人，管你没商量！

孔太平说，不看僧面看佛面，昨晚我就亲自来过，无论怎么叫你们都不开门，现在是第二次了，你总该给我们一个准确的信息吧！

黄所长说，我们借贵处宝地安营扎寨，哪敢得罪你们，昨晚上所里的同志都出去巡夜去了，按规定，家属是不能管公事的，孔书记你也别见怪。我这就去替你们查，看看是否有人搞僭越，有事没有通过我。

黄所长让他们坐一会，自己去去就来。他一走，孔太平和洪塔山就相对骂了一声，妈的！果然，只一小会儿他就转回来了，进门就说，是抓了几个外地人，已搞清楚了，没什么问题，刚刚放了他们。孔太平和洪塔山赶到门口一看，果然有几个男女在往门外走，洪塔山一喜说正是他们。黄所长连声说误会误会，并将他俩一直送出门，孔太平心里觉得奇怪，跨过大门门槛后，他回头看了一眼，见派出所的几个人正相对而笑。

洪塔山也没顾得上同孔太平打招呼，连同客户和公关小姐们一起，六七个人一起挤进桑塔纳里，向养殖场急驰而去。

孔太平刚回到镇委会，小赵就迎上来告诉他，昨天夜里，山里的一个村子发生了泥石流，其中一个百来人口的垸子几乎完全被毁，死了九个人，牲畜还没有准确统计，最少也有四十头。孔太平头皮一下子发麻了，血气阻在那儿，仿佛要涨破头皮。他望了望初露的骄阳，真不敢相信这是事实。可山里就是这样，隔着一道山梁，一边暴雨成灾，一边赤地遍野。他让小赵将昨晚扣下来的四万块钱全部拿出来，同时大声吆喝，让镇委会在家的同志做好准备，十分钟以后随他出发去救灾。镇里只留小赵一个人上传下达，小赵将四万块现金交给他时，提议火速通知赵镇长回来。孔太平没有同意，他只同意让赵卫东在县里做些联络，尽可能多地弄一些救灾物资资金回来。他对小赵说，你告诉赵镇长，三天之内他要是不能搞到五万块钱现金，一万斤粮食，我跟他从此就是仇人。

十分钟以后，全镇的干部都出动了。孔太平带上老柯、孙萍和妇联主任坐上吉普车在头里走了。路过派出所，他让小许停一下车，自己跳下去找到黄所长，要他派两个人去帮助维护治安。黄所长听了情况后，连忙叫全所的人将自备的干粮与治外伤的药全都拿出来交给他，然后骑上那辆旧三轮摩托，亲自往灾区赶。黄所长的做法提醒了孔太平，他让孙萍下车返回去，协助小赵通知镇上各部门单位，轮流做些熟食送到山里，同时动员镇上的人将自家的旧衣旧物捐献出来。

黄所长的三轮摩托拉着警报在前开道，半路上果然见到路旁的河里在涨着浊水。被泥石流袭击过的村庄田野真是不忍目睹，半夜里从家里仓皇逃出来的人们，多数只穿着一条裤衩。失去衣服遮护的女人们全都挤成团躲在一处小山凹里，高高低低的一声接一声地哭着。男人们望着面目全非的垸子，一声不吭地怔在那里。

天上还在下着雨，泥泞在男人女人那半裸的身体上流淌着。孔太平记得垸子附近有所小学，就想将灾民转移到学校里去躲一躲，他蹚过齐腰深的泥泞过去看时，才发现学校已被毁得干干净净，就连学校操场边的一棵有八百多年树龄的银杏树，也被连根拔起，滚到很远的一处山崖下。

孔太平他们忙了半天，救灾工作才有点头绪。中午过后，县里的领导赶来了，赵卫东也坐着他们的车子赶回来。一见面赵卫东就说他已按照他的要求完成了任务。孔太平免不了要说几句客套话。但他在心里还保持着警惕，赵卫东能在半天之内完成这些钱粮任务，可见他的潜力很大。孔太平让赵卫东仍旧回镇里去组织救灾的后勤保障工作。这时，天已晴了。太阳一出来，气温就急剧升高。孔太平夜里没有休息好，白天里一急一累，外加太阳一烤，早上和中午又没有好好吃东西，他正在指挥别人搭简易棚子时，突然一阵晕眩，人一歪倒在地上。大家七手八脚地将他抬到阴凉地方，早有医生上来给他推了一针葡萄糖。

孔太平醒过来不一会儿，洪塔山匆匆跑来了。孔太平以为洪塔山是来救灾，一搭腔才知道他还是为了那几个客户嫖妓的事。派出所名义上是将那几个人放了，但还扣着他们的身份证，以及他们的交代材料。他们被放出来时，派出所没有一个人对他们说什么。洪塔山据此推测，可能是要他们拿钱去赎回那些证词证物。

天灾人祸都处理不过来，洪塔山又拿这说不出口的事来烦他，孔太平真有点恼火了，他生气地质问洪塔山说，你是不是还想我去给养殖场当拉皮条的干爹！

洪塔山并不示弱，他说，你信任我，让我当这全镇财政顶梁柱的头头，我得对你负责，不然企业出了问题，到头来还得你出面收场。

孔太平说，你别拿这个来要挟我，好不好！

洪塔山说，我说的是实话，换了赵镇长我还懒得这么跑腿费口舌哩，养殖场又不是我的，办垮了我还正好去干个体。

洪塔山说能不能拿钱去贿赂派出所的人，他等着听孔太平的答复，有人挑担子他才敢做，不然恐怕将来跳进黄河也洗不清。洪塔山说着转身跳进淤泥中，帮忙寻找被掩埋的物件。

孔太平清楚自己是绝不能开口表态同意洪塔山这么做，这是原则问题。然而，卡着养殖场脖子的几个客户，实际上也在卡着他的脖子，养殖场一垮，全镇财政一瘫痪，自己的政治前途也就终结了。别人以为他还在休息，都不忍来打扰。他一个人苦苦思索了半天，终于觉得有一个办法可以一试。他朝洪塔山招三次手，洪塔山才发现。

他告诉洪塔山，天黑之前将那几个客户用车送到这儿来，名义上是找黄所长说情，实际上是要他们触景生情，主动表示爱心善心。先让他们受感动，再让他们自己去感动黄所长，形成一个连环套。洪塔山觉得除此以外别无他法，假如这个连环计成功了，也是最理想的结果。

西河镇虽然山多沟多，毕竟只那么大一个地盘，桑塔纳跑一个来回，也就个把钟头。洪塔山将那几个客户领上山时，孔太平也不失时机地将黄所长叫到身边，借口商议晚上要不要派人巡逻值班。黄所长说为了防止发生万一还是派人顶几夜为好。孔太平正在点头，洪塔山他们走拢来了。几个客户严肃的面孔上都流露着震惊与痛苦。洪塔山正向黄所长说，他们是特地来请求宽恕的。年纪稍大一些的姓马的客户打断他的话说，我们的事算个屁，是自讨苦吃，这些人才是真正造孽哟。太多钱我也拿不出来，说话算数，我捐一万块钱帮助他们重建家园。这位姓马的一带头，剩下几个也马上作出表示，大家都是不多也不少，每人捐出一万，他们身上没有带太多的现金，当场一人写了一张欠条给洪塔山，让洪塔山先替他们垫付，他们回去以后马上将钱汇过来。洪塔山与他们的业务关系很密切，信得过他们，所以没有不答应的道理。

孔太平见他们正按自己预计的去做，心里很高兴，自然说了不少感激的话，并且大声对现场四周的干部群众作了宣布。受了灾的那些人更是热泪盈眶。激动一阵后，大家又回过头来说泥石流，说到最后几乎都是一样的话：他们都听说过泥石流的厉害，可是没想到泥石流这么厉害，简直就像一群饿狼攻击一头瘦牛一样。孔太平抓住时机对黄所长悄悄地说了一句话。他说，其实，这些人心里也不坏，还算有良知。

黄所长看了他一眼说，孔书记，尽管这幕戏只有我一个观众，但我还是被感动了，不管怎样，我也得为这些农民着想啊。

说着话，黄所长取出腰上的对讲机，他先喂喂地联络了几声，然后说，王八案子取消，放他们一马。洪塔山一高兴，当场表示要送一台大哥大给黄所长。几个客户也千恩万谢地说了不少好话，他们最怕这事捅出去在家人面前不好交代。黄所长叫他们到派出所去将身份证拿走，交代材料当面在派出所毁掉。

他们走后，剩下孔太平和黄所长站在树荫下，一时不知说什么好。过了好久，黄所长先找到话题，他说搞政治的人总以为自己比别人聪明，总爱耍些小花样，其实有些事明了说效果反而更好些。孔太平连忙作了一番解释，说自己这样做也是穷怕了，明里是一级政权，可是光有政没有权，有时只好做些违心的事，搞些短期行为，欺下瞒上敲左诈右，不这样日子就没法过。黄所长说，我也对你说点真心话，不是体谅你的难处，这一回非要让你服输不可，只要我咬住养殖场，你孔书记就是有九条命也过不去这一关。孔太平叹气说，我也说实话，哪个狗日的想赖在书记的位置上不下来。我早就不想干，可人总得争口气，不干了也得有个体面的退法。有人想撵我走，可我偏不走。黄所长说，我知道你指的是谁，是赵卫东。对不对？那小子鬼头鬼脑的，还总想同我套近乎！不是卖乖，我更喜欢你些，哪怕有时是对手，同你干仗很过瘾，输了也痛快。孔太平笑起来，黄所长也跟着笑，笑过之后，孔太平说，到了这一份，我们索性说个明白，你跟我说实话，是不是有人在告洪塔山的状？

黄所长说，没有，我们这儿没有，县局有没有我就不知道。孔太平说，你得帮助我探个虚实，查一查到底情况如何，最少让我心里有个底。黄所长说，我可以问出个九分谱，但别的你可不要找我。孔太平说，能这样我就很感谢了。黄所长问他检察院那边查不查，那边可是经济案子。孔太平想了想说不用查，别的问题他可以想法保洪塔山，如果是经济上有问题，保他反不如抓他，免得好好的一个企业被他搞垮了。听他这一说，黄所长当即擂了孔太平一拳，并夸奖孔太平是个清官胚子。他后面的话是在试探，因为百分之百有问题的领导，在下属案发以后，总是想方设法找检察院里的人探听，以判断下属是否将自己牵连进去。孔太平敢于置检察院而不顾，说明他在这方面是清白的。孔太平吓了一跳，他没料到黄所长在这种气氛下还在搞侦查，黄所长告诉他，许多案子其实都是在这样的不经意中发现并破获的。黄所长问孔太平想不想知道赵卫东的一些个人隐私。孔太平一口谢绝了，他有他的理由，他认为自己同赵卫东实际上是在搞一场政治竞争，知道了隐私就会加以利用，这会导致自己在工作上少花精力，别看一时可以得势，但最终还是不行的，因为别人知道了这一点后会充分做好防范，什么事都有一条暗暗的红线作界限。失去别人的信任比什么都可怕。黄所长觉得孔太平的这段话里充满了哲学辩证法。

救灾工作搞了差不多一个星期，灾民总算都安置下来了。资金紧巴巴的，但总算对付过来了。孔太平没有让洪塔山先将客户们的捐款垫付出来，他想着冬天，那时才是真正的困难，得预防着点。那几个客户回去后，怕邮寄出问题，包了一辆出租亲自将钱送过来。孔太平让小赵将钱分文不动地存进银行。

孔太平刚刚松口气，又马上担起心来，因为又到了月半发工资的日子。先是财政所丁所长找他诉苦，说自己无论怎样努力奔波也只是筹集到全镇工资总数的一半稍多一点。孔太平要他去找分管财政的赵卫东。丁所长去了以后又依旧回来找他，而且是同镇委会的会计一起来的。孔太平摆出一副撒手不管的架势，说自己这个月工资暂时不领，为镇财政分忧。会计提出先将小赵存的那笔救灾款子挪出来用一用，到时候再填进去。孔太平正色说，不许提这笔钱，谁若是动一分，我就撤谁的职，丁所长这时才说，实在不行，可以将养殖场下月应交的款项先收了。孔太平心里早就料到了这一着，他估计这是赵卫东他们私下设计好了的，目的就是想插手进入养殖场。

他不动声色地说，这得看人家企业同不同意，若同意我没意见。

丁所长说，洪塔山那里得孔书记发话才行，别人去了不管用。

孔太平愠怒起来，他说，你这是说的什么话，好像洪塔山是我的亲信家丁，可我听说你们哪一个去不是在他那里又吃又拿的，一箱阿诗玛一阵子就光了。他站起来大声说，我累了我要休息，现在该轮到我休假了。

孔太平让小赵通知镇上主要干部到一起开个会。会上他没说别的，只说自己这几天腹部很不舒服，因此打算从明天起休息一阵，顺便检查一下身体，家里的工作都由赵镇长主持，等等。赵卫东没有当面提钱的事，反而说希望大家在这一段时间里尽可能不要去打扰孔书记，让他安安静静地休养一阵。孔太平从这话里听出一些意思来，但他懒得同他计较。

回到屋里，孔太平独自坐了一会，然后开始将一些必需用品放进手提包里。后来，他清点起口袋和抽屉里的钱，连毛毛票一起，刚好够一百元，钱是少了点，好在是回家，多和少不大要紧。屋子里很热，镇上又停了电，只靠自己用扇子扇风，实在够呛，他想起家里空调的舒适，老婆的温存，儿子的可爱，心里忽然有了几分期盼。

正在这时，表妹田毛毛敲门进来了。几天不见，田毛毛变了模样，颈上多了一条金项链，身上的连衣裙不仅是新款式，而且没有过去的那种皱巴巴的感觉。孔太平多看了几眼，田毛毛就问自己是不是变漂亮了。孔太平则问她，洪塔山是不是已将幼甲鱼按数给她了。

田毛毛说，如果不是做成了这笔生意，我能有钱买这些东西吗？她补充说，我现在既不像民办教师也不想当民办教师了。

孔太平说，那你想做什么？

田毛毛说，暂时保密，不过我想你到时肯定会大吃一惊的。

孔太平笑一笑，也不追问，他说，你父亲好吗，听说他同养殖场的人干了一仗？想必身体没有什么问题。

田毛毛说，他还是那么样，一天到晚都在那一亩半田里泡着，将棉花种得比我妈妈还漂亮。

孔太平说，怎么不说他的棉花种得比你还漂亮？

田毛毛说，他心里是想，可是没能做到。不过他也不敢，他种的棉花若是比我还漂亮，恐怕每一株都要变成迷人的妖精。

孔太平说，那也是，光你这小妖精就够他对付了。

田毛毛吃吃地笑起来，她忽然问，表哥，你知道我给幼甲鱼取了一个什么名字？

孔太平猜不出来。

田毛毛说，它叫迷你王八。

孔太平没听清，随口反问了一句。

田毛毛说，现在小家电等商品不是流行什么迷你型吗，这幼王八也是一种迷你型。

孔太平差一点没将手中的茶杯笑跌落了。田毛毛得意时，那种娇态特别让人喜爱。田毛毛将一只红丝线系着的小玉佛送给孔太平，说是她特意买的，男佩玉女戴金，可以避邪，还搬出贾宝玉作证明。孔太平不敢戴这玉佛，且不说党政干部戴这东西影响不好，单就三十大几的年龄也不合适。田毛毛说干部们之所以老得快，根本原因是心态衰老得太快，总以为成熟是一件好事。孔太平不同她讨论这个，转而问那个住医院的民办教师的情况。听说那人已出了院，并且已领到拖欠几个月的补助工资，孔太平心情更加好起来。

说了一阵闲话，田毛毛突然提出要他帮忙，做做她父亲的工作，她想同家里分开过。孔太平吃了一惊，直到弄清她的真实目的是想分得那一亩半棉花田的三分之一面积后，他才稍稍宽下心来。孔太平一边问她要分地干什么，一边在心里作出推测。田毛毛不说她的目的所在，孔太平也想不出根由。他不肯表态做舅舅的工作，惹得田毛毛噘着嘴气冲冲地走了。孔太平追到门外留她吃过午饭再走，她连头也不回一下。他开玩笑说，看来自己不是迷你型的表哥。田毛毛这才回一句话，她说孔太平这个表哥是冷血型的。

田毛毛走后，孔太平又到办公室里去转了转，翻翻当天的报纸，发现地区日报上有一篇消息说是西河镇党委政府高度重视教育，然后将孔太平去医院看望教师，千方百计组织资金，将拖欠的教师工资全部补发了等几个例子举出来。孔太平一看文章没有点赵卫东的名就猜出是孙萍写的，因为本县的本镇的业余通讯员，无论何时也不会忘记在每一处都做到党政一把手之间的相对平衡的。他拿上报纸去找孙萍，孙萍不在，随后他想起孙萍同自己打了招呼，说是回地区领工资去。孔太平让小赵将这张报纸剪下来，贴到会议室里的荣誉栏上去。小赵只将报纸剪下来，但没有上楼去贴。小赵说，办公室剩下的最后一点糨糊刚才已彻底用完了，赵镇长已吩咐，这一段一切办公用品都不许买，一分一厘钱都要用来发干部职工工资。孔太平将自己房间的钥匙扔给小赵，让他开了门去拿自己用剩下的半瓶糨糊。小赵没作声，拿上钥匙赶紧去了。孔太平忽然觉得自己这么待小赵一点意思也没有，他打定主意索性回避个彻彻底底，下午干脆去养殖场看看，再顺便看看舅舅，处理一下舅舅往棉花上打农药的问题。

养殖场占地有一百多亩，大小几十个水泥池子里放养的差不多全是甲鱼，据说这是全省最大的专门的甲鱼养殖场。从前这儿规模很小，只能从别人那里买来幼甲鱼自然喂养，两三年才能长到半斤以上，所以养殖场总在亏本。洪塔山来了以后，第一下就建起甲鱼过冬暖房，不让甲鱼冬眠，一只幼甲鱼一年时间就能长到一斤多。养殖场也有了丰厚的利润，接下来洪塔山就动手扩大养殖场规模，并创出了西河镇养殖有限公司这块响当当的牌子。

孔太平悄悄走到养殖场新搞成的甲鱼繁殖池，只见成千上万只幼甲鱼像一朵朵印花一样趴在池边的沙地上，那种娇小玲珑的样子实在有几分可爱，孔太平想着田毛毛给这些小家伙取了个“迷你王八”的名字，一个人忍不住轻轻地笑起来。某一时刻里，他不经意地咳了一声，只见先是近处的“迷你王八”纷纷逃入水中，接着是近处和更远处，默默的骚动过后，印花般的小家伙都不见了，池边只有一片银色的沙滩。

孔太平绕着养殖场围墙墙根慢慢走着，好像是前年，他在年终总结大会上讲过，养殖场是自己的心头肉，他在位一天就决不许别人到养殖场里胡来，他规定镇里的干部进养殖场必须有镇委和政府办公室出具的通行许可证。这个规定开始执行得很好，后来同赵卫东的摩擦出现以后，他也不愿执行得太认真了，以免矛盾扩大化。正走着，围墙转了一个九十度的急弯，跟着又闻到一股农药味。他紧走几步登上围墙角上的瞭望塔，就在眼皮下面，养殖场围墙呈现出一个“凹”字形，在凹字的凹处是一块长势极好的棉花田，一个老人正背着喷雾器在棉花丛中喷洒着农药。

孔太平叫了声：舅舅！

老人抬头望了望塔棚，又一声不吭地低下头去继续做自己的事。

孔太平又叫了声：舅舅，我是太平！

老人这次连头也没有抬。孔太平知道叫也无益，他走下塔棚，来到养殖场办公室，正好碰见田毛毛在同洪塔山说着什么。孔太平有些不高兴，就问洪塔山怎么带头违反规定，随便放人进来。洪塔山分辩说田毛毛是养殖场的客户，田毛毛也说自己在同洪塔山谈一笔生意。孔太平不准他们之间再搞什么交易了，迷你王八的事只能到此为止。田毛毛说她也不想再做这迷你王八的生意了，她现在同洪塔山谈判的是有偿租借土地的问题。孔太平马上想到那块凸进养殖场的充满农药味的棉花地，一时竟不知说什么好。

洪塔山说，希望孔书记能支持这项交易，棉花地的问题不解决，万一被客户发现，有可能危及整个养殖场的生存。

田毛毛说，那块凸进来的棉花地正好占整块棉花地的三分之一。

孔太平沉吟了半天才说，这事操作起来一定要慎重，毛毛她父亲人虽好，但涉及他的土地，恐怕是不会让步的。

田毛毛说，我才不怕他，那地本来就有我一份。

孔太平瞪了她一眼说，你难道不了解土地是你父亲的命根子！

田毛毛说，我就不信他把土地看得比我还重要。

孔太平说，冒这个险我们可要慎重，我看还是将围墙加高几米。

洪塔山说，这个也行不通，田细伯连现在的围墙都要推倒，说是挡了他家棉花地的光和风。

田毛毛说一切都包在她身上。她走后，孔太平有一阵思绪老也集中不起来，心中总有一种异样的感觉。洪塔山以为是屋里太热了，就要引他到客房里去，打开空调凉爽一下，孔太平拒绝了，他婉转地告诉洪塔山，镇里有人在打他的主意，想方设法要从养殖场挖走一坨油，而自己从明天开始休假，镇里又等着钱发工资，没人撑腰时希望他巧妙对付。洪塔山心领神会地说他只有来个三十六计走为高，出去躲它一阵再回来。孔太平没有说这样做妥不妥，只说没事时，洪塔山可以到县城他家里坐一坐，接下来孔太平问起那几个客户的情况，洪塔山回答说那个姓马的昨晚还给他打了个电话，并且还让转告对孔书记的问候。孔太平知道他这是卖乖，却不戳穿他。依然接着客户的话题问洪塔山对那些人的做法怎么看。洪塔山狡黠地回答，他没有看法。孔太平本想提醒一下他，让他各方面都收敛一点，特别要注意别撞在公安局那伙人的枪口上，见洪塔山有意不正面回答，自己也就不想说了。隔了一阵，他还是放心不下，就换了一个方式，他告诉洪塔山，自己有意让他当上县人大代表，并且争取当上省人大代表，现在的关键是这一段时间里不要自己往自己脸上抹黑抹屎。若是又脏又臭了，那他就无法提名他当候选人。洪塔山赶紧表态说一定要管好自己。

孔太平又叮嘱了一些话，便起身往外走。洪塔山将他送到养殖场大门口后，人已转了身，又回头对孔太平说，镇里的司机小许，似乎有些同他的司机过不去，总是将吉普车拦在路当中，不让他们的桑塔纳舒舒服服地走。洪塔山说开始他那司机同他说时他还不大相信，但是前天傍晚，他坐在车上时正好遇上了。小许的车故意在旁边慢慢地挤他们，弄得桑塔纳差一点掉到路旁的小河里去了。孔太平知道这事十有八九是真的，他还是说回去后问一问小许，看看到底是他的车出了毛病还是人出了毛病，再做处理。

田毛毛家在宋家堰村的边上，三户人家共着一个屋基场。田毛毛知道孔太平要来家里，早就在门口守候着。他进屋时，舅舅正在后门处用水冲洗着脑袋，屋里有一股农药味。孔太平开玩笑说是田毛毛身上化妆品的香气。舅妈泡了一杯茶端上来，田毛毛要孔太平别喝这烫人的茶，自己进房拿了一杯凉茶给他。孔太平笑一笑，放下凉茶，拿起热茶呷了一口。田毛毛不高兴，说他也守着老规矩，一点开拓思想也没有，这热的天，放着凉茶不喝，而去喝热茶，真是自找苦吃。舅舅走过来，找了张凳子坐下，然后从口袋里摸出一根没有过滤嘴的香烟，自顾自地抽起来。

屋子里忽然沉静下来。孔太平赶紧主动开口问，棉花长势很好吧！舅舅磕了一下烟灰说，不怎么样。孔太平说，能这样已经够不错了。舅舅不高兴地说，你不要当干部当修了，同前几年比起来，这棉花要逊好几分，连自己都不敢看，看了觉得自己可耻。他突然抬起头来，望着孔太平说，大外甥，你能不能让洪塔山将那些白水池子都拆了？孔太平说，为什么呢，全镇上的人都指望靠它发家致富。舅舅说，你这话不对，我就不指望它，舅妈插嘴说，你别以为自己是个国王，什么事都要以你的意志为转移。舅舅不作声了，低头吸烟的模样让孔太平看了后，心中生出许多感慨来，他说，舅妈，不要紧，我就是想多听听舅舅的想法。舅舅将一支烟抽完后，站起来，拿上一把锄头，帽子也没戴便往门外走，舅妈说，太阳这么毒，你光着头去哪？她没有等到回答。孔太平说，我同舅舅一起出去走走。

屋外热浪逼人，太阳照在地上反射出许多弯弯扭扭的光线，就像是白日里燃在野外的火苗。舅舅在前面缓缓地走着。一只狗趴在屋檐下懒洋洋地看了他们一眼，连叫也不愿叫一声。几头牛在一片小树林里无力地垂着头，偶尔用尾巴抽打一下身上的虻虫，发出一声声响来，却一点也不惊人。炎夏的午后乡村，比半夜还安静，半夜里可以听见星星在微风中唱歌，可以听见悠远的历史，在用动人和吓人的两种语调，交叉着或者混杂着讲述着一代代人的过去故事。骄阳之下，淳厚的乡土在沉默中进行一种积蓄。孔太平跟着舅舅走过一垄垄庄稼时，心里都是一种无语的状态，两个人终于来到了棉花地前。

舅舅问，你怕农药吗？

孔太平说，不怕！

棉花叶子被太阳晒蔫了，白的花朵和红的花朵也都变得软绵绵的，垂着花瓣，颇像女孩子那丝绸裙子的裙边。

孔太平问，这地能产多少棉花？

舅舅说，从来没有少过两百斤。

孔太平心里一算账，也就两千几百来块钱，他正要说种棉花比养甲鱼收入低得太多了，这时，从旁边的稻田里爬过来一只大甲鱼。舅舅上前一脚将其踩住，然后用手捉住，看也不看一挥臂就扔到围墙那边去了。跟着一声水响传了过来。

孔太平说，这儿经常有甲鱼？

舅舅说，这畜生厉害，那么高的围墙，它也能爬过来。叫它王八可真没错，过去除非病急了，医生要用王八做药，人才吃它，不然会遭到大家耻笑的。没料到世事颠倒得这么快，王八上了正席，养的人当它是宝贝，吃的人也当它是宝贝。

孔太平说，事物总是在变化。

这时，围墙瞭望塔上出现一个人，大声问谁往水池里扔东西了。舅舅没有好气地说，是我，我往水池里扔一瓶农药。孔太平听了忙解释说是一只甲鱼跑出来，被发现后扔了回去。那个人认出孔太平，客气地招呼两句又隐到围墙后面去了。舅舅说这围墙里的那些家伙，总将周围村子里的人当贼，其实他们自己是强盗。

舅舅在自家田地里摸索了一下午，孔太平不能从头到尾地陪他，他在四点半钟左右就离开了舅舅，太阳太厉害了也是其中原因之一。孔太平在舅舅家等了四十多分钟，为的是等出门到朋友那里借一本有关美容化妆杂志的田毛毛，他在舅妈不在场时，郑重地提醒田毛毛，如果她执意将棉花地的三分之一转给洪塔山，很有可能会亲手毁掉自己的父亲，田毛毛还是不相信，她要孔太平别夸大其词吓唬她。

天黑后，小许开车送他回县城休假，一出镇子，那辆桑塔纳就从背后追上来，鸣着喇叭想超车，小许占住道死也不让。孔太平只当不知道，仿佛在一心一意地听着录音机放出来的歌声。压了二十来分钟，桑塔纳干脆停下不走了。小许骂了一句脏话，一加油门，开着车飞驰起来。这时，孔太平才问小许为什么同养殖场的司机过不去。小许振振有词地说他这是替镇领导打江山树威信。孔太平要他还是小心点为好，开着车不比空手走路，一赌气就容易出问题。他心里却认同小许这么做，有些人不经常敲一敲压一压，他就不知道自己是几斤几两几钱，腰里别一只猪尿泡就以为可以几步登天了。车进县城以后，小许主动说，只要不忙他可以隔天来县城看看，顺便汇报一下别人不会汇报的事，孔太平不置可否，叫他自己看着办。

孔太平进屋后，老婆、儿子自然免不了一番惊喜。随后，一家三口早早开着空调睡了。儿子想同孔太平说话，却被他妈妈哄着闭上了眼睛。儿子睡着以后，孔太平才同老婆抱作一团，美滋滋地亲热了半个钟头。事情过后，孔太平仰在床上做了一个大字，任凭老婆怎么用湿毛巾在他身上揩呀擦的。接着老婆将半边身子压了他身上，说起自己在西河镇发生了泥石流后，心里不知有多担心，她说她的一个同学的爸爸，当年到云南去支边，遇上了泥石流。同行的五台汽车，有四台被泥石流碾得粉碎，车上的一百多人都死了，连一具尸体也没找到。孔太平听说老婆每天都打电话到镇委办公室去问，同时又不让小赵告诉他，心里一时感动起来，两只手不停地在她身上抚摸起来，心里又有些冲动的意思。不料老婆话题一转，忽然问起镇里是不是有一个从地区下来的年轻姑娘。孔太平就烦她像个克格勃一样，想将自己的什么事都查清楚。他一推老婆说自己累了，想睡觉。他一翻身，不一会儿就真的睡着了。

孔太平一觉睡到第二天上午九点钟才醒，睁开眼睛时，见老婆正坐在自己身边，他以为自己只迷糊了一阵，听老婆说儿子已上学去了，连忙爬起来拉开窗帘一看，外面果然是红日高照。孔太平自己睡得香，老婆却一直在担心，怕他睡出毛病，连班也不敢上，请了假在屋里守着。

傍晚，孔太平在院子里捅炉子，住楼上的邻居同他搭话。邻居说，从昨晚到今天，他们总感到这屋里有个男人，却又不见露面，还以为是什么不光彩的人来了哩，孔太平的老婆笑嘻嘻地将邻居骂了几句，孔太平则说现在找情人挺时髦，不找的人才不光彩哩。这话别人没听进去，老婆却听进去了，晚饭没吃两口，就撂下筷子坐到沙发上一个人暗自神伤。孔太平一个人喝了两瓶啤酒，趁着儿子在专心看动画片，他对老婆说，如果她总是这么神经过敏，他马上就回镇上去。这一招很灵，老婆马上找机会笑了一阵，接着又里里外外忙开了。

孔太平看完中央台、省台和县台的新闻节目后，换上皮鞋正要出门到县里几个头头家走一走，电话铃响了。孔太平以为是镇委会哪一位打来的，一接电话才知道是派出所黄所长。

黄所长说，你托我问的那件事，我已问过，的确是存在的。

孔太平开始没有反应过来，他连问了两声什么后，才记起自己托他问的是洪塔山的事。他问，具体情况如何？

黄所长说，其他该要的东西都有了，只是还没有立项。

孔太平见黄所长将立案说成是立项，马上意识到他现在说话不方便。他一问，果然黄所长是在公安局门房给他打电话。孔太平约黄所长上家里来谈，十几分钟后，黄所长骑着摩托车赶来了。进屋后，免不了要同孔太平的老婆说笑几句。孔太平叮嘱老婆不要进屋，他们有要事要谈。

黄所长告诉孔太平，有人联名写信检举洪塔山，孔太平听黄所长说了几个人的名字,他们都是镇上一些普通的干部职工,因为种种原因同洪塔山发生了冲突,所以一直想将洪塔山整倒。但是他们不可能有如此大的神通,以致能弄成这么完整的材料,只要一立案,洪塔山必定在劫难逃。孔太平听到发票复印件上,有“同意报销”几个字,很明显是从养殖场账本上弄下来的。他马上联想到财政所,只有他们的人在搞财务检查时,才可能接触到这些已做好账的发票。黄所长又帮他分析谁是真正的幕后指使,他断定必是赵卫东无疑。养殖场实际上在控制着西河镇的经济命脉,谁得到它谁就可以获得政治上的主动。孔太平觉得黄所长言之有理,赵卫东管财政而不能插手养殖场,权力就减去了一半。按照赵卫东的性格,他是不会轻易罢休的,而且这种做派也的确像是他惯用的手法。

说着话,黄所长长叹了一声,他说,领导发了话,公安局若将所有被检举的经理厂长都抓起来,那自己就得关上门到街上去摆摊糊口。他接着说现在的景象很像资本的原始积累时期。

孔太平说,你怎么改行研究起政治经济学来了?

黄所长说,哪里,是小马这么对我说的。

孔太平说,谁撞在枪口上谁就算倒霉。是不是?

黄所长点点头,他起身告辞时,一连看了几眼那嗡嗡作响的空调,并说,这东西真比老婆还让人觉得亲热。

孔太平说,没有它就觉得它亲热。有了它老婆反而更亲热。

两人笑起来,站在门口握了握手。

孔太平一进屋就见老婆在那里抹眼泪,一问才知道老婆以为犯了什么法,才约黄所长来密谈的,老婆说他若是犯的经济案,她可以帮他退赔,银行待遇不错,她偷偷存了近八万块钱。若是男女作风问题,她可是要离婚的。孔太平安慰了她一番,她还不相信。惹得孔太平生气了,他说,夫妻几年,未必你还不了解我的为人,经济上家里沾没沾别人的光你应该最清楚,作风上怎么说你也不信,我发个誓,若是在外有别的女人,那东西进去多少烂多少。老婆一下子破涕为笑,还嗔怪他一张臭嘴只会损自己。

孔太平给洪塔山打电话,洪塔山不在家。孔太平告诉他妻子,明天一早将桑塔纳派到县城来,并让司机带足差旅费,他要到地区去一趟,同时他要求对自己的行踪严格保密。

打完电话,孔太平出门转了一圈,得到不少消息。最主要的有两点,一是县里已正式将自己同东河镇的段书记一起列为下一届县委班子的候选人,可实际空缺只有一个,因此竞争会很激烈。二是赵卫东今天在县财政局活动了一整天,最后搞到一笔五万元的财政周转金,拿回镇里去发工资。这两点都让他心绪难宁。首先镇里拿了县里的周转金,这是用于生产的,既要计算资金利用率,又要按时偿还,用它来发工资实际上是寅吃卯粮,现在不饿肚皮将来饿得更狠。可是别人不管这个,他们只管十五号来领钱,担心着急都是他一个人的事。其次是那没有把握的候选人资格,他很明白在人缘关系上自己远不如东河镇的段书记,段书记非常精明,在省地组织部门都有比较铁的关系户。回屋后,他第一句话就问镇上是否有电话来,听说没有,他心很不踏实,几次手都摸着了电话话筒又缩了回来。不仅是镇里,就是洪塔山也不见回电话。他第一次觉得有些心虚,同时他又不相信赵卫东一天之内就能扭转乾坤。

孔太平很晚没睡着,很早就醒来。正在刷牙,外面汽车喇叭响了两下。他以为是桑塔纳到了,开门一看却是小许的吉普。小许问他有事要他办没有,孔太平想了想说暂时没有。他本来要小许吃早饭以后再来看看,他担心养殖场的桑塔纳不会准时来或者根本不来,孔太平要小许这几天在镇里守着点,赵卫东要车也别老不给他面子,小许应声走了。小许走后不一会,桑塔纳真的来了。

一上车,司机就告诉他钱带得很足,并说是洪塔山亲口说的数字。孔太平问洪塔山昨晚干什么去了,司机说洪塔山找赵镇长有事。孔太平一下子来了火,但忍着问那是为什么事。司机不知道,他随手拿出一只大哥大,说是洪塔山让他带给孔书记的,已办了全国漫游,走到哪儿都可以打电话。孔太平拿过大哥大,反复把玩一阵,心情渐渐好起来。车出了县城,他问司机来时碰见小许的车没有,司机说碰见了,但他不愿惹小许的眼,远远地拐进一条小巷,绕道而行。孔太平说他们都是小心眼。

桑塔纳跑得很快,半路上,孔太平给地区、团委办公室打了个电话,孙萍不在。他说了自己的身份后,请团委办公室的人通知一下孙萍让她在办公室等候,他有急事。十点钟不到,车子就驶进了地委大院。孔太平是第一次越级来到上级首脑机关,一进那气势很压人的办公大楼时,腿竟有些发飘,他在找到团委办公室之前,先看到组织部办公室,一溜七八间屋坐着的全是一些二十啷当岁的年轻人,他一想到多少基层干部的前途都由这样一些涉世不深的大孩子来掌握,心里不由得感到几分可悲。

孙萍不在办公室,这让孔太平感到有些束手无策。本来可以马上回到车上,但他在楼里多待了一会,才出来。司机不知道他这段时间几乎都蹲在卫生间里,他对司机说组织部一个部长约他下午再来,现在他们先去找个地方住下。

地委办的宾馆就在地委大院旁边,登记了一个双人间后,孔太平说自己去看一个朋友,如果十二点没回来,那就是有事缠住,司机可以自便。其实,孔太平是去找孙萍的住处,找了好久总算找着了,门口晾着孔太平看熟了的衣服,却不见人。他给孙萍留了个纸条,让孙萍回来以后到宾馆来找他。这时,十二点钟快到了,孔太平上街找了一处小饭馆要了一碗肉丝面和一瓶啤酒,三下两下就吃下去,他不想这么快就回去,街上太热没法待,他干脆花五元钱买了一张票,进到一家门口写有冷气开放的镭射影厅看起电影来。他没想到自己碰上了一部三级片,尽管很刺激,但他一直忐忑不安生怕万一被人认出回去不好交差。熬到散场时,他赶紧抢在头里第一个离开。出了门，他并没有直接回去，而是朝与宾馆相反的方向走了几站路。然后站在街边给宾馆打电话，说是几个朋友将他灌醉了，要司机到他说的地方来接他。司机开着车来后，他一头歪进后座，做出一副醉酒的模样躺倒在座椅上。回到宾馆，他趴在床上，吩咐司机四点钟喊醒他。司机果然在三点五十分叫喊起来，孔太平翻身起床，慌忙不迭地梳理一番，然后仅从提包里拿出一只小文件包，夹在腋下，匆匆出了门。

孙萍依然没去办公室，住处门上的纸条也原封未动地粘在那儿。

孔太平从没遇到这样的冷待，心里难受极了。刚巧这时他看见东河镇的段书记从一辆车子里下来，拎着一只大包，朝比孙萍的住房好许多的那片小楼走去。孔太平躲在密密的灌木篱墙后面，足足等了半个小时，才看见老段空着手从那小楼群方向走回来，孔太平怔了好久，他慢慢地走着，觉得自己挺悲哀，费尽心机玩些小花样，目的只是骗司机，不想让司机小瞧自己，说自己没门路，来地区后鬼都不理。人家姓段的玩得多潇洒，大明大白，昂首挺胸，谁也不怕。走出宿舍区，孔太平又碰见老段的车停在办公楼旁。他等了几分钟，便看见一群人拥着老段从办公楼走出来，亲亲热热地送老段上车，老段与他们握手都握了两三遍，那些人一个个都在留他住一晚上，老段说他只有一天时间，时间长了，家里说不定会闹政变。老段走后，孔太平垂头丧气地回到宾馆。司机问他怎么了，他一惊后醒悟过来忙说是中午的酒还没醒。为了表示喜悦，他打开电视机的音乐频道，随着那些歌星唱起歌来。

晚饭他们是一起吃的。司机说孔太平有喜事临门，应该要个包房，自己庆祝一下。孔太平不肯，就在宾馆买了两张普通进餐票，进了普通餐厅。菜饭刚上来，门口忽地涌进四个姑娘，打头的正是孙萍。孔太平激动得叫起来，孙萍一看也有些惊喜。两人说了几句闲话。孙萍说她手上有些多余的会议餐票，今天没事就约了几个朋友来这儿吃饭。孔太平一时高兴，就说今天我请客，找个包房好好聚一聚。孙萍她们也不谦虚，很熟悉地挑了一间叫梅苑的包房。大家边吃边唱，孔太平不会唱卡拉 OK，在一旁专门听。那司机却唱得很好，转眼间就同每个姑娘联手来一曲对唱。孔太平瞅空问孙萍忙不忙，想不想就他的车去西河镇。孙萍说，要走她只能在后天走，孔太平连忙答应他可以等她一天。

孔太平不敢直截了当地请孙萍出马，他怕孙萍一口拒绝，准备到了县里以后再跟她挑明。

这顿饭花了一千多块钱，孔太平心情好，也不怎么心疼钱了。他原以为孙萍晚上要好好陪陪自己，哪知孙萍吃了饭就要走，一点也不像在镇上时那种总想往自己身边靠的样子，好在孔太平不大计较这点，他们约好明天晚上在宾馆房间里碰一下头，确定后天出发的时间。

第二天，孔太平让司机整天自由支配，走亲戚会朋友都可以，只要晚上早点回来睡觉就行。他说自己要写一个报告，是地委组织部要的，今天必须交给他们。司机走后，他一个人关在房间哪儿也没有去，看了一整天电视，闲得无聊时，他用那只大哥大给家里打电话，同老婆、儿子聊天。他一个人也懒得去外面吃饭，就在宾馆小卖部里买了些方便面、火腿肠和啤酒等，在房间里对付了两餐。晚上八点钟司机才回来，又过了半个小时，孙萍来了，大家说好明天吃过早饭就出发。孙萍坐了不到二十分钟就要走。她走后，司机有些不满意，说孙萍在下面当工作组时，乖得像个小媳妇，一回到上面就变成了冷眼看人的阔太太。孔太平替孙萍解释，说她本来有些安排，譬如请他们去跳舞、逛街，都被他推辞掉了，他说乡下干部不能学上这些东西，学上了就更不安心在基层为普通百姓做实事。前面那些话是他现编的，后面的却是真心话。

孙萍一到县城便又变回来了，一举一动都乖巧可人。孔太平安排她在县政府招待所住下，她一进房间，脸也没洗就说自己忘了一件事，她本来应该带孔太平到组织部去见见那个当干部科长的熟人的，哪知一忙人就糊涂了。孔太平心知是怎么回事，但他不便计较，一边说这事来日方长，一边将这次去地区的真实目的告诉了孙萍。孙萍想了一会儿说自己先洗个脸。她在卫生间足足待了二十分钟才出来，也许是化过妆，那笑容显得更加动人。

孙萍笑眯眯地说，孔书记千万别以为我是在谈交换条件，其实我早就有在基层入党的愿望和要求，只是怕自己条件不够才一直没有向你表露出来。

孔太平沉吟了一阵说，派下来当工作组的同志，能不能在下面入党，这事还没有过先例，可能得研究一下。

孙萍说，说真心话，如果是别人，孔书记开了口，我不会有二话。可是对洪塔山我实在不想帮他。孔太平说，你不是帮他，而是在帮我，稍作点夸张说，是在帮助西河镇的全体干部和人民。

孙萍说，我也说点心里话，尽管现在许多人把入党看得很淡，可在地委机关不入党就矮人一头，提职评奖都轮不上，可是机关里年轻人多，等排队轮上你时，人都快老了，那时再进档，当个科长、副科长有什么意思。所以下来帮忙工作的人都想在回去之前能在基层将党入了。不然，基层又苦又累，谁愿意下来。

孔太平突然意识到，自己前天在地委大楼见到组织部那帮年轻人时产生的一种蔑视意识是完全错了，连孙萍这样的女孩都有如此成熟老到的政治远见，那些人想必会更厉害。

孙萍继续说，这事也不是没有先例，同我一同下到邻县的那些年轻人中，已有三个人在火线入党了。

孔太平忖度片刻，终于答应了孙萍，但他提出孙萍自己必须拿出一两件说得过去的事迹。孙萍脱口说出可以用自己在泥石流抢险抗灾活动中的表现做理由。救灾过程中有她，这是一个不错的理由。

找公安局的小马是孙萍一个人去的，趁孙萍去公安局时，孔太平回家去了一趟。

家里一个人也没有，屋子里有几分凌乱，这同老婆一贯爱整洁的习惯有些相悖，他便猜测是不是出了什么要紧的事，才让她变得手忙脚乱连屋子也顾不上收拾。他进到里屋，果然看见桌上柜上放着一张字条。老婆写道：你舅舅被恶狗咬伤，住在镇医院里，我去看看，下午赶回来。孔太平有些吃惊，他隐约感到那恶狗可能就是养殖场养的那些大狼狗。

孔太平努力让自己镇静下来。然后拨镇上自己房里的电话号码，电话没人接。他又给黄所长打电话。他想既是恶狗伤人，派出所一定会知道原因的。果然，黄所长告诉他，的确是洪塔山养的大狼狗咬伤了田细伯，起因是为了那块棉花地的归属问题。具体细节还没搞清楚，但赵卫东已叫人将洪塔山扭送到派出所，收押在案了。黄所长说，他已看出一些端倪，这个事件的幕后人物是赵卫东，因为他听见田细伯骂出的那些难听的话语中，提到洪塔山勾结买通赵卫东想强行夺走他的土地。

等到下午三点半，镇里还无人打电话给他，倒是小许敲门进来了。小许一坐下就告诉他恶狗咬人的详情。

原来洪塔山这几天一直瞒着孔太平在同田毛毛办那棉花地转让手续。因为土地所有权在国家和集体，这事必须通过村里，村里知道田细伯视土地如生命怕闹出事，就推到镇上。那天晚上孔太平打电话找不着洪塔山时，洪塔山正在同赵卫东谈这棉花地的事。赵卫东一反常态，不仅支持而且非常积极，第二天就亲自到养殖场去敲定这事，村里的干部也来了，但村干部当中不知是谁偷偷向田细伯透露消息，田毛毛回家偷土地使用证时，被田细伯当场捉住，狠狠打了一顿，并搜出一份转让合同书来。田细伯拿上这合同书闯了几次养殖场的大门都被门卫拦住了。天黑以后，洪塔山牵着一只大狼狗在镇上散步时，被田细伯看见，他扑上去找洪塔山拼命。洪塔山挨了田细伯两拳头，但洪塔山牵着的那只大狼狗，只一口就将田细伯手臂上的肉撕下来一大块。事发之后，赵卫东翻脸不认人，指挥一些围观的人将狼狗当场打死，并将死狗和洪塔山一起送到派出所关起来了。另一方面，赵卫东又委派小赵代理养殖场经理职务，同时还让田毛毛协助小赵管理养殖场。在土地转让合同书中本来就有这一条，由田毛毛出任养殖场办公室主任。田毛毛正是在洪塔山许诺之后，才这么积极地要来分棉花地，想带着自己的那份土地进养殖场工作。

小许说的这些情况，完全出乎孔太平的意料，洪塔山瞒着他搞的这些更让他气愤。田毛毛一直想进养殖场，但他从内心里不愿这个表妹同洪塔山一起工作，所以他一直没有同意。他这才明白田毛毛那天说自己马上就有一个让他意料不到的工作，实际上就是指的这些。他特别想不通的是赵卫东这么安排田毛毛是出于什么目的。让一个十八岁的女孩去管理养殖场，哪怕只是协助也会让大家不相信赵卫东作为镇长的决策能力。

小许走后，孔太平决定给镇里打个电话，他要让那些人重新体会一下自己。他拨通镇里电话后，只对接电话的小赵说如果看到他老婆就让她马上回家来。说完这话他就将电话挂了，他很清楚老婆这时肯定已在回县城的末班车上。他知道小赵马上就会将电话打过来。果然，一分钟不到，电话铃就响了。他拿起话筒听见小赵在那边问是孔书记吗。他将话筒放在一边，随手用遥控器将电视机打开。小赵不停地问是孔书记吗，他不回话也不压上话筒，他要等足十分钟，连一秒钟也不肯少。十分钟后，他用一个指头敲了一下压簧，话筒里立即传出一声声的嘟嘟声来。

天黑之前，老婆回来了。她说的情况同小许说的差不多，另外还说舅舅同田毛毛断绝了父女关系。他估计小赵他们晚上可能要赶过来，便故意出去不见他们。他对老婆说，自己在十点半钟左右回来，小赵来了先不用催他们，等过了十点钟再找个理由让他们走。老婆心领神会地说，她到时就说孔太平事先打了招呼，若是十点钟没回就不会回来。

孔太平在第一个要去的人家坐了一阵后，出来时一眼看见孙萍同一个穿警服的小伙子在街边的林荫树下慢慢地散步，不时有一些比较亲密的小动作与小表情。猜测孙萍旁边的小伙子就是小马。

小赵他们果然来了。孔太平没有估计到的是，同行中还有赵卫东。他甚至有点后悔，自己的这些小伎俩有些过分了。

孔太平和孙萍坐着桑塔纳一进院子，小赵就迎上来，第一句话就是检讨。随后便是赵卫东将这几天的情况向他作了汇报。孔太平什么也没说，只是听着。直到听完了，他才说了一句话。他说，暂时就按赵镇长的意思办吧。这话明显是专指养殖场的情况。随后，他布置小赵，通知镇里有关领导和单位，开展一次抗灾救灾的评比表彰活动。

孔太平先到医院看望舅舅。舅舅将他臭骂一顿，一口咬定这些是他策划的，然后借故走开，让别人来整他。孔太平不便在人多口杂的地方多作解释，站在床前任舅舅怎么骂。骂到后来，舅舅自己不好意思起来，他见许多人都挤在门口围观，又骂孔太平真是个苕东西，这么骂都不争辩，哪里像个当书记的，这么不顾自己的威信。孔太平非要等舅舅骂完了再走，舅舅没办法，只好闭上嘴。

随后，孔太平便去了派出所。刚进门就看贝田毛毛正在缠黄所长，要黄所长放洪塔山一个小时的风，她有要紧的业务上的事要问洪塔山。黄所长不肯答应。孔太平没有理睬田毛毛，只对黄所长说，自己要同他单独谈点工作。他说话时甚至看也不看田毛毛一眼。黄所长请田毛毛回避一下。气得她跺着脚说，当个书记有什么了不起，不就是个土皇帝吗，别人怕，我连做梦时也不会怕。

田毛毛一走，黄所长就开口问孔太平事情办得怎么样了。孔太平将经过简单说了一遍。

黄所长问他想不想见见洪塔山。孔太平先没答复，反问这事会是什么结果。黄所长说照道理也就是罚罚款了事，但他觉得这种人得到机会应该关他几天，让他以后能分出好歹人来。这话在孔太平心中产生一些共鸣。黄所长又问他，洪塔山随身带的大哥大要不要拿下来。自从洪塔山进来以后，他就一直用大哥大朝外联系。黄所长因担心将那大哥大拿下来后会影响养殖场的业务，就没敢下决心，但他一直怀疑洪塔山在用大哥大调动客户来向镇里施加压力。田毛毛这么急着要见洪塔山一定也与此有关。孔太平马上给小赵打了个电话，问他养殖场现在的情况。小赵说洪塔山被关起来后，有四家客户打来电话，说是从前的合同有问题，要洪塔山在三天之内赶到他们那儿重新谈判，不然就取消合同。小赵随口漏了一句说是赵镇长为这事挺着急。孔太平一下子想到赵卫东是感到不好收场才请他回来收拾局面的。他放下电话后，同黄所长合计了一阵，黄所长断定这是洪塔山做的笼子，目的是逼镇领导出面做工作放他出去。孔太平当即叫黄所长收了洪塔山的大哥大，同时又叫小赵安排人将养殖场的电话机暂时拆了，免得外面有人将电话打进来。他要黄所长对洪塔山宣布行政拘留十天，实际上在第五天由他出面保洪塔山出去。

黄所长很快办好了与此有关的一些手续，然后一个人去通知洪塔山。回来时，他手上多了一只大哥大。黄所长说，他将裁决书一宣布，洪塔山竟跳起来，那模样实在太猖狂。洪塔山口口声声说这是政治迫害，他要求见孔书记。

孔太平稍坐了一会，然后让黄所长将洪塔山带上来。洪塔山见了他情绪很激动，说这是赵卫东设的圈套，原因是自己不该同孔太平走得太近。洪塔山嚷得正起劲，孔太平忽然一拍桌子，厉声说，你这是狗屁胡说，你哪儿同我走得近，我叫你别打那棉花地的主意，你怎么不听我的。当着黄所长的面跟你说实话，照你的所作所为，坐牢判刑都够格。洪塔山愣了愣，人也蔫了些。孔太平说了他一大通后，又说不是自己不保他，是因为回来晚了，裁决书已经下达，没办法收回，所以希望洪塔山这几天表现好一点，他再帮忙争取提前几天释放。孔太平问洪塔山业务上有什么要急办的。洪塔山说没有。孔太平就问他合同是怎么回事。洪塔山说那是自己串通几个客户来要挟赵卫东的。洪塔山回拘留室以后，黄所长说他这股劲头得送到县拘役所去灭一灭火。孔太平表示同意。

临走之前，黄所长提醒孔太平，他表妹田毛毛在洪塔山手下干不是件好事，稍不慎就有可能出差错。孔太平说他已想到了这个问题，只是目前她铁了心，连父亲都敢对着干。别人就更没办法约束，只能等一阵再想办法调开她。

过了两天，镇里开会。孔太平提出要发展孙萍入党，表态支持的人很少，孔太平谈了自己的看法，他认为从上面下来的人，又是女同志，能主动参加抗灾救灾活动，就很不容易了。现在上面下来的人越来越少，所以来一个人我们就应该让他们留下一些可以作纪念的东西，万一他们以后高升了，绝对对西河镇没坏处，从这一点上讲，这也叫为子孙后代造福。孔太平说孙萍年轻前途不可限量，他自己年纪大了，不可能沾她什么光，但镇里的年轻干部就很难说了。说不定哪天就需要人家关照。孔太平一席话将年轻干部的心说动了。孔太平抓住时机要赵卫东作为孙萍的入党介绍人，赵卫东犹豫片刻，点头同意了。他还接着孔太平的话说这也叫感情投资。他俩一表态，这事就成了。当天孙萍就拿到了入党志愿书。

有天夜里，孔太平突然接到一个陌生人打来的电话，那人说是洪塔山在拘留所磨得实在受不了，请孔书记无论如何要快点保他出去，哪怕早一小时也好。孔太平一算已到了第五天，便约上黄所长，第二天早饭后，一行人开着车直奔县拘留所。

拘留所的犯人多，洪塔山在那里一点优越地位也没有，几天时间人就变得又黑又瘦。孔太平他们去时，洪塔山正光着头在火辣辣的太阳底下同另一个犯人搭伙抬石头。见到孔太平，他扔下抬杠就跑过来，看守在后面吼了一声，要他将这一杠石头抬完了再走。洪塔山二话不敢说，乖乖地回去捡起了抬杠，抬着石头往一处很高的石岸上爬。

洪塔山回来后，孔太平依然让他当养殖场经理。田毛毛则正式当上经理助理。孔太平见已成了既成事实，干脆让镇里下了一个红头文件，想以此来约束一下他们。舅舅出院以后，很长时间胳膊都用不上劲，所幸狼狗咬伤的是左手，对于农活影响不大。秋天，棉花地换茬后，舅舅又将小麦种上。麦种是孙萍帮忙撒的，孙萍入党后，各方面表现都很好。因为田毛毛一直不回家去，孙萍没事时就去孔太平的舅舅家，替两个老人解解闷。种完小麦，还没等到它们出芽，孙萍下来的时间到期了，孙萍走时还到那块没有一点绿色的地里看了看。然后到养殖场拿走田毛毛养在一只小鱼缸里的两只长相很特别的“迷你王八”。

秋天的天气很好，可孔太平心情非常不好，上面一抓反腐败，这甲鱼的销路就大受影响。洪塔山带着田毛毛在外面跑了一个多月，可是销售量却比去年同期少了近三分之一。就这样也还算是最好的，好些养甲鱼的单位，干脆停止使用暖房，让甲鱼冬眠，免得它吃喝拉撒要花钱。洪塔山神通比同行们大，这是他们一致公认的。然而就这三分之一让镇里财政处境更加困难。国庆中秋相连的这个月，孔太平咬着牙动用了那笔别人捐赠的救灾款中的一万元，全镇所有干部职工和教师的工资也只能发百分之五十。而上个月的工资到现在还分文未发。

小赵骑着自行车，满头大汗地跑过来，结结巴巴地说，各个学校的代表来镇里了。赵镇长请你马上去。孔太平脑子轰的一声像炸了一样，他二话没说，转身就往外走。

半路上，碰见教育站何站长在路边匆匆忙忙地跑着，小许停下车将他也捎上。孔太平问他是怎么回事，何站长脸色发白，说他事先一点风声也没听见，倒是有不少老师在面前说自己能体谅镇里经济上的困难。孔太平要他马上打听，背后有没有其他因素。

教师总代表是镇完小的杨校长。孔太平有几个月没见到他了，一见面发现他人瘦了许多，而且气色也不正常。杨校长开门见山地说，教师们没有别的要求，只想要回自己的那份工资，如果不答复他们明天就停止上课，也出去打工自谋生路。

杨校长很谨慎地避免使用罢课两字。孔太平同他们说了半天没有结果，反而将气氛弄僵了。这时，赵卫东提议镇里领导先研究一下，回头再同代表们见面。杨校长他们同意了。

到了另外一间屋子，赵卫东说他发现一个问题，杨校长用的是要回自己的那份工资，而不是补发，那意思像是干部们将他们的工资贪污了。孔太平觉得赵卫东的话有几分道理，不然教师们不会有这么大的火气。正在分析，何站长来了。何站长打听到这事的起因是派出所指出的那十二万块钱中，被镇里扣下四万块钱，前几天这消息被教育站的会计透露出去，教师们认为这钱被镇里的干部们私分了。

孔太平心里有了底，他回到会议室将四万块钱的事作了解释。杨校长他们听说这四万块钱全都用在被泥石流毁掉家园的灾民身上，一时间都无话可说了。孔太平索性向他们交了底，说镇委会账户上还有几万块钱，那也是别人捐给灾民的，上上个月实在无法，大家要过节，只好挪用了一万，现在眼看冬天就要来了，他们一分也不敢再挪用了，否则那些灾民就可能冻饿而亡。这样，轮到杨校长他们说要商量一下了。

很快教师们就有了商量结果，他们说应该相信镇领导会带领全镇干群共渡难关，因此他们不再提停课的事，还是回去安心将书教好。孔太平很感动，当即表态，这个月三十一号以前，他一定要兑现全镇在册人员的工资，他说哪怕是将自己老婆的私房钱拿出来也在所不惜。

教师们走后，赵卫东说孔太平最后那句话说过头了，两个月的工资，全镇共需十多万，这么急，哪儿去弄这么多钱。赵卫东说他老婆不在银行工作，家里没有私房钱。孔太平认为赵卫东这是推卸责任，他不应该挑剔谁说了什么，谁没说什么，关键是管财经不能只管花钱而要想办法挣钱。两人绵里藏针地斗了一阵嘴，赵卫东一直不肯让步，孔太平火了，他说这件事自己一担挑，反正到月底他负责让大家领双份工资。赵卫东真是求之不得，他说这样更好，自己可以向一把手多学几招。

赵卫东一走，小许过来小声提醒孔太平，他这是中了赵卫东的激将法。孔太平有些恍然大悟，可话说出去收不回来了。

孔太平同老柯、老阎他们商量了一阵，决定开一个全镇企业负责人会议。他在会议上将各单位本月应上缴的资金数强行分解下去，还要他们立下军令状。企业头头们勉勉强强地答应了，可是会一散，他们又纷纷叫苦和反悔。孔太平不理他们，回头又去召集财政、工商和税务部门的负责人会议。

忙了两天两夜的会以后，孔太平又带着一帮人到各村去扫农业税死角，每天总是要到晚上十点以后才能回镇上。中间他还抽空到养殖场去了两次，要洪塔山再挖挖潜力，能多缴多少就一定要缴多少，要打埋伏也得等到熬过这几个月再考虑。

洪塔山第二天就让司机开着桑塔纳送自己到省城去了。

孔太平许诺的日期已经很近了，收上来的钱离发工资还差得远。他没办法，只好真的回家翻箱倒柜将老婆八万块钱存折找出来，他打算以此作抵押，从银行里贷些钱出来。就在他跨进镇工商银行大门时，小赵追上来告诉他，洪塔山在省城将桑塔纳卖了，寄了十几万块钱回来给镇上发工资。

工资刚发完，县里通知孔太平到地委党校学习，同行的还有东河镇的段书记。两个人住在一个房间话却不多。有一天东河镇有人给老段送来不少茶叶。老段让他尝了尝，他觉得味道非常好。老段得意地说这叫冬茶，刚焙的，他每年只做十斤这种茶叶。孔太平说，这时候采茶叶，霜冻一来茶树不就要冻伤吗？老段说一棵茶树才几个钱，我用这十斤茶叶换来的效益，不知要超过它多少倍。

刚好这天黄所长带着洪塔山来看孔太平。洪塔山在这段时间里做成了几笔生意，将镇里各家企业积压的产品都卖了出去，同时还搞回几项来料加工的产品，镇里只收加工费，稳赚不蚀，所以镇里的经济情况眼见就能好起来。孔太平听后对他说，再出去时将镇完小的杨校长带出去，找家大医院检查一下，看他是不是患了前列腺癌，并让他住院治一阵。洪塔山心领神会地说，孔书记放心，杨校长的医疗费我私人出。

老段出去应酬去了，孔太平将他的冬茶拈了点，泡给黄所长和洪塔山喝，并说这一定是他用在要害上的，黄所长当即骂了几句。喝罢茶，孔太平提出到外面走一走，黄所长推说想躺一会，没有去。

夜里，老段拿上茶叶出门了。过了几天那些冬茶又被人送回。老段很奇怪，以为是味道不好，便打开一只密封的盒子检查。盖子一揭开，上面有张字条。字条上写着：有权喝此茶者请三思，如此半斤茶叶可使一亩茶树冻死。再检查其他盒子，都有类似的字条，只是有些言语更激烈些。

（选自《上海文学》1996年第1期）

刘醒龙

1956年出生，湖北武汉人。1973年毕业于英山县红山中学。历任英山县水利局施工员、阀门工厂工人及文化馆创作员、创作室主任，黄田地区群艺馆文学部主任，《赤壁》季刊副主编，武汉市文联文学院专业作家。1984年开始发表作品。1993年加入中国作家协会。著有长篇小说《威风凛凛》《生命是劳动与仁慈》《寂寞歌唱》《至爱无情》《爱到永远》《市府警卫》，中篇小说集《凤凰琴》《乡村老师》《白菜萝卜》，专著《刘醒龙文集》等。中篇小说《凤凰琴》《分享艰难》《大树还小》均获首届鲁迅文学奖中篇小说奖，并分别获第五、第六、第七届《小说月报》百花奖，其小说被改编并已拍摄发行的影片《凤凰琴》《背靠背、脸对脸》先后获电影政府奖、金鸡奖和百花奖最佳故事片奖，《挑担茶叶上北京》获首届鲁迅文学奖中篇小说奖。

黄坡秋景

张 继

一

中秋节之后,县里对一些乡镇和部门的领导班子进行了一次大幅度的调整,黄坡乡的党委书记黄大发原来以为会被调到哪一个部委办局做个头头脑脑,结果却出乎意料,就是说不但头头脑脑没做成,而且根本连动也没动,仍然留在黄坡乡。

公布令下来的时候,黄大发正坐在食堂里一张大板凳上吃伙房孙师傅为他炖制的麻辣豆腐,听到了消息脸就拉出老长,并且一反手把饭盆都摔了。孙师傅吓了一跳,以为他吃到了臭虫呢,连忙跑到地上那摊豆腐上翻找,找了半天也没有找到。

黄大发在黄坡乡连书记加乡长已经干了七年,乡长书记一方诸侯是个肥缺,但再肥也没有到县里当个局长县长的舒坦。与黄大发一起提起来的几位早在两年前就都在县里寻了个好窝窝趴着了,数来数去就剩下他一个人在乡下支撑。黄大发这几年工作没少做,农业生产连年"夺旗",并且都夺出经验来了,可几次三番、三番几次地都没能提起来。官场上别的还好说,对这个却特讲究,和他们一比自个就觉得矮半头。偏偏那帮伙计在乡镇与他戏闹惯了,只要碰上就是一顿胡吹海唠,说黄大发扎根农村的有说黄大发迷恋新鲜空气的有,说黄大发舍不得村姑的有,有的甚至还说黄大发留在黄坡乡是想吃黄坡乡的黄牛蛋。

黄坡乡家家户户养黄牛,阉牛时总要阉割下许多牛蛋。把牛蛋去了臊气,切成薄片,烧热了锅和着葱白儿爆炒,色香味俱全,补阴壮阳,是黄坡名吃呢。

黄大发听了是有苦难言。心里话你们他妈的是饱汉子不知饿汉子饥。今年下定决心用九百六十个法也要向上爬个一级半级。他找县委县政府找人大政协,说一人提拔一回这回也该轮到提拔我了。县里的头头脑脑也明确表示要给他调一调,黄大发挺高兴,为了把这件事办得更保险一点,中秋节之前他让几个村长一人进贡了两副黄牛蛋还有一些土特产,自己用桑塔纳拉着围着县城转了三天,觉得这回提拔是煮熟了凉透了的鸭子十拿九稳。不久也确实传来了他要到县农业局做局长的小道消息,几个耳朵长的老伙计甚至跑到他家里来讨喜酒喝。黄大发一激动,就弄了一桌。没想到酒喝了菜吃了事情却黄了，真是猫咬尿泡瞎欢喜，肉没吃着还弄了一身臊气。

黄大发想真让老百姓说准了：现在的事没有多少是真的。心里就有些冷。

这时节玉米已经黄皮，庄稼人开始整理耕套，田塍上人来车往很见忙碌了。黄大发由于心情不好，今年三秋也不打算夺旗了（县里每年三秋都制一面锦旗，哪个乡镇夺了年终就评哪个乡镇先进集体），对三秋生产的事也很少过问，每天只是躲在办公室里喝酒，几位副手都有些着急，但又想不出合适的安慰话来。这当口县组织部干部科的李科长带着几个年轻人来了，大家不知道又有什么新戏，心里都七上八下的，没想到喝了茶吸了烟之后说只是例行公事下来看看。几位副手好像有许多话要与李科长他们说，但因为黄大发在上面坐着冷着脸谁也不敢把话说得太多，坐了一会当然也说不出什么高潮来。离吃饭的时间还早，李科长提议说不如先到黄山上去玩玩。

黄坡乡北面二里路的样子有一座黄山，山上杂草丛生树木茂盛，藏着不少野物，县里的领导没事的时候经常来。黄大发为了领导玩得方便玩得高兴还专门买了十杆猎枪。黄大发把这个叫做“感情投资”，没想到感情投资这么多年光野兔山鸡就投进去了几百条换来的竟是这么个结果。李科长这么一说黄大发心里就来了气，但又不好表现，想了想说李科长有兴致就去玩吧，不过这回咱得改革一下定个游戏规则。

李科长觉得有意思，说什么游戏规则？

黄大发说今天你们打着山鸡就吃山鸡，打着野兔就吃野兔，山鸡野兔打不着就吃不上肉了。

李科长说有意思，黄书记这是调动我们打猎的积极性啊，就这么说定了。

黄大发吩咐杜秘书拿枪，杜秘书把枪拿过来凑个空子给黄大发说：山上几天前才被蹚了个遍，他们还能打个魂。

几天前黄大发为筹办中秋节送给县领导的礼品，带着秘书小杜和派出所的几个治安员在山上打了一天，黄大发当然没忘，他不动声色地说打不着该当他们吃不上肉。

果然李科长他们在山上忙活了半天只打了两只麻雀，下山的时候掂掂分量还扔了。黄大发说到做到，中午的餐桌上果然找不到一片荤肉。李科长他们在下面的人看起来很大，但是在县里却只能算个喽啰，大吃的机会不是很多，对素菜还不是十分喜欢，所以嘴上说好吃心里却是十二分不高兴，走的时候脸色很不好看。大家都不是小孩子，知道黄大发对组织部有意见呢，但都装糊涂。只有尤小立乡长觉得不是个方向，就走过来劝黄大发，说组织部这帮人是有名的，得罪不得，这次虽然没有调成，以后许多地方还得用他们，关系弄得太僵了今后事情怕是不好办。

黄大发说组织部这帮舅子吃你喝你拿你最后还玩你，我就是气不过。

尤小立叹了口气说也是的，可是归根到底我们还在他们手心里。

尤小立是黄大发一手培养起来的。两人感情一直不错，说的都是掏心话，黄大发琢磨了一下，觉得有些道理，对中午的事多少有些悔意，所以过两天去县里开三秋生产动员会开到一半就从会议室走出来，往西一拐就进了组织部。他到组织部的目的是想和李科长他们开几句玩笑，把那天中午的事情多少解释一下，如果话语投机请他们吃一顿也行。没想到把组织部的每个办公室都找遍了也见不到一个人，他还想再找一找，忽然觉得有点尿急，推开厕所的门进去之后就看见组织部的杨部长正蹲在那儿用劲，脸憋得透红，头上的汗珠子豆粒似的。杨部长看见黄大发有点不好意思地说：他妈的又便血了。

杨部长长着痔疮呢，一到秋天就犯。

黄大发想你他妈的别说是便血，爆炸了才好呢。但嘴上仍然装得像模像样：试"荣昌肛泰"了没有？

杨部长说听说了，没用过呢也不知道效果怎样。

黄大发只在电视上听说过，也不知道怎么样，随口答道：好着哪，一贴就灵。

杨部长显然很感兴趣，他说真的吗，谁用过？

黄大发胡说呢，他也不知道谁用过，他想再胡编一个人名，又怕杨部长寻根问底真的寻着名字取经去，就弄了个保险的，说我老婆用过，还是我帮着贴的呢。

杨部长哦了两声，点了下头不说什么了，并且把脸也板了起来。

黄大发本来还想给杨部长唠几句，现在看部长这样，一点兴致也没有了，抖了抖家伙系好裤子走了出去。

黄大发出了组织部想到其他几个部局遛遛但走到人家门口听听里面的人都在议论人事变动的事，自己在这次变动中不太光彩，进去了以后也没有几句好话听，想了想觉得还是回会议室好。会议还没散呢，正想推门进去，县长却从里面出来了，黄大发差一点撞到他身上。县长定了一下神说：好你个刘子玉，这泡尿尿的时间可不短呀。

黄大发怔了一下，眨眨眼睛，知道县长是把他当作寨子乡的乡长刘子玉了。心里不免有些悲哀，他想还指望县长能把他调回县城提一提呢，人家却连他的名字也没记住，看来那四只山鸡六副黄牛蛋八条兔子算是喂狗了，想到这里不由得有一种想破罐破摔的心理，他冲县长咧咧嘴说：县长，你不认识我了，我是黄坡乡的黄大发，就是前两天给你送野兔山鸡黄牛蛋的那个黄大发，刘子玉是寨子乡的，他是个瘦猴，没有我胖。

县长尴尬了一下，唔了一声说我想起来了，你看我这记性。自顾说着去了。

黄大发有些恼，索性连会议室也不进了。就下了楼，让司机小王到会议室拿他的笔记本和茶杯。

小王问会不开了？

黄大发说不开了，三秋生产我都抓了十几回了，每年还不都是那点事，背都背下来了，回黄坡。

二

黄坡乡政府大院门前聚了一大堆人。黄大发打眼看看都是村干部。黄大发问：乡里今天召开村干部会吗？

小王说不知道。

黄大发没有说什么，让小王把车往办公室门口开，刚从车上下来村干部们都围了过来。七嘴八舌的，个个都是很着急很先进的样子，后来黄大发听清了，村长们问他今年秋种又有什么新精神呢。还有的说玉米已经开始收了，乡里三秋有什么条条道道。这些村干部都是黄大发带出来的老兵，以前大都一般化，经过几年的磨炼已是慢牛变成了快马，年年为黄大发在县里夺旗出大力流大汗，黄大发今年想让他们歇歇，就说县里今年没给什么硬任务，大家只是督促一下村民抓紧点就行，有什么急事我再通知大家。

有村长问：黄书记，今年不夺旗了？

黄大发说不夺了。

村长们听了，相互看了一眼，纷纷散去了，显得很冷清。小桥村的村长四平走了两步又回来了。

黄大发问：四平，你有事？

四平村长说：是的书记，我有点事，不大。

黄大发说进屋说吧。

四平村长进了屋先没有说事而是一伸手从包里掏出了两只野兔。

黄大发接过来看看说：还是活的。又问，怎么捉住的？

四平村长憨憨地笑着说：用套子套的。

黄大发笑了，说这个乡里除了你谁也没这绝活，没事的时候也教教我。顿了一下问：什么事，说吧。

四平村长说我想请你说句话，把乡农机站那两辆拖拉机给我用一天。

黄大发说干吗？

四平村长说我们村靠近公路边那几块玉米青着呢，今年夏天我向你做了保证，现在想用拖拉机把那几块青玉米推一推。

今年夏天小桥村靠公路边的几块麦子收迟了，玉米种晚了。黄大发曾经说四平，麦子收迟了我不熊你。秋后的玉米怎么收你得做个保证，四平就保证不让这几块玉米落后。

黄大发想起这个茬口有些羞愧，往年为了夺旗，抢进度都是用拖拉机前面捆着一根木棒在庄稼地里推的，明知道这样做会减产，还争先恐后地做……他说：四平，别推了，让玉米再熟一熟吧。

四平说要是再检查到我们村呢。

黄大发说我都不怕你怕什么，放心去吧。

正说着尤小立乡长来了。尤小立说县里的动员会开得怎么样。

黄大发说一般化。

黄大发说完又觉得太简单了点，又把一些细节多多少少复述一下。

尤小立也没有听出个所以然来，只好说要不要召开一个全乡三秋生产会议动员一下。

黄大发笑了一下说：尤乡长，不瞒你说县里的会我都没开到头，年年无非是收啊种啊，抢啊快啊这些事，瞎耽误工夫，我的意见是今年的动员会不开了。

尤小立也说不开就不开，一会我去告诉杜秘书县里要问开会了没有就回说开完了。

黄大发说很好。想了想又说这几年无病无灾的情况下老百姓需要我们做的只是肥料和种子，其他的我们忙也好急也好用现在社会上流行的一句来说都是自寻烦恼，你抽个时间去农技站和生资社把种子肥料落实一下就行了，还有，你再看看农机站那两部车修好了没有，农机站的力量太弱了，明年我要还在黄坡乡无论如何也要想法多投入一些。

尤小立掏出本子记了一会说，还要不要安排机关干部下乡包村。

黄大发说论起种地哪个农民都比机关干部在行，包不包无所谓。

尤小立问还要不要搞辆宣传车，弄几面红旗，贴几副标语，增加些热烈紧张气氛？

黄大发说免了吧。

尤小立听到这里把本子一合笑着说：黄书记今年三秋像做文章似的，文风大变了。

黄大发感叹一声说：摆那些花架子干吗？既升不了官又作践老百姓，倒不如回到工作本身，该干什么干什么。

尤小立没有说什么，后来问到黄大发去县委组织部的事，黄大发笑了，说：不光到组织部去了，而且还和郭县长拉上话了呢。

尤小立说是吗？

黄大发说你猜郭县长对我印象怎样，县长把我的名字都叫错了呢。说完竟自笑了，声音很响，把拴在里屋床腿上的两只兔子吓得乱蹦乱跳。

尤小立竖着耳朵听了一阵说：黄书记还金屋藏娇呀。

黄大发说不是藏娇，是藏宝。

说着到里屋把两只兔子拎了出来。

尤小立嚯了一声。

黄大发说四平村长送的，咱今天中午就喝兔子汤，听说兔子汤大补呢。说着就喊孙师傅过来弄兔子。

尤小立说留一只吧。

黄大发说留着干吗？

尤小立笑着说留一只吧，留着你再补一回。

黄大发也笑了，就说：既然你这么说了就留一只吧。并吩咐孙师傅好好养着。

孙师傅提着兔子出去了，没走几步就惊叫一声：不好了，跑了一只。

黄大发和尤小立听见叫声连忙从屋里跑出来。那只兔子正拖着一根绳子在院子里蒙头蒙脑地跑呢，就围过去，三赶两赶野兔哧溜一下钻女厕所里去了。两个人堵在女厕所门口都收住脚步，谁也不好意思进去，都笑了。

黄大发说这家伙还真会政治避难呢。

尤小立说孙师傅你快去叫王开华。王开华是女乡长，分管黄坡乡的计划生育和精神文明。

王开华来到一看黄大发和尤小立那阵势笑了，说：平常谈起女同胞一个个威风凛凛叱咤风云，这会儿怎么连个女厕所也不敢进，里面又没有人。

黄大发说别耍嘴皮了，劳你大驾快进去吧，别让它跑了。

王开华进去就把兔子逮住了，摸着兔子的大腿说透肥呢。

黄大发说看你馋的，中午过来也给你盛一碗。

王开华说好。咂咂嘴又说可惜一会我要到茶河去一趟，不知中午能不能赶回来。

黄大发问：去干吗？

王开华说茶河村有个计划外怀孕户，都三个月了。

黄大发说要抓紧些。别挨到大忙季节老百姓说咱扰民，骂咱们不让他们安心种庄稼。

王开华说是。

中午的时候茶河村的村长急急慌慌地跑来了。进了黄大发的办公室就怪声怪调地说王开华乡长出事了。

王乡长和乡计生委的几个人赶到茶河村的时候那个计划外怀孕的妇女正在山上梯田里刨地瓜呢。王乡长和计生委的几个人在上山的时候，由于她穿着高跟鞋，爬坡的时候一不小心摔倒了顺着山坡滚到了山沟里。

黄大发问王乡长她人呢。

茶河村的村长说被计生委的人送往县医院了。

黄大发又问摔得重不重。

茶河村的村长说他不清楚。

黄大发连忙叫尤乡长往县医院打电话，接电话的是乡计生委谢主任。谢主任说还好，脸划了一下，只骨折了一条胳膊。

尤小立乡长把情况向黄大发一说，黄大发说胳膊伤了无所谓，过一段时间就会恢复，脸如果伤了可就麻烦了，不知道伤得怎样。

这时候孙师傅招呼说：黄书记尤乡长兔子汤煮好了。

黄大发说好，端过来吧。

尤小立说要不要拿一瓶酒。

黄大发说王乡长刚出了这事咱就免了吧。

尤小立说免就免。说着摸碗盛汤，还没盛到碗里去呢，就听到政府大院门外有哭声。

黄大发说不知道又出了什么事情。

尤小立连忙站起来到大门口去看。回来说不知道谁家的牛死了，一家人正哭呢。

黄大发说正是用牛耕地的时候，死了牛对于庄户人来说就是塌了天，该了解一下多少救济一点。说着抄起电话让办公室的杜秘书去兽医站问问情况。

杜秘书一会儿就回来了。说：兽医站的人说这两天死牛户多着呢，加在一起也有一二十头了。

黄大发和尤乡长有些吃惊，问：怎么会这样？

杜秘书说：兽医站的苏站长说这些牛都死于一种牛感冒，还说这种感冒在咱们乡各村都有发生，很危险的。

黄大发问；有什么办法控制吗？

杜秘书说：兽医站正在全力诊治，但总不十分有效。

黄大发的汗就下来了。黄坡乡靠牛拉屎攒粪下犊卖钱，不大热农机，拉车打场耕耙都靠牛驴，有这种病在里面搅和着，耕不好地种不上麦子难看挨骂的是他黄大发。想到这里他给尤乡长说：今年三秋我原打算松一松腿喘一口气呢，看来不行了。

尤小立笑了，打趣说一不想提拔，二不想调动有什么不行的。

黄大发说别提这个茬口，一提我就没劲，还不如说为黄坡乡的百姓提精神呢。又说，快点吃吧，吃完了你去县医院看看王乡长，我领着兽医站的老苏到村里去看看牛。

兔子汤烧得很好，上面漂着一层乳白色的白汁。

黄大发喝了两口就打住了。

尤小立说味道还不错吧。

黄大发说我怎么闻着里面有一股牛腥气。

尤小立说我看你又到去年三秋那种时候了，食不知味。

三

下午，黄大发和兽医站的苏站长到牛灾发生最严重的小桥村看了看。一进村头就看到村头的一行柳树下十几头牛趴在地上正伸着脖子喘粗气，呼呼啦啦地带着哨音像打鼾，几个庄户人半蹲半坐在牛身旁哭哭啼啼。

黄大发说怎么不送兽医站。

苏站长说兽医站连我在内只有四个人，站里的牲口挤得满满的，就是去了也挨不上治疗。一位叫王十三的老汉认识黄大发，知道黄大发是这乡里的党委书记，走过来拉住黄大发的衣袖说：黄书记，我的牛死了，地茬子已经出来了，你可要帮帮我们呀。

小桥村的四平村长赶紧过来介绍说：王十三是军属，两个儿子都在部队上，家里能劳动的只有老两口和一个儿媳妇，种着七亩多地，前两天牛不声不响地死了，今年的麦子难种啊。

黄大发有些感动。他想起这几天心里反反复复的那些事情也有些羞愧，就选了一个高处站好了，挥着手说：乡亲们，现在大家遇到了难事，政府是不会不管的，我保证千方百计地想办法让大家按时种上麦子。憨厚朴实的村民听到这里都鼓起掌来。

黄大发接着说：眼下最要紧的是配合兽医站为耕牛防病治病，力争把损失减少到最低。

就在他讲话的时候又有一头牛倒下了。又响起一片哭声。黄大发觉得事不宜迟，必须立即请县畜牧局提供帮助。他让苏站长留在小桥村为牛治病，自己连忙赶回乡政府。

杜秘书已经收到不少村庄反馈过来的信息，全乡二十五个行政村村村都有灾情，形势十分严峻。杜秘书还要说什么黄大发摆摆手打住了，说别说了，你先给我要县畜牧局。

杜秘书拨了个号，说通了。

接电话的是一个娇滴滴的女同志。黄大发说我找你们黄局长。

女同志说我们局长正在开会呢。

黄大发说麻烦您替我叫一下，就说一个叫黄大发的找他有急事。

畜牧局局长黄元平是黄大发的远房侄子，果然一叫就过来了。黄大发先把黄坡乡发生疫情的事向黄元平说了一下，接着要黄元平多调几个人来黄坡控制疫情。

黄元平似乎有些为难，他说四叔我的人都回家帮助秋收了。

黄大发急了，说回家你就给我叫回来，你老叔遇上难事了百年不遇向你伸回手，你不帮我一把见了面我少不了骂你。

那边愣了一会，笑着说：你得给点补助。

黄大发说你只要把黄坡乡的疫情控制住什么条件都行，你说补多少吧。

黄元平说十块。

黄大发说不研究了，十块就十块，不过你那边要快点。

黄元平说只要你那边准备好了我这边不要你催。

黄大发咔地放下电话往外走。杜秘书叫住他说：刚才县政府办公室来了个电话，说市政府市人大的领导最近几天要到咱们县来视察三秋生产工作，途中路线可能要经过咱们乡，县政府要求把公路边的所有高秆作物全部砍倒。

黄大发说胡啰啰，庄稼人都被牛灾这事愁死了。再砍他们的青玉米不反个舅子我就不姓黄。

杜秘书提醒说：事情说是这么说，可是要不砍倒县里恐怕不愿意。

黄大发想我现在已经这样了不愿意又能怎样，大不了削了我的职，嘴里却说：先尽主要的做，花架子之类的事能推就推一推，能躲就躲一躲，推不过去躲不过去再说。

从办公室出来天已经黑了，星星很亮密密麻麻的，看来明天又是一个好晴天。黄大发想天一直这么晴下去可不是个好事情，玉米棵砍倒后地皮子都露出来了。经不住太阳晒，跑了墒干透了耕不动就麻烦了。这么一想心里就乱糟糟的，回宿舍见尤乡长屋里的灯也没亮就知道尤乡长还没有回来。尤乡长家在县城，妻子也年轻，八成回家搂老婆睡去了。

正想着，听见门外有车响，却是尤小立回来了。黄大发笑了，说我以为这时候你正搂着老婆躺在被窝里了呢。

尤小立也没隐瞒，说老婆是真搂了，可是不敢在被窝里躺着不回来，怕你熊我。接着就把进城看王乡长的事说了一遍，说胳膊已经打了石膏，脸上缝了十二针，不知会不会留下疤。

黄大发说但愿一点疤也没有，要不张小安非说难听话给她听不可。

张小安是王开华乡长的丈夫。

尤小立认识张小安，说小安那人不错的，他不会那么做吧。

黄大发说他以前是不错，可自打办了个皮包公司有了钱就日本鬼子的口头语——坏了坏了的，人这东西真让鲁迅老先生看透了：一阔脸就变。

尤乡长摇摇头，说真想不到他会这样。停了一会又说回来的时候我顺便到了县畜牧局去了一趟，你给他们打过电话了。

黄大发说怎么样，黄元平把人都叫回来了吗？

尤小立说什么叫回来了，根本不用叫，他们都躲在屋里打牌呢，黄局长说明天一早他们就赶到黄坡来。

黄大发说黄元平这狗日的还骗我这当叔的呢，等他来了我非拧他耳朵不可。

这时候又有一阵哭声从政府大院门前的府前路经过。

黄大发说不知谁家的牛又死了。停了一会儿又说你一会通知杜秘书打开仓库拿几条被子到兽医站去给陪牛看病的村民披一披。

尤小立说黄书记你想得真周到，我这就去。

四

一度在黄坡乡横行肆虐的牛疫在县畜牧局的大力帮助下终于得到了控制。这次疫情给黄坡带来的损失是巨大的，先后有六百多头耕牛死去，近千牲畜不同程度地感染上了疾病体力尚待恢复，致使全乡一千五百多具畜犁能下田的不足一半，三秋生产进展迟缓，而气温却逐日高了起来，一个艳阳天接着一个艳阳天，一周之内如果不把地耕起来今年的秋种弄不好就会泡汤。黄大发在黄坡乡待了七年了，这种情况还是第一次经历，心头焦躁得像烧了一把火，嘴皮子上起了一串血泡，头发乱糟糟的整个像换了一个人似的。群众的情绪也很不稳定，村干部都在村里待不住了跑到乡里让领导想办法，好像领导身上都背着个百宝箱似的，需要什么伸手就能来。

尤乡长说不行到县农机局看看，请他们来帮我们一把。

黄大发说这事有点玄。

尤乡长说管他玄不玄，我去试一试。

黄大发说你别去了，要去还是我去吧。

尤乡长说为什么?

黄大发顿了一下说:你还不知道吧，当初他是副局长，县里想让他到黄坡竞选乡长的，我知道这个人的弱点太多，顶回去了，后来提了你，你这一去他不会给你好脸看。

尤乡长笑了，说这么说你去他就更不会给你好脸看了。

黄大发说我这么个岁数，又是不想好的人了他不给我好脸看我就把屁股转过去让他瞧瞧，可是你还年轻，山不转水转说不定以后还要和他在一起共事，弄僵了不好，还是我去吧。

黄大发上车的时候想起让伙房孙师傅养着的那条兔子，就让孙师傅提过来。

尤乡长说不留着补补了。

黄大发说不补了，给王开华补补吧，说着把兔子扔进车里。

黄大发没有先去农机局而是去了县医院看望王开华乡长。王乡长胳膊上吊着绷带，脸还没拆线，包着纱布。黄大发笑着说：嚯，跟越南战场上下来的功臣样。

王开华被逗笑了。

黄大发说笑破了伤口落下了疤可不是闹着玩的。

王开华说我都这岁数了也没有什么可怕的。

黄大发问：张小安来了没有？

王开华说没有。又说，只来了一个电话说公司生意太紧，脱不开身。

黄大发说这个张小安真不像话。又问：开华你们俩到底怎么回事？

王开华眼圈有些发红，说他一天不如一天一年不如一年，他变了，变坏了，都怪我当初脑子一热看错了人。

黄大发叹了口气。王开华还想问他乡里的事，黄大发没说，站起来说你好好养着吧，什么也不用你操心，我到里面还有点事。

临走的时候想起车里还有一只兔子就让小王提上来，说给你补补身子。

王开华说谢谢你，只是我这里没有锅碗瓢盆你还是带回去吧。

黄大发说没有锅碗瓢盆不怕，我让医院食堂给你做。说着又拎着兔子去了医院食堂，一切都张罗妥当了才离开医院去了农机局。

在农机局的楼道里黄大发碰到了小屯乡的刘乡长。两人握了手。刘乡长说黄书记要不是你先给我打招呼我都认不出来你了，怎么弄成这副模样。

黄大发看看刘乡长笑了，说你小子别说我，你也好不到哪里去。

刘乡长说都让他妈的三秋给弄的。

两人感叹了一番，骂了一会三秋，觉得挺解气。说到来农机局的目的，都笑了。两人想一块去了。

刘乡长说我们乡的麻书记今年要在全县夺旗呢，让我使出九百六十个法子也要把农机局这几尊神给请去。

黄大发知道麻书记是这次调整才调起来的，野心正大呢，便问：农机局的态度怎样？

刘乡长说夺旗的也不光小屯乡，刚才已经来了好几茬书记乡长了，我数了一下你黄书记是第十一位。

黄大发想奶奶的平常酒桌上一个个亲兄弟似的，遇上夺旗、评比、提拔就变得杀父仇人似的，想骂几句难听的话，但想想自己去年秋收时也是这副模样嘴就打住了，说，刘乡长你别误会，我可不是为夺旗来的。

刘乡长老到地说老大哥别哄小兄弟了，看看你嘴上的火泡，不是为这个又是为哪个。

黄大发就把黄坡乡发生疫情的事和刘乡长大体说了说。刘乡长对黄坡乡发生疫情的事多有耳闻，但两国交兵各为其主，也只有同情的份。他坦白地说同情归同情，争我还得跟你争，麻书记可是给我立了军令状的。

黄大发说那咱就争吧。

说着两人就上了楼。问办公室值班的人张本力局长在不在？办公室的人说在呢。就走过去，刚到门口就听到里面有声音：张局长，一点小意思，你帮忙不帮忙都得收下，要是不收就是看不起我们寨子乡。

好像是寨子乡乡长刘子玉的声音。

两人就知趣地收住脚步退了回去。

刘乡长压低声音说：听见了吗，竞争激烈着呢，都动用"军火"了。

黄大发说县委县政府该出面协调一下这事，这样下去怎么行。

刘乡长说农机局承包了，县里可能也不太好插话。又说现在哪一个吃香喝辣的部门不是这事，黄书记换了你在这里当局长也会对下面拿一把捏一把的。

两人说了一会，见寨子乡的刘子玉乡长从里面出来了，脸上并没有多少高兴之色，估计没有得手。

刘乡长冲黄大发使了个眼色，说你先过去还是我先过去？

黄大发有些气馁，他与张本力本来就有嫌隙再这么空着手大模大样地过去事情必败无疑，他想了想说你先过去吧。

等刘乡长一走他就从农机局走出来问司机小王带钱了没有。

小王说带了。说着从包里掏出一大把小票，有十来块钱的样子。

黄大发摇摇头说这点钱喝粥泡油条差不多，送礼就不行了。可这事又是太急的事，想了想就把手表脱了下来，接着又要了小王那一只。

小王说做什么用。

黄大发说先把它们押给商店，过两天咱再拿钱来取，加在一起也能值四五百块钱吧。

两个人说着转了几个弯寻到了一家商店。看商店的是一位中年妇女，那个妇女戴着老花镜对着手表看了半天也没拿定主意。

黄大发说就换你四条云烟，错不了事。

那个中年妇女看了一会，又把表放在耳朵上听了半天才说：保不准是塑料的呢。

黄大发一听气得差一点骂出声来，但是因为还想着她的烟就把火忍住了，他说你再仔细看看这怎么会是假的呢。

黄大发连着把这话说了两遍，那妇女却愈发认定这表是假的了，她说这年头钱都能假了，别说两块手表，不换了。

黄大发把两块表在柜台的玻璃上摔得叭叭响：你再听听，塑料是这声音吗！

那妇女却说你别砸破了我的玻璃！

这么一嚷就从货架后面走出一个男人，看年龄大约是这妇女的丈夫。那男人把黄大发手里的表接过来看看，说表是真的，不过值不了几个钱，只能押三条烟。

黄大发想我这是急等着用它，要是平常，你就是给我二十条我也不押给你。

黄大发拿着三条烟往外走。

司机小王说三条烟是个单数，不太好吧。

黄大发说一分钱憋死英雄汉，实在是顾不了那么多了。走吧。

黄大发赶到农机局时，局长张本力的办公室已经上了锁。办公室的值班人员说张本力和小屯乡的刘乡长一块出去了。黄大发就在办公室里的一张椅子上坐了下来，他想等一会。值班的青年显然也看出来了，说你最好别等了，估计张局长和刘乡长一块吃饭去了，下午上班时才能回来。

黄大发想这个刘乡长真鬼。又问农机局的农机都下乡了吗。

青年说没呢，不过就在这一两天了。

黄大发立刻紧张起来。

小王问是回黄坡还是在县城等。

黄大发说别回了，就在这里等吧，这件事情无论成败今天必须有个结果，回去也好有个对策。

小王说离上班时间还早，我把你送到机关招待所开个房间好好睡一觉。

黄大发说：乡里的事一大堆，一样比一样急，睡不着的，我就在这车里歪一会儿吧。但只迷糊了一小会儿又觉得有些饿了，就拉着小王去街头找吃的。

黄大发说我身上一个子也没有，就吃你那十块钱，也别上饭店了就在街头随便吃点。

两个人在一个小吃摊坐下，要了一盘豆芽菜两笼蒸包，小王还要拿一瓶酒，但一数钱已经不够了，黄大发说行了，这么吃着就很好。一边吃着一边向街道上打量，一街道花花绿绿的男人和女人，一个个都像进入共产主义社会似的，红光满面，生活幸福，看着看着黄大发不由得想到黄坡乡田地里那些蓬头垢面的妇女、老人和汉子，还有那些因死牛而忧伤痛哭的面孔，他觉得真该让城里的人到乡下干他几个月，那样他们就知道什么样的日子是好活，什么样的日子是孬活了。

黄大发就把这些想法向司机小王说了几句，小王听得糊糊涂涂。黄大发还要往深处多说一些，忽然那边开来一辆警车，哇哇啦啦地鸣着警报器。

这是在县城，不是在乡下，警报器是禁止随便乱响乱叫的。一定出了什么事，不是抓犯人就是过首长。两个人一手拿一只蒸包站起来向那边看。后来终于看清了，不是抓犯人，是过首长呢。警车后面跟着一溜小汽车，有十几辆。

黄大发辨认了一下车号，发现都是县里市里的头头脑脑，连忙拽着小王蹲下了，说：这一定是从下面检查三秋生产回来的。

小王说：咱黄坡乡还有不少青玉米站着呢，不知道这帮领导看了怎样。

黄大发没有说话。

下午，黄坡乡的党委书记黄大发终于见到了县农机局局长张本力。张本力与黄大发握了一下手说:我听刘乡长说黄书记上午都来了,怎么没有进来?

黄大发也没有客气,说上午是空着手来的,一想不是这么回事,就回去了。说着把烟递了过去,说黄坡乡今年遇到难处了,请老弟伸手帮忙。

张本力客气了一下还是把烟收了。说到出车的事张本力也很爽快:老大哥既然来了,我就得给面子。

黄大发挺高兴,说谢谢老弟。

张本力没说什么,只是话锋一转说:不过时间要往后推一推。

黄大发说大约什么时间。

张本力扳着手指头认认真真地数了一遍之后才说:一个星期以后吧。

黄大发这才听出张本力是玩他呢,别说一个星期,就是五天以后也晚了,这是故意卖他空头人情呢,他想发火,但想一想黄坡乡的百姓又忍住了,说,能不能提前几天?

张本力说一天也不能提前。

黄大发说张局长,我向你要车不是想夺旗而是为了黄坡乡的百姓。黄大发为了打动张本力还带着哭腔把黄坡乡老百姓牛死人悲的情景复述了一遍。

张本力听完却笑了,说黄书记我这是农机局,又不是福利院,你给我说这些有什么用。

黄大发真想上去掴他一巴掌,他愤愤地说张本力你公报私仇。

张本力没有否认,冷笑着说:黄大发你也有用我的一天。

黄大发知道再说无益,就铁青着脸摔门出去了。下了楼才想起那几条云烟还在张本力抽屉里,就吩咐小王上楼去拿,不能白送了这只白面狼。小王离张本力办公室还远呢,就喊:张局长,烟呢,黄书记让我来拿烟呢。惹得其他几个办公室的人也出来看热闹。把个张本力羞得脸红脖子粗。小王给黄大发一说,黄大发拍拍小王的肩膀说好样的,对待这种人就得这么办。又对小王说快回黄坡吧,这条路死了,回去商量一下怎么才能度过这一关。

五

黄大发回到黄坡乡就听说乡派出所的丁所长被人打了。

黄大发问怎么回事。

杜秘书说南山村的村民和北山村的村民因为争拖拉机打起来了,丁所长带着人去处理呢,一不小心被一块飞来的乱石打破了头。

黄大发唔了一声。

杜秘书又补充说只破了一点皮。

正说着呢外面来了一群蓬头垢面的村民，一个个面色恓惶。

杜秘书拦住了问你们是干什么的？

其中一个高个头的壮汉瓮声瓮气地说我们是来投案的。

杜秘书问了好大一会才弄清，他们就是争拖拉机的那帮村民，他们害怕派出所长治他们的事是主动来争取宽大的。

黄大发笑了，说没事了，大忙季节回家忙活去吧。

那帮人走了以后，黄大发问：尤乡长呢？

杜秘书说：怕再发生打架斗殴的事，下乡检查去了。

黄大发说检查也白搭，谁争到了拖拉机就等于抓住了明年的麦子，站在这个利益上再傻的农民也是不会让步的。你让通讯员把他叫回来吧，一会开一个三秋工作会，在家的乡领导全部参加。

这是黄坡乡三秋生产以来的第一个会，会议气氛很严肃。黄大发在会上一句套话也没说，直接把去农机局的情况向大家作了汇报，并强调说这条路已经不通了，要求大家出谋划策。自然大家说了很多，黄大发从众多的建议中选出了两条，一是利用提高机耕费的手段吸引外地的农业机械到黄坡来作业。机耕费可以提高到每亩四十，高出的部分由乡财政支付。二是号召全乡群众发扬艰苦奋斗的优良传统，采取肩拉人扛提高耕作速度。

对于第一条大家没有异议，但是对第二条却持保留态度。大家认为现在的农民已经不是“学大寨，赶昔阳”时候的农民了，怕是不肯下这样的力气。

黄大发也承认这件事情有些难度，不过他坚持说只要我们全乡党员干部身先士卒，带个好头，就一定会在黄坡乡掀起一个肩拉人扛的高潮。

会后黄大发又和尤小立商定了一些具体细节。黄大发说乡政府在点名册的有一百三十多人吧。

尤小立说差不多。

黄大发说十个人拉一张犁差不多吧。

尤小立说差不多，又补充说，最好是老中青搭配一下。

黄犬发觉得有道理，就安排杜秘书按点名册编组。

杜秘书说好。愣了一会问党委政府的领导干部还编不编。黄大发说一视同仁，连我和尤乡长也不要落了。

杜秘书说你的身体行吗。

黄大发说我这是祖宗有灵侥幸做了干部，要是在家撸锄把，这个年龄还正当年呢。

大家听了都笑了。笑过之后，杜秘书又递过来一张电话记录，是县政府办公室打来的，说明天上午八点半在县政府会议室召开各乡镇分管计划生育工作的乡长会议，内容是汇报前段时间计生宣传教育工作进展情况。

黄大发说上面开个会也不看看时候，就把通知转给了尤乡长。

尤小立看了看说王乡长还在医院呢，不行就让计生委的谢主任代替她去吧。

杜秘书说谢主任是武的，真抓实干有一套，要搞汇报那可是茶壶倒饺子，说不出来了，再说咱们乡计划生育一直是实打实，宣传教育工作没做多少，他就更不好汇报了。

黄大发和尤小立也觉得有道理，想了一会黄大发说让教委主任“王半夜”去吧，“王半夜”这个人会说，让县领导也听听他的长篇大论。

尤乡长和杜秘书都笑了。

“王半夜”其实不叫“王半夜”，而叫王先文，讲起话来无理争三分，一套接着一套，ABCDE，一二三四五，大意思小意思最后还有一个意思，啰里啰唆讲起来没个完。·

杜秘书说就这么定了，我去通知他准备准备。

黄大发想起中午市县三秋生产检查团的事情，就把杜秘书叫住了。杜秘书说也到咱乡来了。

黄大发说怎么说?

杜秘书说郭县长好像很生气，让政府办公室王主任来问你上哪里去了。我说你到县农机局了，尤乡长下乡了。王主任又问清理公路边高秆作物的通知接到了吗? 我说接到了，可这两天事太多，忘了给领导汇报了，政府办公室的王主任把我狠剋了有十多分钟。

黄大发拍拍杜秘书的肩膀说：你这是代我受过呢，其实我身上的罪已经不少，也不差多背这一条两条。

尤小立在一边补充说：这事中午杜秘书就给我说了，估计这事不能这么完，听说县电视台明天还要来曝光呢。

黄大发笑了，说，我也快有一年没有上电视了，到里面露露脸也不错，只是我一嘴火泡胡子拉碴形象有点不雅。他问杜秘书还有没有“牛黄解毒九”，有的话就拿几片来吃。

杜秘书说可能没有了。

黄大发说没有就算了。说着从抽屉里找出剃须刀在胡茬子上哧哧蹭了几下。

杜秘书笑着走了。黄大发说尤乡长你也回去歇着吧，明天还要干活呢，拉犁子的滋味说着好听其实挺难受。

尤小立说在学校时也拉过，很热闹的。又说我刚才想起一件事。

黄大发把剃须刀停住了，问什么事。

尤小立说到农机局要农机的事咱们乡有一个人可能能从张本力手里要来。

黄大发说是谁。

尤小立说就是王乡长。

黄大发说你是说王开华吧，她与张本力是什么关系？

尤小立说他们是同学。

黄大发说同学关系有时候管用，有时就一般化了。

尤乡长说同学和同学不一样，王开华在学校时可是张本力的梦中情人呢。

黄大发愣了一下说有这事。

尤小立说张本力没少给王开华写信。这事王开华也说过，可王开华根本看不上他。听说后来王开华嫁了张小安之后张本力还找过王开华，结果被张小安痛打了一顿。

黄大发听完想了想，笑了，说小说似的，这事一是拿不准他张本力现在是否恋着王开华。二是不知道王开华愿不愿做。再说这事无论成败与否在将来都会落笑话，让王乡长犯难呢。

尤小立说我只是建议一下，不行就算了。

尤小立走了之后黄大发又想起明天机关干部下乡耕地需要的绳子犁子的事，担心准备不充分，就从后院走过来，见杜秘书正在逐一落实才放下心来。正想伸手出个懒腰呢，王半夜来了。王半夜啰唆起来没个完，想躲一躲，但是没有躲过。

王半夜说黄书记，这不是赶鸭子上架吗，杜秘书让我明天……

黄大发没让他再说下去，告诉他这么安排是他和尤乡长的意思，王乡长身体不好，想来想去只有他王半夜才能不辱使命。王半夜听这么一说挺激动，态度马上变了。黄大发又让杜秘书给他找了些有关计生宣传方面的材料，王半夜就掂着材料笑了，说只要有这个就是到联合国的圆桌上我也不怕了。

黄大发说不怕是不怕，也别太牛皮烘烘。

王半夜说不会的，我还得顾及咱黄坡乡的形象呢。

六

新的一天开始了，黄坡乡一百三十多名机关干部一大早就在乡政府大院门前集合。黄大发作了简短的动员讲话，他说今年三秋咱黄坡一点没有玩虚的，也没有给大家下达多少硬任务，但这次活动却是势在必行，目的不是让大家当牛作马，而是鼓舞激动全乡广大人民群众战三秋抢耕耙的士气和斗志。特别是黄大发一身旧衣服，黄球鞋，立时就把机关干部的劲头鼓起来了，大家是喊着号子走出大院的。

按照分组黄大发去小桥村。小桥村不远，就在乡政府驻地西面，二里地的样子。小桥村的村长四平早就在村口等着了。黄大发见了打趣说：四平，你的两只兔子我可没有白吃啊。

四平村长说黄书记还真干吗？

黄大发说怎么不真干，我们几个人一天犁不上二亩，但一亩还是蛮有把握的，快点走别耽误了工夫。

黄大发说着忽然想起军属王十三来，就说王十三家的地还没有犁吧。

四平村长说一家人正为犁地的事犯愁呢。

黄大发说就到他的地里去。

乡党委书记带着机关干部给王十三耕地的事立时传遍了整个小桥村，许多村民不太相信都放下手里的活跑到王十三的地头上观看。地有点硬，犁子走得很慢，但毕竟一犁土一犁土地掀起来了。几个乡干部都把身子伏得很低，由于用力过大绳子都勒进了肩膀里。黄大发一边拉着一边说：别都闷着，咱们唱支歌吧。

团委小褚说唱什么？

黄大发说要唱有劲的，就唱咱们工人有力量。接着几个人就嘿嘿呀呀地唱了起来，声音高高低低长短不齐，可是很有力度。几个村民笑了起来，四平村长火了：笑你娘的个蛋，人家乡干部都能拉犁咱为什么就一等二看三站着，难道身上的肉比人家金贵？

众人听了默默不语，纷纷散去了，不一会儿附近的地块里也出现了几个人拉犁的场面，黄大发和乡干部们的脸上都露出了笑意。黄大发快活地说同志们累不累？

大家说不累。

黄大发又说同志们辛苦不辛苦。

大家说不辛苦。

黄大发说肩膀疼不疼。

大家说不疼。

黄大发开玩笑说没想到这么一劳动大家都变得和参加劳动的解放军一样了，好说假话。

大家都开心地笑了起来。

走在黄大发后面的小褚突然喊：黄书记的肩膀流血了。

走在小褚后面的“孙科协”笑了，说小褚你别说黄书记，你的肩头也好不到哪里去，也流血了。

几个人停下来相互一看没有一个好的，都笑了。

在后面扶犁子的王十三实在看不下去了，说：黄书记，你们，你们快停了吧。你们……

黄大发说流点血不错，不过别流多，我讲个流血过多的笑话给大家听。还没容他讲出口呢，就看见一辆面包车直奔这里驶过来，停住后下来好几个人，乡政府的杜秘书也在里面。杜秘书下了车就跑过来说：电视台的来了……

黄大发想起电视台要曝光黄坡乡公路边青玉米的事，就拍了拍手上的土走过来。县广播电视局的汪局长也来了，黄大发和他握了一下手又和电视台的几位记

者打了招呼，说走吧，到公路边那片玉米地去。

汪局长看看黄大发的肩头又看看地里的犁子，激动地说老伙计你就是这么玩的。

黄大发说算我倒霉。黄坡今年遭灾了，不这么玩麦子怕是种不上。

电视台的记者也挺感动，说汪局长，我看咱们也别拍玉米地了，其实黄书记耕地这事才真是新闻呢。

汪局长说我也是这个意思。

几个记者就忙活起来。黄大发却把手摆得像荷叶似的，说不行不行。

汪局长说怎么回事。

黄大发说县里让你们来曝光的，这么一弄不是反过来了吗，我不能让你们挨批，还是拍玉米地去吧。

汪局长说我们主意已决，你就不要推辞了。黄大发见事已这样就说要拍我耕地的事可以，不过得先拍玉米地，你们回去也好交差。大家觉得有道理，就按照黄大发的意思抓拍了几组镜头。汪局长一再表示回到县里一定向县领导积极反映，争取把那组曝光的镜头撤下来。

黄大发说了几句感谢话，最后说大忙季节我还得耕地，就不留你们吃饭了。

汪局长说不客气，然后摆摆手上车走了。

杜秘书没走。杜秘书说从全乡反馈过来的信息看村民们都行动起来了，估计下午能形成一个高潮，要不要向县里发一个简报。

黄大发说人拉犁子是历史倒退，不是光彩的事，别发了。又说吸引农机的事怎么样。

杜秘书说有来的，但是不多，听来的几个农机手讲他们乡也都订了制度，禁止本乡农机到外地作业，还在主要路口设了岗，想来也来不了，都是夺旗这事给搅的。

黄大发骂了一声。王半夜就是这时候来的。王半夜到地头就把自行车一扔挓挲着手说：黄书记，大事不好了。

黄大发吃了一惊：老王，到底出了什么事。

王半夜拖着哭腔不好意思地说：黄书记，我又给你惹祸了。

王半夜真惹祸了。王半夜是在计划生育宣传教育会议上汇报时惹的祸。王半夜说在会上他本来想做缩头乌龟的，可是看到一些乡长汇报时一副牛皮烘烘的样子就有些气不过。

杜秘书说那些乡长怎么说？

王半夜说他们说张贴了多少条标语，开办了多少广播讲座，走访了多少计生户，搞了多少培训班。

杜秘书说汇报时也无非这些花样，很正常的。又说你是怎么汇报的。

王半夜正色说我首先说我们黄坡乡始终把计划生育宣传教育工作放在一个重

要位置。黄大发见王半夜又拿出他那鸿篇巨制的架势，就打断了说：老王，快谈谈到底出了什么事。

王半夜说：我在汇报中说我们黄坡乡一是利用图片展览的形式把计划生育宣传教育工作宣传到家家户户，乡里有大展室，村里有小展室，图文并茂，寓教于乐。二是村村建立了人口学校，配备了桌椅板凳各种教具，每个村还选拔出一名具有高中以上文化程度的妇女做计生宣传员，每月开班四次，分别是每个月的第一个星期天第二个星期天第三个星期天和第四个星期天，风雨无阻，还有……

黄大发被气得笑出了眼泪，他说王半夜啊王半夜你真会吹。

在场的人都笑了。

王半夜嗫嗫嚅嚅地说还有呢，我汇报完之后没想到主持会的陈副县长和列席会的市计生委李副主任对我的汇报这么重视。散了会专门留下我安排说明天要到咱们黄坡乡看看。

黄大发听到这里脸都变色了，他说没有影的事来看个屌毛，王半夜你这回可把牛皮给吹炸了。

面对这从天而降的难题黄大发烦恼归烦恼还得想对策，回到乡里把有关人员召了来。

尤乡长听了事情的经过说真是越渴越给盐吃。

有人主张最好的办法是唱一回黑脸把这口盐给县里退回去，将底细挑明了。

黄大发说如果挑明了不是明白地告诉县里这项工作咱们没做吗，计生工作行使一票否决权呢，真落了后谁也别想提升了。再说还有王开华乡长，分管计划生育的，好不容易弄了个副科级，这么一折腾非给撸了不可，亏不亏。

大家都不再说什么了，最后决定这出戏还得继续唱下去，具体唱戏的主角还得靠始作俑者王半夜，他既然能吹出来肚里一定也有些货色，让他组织人员抓紧一晚一夜的时间把他在县里吹的东西都造出来，该拍照的拍照，该写的写，该画的画，该贴的贴，但无论如何不能耽误明天县市领导的检查。至于后勤保证人员调度经费支出由杜秘书全权负责。

在这之前王半夜的心一直提着，后来见黄书记不但没怪他反而委以重任，真有一种感激涕零的味道，表态说不把这个窟窿抹平我就不姓王。接着就把全乡所有能刻能画能编能写的教师都调了来，又让杜秘书请木工做匾牌，安排人清理房间打扫展室，自己则领着文化站搞摄影的小展到全乡各村抓拍了好几筒胶卷，等到把各种硬件材料弄到手之后，就和那帮教师们在乡政府大院里忙活开了，贴的贴钉的钉，乡政府大院灯火通明，人来人往像办喜事似的，一直折腾到天亮总算把二百多块匾牌做成了。五十多位教师累得乱眨巴眼睛，胳膊腿都伸不直了。杜秘书觉得过意不去，要把伙房的孙师傅喊起来弄点酒菜给大家填一填肚子。王半夜却说不行，还没完呢，等把牌子挂到墙上再吃也不迟。

有几个教师说有意见。

王半夜就把一张教委主任的脸拿了出来严肃地说:是真有意见还是假有意见?

那几位老师见王半夜的脸太难看,就讪笑说:假有意见。

王半夜就笑了:既然是假有意见就一鼓作气干完再吃。

杜秘书见这么说就派了几辆车把匾牌该往村里送的往村里送,该挂在乡里的就留在乡里。又忙了一阵,事情算差不多了,就把黄书记尤乡长他们喊来提补充意见。黄大发先看了乡里的展室,又坐着车看了几个村,认为虽然粗糙了些,但很能说明问题,应付检查已经绰绰有余。很高兴,不由得对王半夜赞叹了几句,并表态说王先文同志和诸位教师为黄坡乡的计划生育工作立了大功,年终评先进个人的时候多给教育几个指标。

王半夜带头鼓起掌来。然后说黄书记我是不是该交差了。

黄大发想了想说人口学校你是怎么安排的。

王半夜说村里房子紧张,人口学校和展室放一块了。

黄大发说展室门口虽然挂上了人口学校的牌子,里面没有桌椅教具总是看着不像。

王半夜说我有个主意不知道行不行。

黄大发说你说说看。

王半夜说教师们干了一夜也累了,学生呢也该回家帮几天秋收,能不能放两天假,这样桌椅教具的事也好解决了。

黄大发认为这真是一个好主意,只是有点"那个",就和尤小立乡长交换了一下意见。尤小立说事情已经准备到这种程度了,没有必要功亏一篑。黄大发就同意了。大家皆大欢喜。

七

市县领导是十点多钟到黄坡乡来的,一共四位。市里的是计生委张主任李主任,县里的是郭县长和计生委高主任。出面接待的是黄大发和尤小立,具体介绍情况的是乡教委主任王半夜。王半夜面对自己一夜炮制出来的杰作眉飞色舞,滔滔不绝,不时地让市县领导点头称好。座谈的时候市计生委张主任说:黄坡乡走出了一条计划生育宣传教育工作的新路子,这在全市甚至在全省都具有深远的现实意义和广泛的典型意义。张主任接着说他已与李主任交换了一下看法,市计生委决定要在全市范围内推广黄坡乡的经验,并且我们回到市里后要积极向市委市政府作一全面汇报,争取近期内在黄坡乡召开一次计生宣教现场会。郭县长也表示全力支持黄坡乡开好这次会议,并拨款十万元帮助黄坡乡对一些宣教措施进一步完善和巩固。按照顺序黄大发和尤小立也作了表态发言。但送走了领导之后,两个人都有些茫然。

黄大发说没想到我们是越陷越深了。

尤小立笑了:看来这出戏还真的唱到底呢。

黄大发说有郭县长那十万元在里面铺垫唱一唱好像也没有什么亏吃,只是三秋这几天太忙了。黄大发说着打住了问:你们那个组昨天犁了多少地?

尤小立说一亩半的样子吧。

黄大发说不少不少,我那个组才犁了一亩呢,看来人他妈的有些时候还不如牲口。

尤乡长笑了。

尤乡长笑完了,听到院里有一个沙哑的声音喊:黄书记,黄书记。

声音显得很陌生。

黄大发说大忙季节别是哪个村民找我喊冤告状的,就走出来察看,见是王十三。

王十三躬着腰,怀里还抱着一只鸡,黑毛,红冠子,很鲜灵。王十三看见黄书记就奔过来,说:黄书记这么多的门槛,俺找不准哪一个是你的,乱喊乱叫你不烦俺吧。

黄大发说不烦不烦。又说你找我有什么事?

王十三说俺看着你的肩耕地磨破了心里总觉得过意不去,给你逮了只母鸡熬一顿汤喝。

黄大发说不要,不要。

王十三当场就生气了,说我是真心实意来的,你要是不收下我这就把它放了,让它跑了个熊。

黄大发见推辞不过,只好收下来,并说:老王机关人员明天还要下乡呢,到时候我再带几个去给你耕。

王十三听了,感动得连话也说不出来了。他走了以后,黄大发也有些激动,他说多好的农民啊,你给他们一点点,他们就可能回报你一座山,我觉得给农民做事要比给领导做事更值得些。

尤乡长笑了笑说,这可能是因为你觉得领导没有对起你的缘故。

黄大发想了想说:也许是吧。

晚上吃饭的时候黄大发正和乡干部蹲在食堂吃饭,杜秘书在办公室里喊:快来看哪电视里放咱黄书记了。

黄大发和机关干部就围过来看。电视里果然在放黄大发他们犁田的镜头。不长,一会儿就完了。众人要散,黄书记说别先走,下面还有呢,可是等到新闻节目完了也再没出现。黄大发说曝光的事也拍了，怎么没放，一副很扫兴的样子。吃过饭洗了碗之后就给汪局长打电话，说谢谢你为老大哥在县长那里替我求情。

汪局长说老大哥你别日囊我了，我替你到县长那里求情了不假，可没给你求下来。

黄大发有些迷糊说：不是你求情曝光的事怎么没播放。

汪局长说你装什么糊涂，可能是你去县里兴风作雨了吧。

黄大发说我还血雨腥风呢，我真不知道这事你最好给我说详细点。

汪局长说刚才没多会县长打来电话说把那条新闻撤下来，老大哥你到底走了谁的门子？

黄大发想起计生宣传教育现场会的事有点明白了，说：兄弟既然追问我就告诉你，老大哥真走门子了，李鹏的。说着嘿嘿笑了。

汪局长说我怎么听着你笑像哭。

黄大发说嘴角又上火了，一笑生疼呢。说完就把电话挂了。转回头和尤乡长说了这事。尤乡长也挺高兴，说歪打正着说不定这事弄好了你会时来运转呢。

黄大发说管他转不转的，你明天到县里把那十万元弄来再说，别让县长变卦。这年头牵扯到钱的事变化多着呢。

第二天尤小立一早就去了县城，没用多大会就赶了回来。

黄大发问：钱弄来了吗？

尤小立说弄来了。尤小立接着说他见到县长了，县长说现场会的事已经定了下来，时间在十五号。

黄大发说今天是十号，只有四天时间也太急了点，这不与三秋生产发生冲突吗？

尤小立说我也想让郭县长把时间往后推一推，可是郭县长说邻县也有一个乡搞了一个大体上与咱们黄坡乡差不多的计生宣教模式，咱们行动晚了怕是要被邻县争了去。

黄大发说争了去就争了去，腾出点时间咱们也好抓三秋。说着就想打个电话向县里要求一下。接电话的是县政府办公室的王主任，他与黄书记说得很明确，第一时间不变，第二会议规格要高，第三要全力以赴。最后又加了一条说现场会那天要把人口学校开起来，让大家看看。

黄大发说照你这几条做今年三秋我没法搞了。

王主任说县里已经决定不把你们黄坡乡的三秋生产纳入评比，这回你没有顾虑了吧。

黄大发说我们再研究一下，然后将落实情况告诉你。

王主任说好，我一会儿再给你打电话。

黄大发放下电话一直沉默不语。后来说全乡耕耙任务这样繁重我担心把机关人员抽回来会影响秋种。

尤小立说现场会的事情也是铁板钉钉压倒一切的事情，马虎不得。

正在左右为难王开华乡长回来了。王开华的胳膊上还打着石膏，脸上的纱布没有了，伤口已经拆了线，没有留下疤痕，只有一道不太明显的黑印。黄大发和尤小立说了几句恭喜话才问：你怎么回来了？

王开华说你们在地里拉犁子我怎么躺得住。

黄大发问你怎么知道的？

王开华说从电视里看到的，还看到你的肩膀都出血了呢。

尤小立说你看到的那些还只是表面现象，其实你住院这段时间乡里发生的事可多了。接着就拣几样主要的讲给她听。王开华听到王半夜吹牛皮吹炸了的事笑得前仰后合，听到机关干部下村拉犁时问：怎么不到农机局要几部车？

黄大发说怎么没去，就差给他下跪了，可张本力就是不答应。

王开华听了以后好一会儿没有说话，又停了一会才说：不行，我去找张本力试试。

黄大发说你能行吗。

王开华说试试再说吧。

尤乡长派了车，黄大发又把那三条云烟拿过来。

王开华说这事成与不成也不在这几条烟，还是别拿了。

王开华乡长走了以后尤小立说不知道结果怎样。

黄大发叹了口气说：农机局支农是很正常的事情，我们又确有困难，现在发展到动用这层关系无论结果如何都是一件很可悲的事情。两个人又议论了一会儿。

黄大发问：王乡长的党员还没有转正吧？

尤小立说还没呢。

王乡长是去年突击发展女干部时从妇联主任这个位置上提起来的，原来不是党员，今年夏天才做了预备。

黄大发说等忙完三秋转了吧。

尤小立说我记着了。

杜秘书走过来说县政府办公室又来电话催问现场会的事。

黄大发心里正乱呢，他说王乡长不回来你就不要喊我接电话，追问起来就说我下乡没回来。

王开华从县城回来已经是下午三点了。在这之前黄大发已经让杜秘书到门口看了数次。

王开华从车上下来脸色有些不好。黄大发知道事情有些不妙，没先开口。倒是尤乡长先说了话。尤乡长说事情怎么样？

王开华显得很难为情，说：我辜负了领导对我的信任和重托，我没能办成，我……

王开华说到这里停住了。

尤小立还要询问原因,但被黄大发用眼神止住了,他知道王开华一定有难言之隐,就说:王乡长言重了,这件事情确实有难度,我不是也碰了一鼻子灰吗。又说,你跑了半天也累了,回房休息一下吧。

王开华离开以后黄大发和尤小立对视了一眼都有些尴尬,他们虽然没说出口,其实心里对王开华出马是抱着很大希望的,没想到结果会这样,一时有些手足无措。

黄大发叹了口气说早知这样,我们该拦着王乡长让她别去。

尤小立说;你估计这里面出了什么问题。

黄大发说:别估计了,不会好的,你没看出王乡长的神色。停了一会又说,你看现场会的事情怎么办?

尤小立想了想说:既然县里不把咱乡的三秋生产列入考评,我看咱就以计划生育宣传教育现场会为重点吧。

黄大发说:我倒觉得考评不考评无所谓的,这几年我年年"夺旗"又得到了什么,与其这样倒不如给老百姓多做点实事,落个好名声,也不枉在黄坡乡待了七年。

黄大发的想法虽在尤小立的预料之中,尤小立还是有些吃惊,他说:现场会你真的打算不开了。

黄大发坚定地说不开了。

尤小立说:这可是大事,你再想想。

杜秘书这时候急急慌慌走过来,说:县里郭县长亲自打电话问现场会的落实情况。

黄大发说:尤乡长,你去回个话吧。

尤小立说就这样了?

黄大发说就这样了。

尤小立只好走到电话机旁。但是尤小立只讲了几句就转了回来。尤小立说黄书记,郭县长让你亲自听电话。

尤小立估计郭县长的话不会好听,怕黄大发难看,就向杜秘书使了个眼色一同从办公室出去了。

黄大发也有些激动,拿起话筒时手有点哆嗦。

然而事实上郭县长并没有大发雷霆,而是用心平气和的语气字斟句酌地说:黄大发同志,关于这次计生宣教现场会的重大意义我不再重复,但有一点你必须明白,那就是这次计生现场会的成败与否直接关系到你今后的去向,你不是一直嚷嚷该提拔了吗,提拔不提拔就看这个会,办不好的话,就不是提拔的问题了,是免职处理,请你好自为之。

郭县长一个字也没有多说，就放下了电话，并且把电话放得很轻，但是黄大发却被这段话深深震动了，甚至有点蒙，拿着话筒久久地站着一动不动。

尤小立和杜秘书在门外一直替黄大发捏一把汗，见黄大发这副神态，以为他被县长给熊晕了，连忙跑过来说安慰话，说总不能为了一个牛皮不要百姓，说总不能丢了西瓜捡颗芝麻。杜秘书甚至还骂起了王半夜，说要不是他信口开河，哪有这么多的雨，这么多的风……

黄大发把电话放下来，也想说一句定性的话，张了张口却没说出来。见尤乡长和杜秘书还在说个没完，就说：我有点累了，想回房歇歇。

说完就往宿舍去了。尤小立和杜秘书都有些困惑。

晚上吃饭的时候，杜秘书让伙房孙师傅做了一碗甲鱼汤送到黄大发屋里。黄大发看了看一点胃口也没有，就让孙师傅端给了王开华。

王开华问：谁让送的。

孙师傅说：是黄书记。

又说黄书记还让我给你买了一把汤勺，他说你的胳膊不好，用筷子不方便。

王开华听着很受感动，鼻子一酸，眼圈发起红来。过了一会儿就到黄大发宿舍找黄大发。

黄大发的宿舍里烟雾缭绕，他还没睡呢，正夹着烟在屋里转着圈子。

王开华敲门的时候他一惊，问：有事？

王开华说：有事。

黄大发说说吧。

王开华说：黄书记，我找张本力要农机这事我没有尽力呢。

黄大发愣了一下，说：你怎么这么说话，并没有哪一个人怪罪你呀。

王开华进一步说：我不是这个意思，我是说我真的没尽力，我要是尽到了力就能把农机借来了。

黄大发唔了一声，没再说什么。

王开华接着说：我去农机局找张本力的时候与他握了一下手，没想到谈到借农机的时候他那么卑鄙下流。

黄大发从王开华的话里听出杂音来，说：他怎么说。

王开华红着脸说：他说你给我握了一次手我就借你一辆拖拉机，如果你依我一件事我就借你十辆二十辆。

黄大发愤怒地说：这个流氓，我要到公安局去告他！

王开华摇摇头又说：我没有依他，我没有尽力，我……

面对王开华的自责，黄大发蓦地想到了他自己，他觉得他现在所处的两难境地和王开华当时的情形有许多相同之处，他问自己，对于黄坡乡的百姓他又何尝能够尽力呢，想到这里他的脊背不由得有些汗湿，他说但愿黄坡乡的老百姓能够理解我们。他既是安慰王开华，也是安慰他自己。

王开华无语，稳定了一下情绪才说：现场会的事决定了吗？

黄大发愣了一会儿，沉重地说：看来不开是不行了。

说完重重地唉了一声。

借着灯光王开华看见黄大发的眼圈有点潮，就连忙把脸转到一边去了。

这时候外面响起拖拉机的马达声，两个人都怔了一下。不一会儿杜秘书过来说是王乡长从农机局借来的车，奇怪的是只有一辆。

黄大发想起刚才王开华的话，知道是张本力日囊王开华的，就骂张本力，并让杜秘书快一点把车赶走。

王开华忍着气说既然来了就让它下田吧，多少能帮助农民多种几亩麦子。

黄大发挺动情，说也好。

翌日，黄坡乡机关工作中心全面转入计划生育工作。黄大发再一次起用了乡教委主任王半夜，让他一是对墙上的功夫、花样进一步充实完善，二是再深入农户多拍一些有说服力有针对性的照片，三是在乡驻地的几个主要路口搞几副醒目新颖的标语。另一方面派出包村干部进驻各村，帮助村里组织育龄妇女按时参加人口学校的学习。

王半夜真是搞形式主义的天才，只用了一天时间就把他该做的一切都做好了。组织育龄妇女参加学习的事情却困难重重，任凭村干部和包村干部喊破嗓子也不见一个育龄妇女走进人口学校。家家都忙得失火似的，哪有心思搞这个。黄大发也知这是乱弹琴，但工作需要，没有办法，他一边给乡村干部施加压力，一边打电话向县长求饶，郭县长说人口学校你开也得开，不开也得开，十五号那天市县领导都要看的，砸了锅处理你是小事，毁了县里的荣誉你能负起责吗，你要不惜一切代价把这次会议开好。

到这时候他才发现在这件事上他是一点退路也没有了，就有些发急，嘴上的泡又多了几个。

乡干部也都红了眼说不行让派出所丁所长一个个地往人口学校里抓。还有的说干脆扒粮食，谁不去学校就扒谁的粮食。

这些都是搞乡镇工作的一贯做法，以前为了完成某一项硬任务也用过，可是这次不行，这是现场会。黄大发说把她们弄得哭哭啼啼的还不成了现眼会，我看硬的不行咱们还是来软的吧。

一句话提醒了尤乡长，尤乡长问王开华全乡育龄妇女有多少。

王开华说也有六七千吧。

尤乡长又问：一孩户有多少。

王开华说五百多户吧。

尤乡长说两孩以上的户大都做了绝育手术学不学就无所谓了，重要的是一孩户，接受一下教育还能起到防微杜渐作用，干脆人口学校只规定一孩户参加。这几年咱乡独生子女政策落实得不怎么样，这次就借现场会之机落实一回，凡是参加学习的户一户照顾一袋尿素，全乡七百来户也就是六七万块，郭县长那十万还用不了呢。

有人说妇女们领了尿素不参加学习怎么办。

尤乡长说先发化肥票，去学习一次就盖一个章，一共还有三天，少一个章就不发尿素。

大家觉得这个办法不错。

后来在全乡一推广效果果然很好，百分之九十以上的妇女都能按照要求参加学习。只有很少一部分以农活繁忙为由拒绝参加。黄大发想就这小部分也乱不了事，就示意包村干部来硬的，一天下来倒也没有怎么出事。但是第二天早上却听杜秘书说一个叫王十三的农民来找他。

黄大发问杜秘书王十三有什么事？

杜秘书说：王十三的儿媳妇被包村干部抓到学校里去了。他说他还有五亩麦子没种，靠着她拉犁子呢，想请你帮忙把她放出来。

黄大发听到这里脸一热，但是他想这步棋已经要走到“将”跟前了，他无论如何也不能再收回去。有点烦躁地说：你告诉他，就说我不在家。

八

黄坡乡计划生育宣传教育现场会终于取得了巨大的成功，市长、分管市长、区县长、乡镇党委书记以及全部计生系统的有关负责人参加了会议，各级领导对黄坡计划生育宣传教育模式给予了充分肯定。特别是对黄坡乡育龄妇女在繁忙的三秋生产中仍坚持学习给予了极高的评价。

会后市长要与黄坡乡的党委书记合影留念，郭县长就把黄大发推了出来。

黄大发客气地说县长也一起合一张吧。

郭县长就站了过来。合完影之后郭县长与黄大发握了一下手。黄大发觉得郭县长的手握得有些重。似乎暗示了什么，他说不清楚，但是却有一种莫名的兴奋，参加会议的人走了以后这种兴奋仍然在身上持续着，不过他对谁也没有说，只是觉得应该好好庆贺一下。晚上让孙师傅摆了一桌，把乡领导都召了来，坐好后通讯员跑过来说外面有一个人要找王乡长。

王开华说这么晚了谁来找我？

一边说着一边走了出去。到南院一看来人是她的丈夫张小安。

张小安骑着摩托车来的，手里提着头盔，嘴里叼着烟，嘴角耷拉着，脸色很难看。

王开华看见他就不想给他好脸看，又怕在院子里吵起来别人看了笑话就把他领到宿舍里。

张小安进了宿舍就把头盔往床上一扔，连句开场白也没有，就说：听说前几天你去农机局找张本力了？

王开华一下子明白张小安为何而来，脸立时被气得虚青，说我去找他又怎么样？

张小安说你去找他干什么？

王升华说要车。

张小安说他给你了吗？

王开华故意气张小安说：给了，可惜他给得太少。

张小安说你的脸真大，黄大发竟然也没有你有面子，你跟他睡觉了吧，你这个婊子。

王开华说你喷粪。

张小安说你不承认，可是你敢跟我到医院化验去吗？

王开华一直忍着，她怕弄出响声惊动其他人，嘴唇都咬破了，听了这句话她再也忍不住了，她说你这个畜生，你给我滚出去！

张小安说我是你男人，今天我不光不滚而且还要在这里睡你。

王开华气愤地说：你这个没人性的畜生，你想丢人难看吗。

王开华说着就把后面的窗口推开了，说下面就是派出所你要不滚我这就叫人。

张小安大小是个经理，在县城里也是个有些名气的人物，被派出所从女人屋里押出去这事好说不好听，有些害怕，拾起头盔哼了一声说你以为离开你这婊子我就没地方睡觉了吗。然后气咻咻地走了。

王开华气得趴在床上哭起来。

伙房的几个人坐在酒桌旁等急了，就让杜秘书过来喊。王开华听到敲门声连忙止住哭，拧了把湿毛巾擦了把脸。

杜秘书说大家都等着你过去吃饭呢。

王开华说让他们别等了，我有点不舒服。

杜秘书看到了王开华的宿舍一片狼藉后说：谁来找你？

王开华没有正面回答，只是说他走了。又说你回去吧。

几位乡领导说今天晚上还想让王乡长助助兴呢，她怎么能不来。

黄大发皱了皱眉头想了想说：别再去叫她了，她可能真不舒服，女同志事情多，咱们喝吧，没有什么大事了都放开点。

果然喝酒时大家都放得很开，一会儿为了秋收一会儿为了秋种一会儿为了黄书记尤乡长一会儿为了黄坡乡，一杯接着一杯，一轮接着一轮，从小言小语喝到胡言乱语，又从胡言乱语喝到一言不语，都有些多。歪歪斜斜地散去了。

黄大发回到屋里想躺下睡了，忽然又想起王乡长，觉得该过去看看。

王开华正在床上歪着。见黄大发来了就坐起来。

黄大发虽然醉眼蒙眬还是看出王乡长的眼睛是湿的，琢磨了一下就琢磨出味道来了，说：刚才是张小安来了吗？

王开华说是他。

黄大发说他惹你生气了。

王开华说他何止惹我生气，他还诬陷我跟张本力……

黄大发就明白了，说这个张小安怎么会这样。

王开华说虽然我知道他在外面为所欲为，可是我没做对不起他的事情，可是这个畜生竟这样造我。

黄大发安慰她说抽个时间我去找张小安解释一下。

王开华苦笑着说没有那个必要了，我也想通了，决定和他离婚。

黄大发吃了一惊说，一分之一的情况下哪能那么做。

王开华说怎么不能，黄书记你不知道，张小安和我已没有什么感情可言，说起来你不会相信他已经有一年没碰我一下了，我为什么要为这个畜生守着。说完伏在床上哭起来。

黄大发走到床前想把她拉起来，但看看王开华抖动得像一汪春水般的身子没敢拉。他立在床边站了一会儿，给王开华倒了一杯水，仰脸看了一会屋顶，他想发一声感叹：都是为了黄坡乡的百姓啊。但是他终于没有勇气把这句话说出来，就有点尴尬地从王开华宿舍走出来。

天上繁星点点，闪烁如某种心情，田野里漆黑一片，没有动静。在这样的季节实在有些反常。黄大发感觉到一种像夜潮一样的不安向他浮荡而来，他突然产生一种令他悸动的心情，他特别想去小桥村看一看农民王十三，就径直向政府办公室走去。

司机小王正在办公室里看录像，看见黄大发就说黄书记快来看录像，带“色”的。

黄大发说别看了，跟我出去一趟。

小王关了录像说去哪？

黄大发说去小桥村。

王十三并不在家。

黄大发想这么晚了，他能去哪里。

王十三的女人说，他去地里了。

黄大发说这么黑他去地里干什么。

王十三的女人说什么也不干，他这几天光想去地里看看。

黄大发问了方向，就让小王开着车找过去。车灯很亮照着王十三的土地。黄大发看见王十三蹲在自己干干巴巴的地头上，一动不动，像一块丑石，他仿佛听到王十三声嘶力竭地呼喊：我的麦子，我的麦子——

他实在没有勇气从车上下来和他说一句话。

后来，他无力地对司机小王说：小王，咱回去吧。

小王有点疑惑：回去？

黄大发说：回去。

三秋生产结束以后，县里再一次对一些乡镇和部门进行了一次小范围的调整。黄坡乡的乡长尤小立任乡党委书记。黄大发调任县计划生育委员会主任。这次提拔对黄大发连日来有些发灰的心境注入了一些色彩，但是他又不免对计划生育委员会主任这个职务感到悲哀，因为这很容易让他想起王半夜，想起现场会，想起和现场会有关的三秋生产以及其他的物和事，沉溺其中，他有一种不能自拔的感觉，所以组织部杨部长给他谈话的时候他说：能不能再给我调整一下？

杨部长说你对这么安排不满意吗？

黄大发说：我不是这个意思，我，我只是觉得干计划生育工作不太适合。

杨部长说：黄主任过谦了，这次计划生育宣传教育现场会搞得很好，这个职务是适合你的。又说，计生委主任享受副县级待遇，是这次调整中最好的一个职务，多少人争还争不到呢，你不要错过这次机会。

黄大发听到这里，就不再说什么了，表示服从组织分配。

等一切都妥当了之后，杜秘书说黄坡乡这段时间真是喜事连台啊，真该放几挂鞭炮摆几桌酒庆贺庆贺。

尤乡长也就是现在的尤书记说：那就放几挂，摆几桌。

黄书记也就是现在的黄主任说：酒席多摆几桌，鞭炮就别放了，太招摇。

杜秘书依照着办了，黄坡乡热闹了好几天。

（选自《时代文学》1996 年第 1 期）

张 继

1967 年出生于山东省枣庄市峄城区。1996 年进入北京鲁迅文学院作家班学习。1997 年加入中国作家协会。1999 年调枣庄市文联创作室工作。现为济南市文联专业作家。

1991 年开始发表小说作品。已出版小说集《玉米、玉米地》《人样》《村长的耳朵》，长篇小说《去城市受苦吧》，影视作品《惹是生非》《男妇女主任》《村长李四平》《乡村爱情》《石榴花开》及《张继文集》(7 卷)等。

古辘吱嘎

孙春平

出古长城“天下第一关”，顺着辽西走廊东去三百里，便是关外第一重镇锦州。一面傍山，一面临海，交通咽喉，兵家必争，古有明末松山鏖兵，近有国共辽沈决战，均为影响历史进程的大手笔。但非为本篇题旨，暂且放下，不提。

“锦州那个地方出苹果。”一代伟烈英哲毛泽东的此言之后，还有一段很质朴也很深刻的论述，意在弘扬一种精神。可随着时代流逝，那段论述可能已渐被人们淡忘，唯有“出苹果”却日益远播。种瓜收豆的意外广告效应，可能是极富远见的老人家生前也始料未及的吧。

堪与苹果齐名的是锦州小菜。虽称什锦，辣椒地梨鲜姜杏仁等其余九味却都不为奇，唯有那小黄瓜可谓天下一绝，长不盈寸，黛绿剔透，再佐以虾油等腌制，开胃爽口，别具风格。传说当年一碟小菜呈上慈禧膳案，老佛爷正厌于肥腻，一颗小黄瓜入口，登时龙颜大悦，问，这是哪儿贡上来的呀？李莲英慌忙跪答，辽西锦州府。老太后便用御箸指指戳戳，竟连说了三个“好”字。从此，锦州小菜便成了皇家御膳中不可或缺的一个内容，百余年牌子不倒。

“锦州有美女。”这也是一句名人名言，有据可查，语出那位曾一人之下、亿人之上的秃头副帅，是专为中央军委办事组谋划为他的宝贝儿子选妃时下达的一道最明确最具体的指令。从未闻有好色之嫌的大阴谋家大野心家何以偏偏对锦州的姑娘有此青睐？怕也只好存为一个历史的疑案了。

其实，极具地方特色的绝美嚼货，锦州又岂此苹果、小菜（虽有“食色，性也”之说，美女仍需别论）？只因未得圣誉，有些佳美特产便只好暂时委屈于广众民间。此如锦州的干豆腐（外地又称平腐片），薄如纸，色微黄，熟食可炒可炖，千烹万滚不变形色；生吃则筋筋道道，极有嚼头，满口余香。辽西人尤以干豆腐卷大葱，再蘸以农家自制的黄酱为最佳食用之法，又抗饥又下饭，百吃不厌，壮体强身，滋阴补阳，又绝不必有什么高血脂高胆固醇之类的现代富贵病之虞。近年来，公路运输发达，东来西去的离地三尺仙们凡过锦州城乡，苹果小菜可以忽略，那干豆腐却是无论如何要称回家去几斤的。笔者有京都省城的亲朋故交，时常有电话书信，正事叙过，也总忘不了叮嘱一句："啥时来，可别忘了带点干豆腐啊！"顿让锦州人生出几分骄傲。据说有一位超级笑星在锦州演出后直飞广州，下了飞机便被穴哥腕姐们迎到一家星级大宾馆。酒席宴上，服务小姐摆好十碟八碗，笑星竟鄙视一笑，问，有锦州的干豆腐吗？小姐怔然，摇首。笑星再一笑，便从自家怀里摸出纸包纸裹的一大卷子来，傲然吩咐："去给我找来几棵长白儿大葱，再炸来一碗肉酱，别的，权且摆摆样子吧。"那一餐，满桌的美味佳肴几近未动，但那一大卷锦州干豆腐却被风卷残云，直撑得众穴哥腕姐们饱嗝连天，不亚架子鼓咚咚震响，竟还一劲儿搜摸笑星怀囊，嚷叫不许"猫腻吃独食"。

锦州的干豆腐，这还是个宏观的概念。锦州本地人吃得矫情了，口娇了，则挑剔得偏要虹螺岘的正宗精品。虹螺岘乃锦州城西南五十里处的一个万人小镇，因位于虹螺山腹地而得名。虹螺山方圆数十里，峰峦叠嶂，雾腾烟绕，奇绝秀丽。主峰也叫个玉皇顶，奔绝顶便需穿下堂，攀中堂，爬九十九阶。在中堂下边有个泉眼沟，有无数处淙淙泉水，从山岩隙缝中涌出，成潺潺溪流，汇入山下的女灵河，做豆腐岂离得开水？虹螺岘的干豆腐便独得这清冽甘泉的滋味，格外细腻醇绵，令人食之如饮佳酿，久而成瘾，难舍难弃。

如画师泼墨，龙必点睛，花必绘蕊；又若烧锅出酒，每锅亦必有酒头。虹螺岘的干豆腐也有绝中之绝。泉眼沟有个玉井屯，玉井屯有眼千年古井，以这眼古井之水做的干豆腐，不仅更有一番滋味，而且用上十斤黄豆，所出的成品比别处的不多上半斤，也多上八两。世世代代早已将干豆腐吃得挑剔的虹螺山人，逢年过节或操办红白喜事，便再少不得来自玉井屯的那道名菜了。

闲言打住。我们的镜头已经慢慢推向这眼古井了。

一

这一天，虹螺岘玉井屯谷家豆腐坊年轻的女掌柜谷佩玉在锦州城内将干豆腐送完，就打发未婚夫马大民先将汽车开回去了。她独自留下来，一是将几家老主顾这个月的账目清一清，二是跑了几家食品厂，咨询了一些真空软包装的技术、设备等方面的事情。谷佩玉是个稳健而有心劲的姑娘，她心里有个久远的大打算，知道虹螺岘的干豆腐要远销扩大市场，必须首先解决不宜存放不利运输的腐败变质大问题。她还悟晓好事不能张扬的道理，豆汁没到火候，就猴洗孩子，等不得毛干地忙着揭锅、点卤，瞧着跑浆去吧。因此，她的这个计划眼下还只限于老父和未婚夫略知一二。

马不停蹄地跑了一圈儿，天就擦黑了。她先在锦州老城烧锅大坑附近的一家小饭店吃了点饭，就走进一家条件还算不错的旅馆。明天上午马大民开车进城，先来这里接她，这是两人定好的。

谷佩玉在总服务台办了住宿手续，领了钥匙，就爬到三楼进了客房。客房三张床，有卫生间，还有一台十四吋的小彩电。她进屋先环顾一番，见临窗的那张床头放着一只旅行包，知是有人先住下了，便将小提包丢在相隔的靠墙那张床上。正值仲秋，跑了一天路，浑身汗渍渍的。乡下家里难得这么好的条件，又正值旅店供热水的时间，她先走进了卫生间。

那个热水澡洗得很惬意，也很舒服。当她披着浴巾慵慵懒懒地站在大壁镜前时，反被对面的那个女人的美貌着实地惊讶了一下。虹螺岘的水不仅做得出极软嫩的豆腐，而且将虹螺大山里的女人滋养得格外白皙细润。谷佩玉本来就长得苗条匀称，清秀白净，刚刚出浴更透出几分不施胭脂而红润欲滴的娇憨柔美之恣。那饱满坚挺的胸乳，那修长圆实的双腿，都淋漓地显示着一个姑娘的成熟美。谷佩玉很少有机会这样面对面地欣赏自己，看看看着，便启口吐出一句："大民子，真便宜了你！"话出口，便觉脸一热，急急离开了卫生间。

打开电视，拥被靠在床头，她还聊自发着感慨。还是城里人会生活呀，啥时咱庄稼人家里也能有个澡堂子呢……这样想着，便觉眼皮黏上来。她起身关掉电视，早早地睡了。

这一觉睡得极美，竟不知可曾进过梦境。在家时，前半夜有吱嘎吱嘎的辘辘响，后半夜不是磨浆机嗡嗡叫，就是淘浆滤汁的哗啦声，虽说她年轻觉好，也很少这般安安静静毫无干扰地睡上甜美一觉啊！

乃至猝然间一下醒来，借得走廊泄进的微弱灯光看看表，正是每天鸡叫三遍起来收豆腐的时候。谷佩玉自嘲地骂自己，真是天生受累吃苦的命，给个神仙住的地方，也是有福不会享。这是谁叫醒你啦？起这么早有个屁事呀？想再睡，翻了几次身，却再睡不着。说话间，窗外已有微微的晨曦透进来，客房内已依稀可辨物体了。谷佩玉就躺在枕上细细端详睡在临窗床上那个人。那人面窗侧卧，鼻息轻轻而酣甜，梳着时下流行的男人般的短发。也不知昨夜她是什么时候回来的？谷佩玉暗自猜度，这一定是个年轻姐妹，而且是哪个城市来的时髦女子。现在的人也真是奇怪，女人的头发越梳越短，男人的头发却越留越长，世事真是三十年河东，三十年河西，轮转着变哩，往后会不会男人也穿裙子呢？嘻……

躺了一会儿，便觉腹胀。谷佩玉的生物钟极准哩。她轻轻起身，只穿着短裤内衣，趿着拖鞋，进了卫生间。怕出事，怕出声，电灯开关还是惊心动魄地"咔"地脆脆一响，抽水马桶也哗啦啦好一阵喧闹。她再出卫生间时，便见临窗的那个人猛地将被头拉上去，将一张头脸遮盖得严严实实。谷佩玉心底好生愧疚，知是自己弄出的动静惊醒了同室客人的美梦，城里人跟天亮觉亲着呢。她坐回床沿，歉意地说：

“大姐，把你吵醒了吧，真对不起。”

那个人不作声，用被头更紧地裹盖住头脸。唉，不怪人家生气，觉头一打过，便再难入睡了。再说，她昨晚一定睡得很晚，不然自己怎么连一点知觉都没有呢。人家脱衣上床可是一点动静都没出啊。这么想着，她叹口气，默默地重新钻回被窝，瞪大眼睛盯着越来越明亮的天棚，漫不经心地胡乱想起自己的心思来。

屋里奇静，静得能听见自己腕上的手表在有力地不紧不慢地跳动。那张床上的客人始终保持着那种大被蒙头的睡姿，一动也不动。唉，这位姐妹，何苦呢。这般样子，喘气都难得匀和，还能睡得着吗……

“请你把身体转过去！”

谷佩玉突然听到一个男人的说话声。啊，怎么会有男人?！她大吃一惊，骇然地东张西望，似乎在寻找着躲在房间哪个角落里的那个男人。

“请你把身体转过去。请放心，我不是坏人。”

这回听清楚了，声音就来自那张床上的被窝里，沉闷得瓮声瓮气。谷佩玉陡然间明白了一个事实，原来昨天一夜，自己是和……她不敢想下去，慌急地往被窝深处钻了钻，也将被头掩紧自己的头部。但旋即，她又掀开被子，低声命令道：

“你不要动！我马上穿衣服！”

那人便果然一动不动。她手忙脚乱地穿上衣裤，系扣子的手竟有点抖颤，好一阵才系好。然后，她转过身来，面墙而立，说：

“你也起来穿衣裳吧。”

她听到了身后扑扑腾腾的掀被穿衣声，又听那人一边蹬鞋一边恨恨地骂：

“荒唐！荒唐！这破旅店玩的是什么西洋把戏嘛！”

身后的脚步声恼怒地直奔房门而去。就在房门被拉开的刹那间，已经镇定下来的谷佩玉说话了：

“同志，请你先等一等，好不好?”

那人停住了。谷佩玉侧转身，“庐山真面目”原来是个俊逸而斯文的男子，三十岁左右的样子，只是因为气恼，红头涨脸的竟连五官都错动了位置。谷佩玉想起昨夜曾同眠一室的事实，不觉脸又一热，低声问道：

“您是要去总服务台吗?”

“是的。”男子仍是愤恼难平地说，“他们这是干的什么事嘛！我去跟他们说说清楚！”

谷佩玉问：

“一定要去吗?”

那人说：

“当然！这个事情，理应理论一番的。我去找他们经理，服务质量且不论，男女总要有别嘛！”

谷佩玉想了想，说：

“错误当然在他们。可是……我看得出，您是个好人，我们都是好人……一夜过来，我们不是山是山，水是水，两不相扰，都相安无事吗？”

“那——”男子仍固执地站在门口，“就这么糊里糊涂地便宜了他们？”

“您去找他们，难免就要吵嚷争闹。您是男人……可我毕竟是个姑娘家，好说不好听的……我的意思，您明白了吗？”

那人怔了怔，随即抽步回身，重重地坐到沙发上，摸出一支烟，点燃，将肚里的浊闷之气和烟气一并长长地吐出，说：

“这事……真是荒唐透顶！我是和我们研究所的两位同事一块出差来锦州的，原来包住这间客房。昨天，他们两位先回去了，我因为还有些技术上的事要和用户厂家研究，就自己留了下来。晚上觉得一人孤单没意思，就跑出去转了转，又看了连场的两部电影，回来时都快半夜了。见屋里又有新客人睡下，就怕惊醒您，灯都没敢开，脚也没洗，就扯被睡下了。哪承想……”

谷佩玉坐在床边，点点头，笑道：

“看得出，您一定是个读书做学问的人。您看这样好不好，这事我们都轻轻放下，对谁都不要提了，就算什么都不曾发生。我呢，马上就离开这里，您接着休息。”

那人侧头望望窗外，说：

“天刚亮，就让您离开，多不好。不然，还是我……”

“不，不。”谷佩玉忙提起床头的小提包，“我原定也就住一晚，早起就走的。我去外面随便吃点什么东西，再溜达一会儿，接我的汽车就该到了。”

那人显得很惊讶：

“唔，小姐，那您是……”

谷佩玉笑了：“您可别这么叫我。俺是山里乡下人，一听叫小姐，浑身都有点不自在了。”

男子更吃惊了：“您是乡下人？”说着，忙从衣袋里摸出一张名片，递过来，“我们认识一下好吗？”

谷佩玉将名片轻轻推回去，说：

“就不必了吧。我说句乡下人的实在话，因为有了昨晚的这个事情，我们还是互不认识的好。而且，我也就不再跟您说‘再见’了吧。”

男子显得有些尴尬，暗自嘘叹了，看不出这个乡下姑娘，表面平和，却不简单哩！

谷佩玉笑笑，走了。她真想将这个叫人哭笑不得的梦魇轻轻反手压下，彻底从记忆中抹去……

二

吃过晚饭，是谷佩玉清理这一天账目的时间，每日的必修课，别的时间也难得挤出来。

父亲谷诚林推门进来，也不吱声，进屋就盘腿坐在炕头上，吧哒吧哒一口接一口抽老旱烟，一连气抽了三锅子。父亲就这么个性子，年轻时就不爱说话，后来娶进有口不能言的哑巴妻子，话就更少了。晚饭后在豆腐坊各处巡察一番，就常坐到女儿的西屋来，话虽不多，可也就算把一天的心里嗑都唠尽了。

佩玉头也不抬，算盘珠仍在噼里啪啦地响，问：

“爸，咋不去看看电视？”

好一阵，父亲嘴巴里才蹦出三个字：“不想看。”佩玉知道爸爸不想看的原因，只有自己也坐过去，他才高高兴兴地坐到电视机前，而且看得津津有味。不然，妈妈总捅着爸爸咿咿啊啊地比画着问这问那，害得爸爸也看不好。若自己在，手势翻译的角色就是自己的了。所以，佩玉有时忙里偷闲坐在电视机前，实在说是为了老父老母的。

在算盘珠欢快的脆响声中，佩玉听到了父亲的一声轻轻的叹息，便把手停下来，扭过身，问：“爸，有事？”

父亲叼着旱烟袋，犹豫着该不该再让那些烦恼搅扰女儿的心。佩玉不容易，为了这个家，为了这个豆腐坊，都二十五六了，订婚饭都吃过两三年了，可至今还……唉！

“爸，有啥你就说呀！”佩玉催促道。

谷诚林又长长地叹口气，说：

“今儿过晌，王老庆又来找我啦。”

王老庆叫王庆福，是现任的村支书兼村委会主任。辽西农村对有了一把子年岁的男人，多不再直呼其名，而是把名字中间的那个字单提出来，前边再加个“老”字，含着尊老敬贤的意思。比如谷诚林，便被人称作谷老诚了。

佩玉又催道：

“他又说啥？”

“还不是那句老话，说屯里想再办个豆制品加工厂，想让咱们合股加进去，他当厂长，让我当副厂长……”

佩玉冷冷一笑：

“我还以为又有啥新货色！什么厂不厂的，屯里也不是没办过，三起三落的，哪回不是赔得稀里哗啦，拉一屁股饥荒。”

谷老诚说：

“明睁眼露的事，你偷我贪的，哪能办得好。这是看着这两年咱谷家红火，害红眼病，眼馋哩。”

佩玉又冷笑：

“他没说派我个啥营生?”

“这事我也说啦，说俺谷家的这摊子事，跑里跑外的，其实主要还是由我闺女撑着，要当副厂长，也得是佩玉。我老天巴地的，认识俩字儿也都破豆瓣子似的，难成个囫囵，能顶个啥?”

谷老诚说的都是实话。谷家四口人，老妈是哑巴，弟弟在县里寄宿念重点高中，指不上什么劲儿。虽说谷老诚是泉眼沟南北二屯有名的高手豆腐匠人，但在谷家豆腐坊里，若排职位，充其量也就是个车间主任的角色。老人憨厚，老实，虽说雇了七八个人，但他从不肯支使人，也不会使唤人。每天夜里，鸡还没叫头遍，他就爬起身，先将几口灶火生起来，随后雇的伙计们也就陆续来了。磨浆，过包，煮汁，点卤，泼片，压浆，起豆腐，哪一个环节他都抢在头里。尤其是点卤，有他在，就没谁肯再伸手。豆腐的老嫩，浆大浆少，全在手头的感觉上呢，稍有疏忽，干豆腐的质量、产量就都受到影响了。那一阵紧忙活，小鸡子也就叫三遍了。佩玉爬起身，村里和南北二屯的零散豆腐匠们也就陆续把连夜在家做好的还散着热气的干豆腐送到谷家来。佩玉亲自掌秤，记账，然后打包，装车。匆匆吃过早饭，佩玉再坐上马大民开的那辆130汽车，盘山过岭地急向锦州城赶去。城里有数十家饭店、宾馆和副食店是佩玉早就联系好的老主顾，每家一天需用多少，她心里基本都有数。玉井屯的干豆腐乃虹螺岘的核中之核，价钱又不比市场上的贵，且又按时送货上门，讲信誉，哪家不欢迎? 所以汽车在城里兜上那么一圈，两三千斤货也就罄尽了。待午间随便在哪个小饭店打个尖儿，佩玉再带车或去煤场装上一车乌金子，或去粮市买上一车金豆子，汽车再追风赶月地往家跑，日头爷儿也就压山了。佩玉心疼大民子，力保他吃好睡足，只叫他管好方向盘，不论买卖上的事多忙多累，也决不让他分一点心费一点力。出山进山都是盘山路，城里又道挤车密，保大民子就是保安全，保安全就是保这个家，这也是谷佩玉的精明周到之处。所以在谷家豆腐坊，最苦最累最操心的是佩玉，她是有实无名的大掌柜。雇来的伙计们私下嘀咕，说在谷家干活，跟老当家的是个累，跟小当家的也是个累。老当家的嘴不说，手脚却总不闲着，害得伙计们一刻也不好意思偷懒；而佩玉姑娘满眼是活儿，指东打西的，再有个百八十人也会叫她调派得团团转，想在她眼皮底下玩花活儿，也是难。

谷佩玉追问父亲：

“王老庆怎么说?”

谷老诚又犹豫了一下，才说：

“王老庆说了，佩玉能是能，谁都戳大拇哥，可她早晚是白马屯的人，咱还能指望住她?”

佩玉哼了一声:

“我知道他的小九九,不让我管事,爸不就成了他的打头的?他也就好熊瞎子打立正,一手遮天了。”

谷诚林说:

“这点事我怎看不出?他相中的也就是我的老实,菜货。”

佩玉撇撇嘴:

“咱要是不答应呢?”

谷老诚搓搓巴掌,苦苦地说:

“人家也有话,说大队也研究过了,要是实在不入股,往后咱卖出一斤干豆腐,就得交大队一毛钱。”

大队就是村委会,乡下人还根深蒂固地沿袭着前些年的叫法,将乡政府也还叫公社。

“想得美!”佩玉急了,一拍桌子站起来,“咱苦心巴力的,卖一斤才挣多少钱,刨去给他的一毛钱,咱还瞎忙活个啥了?”

谷老诚摇头叹息:

“人家嘴大,可有什么办法?”

佩玉恨道:

“可他手心向上伸出巴掌,总得有个说法,他凭啥?”

“人家说咱谷家发了财,挣的是那口井的钱,井是屯里的……”

“要这么说,这井当年还是咱谷家的呢!”

“丫儿,不许胡说!”谷老诚陡地立起了眼睛,将烟袋锅在炕沿上重重地敲了敲。这个“丫儿”可不是轻易乱叫的,老父是在提醒女儿自己作为一家之长的权威。孩子毕竟是孩子,长多大有多能,也仍然是孩子,逞能犯上的事可不能做。

佩玉知老父动气了,便轻声抚慰道:“爸,你老别生气了。我也是气急了,关上门在自家顺口说说。”

“在哪儿也不能说!”谷老诚余怒未息。

“是,爸,往后,我保证再不说了,还不行吗?”

谷诚林长叹了一口气,又从塑料口袋里拧出一锅子烟叶来。佩玉忙凑上前,划根火柴送上去。她突然想起昨夜发生在城里旅店内的荒唐事跟老父学说学说,可想了想,还是咽了回去。她连跟大民子都没说,两人坐在汽车上说笑了一天,那个不断涌上来的话头她也是一压再压,终没说。

“爸,他说那口井是屯里的,也是故意把理往歪处讲。井就在那儿,谁也没搬到家里去。一屯人做豆腐,祖祖辈辈的,谁没用过那口井里的水?都向谁家收钱了?为啥如今偏向咱谷家伸巴掌?再说了,他王老庆要办豆制品厂,他也得用那口井的水呀，用就用呗，满屯用也没见那口井的水下落一寸，前些年摘生产队，穷得谁家都做不起豆腐，也没见那井水漾出来。咋偏到咱家，那用不尽的水就值了钱？就是天下人都变得见钱眼开，井在天成哥家的菜园子里，也轮不着他狮子大张口呀！”

谷老诚嘟囔道：

“杨天成不是人家的闺女女婿嘛，姑爷子咋也得听老丈人的。”

佩玉道：

“天成哥可不是那种人。我早就听吉琴嫂子放过那股风，都被天成哥斥哒回去了。你老也别愁，哪天我把这事跟天成哥叨咕叨咕。树根不动，树叶白摇。”

谷老诚闷头不响了，又吸了一阵烟，才说：

“说不愁，是孩子话。我和你妈商量了，傍年根儿，就让大民家把你娶过去。那辆汽车，你们开过去，就算给你的陪嫁，到马家，那辆车咋也是个进城的道儿，苦不了你。这边哩，我也不跟王老庆合什么股，豆腐坊我也黄它不开了。我跟你妈年岁一年年大了，种点地，养几口猪，庄稼院的日子过着，也对付得下去了，不受那份累了。往后你兄弟要念书呢，家里不是还有了点积攒？回家种地哩，有这五间大房子，给他，娶妻生子的，也中啦。爸这辈子，从没图过大富大贵的，知足啦。你爷爷一辈子苦挣苦拽，树大招风的，咋的啦……”

佩玉很少听老父跟她这般说掏心窝子的话，听着听着，鼻子就酸上来，直往上涌。她忍着没让眼泪流出来，低声说：

“我和大民子的事，你老和妈就不用操心了。我的心思，你老不是不知道，真空包装的事办不成，我绝不嫁出玉井屯。”

父女俩都不说话了，就那般无声地对坐着，都在默默地想着心思。

窗外传来辘轳把子咕噜噜——吱嘎嘎——的旋动声。佩玉说：

“爸，你老早点回屋歇着吧，半夜还得起来呢。天成哥开始挑水了，有几口大缸我得去涮涮。顺便，我也把那事跟天成哥说说。”

三

王吉琴最喜欢听丈夫杨天成摇动老井辘轳的声音，也最讨厌听那种声音。若是天成给自己做豆腐备水，或者打水浇菜园，她就喜欢，她能将那吱嘎吱嘎的声响听成一种音乐，她似看见丈夫那裸着的臂膀上小耙子般一蹿一跳的肌肉和黄豆粒般滚动的汗珠子，她还能幻想得出那一桶桶的井水变成了滚滚不息的钱票子。天成身子壮，性子急，手脚又麻利，所以那摇辘轳打井水的声响就明显别于屯里的任何人，如劲风扫雨，又如巨碌滚坡，迅疾而有节奏，别人打上来三桶，他准能打上来四桶。屯里不少棒小伙子不服气，一次又一次地叫号跟杨天成比试，可是没用，都一次又一次地败在擂主的手下。王吉琴心里得意，暗暗笑骂，呸，你们还不知俺家汉子夜里炕上的本事，那才叫能呢……

可王吉琴最恼恨的也是丈夫摇动辘轳的声音，因为那声响多数并不是为了自己，而是为了谷家。谷家开了豆腐坊，每天需水就不是三担两担，一字排开的十几口头号大匹缸都灌满，也将够夜里的那一阵折腾。所以杨天成每天晚上便需先去给谷家挑水，完事后才给自家挑。杨家天天夜里也做干豆腐，但跟谷家没法比，小打小闹的事，每天三四十斤，天亮前就都一手卖给谷家了，谷家再用汽车拉到城里去。王吉琴就为这个恨，同样一个屯里住着的庄稼人，一样做出的干豆腐，凭啥送到谷家手上去城里挣大钱？那口井又在自家菜园子里，她就为这事想不开，一次又一次找碴儿给丈夫冷脸子，有时候夜里还强忍着故意不让丈夫上身。后来她就给丈夫出主意："把咱家园子转圈儿都垒死，墙头插上玻璃碴子葛刺儿棵，只留一道门，锁上，谁再想用咱家井里的水，掏钱，一挑子一毛，五分也行。"

丈夫便撇撇嘴：

"你去把门收那钱哪？"

王吉琴信以为真，欣然应道：

"我把门儿就我把门儿，一个月咋也弄个百八十的。"

杨天成"呸"地往地上唾了一口，骂道：

"那你房顶开门，门口挂刀，六亲不认得了。满屯的人家，你连骨，他牵筋，都亲戚里道儿的，你就不怕为俩小钱儿，臭得没人性！"

王吉琴自知理亏，便说：

"那别的人家免了，谷家也得掏。就他们谷家从咱这口井得的便宜多。"

杨天成说：

"谷家也没亏了咱。为啥偏把每天挑水的活儿给了我？就那下晚儿一撒欢的事，就给十块钱呢。你算了一个月是多少？城里的小工人也不见得挣这么多呢。"

王吉琴嘴不服：

"黄狼子骑兔子，一码(马)是一码(马)。那是你卖的血汗工夫钱。"

杨天成道：

"这满世界上，就臭劳力不值钱，站屯心吆喝一声，身后保准能跟上一大溜。别说十元，怕是给五元，也用鞭子轰不开赶不去的呢。佩玉咋没找别人？"

王吉琴撇撇嘴：

"你不提那小妖精我不来气。她能啊，她火眼金睛啊，她稀罕你高看你一眼啊，她早知道你杨天成的'活儿'好啊！"王吉琴故意把"活儿"拖了长音，话里就含了另一层很刻毒的意思。当地人都知道，"活儿"在某种情况下是特有暗指的。

杨天成急了，一拳头捶到炕沿上，骂道：

"你这老娘们儿是不是肉皮子犯贱？人家佩玉清清白白的一个大姑娘家，你嚼粪的嘴胡沁个啥！你要真敢胡说，看我不先熟熟你这张皮子！”

“哼，是不是姑娘，那谁知道！”王吉琴低声嘟囔道。她自知在这个话题上理短，开始往别处“拽”了。她不是很怕杨天成，老爹当着一村之长呢，姑奶奶毕竟也是屯里的“高干子女”，大小也算个郡主角色呢。“好，谷家待你不薄，那你就快给人家鞍前马后地效劳吧，从祖上论，你爷爷就给谷家扛过大活，解放后可惜了你爹那一身好力气，尽挣工分了。今儿你接你爷爷的班，孙承祖业，就这么个命啦！”挖苦着，嘲讽着，王吉琴又抱着怀里的两岁小儿子悠起来：“小顺子，快长大，你也长得结结实实的，也去给谷家卖功夫，多有出息呀！”

杨天成气得嗓眼冒烟，骂了句粗话，在地心转了两个圈儿，恨恨地出去了。在杨家，这样的嘴皮子官司隔三岔五就来上一场，杨天成最怕人捅的软肋处也就在这里。他有时也不明白，爷爷给谷家扛活一直扛到解放，如今自己又卖力气给谷家，这是一回事吗？这真是命吗？

杨家的院子很大，五间正房，青砖松檩，早些年院子里还有东西两处六间厢房。时光倒退几十年，这个院子姓谷，当家的是谷诚林的老爹，也算得上泉眼沟数得着的一户大财主。闹土改时，谷家被赶到西院的三间茅草房里，这个院子连同院外的菜园子和老井便成了四户贫雇农的胜利果实。后来，住厢房的两户抽檩扒砖另请房场盖正房去了，住东屋的王庆福也要独起院落，就将两间半正房做嫁妆给了女儿，杨家也就独占了这个大院子。可如今，这五间青砖房在泉眼沟已实在算不得什么了，远的不比，仅比西院谷家高大亮堂的北京平挨肩儿一站，就显出了高头大马和小毛驴子的两种气势。王吉琴心火难平，这房子的事是头一宗。两年前，谷家扒掉草房挖地基前，谷佩玉曾代表他爹特意来过杨家一次，客客气气地商量道：

“天成哥，我们打算盖房子了。既是起新的，又是北京平，举间（房高）就打算高点，所以这事得先跟天成哥和吉琴嫂子商量……”

杨天成立刻说：

“佩玉，你回去跟大叔说，房子咋打算的就咋盖，我没那些说道。这事用不着商量。”

王吉琴横出一枪，接话说：

“你没说道我还有说道，咋就不用商量？你谷家起新房，紧挨我家西房山，若高出一头，那叫出什么？那叫‘西虎压山’。有你谷家这么一压，往后还叫不叫我们抬头了？这事说啥也不行。”

杨天成道：

“这都啥年月了，你还信这个？前些年，佩玉家房子比咱家矮那么多，还是‘东虎压山’呢，这几年咋照样红火了起来？再说，过个三年五载的，等咱家底厚实了些，我也想把这老房子扒掉盖北京平呢，到时咱两家自然就拉平了。”

佩玉说：

“天成哥的打算正说我心里去了。既是也有扒旧盖新的打算，何不咱两家一起动手？若是你们眼下手头紧些呢，我们就先拆借给你们些，两家房子一起盖，也就没个谁高谁低的计较了。吉琴嫂子忌讳的也不是没道理。庄稼人盖房子是一辈子的大事，就是不迷信，谁还不图个吉利呢。”

王吉琴听出这是个有便宜可占的美事，便怂恿丈夫说：“我看佩玉这主意好，干吧。”又转向佩玉：“可丑话说在前头，既是借，可不能要利息呢。”

佩玉笑道：

“看嫂子说哪里话，反显得咱两家生分了。我若跟嫂子还提什么利息的话，日后还有什么脸进你家园子去打水呢。”

杨天成却是个不愿占别人便宜的人，尤其不愿一下子背上那么大的债务。虽说不用付利，可那得欠多大的人情呢？便说：

“我们家的房子，还是拖几年再说吧。而且，就是扒了，我也不想再盖五间。我们两口，只小顺子这一个孩子，政府又不准再生，三口人占那么多房子空荡荡的干啥？等往后顺子大了，两大间给他娶媳妇，我们老两口住一间，一家人也就挺好挺好的了。”

佩玉闻此言，便觉心头一亮，想了想，说：

“天成哥既是这样打算，我就斗胆再说说我的主意。你这五间老房子和院子就算换给我了，我在这院扒旧的，盖新的，同时在西院挨房山盖起四间北京平给你们，咱们两不找价，两不亏欠，可好？”

王吉琴眨巴一阵眼睛，又掰着手指头嘀咕了一气七八五十六，六去四进一，就以亮得有些发贼的眼睛死盯住佩玉，连称呼都变了：

“大妹子，这事你不用回去再跟大叔大婶合计合计？”

“不用。我爸我妈早授权给我了，要我找二位哥嫂商量，只要你们心里愿意，我咋定咋是。”

王吉琴再追问一句：

“咱可红口白牙，对着日头爷说话，一言出口——”

谷佩玉淡淡一笑：

“吉琴嫂子，当然驷马难追。”

一直拧着眉头不语的杨天成急拦阻：

“不行不行。佩玉，这么一倒腾，你家可就亏得太多了。”

佩玉笑道：

“天成哥又说外道话。咱两家界比子住了几十年，用戏文里的话说，有道墙是两家，拆堵墙就是一家子了，什么亏了占了的。再说，这老房子的房木拆了还能变卖一笔钱呢，砖石也还能派上用场，又多占了你们一间房基地，也算两下相当的事。不然我们也寻想多申请一间房基地，乡上只是不批呢。我看吉琴嫂子愿意，你要没别的意见，这事就这样说定了吧。”

这事后来还是没有说定，岔头是出在王庆福那里。王吉琴觉得是没出门就捡了块金疙瘩的事，便很得意地跟父亲说了，没想王老庆立时一瞪眼，说：

“这事若是换了任何别家，都办得，唯有跟谷家不行。这是谷老诚存心反攻倒算，变着法儿地要把他们家土改时被贫雇农分掉的老房子再弄回去。虽说眼下不讲阶级斗争了，可这笔政治账还得算。你们不算，我也得算，村支部也得算。那两间半老房是我做陪嫁给你的，你和天成愿住愿扒都随便，唯有再往老地主手上送，不行！”这一说，就把王吉琴说傻眼了，再不敢提那茬儿，谷家在西院热火朝天起房子时，也就只好忍气吞声地眼看着“西虎压山”了。当然，心里的那个疙瘩也就越积越大。王吉琴背地里不止一次咬牙切齿地起誓：“好你个谷佩玉小狐狸精，早晚我得抬这个头直这个腰，也叫你知道知道姑奶奶的厉害！”

王庆福的那番话后来不知怎么传到谷诚林的耳朵里，谷老诚也狠狠地埋怨了女儿一顿。佩玉心里委屈，说，我可没想那么多，他王老庆要是不说，我还忘了那五间老房子曾姓过谷呢。谷老诚说，咱不那么想，可咱管得住人家咋个想？脑瓜子里的事，谁能说得准？佩玉心不平，咕哝说，这地主摘帽的事都过去多少年了？再说，刚解放那阵，爸你老才多大？总记得陈糠烂谷子的事，啥时是个头？谷老诚长叹一口气，说，天下的事，弄不明白呀！丫儿，有些事，是较不得真儿的。

谷诚林的父亲，前半生的憾事便是一连生了五个丫头。为了子嗣香火，年过半百，便又娶进个二房，转过年，竟真为他生了个儿子，解放那年，谷诚林才六七岁，举家从老院子迁出和亲生娘远走另嫁，并没给他留下太深的印象。他记忆深刻的是老父是戴帽地主，是被专政的对象，整日霜打的茄子似的抬不起头来，弄得他在屯里的小伙伴面前也总是灰溜溜的，笑也不敢笑，话也不敢说。后来老父老母都死了，他直到三十来岁，还是只独栖独眠的孤雁。再后来出嫁的姐姐们给他领回家个哑姑娘，平日虽然少些夫妻间的交谈，可哑妻勤劳贤惠，一叶小舟便也荡过了那段风雨飘摇的日子。

屯里的老年人说，佩玉随了她的亲奶奶，虽是出身贫寒，却漂亮，能干，好说好笑，也有心劲。为此，佩玉曾多次动过找亲奶奶的念头。可谷诚林不同意，说算啦算啦，不知是死是活的，若真找到，也不知那一家子是个啥样子，都烦恼的。佩玉也就只好算了。

四

杨家门前小菜园里的老井是口宝井，也是口怪井，数百年间不论春秋寒暑，总是清清莹莹在一个水平线上，全不看老天爷旱涝的眼色。一只榆木老辘，摇动得吱吱嗄嘎,笨重而缓慢。遇大旱之年曾有人找来抽水机,把长长的龙头下到深井中去,但抽水机只需启动一两袋烟的工夫,便见了井底;而且直需十日八日,那水才会恢复到原来的样子。又有人试着在距老井三米五米的四周打过几眼洋井,但管子下好,土石回填,不是打不出水来,就是那井水又苦又涩,难以入口。古井乃怪井,神井,人们都这般说。

关于这口井,当地还有个很美丽但也跟许许多多民间故事很相似的神话传说。说的是很久远很久远的时候,有一个勤劳朴实的小伙子,奉养着一位病残眼瞎的老母亲。适逢辽西大旱,小伙子宁肯自己挨饿,也要把外出做工挣下的一点粮食孝敬给老母。村外的女灵河已干涸了,小伙子便每日去很远的一处深潭挑水。忽一日,小伙子回家,见满桌已摆满了喷香的饭菜,母子俩奇怪,饱餐一顿之后,夜间便假睡,天亮前果然见一漂亮女子在灶前做饭。这女子原来是深潭中的一只虹螺,被小伙子打水时带回家里,感于小伙子的勤劳善良,便变化为人,并愿意嫁给小伙子,共同侍候老人。没想美满的日子没过上半天,深潭中对虹螺女垂涎日久的小青龙便遣虾兵蟹将缉拿虹螺回潭。虹螺女被抓至半空,急切中摘下腰间佩戴的一块宝玉,冲着慌急追来的小伙子丢下。小伙子只见宝玉落地,却再难寻觅踪迹,便不甘心地在玉石落地处镐刨锹挖,直至挖出汩汩清泉。这口井救助虹螺山人度过了灾年,久而久之,也造就了远近闻名的虹螺岘干豆腐的美名……

佩玉出生那年,天下正乱,乡下人难得温饱。谷诚林请从锦州城下放来的“五七”战士给女儿起名字。那“五七”战士是个很有学问的人,思忖半晌,说,就叫“佩玉”如何?谷诚林虽说表面拙讷,内心却聪颖,立即心领神会,连声叫好,还四处求借了几斤豆子,连夜做了几斤干豆腐,送上门去答谢。

却说这一日入夜时分,辘轳把又吱嘎吱嘎响起来,王吉琴心里焦恼,便抱着孩子走出院门。夜幕中,隐隐见井沿上除了杨天成,还有一个熟悉身影,并传来咯咯的笑声,知是谷佩玉,那焦恼中陡然又添了几分醋意。王吉琴走到园墙边,冲着井沿恶声恶气地喊:

“你就不能轻点,吱嘎吱嘎地闹得孩子睡不着,哭哩,闹哩,你回屋哄吧。”

杨天成回道:

“这才什么时辰,你就再带孩子玩一会儿嘛。”

王吉琴恨恨地转身往院里走,忽见隔墙的谷家院墙后也立着个高高大大的人,正眼巴巴地望着井沿子,嘴角的香烟头还在明一下暗一下地闪动。她知是马大民,心头悠然一动,脸庞便觉一热,急换上几分笑模样,凑到墙头去,问:

“是大民子兄弟吧?还没歇着呢?”

墙那边的马大民把烟头丢在脚下,应道:

“天还早,睡不着。嫂子,你在忙什么?”

王吉琴说:

“我哪有什么事。大兄弟睡不着，咋不到嫂子这屋来坐坐。”

马大民问：

“嫂子有事?”

王吉琴便压低些声音：

“你过来，嫂子再跟你说。”

马大民便随着王吉琴进了正房。王吉琴盘腿坐在炕头，将孩子揽在怀里，敞开半边衣襟边给孩子喂奶边跟马大民寒暄。那王吉琴虽说结婚已有几年，但杨天成每日只让她张罗张罗锅台、院子里那点事，整日风吹不到，日晒不着，脸庞白白净净的，加上天生的几分俊俏，又爱打扮，在昏黄的灯光下更透出几分少妇的妩媚和丰腴。马大民骗腿坐在炕沿边，早被王吉琴袒露在眼前的白花花的胸乳弄得心猿意马，浑身燥热，一双眼睛欲躲不忍，想看又觉不雅，便躲躲闪闪的显得极不自然。王吉琴看在眼里，心里暗自得意，更有意抛闪过几个媚眼，往炕里拨拉拨拉小孩子的褥垫子，让道：

“大兄弟，里边热乎，再往里坐坐。”

马大民只觉口里干渴，说：

“嫂子，你叫我来，啥事呀?”

王吉琴想了想，便觉脸上又一烫，忙掩饰说：

“大民兄弟，你今年二十几啦?”

“二十七。”

“瞎说，哪有那么大。我今年才二十六，这么说，给你叫兄弟还叫错啦?”

“错个啥。从天成哥那儿论，我是得给你叫嫂子嘛。”

“那我也不信。你咋就有二十七了呢?”

“我虚岁十九当的兵，因为学开汽车，就在部队里多干了两年。回屯后先在家里伺候了一两年地，到谷家这边也有两年多了。你算算嘛。”

王吉琴装模作样地屈指掐算了几下，便惊道：

“可不是。那你咋还不快张罗结婚啊！屯里别的小伙子像你这般大，孩子都满地乱跑喊爹了。也不是找不着对象的歪瓜裂枣。”

马大民苦笑笑，说：

“俺家里那边，早把房子和结婚的东西预备齐全了，俺爹俺妈也见面就追着我问，吓得我都不敢回家哩。可……可结婚是两个人的事，佩玉总不肯嘛……”

“佩玉这丫头也是!”王吉琴便替马大民打抱不平，“都二十五六了，还在家里囚个啥时候是头!”

马大民说：

“佩玉有打算。她说……她说等把那件事办起来，就结婚。”

“啥事?”王吉琴心里惊异，忙问。

马大民想了想，说：

“这事往后你会知道，好事……”

王吉琴不依不舍，问：

“我还不知道是好事。你说呀。”

“佩玉先不让我跟外人说，她说八字还没一撇……”

“你这就不像个大小伙子了，五尺多高膀大腰圆的，咋说话嘴里像含根黄瓜似的。你还真就把嫂子当外人啦？”

马大民便只好嗫嗫嚅嚅地说：

“佩玉……她打算弄一套……真空软包装的设备……”

王吉琴心里又一惊：

“啥叫真空软包装？”

马大民说：

“我也说不大好。就好比咱们吃的那种用锡箔纸、塑料袋封死的北镇猪蹄、沟帮子烧鸡啥的，不变质，还不跑味，罐头似的，能放个一年半载的呢。佩玉说，咱虹螺岘的干豆腐远近都夸好，连沈阳、北京那些大地方的人都吃不够，就是因为容易馊，才只能在这方圆百八十里的地面上练把式。她说真空包装要是上了马，那咱的干豆腐就不光是锦州、锦西这两个地方的宝贝了，销量能十倍百倍地增加，甚至还出口呢。她说，要那样，她也就用不着天天早出晚归地往城里跑了，厂里家里，也都能有个照应……”

王吉琴心里大惊，面上却仍挂喜色：

“看不出佩玉这丫头，还真是能！要这样，这虹螺岘的钱还不都叫你们小两口划拉去了？”

马大民说：

“那哪能。南北三屯，乡里乡亲的，也都跟着见些好处嘛。销量既不愁，往远销的价格也能见涨些，做干豆腐的门户都能见些实惠哩。嫂子，你说可是？”

王吉琴心里惊恼，便不愿再在这个话题上纠缠下去，也更坚定了她叫马大民进屋来的那个念头。她拍拍孩子，说：

“等大兄弟往后成了大款了，就更瞧不起嫂子了。”

马大民笑着说：

“嫂子又讽刺我了？”

“我哪敢，抓紧巴结还怕来不及呢。”说着，王吉琴往马大民身边拧拧身子，故意放低些声音，装作挺知心的样子问，“大兄弟，你跟嫂子说句实话，你和佩玉的订婚饭都吃过一两年了，两个人又整日形影不离的，她没让你沾过身子？”

马大民又羞又窘，红头涨脸地忙说：

“嫂子，看你……咋问这话哩……”

王吉琴也觉心慌脸热，便讪着脸继续说：

“你别跟嫂子穷绷，嫂子是过来人了，啥不懂？就说你天成哥，院里地头累个土驴子似的，天天夜里还馋猫似的呢。我哪怕一天烦，不乐意答对他，他就鼻子不是鼻子脸不是脸的又踢凳子又摔碗的。男人嘛，还不都是那份德行。佩玉长得天仙似的，细皮嫩肉，杨柳细身，你成天围着她转，要是不动心，那得是修炼了多少年的老和尚？”

马大民说：

“嫂子，你也知佩玉，她是……那样人吗？有时，我也……她就说，强拧的瓜，不甜……”

王吉琴拊掌笑道：

“这不结了。那就得看你小伙子的能耐了。女人还不就是那么回事，要是被男人撩起那股劲儿，比你们男人还馋得凶哩……”

马大民被说得愈发周身焦躁，便立起身，说：

“嫂子，要没有别的事，我就回去歇着啦。明儿还得早起呢。”

王吉琴又探身拉了他一下：

“你没听那辘轳把摇得正欢，吱嘎吱嘎的能睡得着？你就再坐一会儿，把城里花里胡哨的新鲜事给嫂子讲几宗。”

马大民说：

“我每天和佩玉把货送到城里，就往回赶，哪有工夫逛街。”

“听说城里的‘野鸡’可多哩。”

“俺都是大白天在城里转，可从来没碰过。”

“听说‘野鸡’把干那事叫‘打炮’，可咋琢磨的呢。”

“嫂子……”

“要是你也碰上那样的主儿，敢不敢？”

“俺……俺可没想过……”

“没想过？嘻，谁信？你不是男人？你缺长了零件？你有病？”

“嘿，嫂子，天成哥才有病哩……”

“瞧，露馅了吧？你没听有个笑话，说有一个老和尚带个小和尚赶路，遇到一个极漂亮的年轻女子，小和尚就回头探脑不错眼珠地看。一直低着头的老和尚便嗔怪他，说看什么看，出家人要懂规矩。没想这话被小女子听到了，撇嘴一笑，说，他看看有什么要紧，那闷着头一门心思邪想的，才是花和尚呢。”

这笑话说得马大民更觉面红心跳，只觉脸上的那层遮羞布已被对方狠狠地撕了去，便跟着王吉琴一起嘿嘿地傻笑，那双眼睛更觉无所忌惮地直盯到王吉琴白得刺眼的胸乳上去。

这时，小顺子已将奶水吃得很饱，将乳头吐出来，张舞着白胖胖的小手在母亲胸前乱抓。王吉琴将肥硕的奶子再往孩子嘴里塞，嘴里还催促着：

“快吃快吃，你要不吃，叔叔可要抢去吃啦！”

这一句看似无心的玩笑话登时将马大民说直了眼，喘息也呼哧呼哧地粗重起来。他怔怔神，旋即豹子般向王吉琴身上扑去。王吉琴做吃惊状，低声喊：“大民子大民子，你要干啥！”那孩子也惊愕地咧嘴哭起来。王吉琴顺手将孩子推向炕头，又从衣兜里摸出一块糖疙瘩，塞到孩子嘴里去，嘴上哄：“顺子，别怕，不哭。”自己便往炕里躲。马大民紧闭嘴巴，红着眼睛，不声不吭，不顾一切地再往炕里逼。王吉琴用手推拒他，嘴里仍在低声喊：“大民子大民子，明灯瓦亮的，外头可啥都看得见，你就不怕我把杨天成喊回来！”说着便往炕梢滚。两间房的大炕足有两丈长，炕梢的两扇窗还是老式的，糊着窗户纸。马大民虽说还是童男子，却不傻，什么不懂？便也一个就地十八滚，紧跟了过去。

王吉琴心里早就眼热马大民的高大俊秀，人有技术，又讨人喜欢，因此只是嘴巴低嚷，佯装推拒，一任马大民疯狂而暴躁地撕扯……

院外菜园子里的辘轳仍在有滋有味不紧不慢地摇动，吱嘎嘎——吱嘎嘎——

生犊子一般的马大民转眼间就泄完了真阳元气，爬起身慌慌急急地提裤整衣。王吉琴心里得意解恨，暗骂，我让你谷佩玉样样占尖儿显能，这回老娘让你嫁个汉子不是原装货！嘴上却仍低声恶语地骂：“马大民，你个贼胆子！我一直把你当个正经人看，没想你也是个骚驴子活牲口！看我不叫你天成哥拧下你脑袋——”骂着，就一个嘴巴扇过去。

马大民怔怔神，扑通一声跪倒在炕沿下了。

五

其实，公正地说起来，玉井屯的村委会主任王庆福并不是时下很讨人憎恶的那种乡村基层干部，他很少多吃多占，也没有什么欺男霸女的恶行，遇事也常和屯中老少爷们商量。见附近十里八村的不是这个屯建起个采石场，就是那个村办了个养参场或木耳场、香菇场，村民们腰包眼看着鼓溜，村干部接待个上级领导啥的也显得气派大方，他心里也很是着急。要论说和谷家的关系，其实前些年两家界比子住着时，虽说一家是根正苗红的贫雇农，一家是被管制的地主分子，但那是场面上的事，私下里两家关系处得还不错。今天你借我二斗高粱，明日我用用你家的耙子水筲啥的，也很融洽。尤其是王庆福和谷诚林这一辈，两个年纪相仿，肩挨肩长大，从小也称兄道弟地喊着，一直喊到两个人名字前都添了个“老”字。王老庆只是想不通，这几年满屯子百多户人家，怎么就偏偏让谷家先“发”了起来。虽说有“三十年河东，三十年河西”那句老话，现在不还是共产党掌权坐天下吗，怎么就又轮到谷家大把进钱富得流油，今日盖新房明日买汽车的，那昔日的众多贫雇农怎么就比不过他一家呢？哪怕屯中有一两户昔日的穷哥们闹腾起来，就算只跟谷家打个平手，他心里也会平衡些。当然，这都是他个人心底的想法，平时嘴上憋不住，也只是跟最相厚的叨咕几句。“妈的，这老天爷咋说个公道不公道，有心气有招法的小字辈们咋就又多出在那些门户里？”村人也多有同感，掰着手指头数，前岭的谁谁啦，后沟的某某啦，可不都是土改前高门楼家的儿孙辈！八成自古来地脉灵气就被那些人家祖坟占了去。王老庆心底就更不服了。可不服归不服，他还懂上头的政策，顶多三番五次地找谷老诚商量，想把谷家的豆腐坊并过来。可人家咬着牙不肯，他也并没使出更多的歹毒招数，只是心里暗摽着劲，默默地等着机会。

这一日，村里来了两位城里人，看起来都像有些身份的女干部，指名非要见村长。有人把王老庆从蔬菜大棚找回到昔日的大队部，王老庆拍拍手上的土末子，接过来人递过来的介绍信，知是城里一家旅店来的小官官，以为又是来联系包销干豆腐什么的，便很不以为然地问：

“什么事，说吧。”

其中一位便说：

“你们屯里可有一位叫谷佩玉的姑娘？”

王老庆更坚信了自己的判断，说：

“有。家里开了个豆腐坊。谷家干豆腐确实不错，我们屯中做的干豆腐也都不错，差不多用的都是一口井里的水。找她行，不找她也行。”

女干部笑了，说：

“我们可不是想买干豆腐。我们是来了解点情况。”

王老庆也笑了，说：

“哦，是外调啊？这些年，来外调的可算稀罕了。你们想问点啥，说吧。”

女干部扫了一眼屋里屋外来回走动的人，想说什么，又咽回去，只是说：

“村长，能不能另找个地方，我们想单独跟您谈谈：

“还挺神秘？王老庆又笑了笑，大声冲外面吆喝道：

“你们该干啥就干啥去，远溜达点儿，有屁也给我先夹远点去放。我这里有事。”

两位女干部都被村干部这种粗率、简单而有效的处理问题的方式逗笑了。只放了两张桌子几只凳子的屋子很快安静下来。女干部问：

“谷佩玉常进城？”

“那是，一天一趟。”

“她还常在城里住下吗？”

“这可难说。啥时住，啥时不住，都是她自家买卖上的事，俺不问，也不打听。”

“那她今天在家吗？”

"现在八成不在。回来也得傍黑儿,最早也得后晌。"

两位女干部交换了一下目光,一个便说:

"您是村长,代表着乡下的一个基层组织,有些话我们就明说了吧,也想请您帮助分析分析,拿拿主意。是这样,前些天,谷佩玉住进了我们的旅店,只住了一宿。可过后我们了解到,那一宿她是和一个男人住在一间客房的……"

王庆福顿吃一惊:

"有这事?佩玉这孩子平时清清白白稳稳当当的,还没结婚呢。大姑娘家的,这话你们可不能瞎说。"

女干部说:

"村长,您先别急,听我们慢慢说嘛。我们也不知谷佩玉跟那男人是否认识,更不知道那一夜究竟发生了什么事情。当然,这样安排房间本身就是一个错误,而且错误还兴许完全出在我们旅店总服务台。可一个男人和一个女人单住一间客房,又不是夫妻,这总是一种很不正常的情况。我们只是想客观地全面地了解一下情况,也便于明确一下我们自身的责任……"

王老庆站起身,打断客人的话:

"中了中了,你们啥也别说了,再说多了我也没啥话答对你们。这样吧,我帮你们找个地方,先住下。吃呢,这年月屯里哪家也不怕多你们两双筷子,粗茶淡饭,豆腐管够。还是等佩玉晚上回来,你们自个找她唠,她咋说你们咋听,你们想问啥自己去问,中不?"

这种安排倒正中了两位女干部的心意,便忙点头,一边说着感谢的话。那个负责点的还没忘了叮嘱:

"这个事我们也只是跟您透个风儿,兴许什么事都没有。村长可千万别传出去呀!"

王老庆便有些不悦,说:

"这话用不着你们说,我还想告诉你们呢。佩玉是俺屯中的闺女,是俺眼看着长大的,俺还怕你们顺嘴胡嘞嘞,埋汰了人呢。中了,你们就跟俺去俺闺女家住吧,现成的房子,又跟谷家挨着,晚上俺把那丫头给你们叫过去,你们自己唠就是了。"

要说这事也真就由荒唐起,再顺着荒唐来了。两位女干部没向王庆福细说,王庆福也没心思往深里问,他哪里知道城里人会把一个原本很简单的事情闹腾得那么复杂呢。

那一天清晨,谷佩玉提着小包离开旅店时,只是将客房钥匙往总服务台一丢,换回钾金就走了,住宿预付金是头晚住进时就结交完了的。没想那天午后,那位曾同住一室的男士离店结算时,总服务台值班的赵女士翻查旅店登记簿,突然发现了问题。她问昨夜你们房间还住了个女人是怎么回事?男士先是一窘,随即反问道,你问我,我还正想问你们呢!赵女士便急急向保卫室打了电话,当即来了两位小伙子将那位男士扣押了起来。其实，赵女士之所以骤然间要把这件事闹起来，目标倒并不在一男一女两位客人，她是借题发挥，锋芒主要是针对前夜值班的李女士。赵、李二位正如所有女人成堆的地方，相妒相嫉乃是一种常见病多发病，且正值二位病在急重处，尤其听说上头正考虑准备在二人间提拔起一位担任餐厅部经理，二中荣一的竞争也就成了难免之势。就在男客人被扣审之前的半小时，学习会上赵、李二女士就曾有过一次半开玩笑半含酸味的口角之争，李女士说现在的孩子越来越难伺候，我家的那位小皇帝一天得二斤香蕉，两元五一斤，五元钱哩。赵女士接话说，香蕉是什么好东西，俺家的孩子根本就不稀罕吃，怕吃完拉稀。李女士便反唇相讥，说你家的孩子怕没吃过好香蕉吧，光拣黑皮儿的拿不起个儿来的处理货糊弄孩子，一块钱一堆，不窜稀跑了你。赵女士家境不如李女士，平日花钱就仔细，没想在此处突遭一枪，一时口拙，反击不上来。在座的众姐妹便起哄，说一比零，李女士胜。赵女士心中正窝火，没想片刻之后就让她抓住个狠狠给李女士一击的把柄。她一口咬定李女士是有意给嫖妓者开房间，其中必有“提成”暗饱私囊，怪不得她日常花钱那么冲，不是好道儿来的嘛；而李女士则一口咬定赵女士在前一班上不是有意设阱陷害也是玩忽职守，故意将并没退宿的男客人底卡抽出，才造成男嫖女娼的恶性事件。两人各持一端，哭哭闹闹，一直打到市饮食服务公司，惹得不甚团结的旅店领导层也各怀心腹事，这才有了两位女干部被派下来了解事件全部情况的举动……

这些蹊跷哪是一位普通乡村干部洞悉得清楚的？王庆福只管将两位客人领到女儿家，吩咐王吉琴：

“晚上的嚼货加点厚，客人就住在你家了。等佩玉回来，我去把她叫过来，她们有事谈。”

王吉琴哪是盏省油的灯？等父亲迈腿一离开，她便追到院子里，问：

“找谷佩玉有事，往我这领啥？”

王老庆便有些不耐烦：

“人家是私事，不想和谷家搅在一起，你说我往哪儿领？”

王吉琴追问：

“啥事？”

“啥事你打听那么多干啥？晚上人家谈事的时候，你抱孩子去你妈那儿坐一会儿，少掺和。”

“咋，我还得躲出去呀？”

“叫你别打听就别打听。有些事，你少知道点好。我还能坑了你？”知女莫若父，王庆福知道自己闺女的脾性。这也算他当了这么些年村干部的精细处。

其实，王老庆初闻此事那一刻，便猜知这事许大许小。谁也不愿这路砢碜事出在自己管辖下的一亩三分地，王老庆怕谷佩玉一失脚崴进去，也是真实心情。可潜意识里，他又有几分解恨和兴奋。你谷佩玉若是自己往臭狗屎上踩，不用我用喇叭喊，早晚也纸包不住火，你在玉井屯难立足活人也就怪不得我了。自作自受，活该！可没出水还难见两脚泥，又乡里乡亲的，这件事还是趁早往干滩上避避好，也免得日后猪八戒照镜子，弄得里外不是人。王庆福这般算计，又一再叮嘱女儿，恰恰更激起了王吉琴的好奇心。入夜，她将孩子推给母亲，言称上茅房，便悄悄潜回自家院子，躲在窗根下，将屋内的谈话听了个真真切切。

那个时候，杨天成正将辘轳把吱嘎吱嘎摇得欢呢。

六

汽车跑回虹螺山区，落日正压西山。

“虹螺晚照”是锦州地区的八景之一。晚霞绚丽，流光溢彩，正为高峻挺拔的玉皇顶做背景，再为群峰镀上一层金橙迷离的色彩。更有奇处，大山中的暮霭蒸腾而起，一片五光十色的祥云正罩临在主峰的上空，滞缓飘移，久久不去。传说那云朵便是虹螺女的魂灵，每天傍晚从玉石古井中婀娜腾起，久滞不去，她仍在俯瞰眷恋着人世间的美好生活呢。

晚照下的女灵河变成一条胭脂河，变成了一条长长绵绵缠绕于虹螺山间抖动的红绸子、金绸子。牧童晚归，村姑戏水，给这祥和安宁的田园景色又描上了活泼而生动的一笔。

汽车停在河心，不动了。女灵河并不深，若非汛期，也就将没过半个轮子，又多是鹅卵石底，所以汽车跑来跑去的，也用不着绕远过桥，一踩油门，轰轰轰唱着叫着，就闯过去了。

马大民伏在方向盘上，好一阵不动。坐在旁边的谷佩玉奇怪了，问：

“咋，你身子不舒服？”

马大民不吱声。

“车出毛病了？”

马大民还是不吱声。

谷佩玉催促道：

“那就快开车回家呀，咱爸咱妈还等咱吃饭呢。”自吃过订婚饭，马大民就吃住在谷家，称呼是从那一日就改过来了的，由“叔、婶”变成了“爸、妈”。小伙子嘴甜。

马大民伏在方向盘上发了一阵呆，突然蹬掉鞋，又从座位下抽出一把拖把，跳下车去，蘸着清凌凌的河水，擦起车身来。

佩玉知道大民爱干净，也勤快，部队里养成的好习惯。把车停在河心里擦洗也是常事。可令佩玉不解的是，今日打早起，一天间进城出城的，大民始终阴着脸，一声不吭，跟他说什么也是心不在焉的样子。佩玉便纳闷，今日是哪句话戳了他的气管子，这般不和顺？以前没有过一天不开晴的事啊！

对马大民和王吉琴的关系，谷佩玉似乎也应有点察觉了。那天入夜，她从屯中腰街回来，陡然发现有一条黑影正从杨家墙头上跳过来，她喝问是谁，大民子忙慌慌窘窘地说，别喊别喊，是我是我。佩玉舒了一口气，说，可吓了我一跳，这么晚你去那院干什么？大民子说，我去找根针线，裤子划破了。佩玉便说，衣服破了你就送我这得了呗，黑灯瞎火的还忙活个啥。大民子忙说不用了不用了，一转身就进了自己的厢房小屋，还咣当一声上了大木闩。那一刻，佩玉也曾有点疑惑，往日，大民子巴不得有点针头线脑的事，好借因由或踅到上房她屋里，或把她叫到西厢房，正好顺手牵羊地有些卿卿我我的亲热，今儿这是……后来，哑母也曾比比画画地问过女儿一次，大民子晚上常去杨家有什么事？那目光中已很有了些内容。只是佩玉仍没往更多的不好地方想。以前大民子跳墙头去杨家的事也有，再说天成哥就在眼皮子底下干活，况且从哪个方面讲，那王吉琴也犯不上自己去一比的。好心的姑娘太自信了。

这一阵擦洗，马大民将汽车前后左右都细细致致地干净了一遍，说话间玉皇顶上的彩云淡了，远了，不见了，天色迅速黑下来。谷佩玉几次催促，马大民才又回到车上。坐到方向盘前的马大民仍不推挡踏油门，仍是闷声不响一口紧接一口吸烟。谷佩玉终于急了，问：

“大民子，你有什么话就痛快说，五尺多高的大老爷们，这么吭哧瘪肚的急不急死人！”

马大民将大半截烟头隔窗扔出去，那个小光点在夜幕中划了个很优美的弧线，荡进水里就熄灭了。马大民终于打破僵局，瓮声瓮气地问：

“有件事，你可得给我说实话。”

谷佩玉立即讥嘲地反击：

“有屁你就放，少跟我审讯坏人似的。你跟谁玩这个呢你！”

“我问你，前些天你留城里，是不是和一个男人睡在了一起？”

谷佩玉愣了，这事怎么到了他的耳朵里？但旋即她心里就暗笑了，肚里那点气也消了。男人为这种事认真，本也在情理之中。要蛮，吃醋，正证明他爱自己。再说，城里都来了人，虽说口口声声声明哪儿说哪儿了决不扩散，可这年月谁能保得准儿？她便说：

“这事有，不假。可我得给你更正一下，不是睡在一起，是旅店安排错了，让我们稀里糊涂地住在了一间屋子里。起初我们都不知道，天亮时知道了，我们锅是锅，盆是盆，两不相扰。那个男人是个知书达理的好人。”

“你说两不相扰，谁信？”

“谁愿信不信。老天在，虹螺大山在，天理良心在！”

“那城里为啥还来人审你?”

“谁说是审我？人家只是来了解了解情况，不然为啥没把我绳起来抓走?”

“那个男人姓什么？叫什么？住哪里?”

“我不知道，也不想知道。”

“那这事过后，你为啥不跟我说?”

佩玉怔了怔，被问住了。她起初真把事情想得太简单了，万没料到城里人会小题大做，把这个她只想扔到脑后去的屁事扩散开。早知事情会这样，真不如事情过后的当天就当笑话说给大民子听了。她说：

“我觉得跟你说没用，也不值得说。”

“你觉得不值得，可你知别人怎么说?”

“愿怎么说怎么说，嘴巴长在他的鼻子下，我管不着。”

“人家说你当初开豆腐坊想发家，就是先用这种办法攒的钱……”

“放他妈的罗圈儿屁!”听这话谷佩玉可急了，猛地挺起身，脑袋咚地撞在驾驶楼的顶篷上。她顾不得疼痛，问，“你告诉我，这话是谁说的!”

“你管是谁说的干啥！你不是常说脚正不怕鞋歪吗?”

“好你个马大民，别人嫉恨我，踩戏我，我可以只当拉拉蛄叫，不听，没想今儿个你也埋汰我！我当初张罗开豆腐坊的时候，吃的那份苦受的那些罪你是眼瞎了没看见还是昧良心？我谷佩玉干豆腐舍不得吃一片，喂猪的豆腐渣倒吃得比满屯人谁都多，连瓶雪花膏都舍不得买，哪个大钱儿不是从肠子上勒下来的……”谷佩玉说着，便觉委屈，泪水从脸颊簌簌流下来。

马大民便觉在精神上已占了优势，忙说:“我也没说就不信你嘛！可你……可你……总得让我……”

“让你怎么样?”

“让我彻底知道你……的清白。”

“那你还要我怎样证明清白?”

马大民突然就扑上来，将佩玉紧紧抱在怀里，压在身下，那双慌急有力的大手也就胡摸乱抓起来。及至裤带被蛮横地扯断，那只手也粗野地向小腹部探进时，佩玉才觉不好，气急地喊：

“大民子，你、你要干什么?”

马大民仍在不管天不顾地往下扒扯着佩玉的衣裤，气喘吁吁地说：

“我……我今儿就要，要了你！我、我要知道……你到底还、还是不是个……黄、黄花闺女……”

“啪!”谷佩玉挣出右手，狠狠一掌抡出去，正击在马大民脸颊上。马大民一怔，松开手。佩玉坐起身。一边恨恨地骂:“马大民，我今儿才算彻底认识你！驴！两条腿的畜生!”一边匆匆整理了一下衣裤，鞋袜也没脱，推开车门，跳进河里，就向南岸奔去。

马大民愣了一会儿神，突然也跳下车，站在河水里冲着谷佩玉的背影吼："谷家掌柜的，你别走，我走！"吼罢，背转身，一路蹚着河水，直向北岸奔去。

七

谷老诚、杨天成坐着小四轮拖拉机急匆匆寻来时，已近子夜，河心里正进行着一场激烈的厮搏。数十个男女老少的乡下人从四面团团围住汽车，攀车帮而上，正企图抢夺车上的黄豆。谷佩玉挥舞着拖把，前击后打，左扫右抡，嘴里连喊带骂。那些财迷心窍的乡下人并不反击伤人，只是奋不顾身地或捆或扛，眼见有几袋黄豆已落进水里，另有人扛着沉甸甸的袋子已踏水向岸上奔去。是汽车前大灯雪亮的灯光和河心的喊叫声唤来了奔寻而至的小四轮。正在抢掠的人们还以为来人是同具贪心的同伙，因此也没躲没跑，没想小四轮上跳下一条粗壮的汉子，攀上汽车便以手中的三节手电筒为武器，眨眼间便将几个恶徒打下水去。一个老者还大声喊："天成，天成，手下留情，可不能打坏了人！"那些人这才知是车上姑娘的援兵到了，立刻撒丫子四散逃窜而去。杨天成又跳进水里，直往岸上追去。那先得手的几个歹徒也忙丢下袋子，逃进夜色中去了。

惊愕中的谷佩玉发了一阵呆，突然丢掉手中的拖把，扑进父亲怀里，就呜呜地哭开了。

谷老诚也老泪纵横了，不住嘴地说：

"佩玉，佩玉，别哭。爸这不是赶来了吗。人没伤着，比啥都强。"

杨天成和拖拉机手将丢弃在岸上、水里的黄豆袋子扛回来，一袋袋往车上装。他最先发现了问题，问：

"民子，大民子呢？"

谷佩玉抹了一把泪水，气赌赌地说：

"回家了！"

"回家了？"谷老诚纳罕，"怎么没见他呀？什么时候？"

"他回白马屯了。"

马大民的家在白马屯，谷老诚听出了问题，问："你们……闹别扭了？"

谷佩玉点点头，望望杨天成，欲言又止，只是说：

"他不是人！"

杨天成为人厚道，却不愚憨，此情此景，什么看不出？便故意粗描淡写地打着哈哈，试图圆场，说：

"这大民子，平时乖羊似的，冷丁要上驴脾气，就啥也不顾了。撂挑子也不能往河心里撂啊！谷大叔，你陪佩玉先在车里待一会，消消气。我这就去把他叫回来，两袋烟的工夫。”说着，便又跳上了小四轮。

谷佩玉急拦阻：

“天成哥，你别去。我从今往后再不理他！”

杨天成笑道：

“哪里话，小两口耍耍性子生点气，是给过日子撒花椒面添盐酱的事，当什么真！”

谷老诚也说：

“天成，那你就受累，快去吧。车扔在河心里，也不是个事呀！”

小四轮突突着，直往北岸冲去。佩玉望着四周黑黝黝的大山，眼泪不由又奔涌而出了。

入夜时分，杨天成将水挑进谷家院子，见谷老诚直门儿在院心不安地转圈子，就问，谷大叔，还忙啥呢？谷老诚说，这都啥时辰了，佩玉和大民子咋还没回来呢？杨天成安慰说，兴许在锦州城里被啥事耽搁了，别急，再等等。谷老诚叨念，不能，不能啊，啥事能耽误到这时候呢？走时没说呀！又挑过几担水，杨天成说，是不是汽车在路上抛了锚，要不我去屯里借辆小四轮，咱们顺道儿去找找看吧。

太是时候了，及时雨一般。不然，又岂止是两三千斤黄豆，佩玉孤身一人，谁知又会发生什么事呢？

待杨天成再赶到白马屯马家时，马大民正独自一人趴在被窝里想心事，炕沿下已密麻麻不知扔了多少烟头子。待冷静下来，他心里也觉不是味儿，很有些后悔了。自从那夜和王吉琴苟且之后，初尝了女人滋味的马大民便再难收敛，几次偷偷地潜到杨家院子里去。那王吉琴也由半推半就到曲意逢迎，撩拨得马大民更加淫性难改。后来，王吉琴便趁机将偷听来的城里干部与佩玉的谈话添油加醋地告诉了马大民，并出主意给他，让他先去破瓜，说那事一试便知分晓，不然兴许未待结婚，就先把绿帽子戴上了。所以今日一出锦州城，马大民便已存下心来，要趁夜色在河心里办成大事。他万没料到事情会是这样结局。以前他也曾多次跟佩玉缠绵，虽说佩玉始终没让他突破最后防线，但也从未恼过，每次都是羞红着脸推阻他，说心急吃不得热豆腐，咱们得把喜庆气氛都留给那个好日子。可今天，佩玉狠狠地打了他，那手下得极无情，他愤恼之下才弃车而去。可他回到家里，又觉佩玉之所以敢这样给他一耳光，可能正证明她心底无愧。自己将一个姑娘家和汽车都孤零零地扔在河心里，日后还怎么回去见佩玉和谷家人？难道这段姻缘真就这般突然断了吗？王吉琴那骚娘们的话听不得哩，她存心跟佩玉作对，就把我当了猴子耍，这吃亏倒霉的事眼看着都落到我头上了……

杨天成风风火火闯进屋子时，马大民先是一惊一窘，心里又陡生一喜，他情知杨天民是因何而来，这倒不失为一次就坡下驴的机会。可他还佯装镇静，身子只欠了欠，仍趴在被窝里，问：

“哟，天成哥，你怎么来了？”

杨天成上前就揪马大民耳朵，骂道：

“你小子少跟我玩这套，挨操打呼噜，装什么气迷！起来，给我快滚起来！”

马大民哎哟哎哟地被揪出被窝。自从他和王吉琴偷偷摸摸地有了那事，在杨天成面前就有了做贼心虚的感觉。尤其是今日这事，理又在人家一边，他便更觉气短。他爬起身，揉着耳朵，一边将香烟扔给杨天成，一边咕哝道：

“你有话就说嘛，还想把我揪成个猪八戒呀。”

杨天成说：

“你少废话，快穿衣裳，跟我走！”

“上哪去?”

“车扔在河心里，你说上哪去！”

“我不去。”

“你再说一遍！”

“我……”

“你敢再说个‘不’字，可别后悔，我杨天成转身就走，再不来见你。你不就会摆弄两下方向盘吗？拴块大饼子狗都会干的事，还拿什么大？这个世界找三条腿的蛤蟆难，找个会开车的两条腿的人，我不用出白马屯，也能立马叫上三个五个。”

马大民嘟嘟囔囔地蹬裤子，说：

“我今儿心口疼，脚还崴了一下……”

杨天成将地心的鞋踢到炕沿下，仍是气狠狠地骂：

“你就是两条腿儿都折了，也得马上给我爬回河沿去！你小子一扔耙子跑回家趴热被窝来了，你知不知道汽车差点叫人抢了！”

马大民又是一惊，手上的动作就麻利了些，可嘴里仍在叨咕：

“天成哥，咱们都是男人，咱哥俩又不错，我才跟你说……”

“呸！你卡巴裆多余夹那两个卵子，你今晚儿做的这些事，还觍脸说是男人！”

“你是不知道，佩玉她……她的那个事……”

“佩玉的啥事你少跟我说！我只信得过她，今儿个却瞧不起你！”

“敢情不是你老婆……”

“我杨天成上辈子没修来这份福！你嫂子要能顶上佩玉的一个脚指头，我下辈子做牛做马都愿意！”

杨天成这一手以骂代劝的策略果然成功。来白马屯的路上，他就琢磨怎样才能把马大民劝回去。王吉琴在枕头边，也曾把城里来人的事说给他，他猜知马大民必是为那事闹了起来。苦口相劝反似自身理短，这般连吆喝带骂，反能把马大民的邪性劲儿镇下去，兴许还能为两个年轻人的重归于好做些铺垫。这也是善良人的一份苦心吧。

马大民尴尬地重回到汽车上时，先冲谷老诚喊声“爸”，又递上一支烟，掏出打火机点燃，讪笑着说：

“我打过晌就心口疼，这儿离我家近，我回去吃了两片药……”

谷佩玉端然而坐，面若凝霜，冷冷地说：

“往后仍想接着给谷家开车，行，工钱照旧，规矩照旧，但食宿得自理。若还想照老样子，也行，食宿费从工钱里扣，连吃带住，一月一百元。”

谷老诚长叹一口气，说：

“回去说，回去说。开车吧。”

八

灶坑里的王八，拱了这一次火，虽未把谷家豆腐坊拱翻，可谷家也算不大不小地闹了一场风波，谷佩玉的两只漂亮大眼睛先是哭得烂桃似的，接着又眍瞜下去失去光彩，足有半个多月才又渐渐恢复起灵气。王吉琴心里还是好一番得意的。

只是那马大民再也不轻易翻过墙头来鬼混，偶尔碰面，没说两句话，那馋猫小子就避瘟似的远远躲开了。杨天成在家里也鼻子不是鼻子脸不是脸地好闹了一回，问她是不是将城里来人的话也透给了马大民，王吉琴铁口钢牙滚刀肉，只是不承认。杨天成愤恼莫名，也是没招儿，十来天不肯跟她同睡一被窝。为这两宗事，王吉琴又迁怒谷佩玉，暗骂小狐狸精你等着，姑奶奶还有办法整治你。

说话间就渐渐凉了，虹螺山满坡满沟的枫树叶落霞般地红了，又随霜降，几天间就刮落得干干净净。下了入冬以来的第一场雪，少了地里营生的虹螺山农户则把更多的精力投到干豆腐中去。玉井屯的老井整日都有人吱嘎吱嘎在摇辘轳了。

这一日，又是杨天成为谷家备水的入夜时分，王吉琴突然推开马大民的房门。正仰靠在行李垛上想心事的马大民猝然一惊，忙吐掉叼在嘴上的烟头，慌慌地问：

“哟，嫂子，你咋来了？”

王吉琴飞了个媚眼，说：

“你给我叫啥？”

马大民更压低声音：

“嫂子，这屋子说话不隔音，外头啥都听得见。”

王吉琴不依不饶，追问：

“我想再听听你咋叫的我。在俺屋里嘴咋那么甜？”

“吉琴……嫂子，你……这些日子，我……”

“噢，把我躲得远远的，八成是那口鲜桃叫你吃上了口，就把我给忘了吧？”

“哪里话，哪里话。佩玉这些日子，连正眼都不肯瞅我，除了使唤牲口似的吆喝几声，一句知冷知热的话都没有了。我正心里愁得没缝，怕是，怕是……我们俩的事儿，悬呢……”

王吉琴撇撇嘴：

“大老爷们，少说这熊话。什么了不得的天仙儿，黄就黄，黄了我再帮你找一个，十里八村的，挨个挑，保准不比这个整日绷巴的狐狸精差。”

马大民更苦了脸：

“嫂子，你可别再说这个话了……你要还有别的事，就快说。不然，就快些回去吧，孩子怕又闹着找你了。”

王吉琴却故意又把屁股往炕里挪了挪：

“哟，还撵上了我。俺小顺子用不着你操心，正在他姥姥家玩呢。我有事倒不假，可我偏不说。”

马大民更急了，苦求道：

“吉琴，我的姑奶奶，你就饶了我吧！眼下这一阵……我是真不敢再……”

王吉琴媚眼再飞，讥嘲一笑：

“你以为我找你是为哪一口呢？屁！你倒巴不得，我还不敢侍候呢。”

“那你……”

“好，既你恨不得我马上就离开，我就有话直说，长话短说。你把谷家在锦州城里送干豆腐的饭店、商店、零卖点儿都告诉我。”

“啥？”马大民惊得差点蹦起来。

“就是谷佩玉每天都往哪儿送，一家是多少，那边接手的人是谁。还没听明白呀？”

“这？不不，这可不行。佩玉早有话，说这是秘密，任谁也不能告诉。”

“是不是主要不许告诉我呀？”

“不不，连我亲爹亲妈我都没欠过一点口缝。再说……再说我也不知道，我只管开车，那些事，都是……都是佩玉自个儿办。”

“你唬俺家穿开裆裤的小顺子呢？你跟屁虫似的，天天跟她进城，天天往车下卸货，那些事，瞒得过你？”

“佩玉建立起这些网点，也、也是不容易，我要漏出去，就……就更对不起谷家了。”

王吉琴又是诡秘一笑：

“你也用不着看家狗似的这般为谷家精忠报国。再说了，我也不做干豆腐，不卖干豆腐，你天成哥每天只帮个三五十斤货，不值当往锦州城里跑，想跑家里也不趁汽车，你怕那么多干啥？”

“那你问那个是为啥?”

“我就试试你对我的这颗心。”

“这……这可真不行。吉琴……嫂子,哪怕你再……随便问个别的事呢……”

“别的事?我稀罕问你!好,那你就再想想,啥时想好啥时给我列出张纸单来,瞎糊弄我可不行。不然,我天天晚上这时来,你怕佩玉,我可不怕她小蹄子!”

正掰扯间,就听窗外有脚步响,两人急缄了口。佩玉在院心冷冰冰地大声吩咐:

“马大民,你弄两担水,后车厢再冲冲,埋埋汰汰的明早怎么拉豆腐!”

马大民慌急地应:

“知道了知道了,我这就去。”

待脚步声远去,马大民才一抹额上的虚汗,说:

“哎呀我的姑奶奶,你就快走吧,往后也别再到我这儿来了。那个事,容我点工夫,找机会我给你送去还不行吗……”

九

谷佩玉之所以没有将马大民解雇,顾忌之一就是马大民几乎掌握着她的销售网点的全部秘密,事情做得太绝情,后果便很难预料。再有,就是她的厚道爹和哑巴妈在私下里不止一次劝说她,说杀人不过头点地,那大民子虽说在那件事上做得有点令人寒心,可这几年勤勤快快亲亲热热地就像一家人,两个人也人前人后成双成对的,这么抽冷一下子说散就散了,莫说两姓旁人如何嚼舌头,就是咱自己心里也不落忍。谷佩玉也一次又一次想起两人间的许多甜蜜往事,一次又一次偷抹了不少眼泪,心里便暗存了“缓期执行,以观后效”的打算,只是对谁也不透半点口风,连老爹老妈也不知她心底的真正意思。

这一天,谷佩玉又随马大民驱车进锦州城,未过西关大洋桥,车先停在一家豆制品商店门前。谷佩玉跳下车,便急急推门向室内走去。营业员见她进了门,先扯嗓向后面的经理室喊了一声:“吴经理,谷老板来了。”

这一嗓顿使谷佩玉心底生出几分诧异,往日没这节目啊!以往她进了店,都是径扑经理室,吴经理按预定数八九不离十地报个斤数,再在她的小账簿子上签个名,剩下的便是她让马大民将干豆腐搬进一捆两捆来,由营业员一过秤了事。今儿这是怎么了?

吴经理闻声赶出来。这是个挺仗义的年轻人,见了谷佩玉,二话不说,扯着袖头就往后院走。谷佩玉更感疑惑,笑嗔道:

“吴大哥,有话你就快说,外面汽车还等着我呢。”

吴经理扯着谷佩玉在一僻静处停下，一脸紧张一脸严肃地问：

“咋，事情你还不知道?”

谷佩玉笑道：

“你别鬼鬼道道的，有啥事你就快说嘛。我知道什么?”

吴经理说：

“市场食品卫生检验所昨天派人来，取了几张干豆腐去，过后又来了电话，正式通知，虹螺岘谷家豆腐坊的豆制品不许再经销，再卖没收，还要罚款。”

谷佩玉大惊，问：

“为什么?”

吴经理摇摇头：

“我们问了，人家电话里不说。再问，人家就说我们是搞食品卫生检验监督的，你们想想是为啥?”

谷佩玉惊得说不出话来，好一阵，才又问：

“光是你们一家不许卖，还是都不许卖?”

吴经理说：

“我也不知道你们谷家干豆腐都在哪儿卖，哪知道?”

谷佩玉知道自己这话问得有些唐突，稍镇静一下，说：

“谢谢你，吴大哥。那我走了，改日见。”

谷佩玉回到汽车上，马大民已解开绳索准备往下搬豆腐包，问要多少斤。谷佩玉怔怔地好半天没应答。又问，她才没好气儿地说，今儿这里一斤不要，开车!

汽车又跑了几家老主顾，接洽人竟像都跟吴经理商量好了的一般，都说不要，都说食品卫生部门来了通知。谷佩玉这才深感大事确是不妙，她想了想，就叫汽车往食品卫生检验所开。马大民也奇怪，问去那地方干什么。谷佩玉冷冷一句斥回去，叫你开车就开车，别废话!

大街小巷好找了一阵子，汽车终于磨进检验所的小院子。谷佩玉单枪匹马闯进一间办公室，她先自报了家门姓名，屋里十来个穿着笔挺的海蓝色制服的男男女女便齐齐地将目光盯向她。一个负责人坐在办公桌后开了口，揶揄地说，我们正商量派人去虹螺岘，没想到你自己找上门来了，好，很好。谷佩玉气冲冲地问，凭啥不许我们谷家的干豆腐再卖?负责人说，你问谁呢?你自己该知道。谷佩玉说，我知道还来问你们干什么?负责人说，你们为了干豆腐好销，就在里面掺上国家明令禁止的佐料，甚至是毒品，你懂不懂这叫犯罪?谷佩玉心里有气，用手一指院内的汽车，大声说，我今天的一车干豆腐都在这里，还一斤没卖，你们空口埋汰人可不行!负责人站起来，冷冷一笑，都在这里?那好啊!随即一摆手，下了命令：

“全面化验检查!”

十来个人便全拥出来，还从别的屋里出来几个穿白大褂的姑娘。车上的干豆腐是分包捆裹的，每包五六十斤、百八十斤不等，都是统一由谷家备用的白色豆腐布捆裹。负责人便让都打开，每包里都抽样取出两三片，交给穿白大褂的姑娘。又命令汽车不许离开半步，谷佩玉和马大民也都不许离开院子，否则如何如何，口气很严厉，没有半点客气。

两个人坐在驾驶楼子里，很沉闷。马大民几次张口欲询问点什么，可见佩玉紧抿着嘴巴眼睛一眨不眨不知在想些什么，只好又把话咽回去，用吸烟苦挨时光，又见佩玉被烟气呛得把车窗摇下来，便忙把大半截烟头丢在脚下，踩灭了。

“谷佩玉，进来——”办公室的一扇窗打开，有人大声喊，就似在传叫犯人。

谷佩玉急急进了屋子，只见负责人的办公桌上放着两片干豆腐，上面还压着一纸检验报告。负责人讥嘲而鄙夷地将报告单一推，说：

“自己看吧，看你还嘴硬！”

谷佩玉扑到桌前，拿起报告单，上面这个数据那个符号的也看不明白，目光落到最下一格检验结论栏内：“部分豆制品中含微量 opium 成分。”她便指着这行文字问：

“这是什么意思?”

“没看出你岁数不大，倒挺能装憨啊！到这种时候，你还装什么糊涂?”负责人说。

“我真的不懂！”谷佩玉使劲摇摇头，“就是我犯了挨枪崩的死罪，你也总得叫我死个明白吧?”

“明白？自己做的什么事自己不明白?”负责人冷冷一笑，手一挥，“你们先回去吧，等候处理！干豆腐不许再做，更不许再卖。再卖再做也没有用，也没人会再买。报纸很快将对你们谷家干豆腐的事曝光。你们这叫放着阳光大道不走，故意往狗屎堆里踩，这个该懂吧！”

“那我这一车干豆腐你们总得让我先批发出去吧。”慌乱怔懵一时的谷佩玉竟还惦记着眼皮底下的这颗小芝麻粒儿。

“卸下来，全部就地销毁。”

“全部？两千多斤啊！”

“两万多斤也得销毁！”

“可这两千多斤都有问题吗?”

“有一片有问题也不行！我们要向全市消费者的健康负责！”

“那你们……就、就把有问题的挑出来……”谷佩玉有些吓呆了，头上冒出一层汗珠子，心里觉得委屈，眼泪也跟着流下来，“这一车干豆腐，也是好几千块钱呢，我们庄稼人也不容易……”

“你们坑蒙拐骗也不容易，是不是？你们以为这食品卫生检验所是为你一家开的，是不是？实话告诉你，要不是考虑这一车干豆腐有毒的毕竟还是少数，情况也还需进一步调查,我们今天就连人带车,全部把你们扣下来,送到拘留所去!”

一车干豆腐便只得都卸弃在检验所的院子里,连那些包布都没有带出一片来。汽车开出检验所,佩玉让找了个僻静、宽敞些的路边停下来,怔怔地坐在马大民身边发呆。马大民又抽烟,佩玉伸出一只手,幽幽地说:“给我一支。”马大民惊骇,问:“啥?”“烟。”说着,泪珠便又噼里啪啦滚下来。马大民给佩玉点上烟,见她哽咽着一边抽一边咳,那泪水簌簌,颜面如洗,好不凄然。他知佩玉从不吸烟,此番遭受的损失和打击太大了,便心疼地劝慰说:

“佩玉,财物事小,身子要紧,你别哭了,烟也扔了吧……”

佩玉便哭得更厉害,好一阵,才说:

“大民子,今儿这事,回去跟谁也别说,跟咱爸咱妈更别说,别再让他们跟着上火,岁数大了。”

自从上次闹了河心那场事,佩玉还从来没这样款声细语地跟他说过心里话,“咱爸咱妈”的称谓也是头一次重新启用,马大民心里感动,便点点头:“我知道。”又问:“那明儿咱们还做不做干豆腐?”

佩玉想了想,擦擦泪水,说:

“做。不做怎么跟乡亲们解释?”

“不是不让卖了吗?”

“锦州不让卖,咱再想别的法儿。活人不能叫尿憋死。”说着,佩玉就翻自己的小挎包,问,“你身上带了多少钱?”

马大民急翻腰包,佩玉将几张百元大票挑出来,连同自己翻出的几张,凑了一小叠,数了数,揣进衣兜。又翻腕看看表,说去办点事,就跳下了车。马大民说,还是我开车送你去吧。佩玉说不用不用,你别动,就在这儿等我,啥时回来啥时算,饿了就自己买点什么先垫补垫补。说着,她就快步走进熙攘的人流中去了。

十

谷佩玉将马大民和汽车留在城市一隅,独自一人又返回食品卫生检验所。她一是怕汽车同去太招摇太惹所里人注意,二也是想将马大民从这件事中摆脱出来。谷老诚常常教诲女儿的一条处世原则便是:害人之心不可有,防人之心不可无。事出必有因,要想了解来龙去脉,看来非得暗中下些功夫了。对马大民,她还没有彻底结束“以观后效的考察”阶段,有些事还是不让他知道的好。

谷佩玉隐在检验所大门外不远处,看看将近中午十二点,便招手拦住一辆出租汽车,坐进去,牢牢盯住检验所所有出入之人。过了一会儿,果然就见那位负责人骑着自行车,后座还驮着一大包东西,出了大门,直向北去。她让出租车尾随,过大街，穿小巷，左盘右绕，直见那位负责人提着东西走进一个楼门里。

负责人攀梯，开锁，进家门，将东西放在门厅的一张小桌上，刚解开包布，就听门铃叮咚响，以为是爱人接孩子放学回来了，嘴里埋怨："有钥匙自己开嘛。"就去开了门，陡见门口站着笑盈盈的谷佩玉，不由一怔窘，问：

"哦，你？你怎么找到这儿来了？"

谷佩玉也不客气，迈步就走进来，一边自找拖鞋换，一边说：

"打了半天交道，我还不知道大叔贵姓呢。"

其实负责人也不过四十来岁的样子。求人办事，先低一辈，也是常理。

"我姓张。你有什么事吗？"

"有些事，我实在弄不明白，想当面再向大叔请教请教。"

"有话下午到所里去说，到家里来干什么？"

"我看所里人太多，您也忙，说话不方便。再说下午我们汽车还有事，我就挤这工夫打扰您了。"

老张只好将谷佩玉引至房间，口气仍是很冷漠，说：

"你找到这里也是没用，事情就是那样，一堆一块都说给你了，我们执行国家食品卫生法，你到哪儿说也没用。"

说话间，一个十多岁的小女孩随妈妈进了屋，进门就嚷："爸，买这么多干豆腐啊！"那女人却埋怨："捡便宜也捡点值当的，这么多破玩意儿，什么时候吃得完，不怕放臭啊！"老张便急忙大声提醒："家里有客人！"又很窘促地对谷佩玉讪然一笑，说："我这人，往家买东西总受埋怨。我见干豆腐，就多买了点。"

谷佩玉心里恨骂，买什么买？哪有居家过日子的一家伙就买二三十斤的？卖干豆腐的还连包布都卖给了你？她坐在汽车上，就猜知是怎么回事了，可她仍作浑然不觉地笑道：

"只怪我以前不认识大叔，往后我常送过来一些嘛。家里出的东西，何必花钱买？我们家做的干豆腐在虹螺岘也算拢头子呢。"

"不用，不用。有事你就快说。"老张不愿在这个问题上纠缠，转身对外间妻子说，"快弄饭，午后我还有会呢。"口气里已明显带了逐客的味道。

老张再回过脸时，正见谷佩玉从衣兜里摸出那叠百元票子，轻轻放在茶几上。他故作惊讶地问：

"你这是干什么？拿回去，拿回去。"

谷佩玉笑道：

"初次登门，就算给小妹妹买两支铅笔买几个本吧，拿不出手的。"

就好比家里的老辘轳，一叫了点油，就不那么吱嘎嘎地叫得尖利难听了。老张的口气立竿见影地有了转变，很同情地叹了一口气，说：

"唉，你们这些农民，这些个体户啊！要说发家致富，谁不想呢。可君子爱财，总得取之有道嘛。你们胆子也太大了点，招法也太毒了点，现在事情败露了，叫我……也很为难嘛，你说是不是?”

谷佩玉点点头，说：

“大叔说的是。我知道所里没将我们连人带车立马扣押往局子里送，就全仰仗大叔照顾了。可那些干豆腐确实不都是我们谷家豆腐坊做的呀！多一半是从屯里收来的。究竟出了啥问题，还请大叔明明白白告诉我。我肚里没多少文化水，那个检验报告我确是看不懂。”

老张作恍然顿悟状，说：

“噢——怪不得呢。干豆腐既不是你们一家所做，也就难免了。林子大了，什么鸟没有呢，是不是？那一车干豆腐，真有问题的其实也就一两包，那里面有鸦片成分，虽说量还不大，但人吃了会慢慢染上毒瘾的……”

这一惊可是非同小可。谷佩玉差点跳起来：

“鸦片！什么鸦片?”

“就是大烟啊，大烟你也不懂？大烟才是要害呢。我们正准备向上级打报告，配合公安部门去你们那里搞侦破，这毒源不追可是了不得的。”

谷佩玉怎会不知鸦片，那是在小学课本里就涉及的知识，她早知道那是魔鬼，是野兽，是比野鸡脖子(北方的一种毒蛇)的牙液还毒千倍万倍的东西。可她万万没想到，鸦片今天怎么会和自己联系在一起？她真急了，泪水又在眼圈里打起了漩漩儿，说：

“大叔，这事我真的一丁点也不知道。我敢以脑袋保证我家做的干豆腐决没有这东西。求求大叔帮我想想办法吧。”

老张说：

“还有什么办法。不过，问题既没出在你们谷家，你也用不着害怕。过几天我们去人把问题弄清楚了，谁的罪过也就由谁承担了。还是那句话，从明天起，你们家先不要做干豆腐了，做了也不好上市，这事可能明天报纸就要登出来了。”

谷佩玉此行，其实主要也就是为这报纸的事而来。她知道那可干系重大，白纸黑字一登出来，好事不出门，恶事传千里，沸沸扬扬地在辽西城乡一闹腾，谷家豆腐坊往后的买卖就算彻底绝路了，再想重新打开局面也难了。她故作不解，试试探探地问：

“那报纸咋还管这事呢?”

老张说：

“报社什么不管？舆论监督嘛。听他们来电话，说有群众来信举报，举报信中还列举了一些你们谷家干豆腐的主要销售点。报社让我们协助搞一搞食品检验，若能证明举报属实，他们就要公开见报了。这些工作我们已经做了，检验报告也送了去。听说报纸发时还要带评论呢。”

谷佩玉问：

“报社没说举报人是谁?”

“小谷啊，这话你可以关上门在我家里这样问，在外面可就要注意喽。国家机关有保护举报者的责任和义务嘛。”老张淡淡一笑，颇有些卖弄地说，“当然喽，我在家里跟你打官腔也没什么意思，是不是？为了调查方便，这事我们也问过，可报社说信上只署了‘一位革命群众’，没落名。我分析，也是你们身边的乡下人干的，很知情嘛。你们谷家是不是跟什么人积了仇怨呢?”

谷佩玉似有所思，急切中，陡然生智，再次求告道：

“大叔，那事报纸一登出来，我们有嘴也辩不清了，往后报上还能更正说那事与我们谷家无关，谷家只是代收代卖吗？再说，过两天你们只要兴师动众地派人一调查，心里有鬼的人也就把尾巴尖儿藏起来了，还能查出个啥？您说可是?”

老张点点头，心里不得不承认这个农村姑娘的睿智精明，分析得有道理，这也正是让他犯难的症结所在，便问：

“那依你的意思呢?”

谷佩玉说：

“大叔的路子宽，面子大，能不能劳驾跟报社再说说，就宽限我们三天。三天之内，由我负责把情况给您搞清楚。三天后，如果我不回话，登报也好，派人去乡下治我个什么罪也好，我都甘认倒霉了。”

老张瞟了一眼茶几上的票子，略作沉吟，说：

“好，那咱们就这样说定了。报社那边由我去做工作，三天之内，可暂不见报，我们也暂不往你们那里派人。过了三天，你也别找我了，找了也没用，我只能公事公办喽!”

谷佩玉咬咬嘴唇，重重地点了点头。

十一

这一晚，谷佩玉随车回到家里，声色不动，豆子照样泡，辘轳照样叫杨天成摇得吱嘎欢响，自己的算盘照样打得噼叭脆响，半夜时豆腐坊也照样你忙我碌热气腾腾。到了第二天清晨，屯内各户送上干豆腐的时候，她又抱出几十只崭新雪白的包布，交给老父；言称市里正搞食品卫生大检查，旧包布怕过不了关的。她又将几十只小纸条暗中交给老父，每只纸条上都写了各家户主的名字，暗嘱每家的干豆腐检斤后，不论多少，都单独打包，包内依姓名暗附纸条。谷老诚纳罕，几次张嘴欲问，佩玉只说各家豆腐质量不一，城里主顾有挑剔，这是为以后按质论价做准备。谷老诚便也不再多疑，依言行事去了。

谷佩玉心里自有小九九。那在干豆腐中用毒之人既是三五十斤的小打小闹，做出成品又需卖给谷家，此番用心就绝非是为了自己的货色长久地“瘾”住主顾，用毒者与举报者极有可能就是同一人，目的就是为了扳倒谷家这杆旗，推翻谷家这辆车，目的达不到，他就还要继续做手脚。可此人是谁呢？谁家跟谷家有深仇大恨才蓄意设下如此歹毒险恶的陷阱呢？谷佩玉彻夜不眠，将每日送来干豆腐的老户挨家过筛子。虽说祖祖辈辈数十年间住在一个屯子，难免有些不睦和隔阂，但终难认定谁是布此圈套的恶人。万般无奈，她才有了如此计谋……

天还只是麻麻亮，佩玉在前面挑灯过秤记账，谷老诚在身后打包，乱哄哄的，倒也没让人觉察出今晨与往日有哪些两样。

汽车拉着一车干豆腐，依旧准时开出屯去，直奔锦州城。佩玉这次让马大民径将汽车开进食品卫生检验所的院子。她走进办公室，先将一大扎钞票拍在办公桌上，说今天她自家出资，烦请检验所挨包检验，挨包作出检验报告。那老张端坐桌前，见来者有备在先，信心十足，且又有检验金预付，便也鼎力相助，调兵遣将，一路绿灯，还赞许地说：“看你们今天态度不错，主动积极，检验费今天就象征性地只收一点吧。”

检验的结果实在令谷佩玉大出意外，查出问题的那一包里藏的纸条上明明白白地写着——杨天成。

天成哥？怎么可能！

满屯人谁都可怀疑，也绝不应该是天成哥呀！

可毕竟是白纸黑字！毕竟是经过现代科学手段检验出来的结果呀！一切无可辩驳。

这一次，只有那一包干豆腐被扣留没收了，余者都让汽车拉出了院子。谷佩玉情知还不到再送到老主顾手上的时候，便只好再拉到锦西，低价批发给市场上的小贩子，但求少赔些吧。

谷佩玉实在不能相信此事会是杨天成所为。几十年的老邻居，她太了解天成哥的人品了。别的事不说，只论这做干豆腐，杨天成就没少和王吉琴发生口角。杨天成的干豆腐泼得薄而匀，最大的优点还在个“干”字。压干豆腐时，绞绳若多加一扣，因所含的水分必要减少，就直接影响了成品率。王吉琴常骂杨天成傻，说城里人哪懂这些，谷家收货时也是一律打家伙，你在绞棍上稍松两扣又有谁知道？杨天成便说凡事得讲个信誉良心，我才不为那三两块钱的事让人指脊梁，坏咱虹螺岘的名声呢。动嘴无效，王吉琴就半夜爬起身，亲自动手松绞棍。杨天成急眼了，就给了王吉琴一巴掌。那个院子撕扯哭闹，一壁之隔不会毫无知觉。可为这种事，又不好出面劝解，谷佩玉心底只是暗存对天成哥的敬意罢了。

谷佩玉只得将事情的前后经过和自己的下一步打算都告诉给老父了。谷老诚把一双粗糙的大手搓得沙啦沙啦直响，惊愕得半晌说不出一句话，只是一声接一声地长叹:“人啊,人啊——”

这一夜,谷老诚依然带领众雇工在作坊里忙碌。谷佩玉则几乎又彻夜不眠,待鸡一叫头遍,就裹着棉大衣躲在隐墙的暗影里,观察杨家的动静,杨天成半夜起身,磨豆,过浆,烧汁,直至后来点卤,泼片,起包,佩玉都看得一清二楚。杨家灶间明晃晃地悬着大灯泡子,为了放烟气,又大敞着窗门,本无什么可遮掩的。待疲惫的杨天成回屋脱衣上炕酣酣睡去时,谷佩玉的失望中便又生出些许欣慰,天成哥到底是厚道人,怎么会呢?也许是检验所弄错了吧……

谷佩玉跺跺冻得有些麻木的脚,正欲转身回屋,陡然又见王吉琴掩着衣襟从东屋里出来,蹑手蹑脚地很有些神神鬼鬼的模样,还探出脑袋往谷家院子瞧了瞧,复又掩严了门窗。谷佩玉心一沉,便又隐回黑暗中,想了想,又蹬着鸡窝,轻轻翻过墙去……

王吉琴先在锅台后灶的小铁锅里添些水,又从墙角碗橱后面掏摸出些什么来,丢到锅里,加上盖,然后就蹲到灶前去,往灶门里塞进几把豆秸子,点燃。豆秸子好燃,火又硬,很快锅中就蒸出水汽,水汽中隐隐飘过一种淡淡的香味,是那种说煳香不是煳香说清香不是清香的幽香,很好闻。待锅中的水熬煮了一会儿,王吉琴便抓过一只小葫芦瓢,舀出锅中的水,轻轻泼进堆放在案板上的干豆腐里。似怕淋泼得不均匀,又将干豆腐横放倒,就像翻拨一本厚重的大书,将熬过的浆汁淋洒过每一页页码中,眼见浆汁“润物细无声”地慢慢渗透……

王吉琴正“劳作”得娴熟而投入,却没想房门猛然被撞开,风风火火闯进天神般的两个人来。她一惊,手中的小瓢“叭”地落在地上,人也就泥塑木雕般地僵立在那里了。

憨朴厚道的谷老诚面对这一幕,老泪竟汩汩奔涌而出,伤感地说:

“吉琴大侄女,我谷老诚一辈子没做过啥伤天害理对不起乡亲们的事,你咋这么坑害你大叔啊!”

王吉琴吭吭哧哧地似还想狡辩:

“大叔……你老、你老大人别记小人过,我、我……我只觉得天成的干豆腐做得太……太干爽,就背着他,往里……泼洒点水,只想多、多卖几个钱儿,没……没……”

谷佩玉早从锅里捞出熬煮的东西,那是一小束类似豆秸棉秸的干枝,还有几枚好像棉花桃似的玩意儿。她气愤地问:

“王吉琴,你别把谁再当傻子瞎子!光是洒点水的事吗?这是什么?你说!”

王吉琴面色大变,汗珠子登时就从脑门滚下来,“这……”了半天,也没“这”出个子午卯酉来。

不知何时已醒来披衣站在屋门口的杨天成早已气得血红了眼,呼呼地喘着大气。他猛地从灶门前抓过一块大砖头,吓得王吉琴“妈呀”一声就往谷老诚身后躲。

谷佩玉扑上去抱住杨天成的胳膊，嘴里喊："天成哥，你可不能胡来！"谷老诚也吼："天成，放下！放下手里的东西！"那杨天成并没将砖头砸向妻子，而是恶狠狠地砸向大锅，"咣"的一声，铁锅碎裂了，灶坑里登时腾起一股烟灰水雾，直蹿房箔。

院子里早站了许多人。杨天成凶凶地吼：

"我操他妈！这日子是没法过啦！王吉琴，你给我滚！你马上把你爹给我叫来！你滚！滚！"

十二

按当地的风俗，当众砸了锅，便表示了一种不可更改的决心，或弟兄分家，或两口子打八刀(离婚)，意即再不肯在同一日锅里搅马勺过日子。

杨天成恨得还要报官法办，那王庆福却苦求谷家无论如何还是私了，谷家父女合计了一阵，觉得乡里乡亲的，得理还需让人，不然下手太黑，反弄得自家在屯里失了人心。所以一方面死阻杨天成去乡里，一方面再由谷佩玉出面去找锦州城里的老张，只说是王吉琴害牙疼，熬煮了点罂粟秸止疼，煮豆汁时刷锅不净才误引出此次事端。于公，王庆福甘认两千元罚款；于私又暗送了老张一些好处，此事才算大事化小，不了了之。

王吉琴几乎断绝了全屯人家的财路，自知理亏；老爹王庆福也自觉在姑爷在乡亲们面前张不开嘴巴抬不起头，所以对杨天成提出离婚的事没有死扛着不松口。只是王吉琴知道那小顺子是杨天成的命根子，便咬紧牙关非要孩子，不给孩子就给房子。杨家五间上房，东屋两间半原本就是王吉琴的陪嫁，归回王家不论，王吉琴讨要的其实只是那西屋两间半。可房子若都给了女方，杨天成带孩子又往哪里？谷家父女眼看事情又憋进了死胡同，便出主意给王吉琴一部分钱，权充那两间半西屋，缺多缺少的谷家可以暂借。杨天成被逼无奈，又非离不可，便一咬牙甘认出了大价钱，八千块钱一甩手扔了过去。为这些事，王吉琴对谷家不仅不念好处，恨怨反又添了几分。

这里需插上几句有关罂粟的话题了，这在虹螺山区不是什么太大的秘密。虹螺大山植被茂密，土质肥厚，气候温和湿润，极适宜这种又娇贵又恶毒的植物生长。早些年间，大山里闹土匪，胡子们明里打着杀富济贫的旗号，暗中就在大山深处种大烟熬膏子，一供匪首享用，二也变卖些钱财，买粮棉买刀枪买弹药。及至解放后，虽说吸食鸦片之人已基本绝迹，但罂粟种子还零零散散地暗藏于民间。就是"队为基础"挣工分那些年，也仍有胆子大些的生产队长于山野僻远处偷种上那么三株五株。倒不是为了卖钱坑人，乡下人都有个牙疼心口疼什么的，那玩意儿倒是绝对顶事，且来得快，用秸子桃壳熬点水，一碗下去，胜似任何灵丹妙药。近十几年，土地承包给各户，村民们只说那花朵奇异好看，偶在园田密棵中暗种个三棵两棵，也算不得什么了不得的塌天大事。不刮浆，不熬膏，只为药用备急嘛。

年纪轻轻的王吉琴能够想出如此陷人于不义的毒招子，其实还是偶得于马大民的启发。那一晚，马大民又翻过墙头去杨家，正赶上王吉琴抱着孩子看电视。是新闻节目，播音员正报说西方某体坛巨星偷服兴奋剂事泄禁赛。王吉琴便问兴奋剂是什么，马大民就一知半解不懂装懂地充明公，说就好比一个人吸了大烟，猛地就来了精神头儿，比赛成绩就上去了。话题由此而起，马大民又说报纸上都揭露了，四川有的饭馆为了吸引回头客，就将大烟秸大烟壳子什么的弄碎了，偷下在火锅子里，客人越吃越上瘾，就非再去吃那家馆子火锅子不行了；还说有的洋烟一盒里也有一颗是含了大烟的呢。说者无心，只为巴结显摆；听者却有意，诡黠过人的王吉琴便在倏忽间生出那个险恶的念头。于是她佯装心口疼，东家问，西家打，满屯"讨"药。试想村长的千金谁不想巴结？她没费多大力气，便背着杨天成掏弄到手一些那种东西。王吉琴暗中观望邻院，本打算只要谷家有个风吹草动，她也就洗手作罢隐匿不动了，万没想到事情会败露得这般迅速彻底，正应了那句老话，叫做搬起石头，砸了自己的脚吧。

王吉琴光着身子推磨，闹了个转着圈地丢人现眼。她先在娘家住了些日子，老爹老妈唉声叹气埋怨不休；在屯里走动，又多遭白眼无人搭理；想想无趣，又舍不得孩子，便隔三岔五地仍回老院子，有时就干脆留住在东屋里。杨天成见不得女人哭孩子嚎，房子又是人家自己的，王吉琴愿住愿走便都由她，只是互不搭言，井水不犯河水。

有一日，王吉琴抱着孩子鼻涕一把泪一把，心肝宝贝儿地好哭了半天，然后将孩子往炕里一推，便提了一只小包走出村去，从此不见踪迹，音信全无。有人问王老庆，或答在城里亲戚家当保姆，或说去了南方打工，也没个准地方，人们也就不再多问了。

只是那小顺子哭闹了好些天，每天找妈妈，尤其是入夜打水那一阵，更弄得杨天成心烦意乱。谷家哑奶奶见孩子可怜，就把小顺子接过去哄逗，谷佩玉也常从城里给孩子买回些玩具食品来，那小顺子便渐渐把想妈妈的心思淡忘了，有时干脆夜间也不回家，就小猫似的蜷在哑奶奶的被窝里。杨天成心里感激，院里院外的活计不分彼此，都抢着多做上一把，两家的关系更见亲密了。

十三

七九河开，八九雁来。转眼残冬将尽，远望向阳坡，已隐隐腾起一层淡淡的绿雾。

谷佩玉筹划中的真空软包装的事情已有些进展。只是所需资金尚有亏空，定制设备的厂家早被皮包公司和三角债弄怕了，迟迟不肯交付安装。谷佩玉心里憋着劲儿，创收节支，死活也要把这件事办下来。

却说这一日，又是鸡叫三遍，开始收购干豆腐的时候，谷佩玉刚刚将台秤在案上架好，就听大门外有电喇叭在高声嚷叫："本公司大量收购虹螺岘干豆腐，每斤一元六角，买卖公平，一手钱，一手货，现金交易，当场结清啊！欢迎乡亲们比较行事，本公司所出价格保证高于其他任何收购点，不蒙不骗啊……"

谷佩玉心中一惊，急扑大门外。依稀晨曦中，只见一辆乳白色的"半截美"正停于谷杨两家院门之间，车上两条汉子正拿着话筒喊叫。又见屯街上走来的乡亲们踟踟蹰蹰，彼此观望，看有人上前交货，果然立即点了钞票而去，便很快蜂拥而上，将那汽车团团围住了。

谷佩玉急回院内找老父商量。谷家的往常收购价是一元五角，看来要拉回乡亲，只有破血了。谷老诚对这种事，本来就没章程，只是说，你看着办，你看着办。谷佩玉想了想，又说："咱们如果也提价一毛，那就只赚个吆喝瞎忙活了，再说今日提了，明儿咋办？弄不好反倒得罪乡亲。我看今儿咱不如先避避风头，我就不信他们明早还来。"谷老诚还是那句话，咋都中，都中……

院子里父女俩正合计应急之计，突又听大门外一阵喧嚣，只见杨天成、马大民带着豆腐坊里的青壮伙计，手持镐头木棍直向"半截美"冲去。杨天成怒目圆瞪，吼声如雷："还没见过你们这样做买卖的，跑到人家大门口打劫来了！滚！不滚可别怪我们不客气了！"那车上人也早有些准备，一个操起一根铁棍，另一个竟端起了双筒猎枪。谷老诚见势不妙，急和佩玉冲出院门去拦阻，没想正见"半截美"驾驶室的侧窗玻璃摇下来，露出一张打扮得洋里洋气、鼻梁子上还架着一副墨镜的女人头脸来。女人摘下墨镜，淡淡一笑，直对着马大民打招呼："大民子兄弟，这一向可好啊？还没把媳妇娶回家去吧？"马大民见状，半边身子先软了下去，头一低，拖着镐把就躲到众人身后去了。杨天成指着女人骂："王吉琴，原来是你捣鬼！你还觍脸回玉井屯来！"王吉琴仍笑道："傻天成，你生那么大气干什么？我在自家门口做买卖，可犯着了你什么？"杨天成恨骂："我那天咋就没一砖头先把你砸死！"王吉琴不羞不恼，仍笑语吟吟地气人："现在也不晚啊！现在把我一镐头砸死你才是大英雄呢！"杨天成气得抓镐就要往上冲，早被谷老诚死死抱住，谷佩玉也急将众人连劝带吆喝地推回院里去了。

谷佩玉万没料到还有更大的险峻在后头。待她随车进了城里，挨家走进那些老主顾大门，对方竟好似同一表情同一腔调，都指着早已堆码在旁边的干豆腐，歉疚又不无得意地说："你看你看，你迟来了一步嘛，也是你们虹螺岘玉井屯的干豆腐，也是送货上门，价钱还便宜一毛呢。"

车上带的自家做的近千斤干豆腐，只好再拉到批发市场低价抛出了。

扣出汽油钱,赔惨了。

第二日,仍是如此。

第三日,还是一棵藤上结的苦瓜瓜。

谷佩玉吧咂出点味道了。又听王庆福传出话来,说王吉琴去了一趟南方,发了,还从银行贷回一大笔钱,腰里鼓囊囊地没处装了。不错,眼见是那王吉琴打马回乡专来跟谷家"对花枪"一比高低了。谷佩玉只是奇怪,那"半截美"虽说比自己的"130"跑得快些,为啥脚前脚后地专往自己的老主顾门里钻?自己的销售网是个秘密,除了马大民无人知晓,莫非……

第四天,谷佩玉停了豆腐坊的火,待大门外的"半截美"刚开走,她就走进东厢房马大民的房间,心平气和地对马大民说:

"大民,这几天发生的事情,你都看见了,知道了。我呢,也想了许多许多。说句心里话吧,虽说这小半年我对你不冷不热的,有些对不住你,可心里并没把你当外人,还盼着咱俩有和好如初的那一天。你也跟我说句心里话,要是以前没有背着我谷佩玉做过昧良心的事,咱俩就抓紧把婚事办了,然后重打鼓,另开张,合计着相帮着,另杀出条生路来。东边锦州的市场被人家挤了,西边不是还有锦西、兴城、山海关嘛。若是你真有不敢告诉我,也不想告诉我的诡秘事,那你就……自己琢磨吧,就不要再让我们谷家人说出什么不好听的话了……"

马大民僵僵木木地站在那里,好一阵,就见两行泪水缓缓地滚下面颊。他从衣袋里摸出汽车钥匙,放在炕沿上,然后从炕梢提过一只旅行袋,默默地走出房间,走出院落,孤独地远远地去了。

马大民本是个不苶不傻的人,这几天的事情他什么不知道?什么没想到?看来他也是早有准备,连自己该带走的东西都打点好了。

谷佩玉望着汽车钥匙发了一阵呆,突然就伏在炕上放声大哭起来。她哭世道的艰辛,她哭人心的险恶,她哭自己一腔的善良与痴情竟换来如此的践踏与戏弄,她哭生活对自己怎么就这般不公平……

哭声引来了谷老诚,引来了哑妈妈,也引来了抱着孩子的杨天成。小顺子在窗外哭着喊姑姑,谷老诚和杨天成要推门进屋子,竟都被哑老太坚决地扯住了。老太太咿呀着,比画着,那意思谁都明白,就让佩玉哭吧,哭个够吧,那憋屈与郁闷是不能久留在心的。于是,几个人站在门外,竟都是热泪满面,无声哽咽了。

足有一顿饭的工夫,谷佩玉抹去红肿眼泡上的泪水,走出房门,苦涩一笑,就伸手接过张舞着小手扑向她的小顺子,在孩子脸蛋上深深地亲了一下,问:

"小顺子,姑姑好不好?"

小顺子也懂事地在姑姑脸颊上亲了一口,搂着姑姑的脖子脆脆地说:

"姑姑好!"

"姑姑好还是妈妈好?"

“姑姑好，妈妈不好。妈妈不要我们了，妈妈总好给别人使坏儿，气姑姑哭……”

“那往后姑姑就给你当妈妈好不好?”

杨天成闻此言大惊失色，急叫：

“佩玉，你别，别乱说！那马大民不是人，你何苦为他气迷了心?”

谷老诚老两口也一时惊怔，呆住了。

谷佩玉又苦苦一笑，坦坦然然地对杨天成说：

“马大民算什么东西，我谷佩玉还不至于为了他就糊里糊涂地拿自己的终身大事开玩笑。天成哥，我们从小在一起长大，你一直像个大哥哥一样待我，我也一直打心眼里敬重你。在这个世界上，最知我疼我的，可能除了俺爸俺妈，也就是天成哥你了。经过这些年这些事，我总算明白了，最金贵最难得的还是一颗人心。天成哥若是不嫌弃我，那咱们半个月之内就成婚，日子你定，想操办或不想操办也都由你定。我的事我能做主，俺爸俺妈也信得过我不会挑错了人。爸，妈，你闺女没说错吧?”

谷老诚夫妇完全呆了，怔怔懵懵地点头不是，摇头也不是，一时不知说什么好。

谷佩玉又说：

“爸，妈，豆腐坊的事你们二老也不用担太大的心。待我和天成哥把婚事办完，我立马再去锦州城工厂里商量，把真空软包装设备抓紧定下来。在锦州、锦西每天卖个千八百斤的，不过都是家门口练把式，算不得大出息。那套机器一上，天津北京的汪洋大海可比锦西城的一个小潭子广阔得多了，啥大鱼大虾养不住？我也算过一笔账，咱要是先把这辆汽车和这几间大房子作本押上，资金再差也有限了，估摸工厂也会点头了。二老就容我再下这么一回大注，大不了，咱再过一回穷日子，从头来。咱穷过，不怕！”

那个时候，日头已跃上东山，鲜灿灿地将虹螺山区都镀上一层橘红色。向阳坡地上，已有早耕的牛儿在悠长地哞叫了。

十四

玉井屯数一数二的漂亮“富姑”谷佩玉突然和带了一个孩子的老实人物杨天成结为夫妇，且婚事又办得极简朴，这在虹螺山区很引起一场不大不小的轰动。有人说谷佩玉因和马大民的事黄了，心灰意冷，饥不择食，也就草率了自己的终身；又有人说那二婚头杨天成别看表面憨朴，实则花花肠子弯弯绕，也不知用什么鬼招子先占了谷佩玉的身，那谷家姑奶奶哑巴吃黄连，难说出口罢了，再不结婚怕要现眼了；还有人三百年前早知道地掐指卜算，说谷佩玉和杨天成终难长久，打八刀也就是三年两载的事;更有人传得神眉鬼道,说那杨家院落原本就属谷家,土改前谷家老辈人在老院子里埋下了金条银元珠宝,谷家此番是舍身用计再将那些黄白之物收归己有……好听不好听的,说啥的都有。就像一个人对着虹螺大山随便吆喝一声,四周的高山峡谷都会很快反馈回声。话儿很快传到谷家人耳朵里,佩玉豁达一笑,对杨天成说,别人的嘴皮子咱也管不住,随便他们说去,出水才见两脚泥呢,咱快把日子过红火了要紧。

婚后不久,谷佩玉很快从城里引来一拨人,尺量笔画地热闹了两三天才回去。留下话,一个月后设备到位,要求谷家在此期间扒掉老豆腐坊,盖起新厂房。屯里人发现谷家的那辆130汽车被城里人开走后就没见回来,新郎官每天入夜时分也不再吱吱嘎嘎地摇辘辘把,而是整日带人尘土暴扬地拆房子,清垃圾,人们便更信了谷家确得了黄白之物的传言,说谷家腰一粗,更要大干了,三十年河东,三十年河西,老财主毕竟还是老财主……而王吉琴的那辆"半截美"倒是每日还来,只是一见谷家停了生意,收购价格不仅降了下来,反比谷家当初的一元五还低,秤杆子上还常闹些纠纷。屯里人这才大梦初醒,齐骂那娘们真黑了心肝不是东西,不光坑了谷家,一家伙把满屯人都涮个苦。可骂归骂,小门小户的没个跑出大山的汽车轮子,只好甘认吃亏少赚,巴巴地盼着谷家快些把买卖再做起来。

整日奔波忙碌,谷佩玉就觉小腹时常隐隐疼痛,跑厕所的次数明显增频了,人也明显憔悴消瘦。再看那杨天成,两眼也明显见大,颧骨明显见高。屯里人便私下窃笑,说这一对旷男怨女正如干柴烈火,一个是伺花老手,一个是云雨初试,似这般白天忙,夜间累,钢铸的人也得打磨掉一层皮。哑母虽嘴上说不出,心中却极纳闷,背地里几次催促女儿快去医院看一看,莫不是有了身孕?佩玉心里也惊也疑。洞房花烛夜她就和天成商量过了,说小顺子还小,建厂的事也还刚有眉目,生孩子起码要放在两三年之后。杨天成也虑佩玉若有了亲生子,难免从小顺子身上分心,自然一百一地赞成。床第之间,两人本是极小心在意的,怎么这么快就见了双身板的反应了呢?

佩玉去了乡医院,做了尿样检查,又抽血做了化验。很快便见好几位穿白褂的医生凑到一起,神秘兮兮地好嘀咕了一阵,而且又是翻书又是翻本的,还有个大夫说要给市里医院的老同学打个电话问问。那几个大夫再瞧她时,眼神也就怪怪的。谷佩玉心里发毛,不知自己得了什么怪病,坐在那里好似全身都长了刺,都爬满了虫,痒麻麻地说不出个滋味。

终于等来了一位中年女大夫,把她带到一个无人的小房间,掩上门,很严肃地对她说:

"我是医生,我们又都是女人,为了治好你的病,我必须问你几个问题,希望你能实实在在地回答我,什么也不要隐瞒。"

谷佩玉急切地问:

“我到底得了什么病?”

“一种很不好的病。”

“到底是什么病？没法治了吗?”佩玉声音都打战了。

“你别怕。现在不比旧社会,医药科学也发展了。只要你积极配合治疗,从根本上痊愈还是没有太大问题的。眼下最重要的是你必须如实回答我的几个问题。”

谷佩玉总算吐出一口气：

“只要能治好,我不怕花钱。好,你问吧。”

“你结婚了吗?”

“结了。”

“你丈夫是做什么工作的?”

“他是个农民。”

“他常外出吗?”

“不。除了种种几亩承包田,早早晚晚地他就在家里家外忙活。”

“你好好想一想,近半年左右时间,他有没有进城打过短工什么的?”

谷佩玉想了想,毫不迟疑地摇摇头：

“打去年秋天,除了去虹螺岘赶赶集,他连城里都没去过。”

女大夫沉吟了一下,接着问：

“有个问题,我必须问,请你别介意。除了你丈夫,你还和别的男人有过性关系吗?”

“性关系?”谷佩玉迷惑了,“你是指什么?”

“我就说白了吧。除了你丈夫,你是否还和别的男人干过那种事?”

谷佩玉腾地站起来,脸庞紫涨成了鸡冠花,她愤愤地说：

“你！你怎么能这样说话?”

女大夫平静地说：

“你激动什么？我刚才已有话在先,为了治好你的病,同时还要治好传染给你病菌的那个人的病,我必须全面了解情况。我可以坦率地告诉你,你得的叫淋病,老百姓民间的叫法,叫花柳病,一般情况下是经过性接触传染的。因此,我必须这样问你。有什么你就说什么嘛,这屋子只你我两个人,属于个人隐私方面的事情,我可以保证为你保密。”

谷佩玉愤恼地说：

“我结婚只一个多月。天理良心作证,我谷佩玉若是和第二个男人做过那种事,我就不是人！出门叫汽车轱辘压死！过河被水淹死！上山滚砬子摔死！”

女大夫长叹了一口气,说：

“也用不着赌咒发誓,你说的这些,我姑且都信之。这样吧,今天你先打上一针,然后回家去,明天一定要把你丈夫带来,我们还要对他进行检查。这种病,对你，对他，对可能染上的其他任何人，都决不允许拖延。当然了，关于我们今天的谈话，还有对你病情的诊断，你回家后暂时对任何人都不要讲，连你丈夫都不要讲，但你们二人的内衣内裤要与家人严格隔离，决不能放在一起洗。明白了吗？”

谷佩玉深一脚，浅一脚，一路飘飘悠悠、恍恍惚惚地走回家去。天成怎么会有脏病？天成怎么会有脏病？怎么会……那个魔影就似一片巨大的黑云，阴森森地罩着她，追着她，压得她喘不上气来，压得她心都要碎了……

第二天，谷佩玉带着杨天成，再次来到乡卫生院。当然，这次主要对象是杨天成，又是尿检，又是抽血，又有大夫将杨天成单独带到一间小屋里去……

傍晚时分，夫妇二人沿着女灵河，双双踏上了回家的路。杨天成很沮丧，头耷拉在胸前，好半天没有一句话。佩玉几次追问他大夫都问了些什么，他又是怎样回答的，杨天成只是不开口。佩玉问得急了，站在河边再不肯往前走，泪水似那湍急奔泻的河水，哗哗而流。她哽咽地说：

“天成哥，是我哪儿对不住了你？还是你真有什么说不出口的话？我谷佩玉掏心掏肝地对你们爷俩，怎么就连一句真情话也换不出来呀！”

杨天成僵僵地站在河边，直了，呆了，傻了。

大地回春，女灵河清澈的河水在欢快地奔流。虹螺大山到处是一片翠绿鲜嫩的颜色。河边柳树趟子里，有小鸟啁啁啾啾唱得婉转。还没长翅膀的土黄色小蚂蚱跳上脚面，又蹦进草棵间去了。

畅天成突然蹲下身子，双手捶着脑袋号啕大哭起来，边哭边说：

“我对不起你，我不是人，我不该……咱俩结婚前几天的一个夜里，那混账女人回了家，说是要看看孩子，要搂孩子再睡一夜，就留在老房住下了。半夜里，她摸到我房里来，我不同意，往外推她蹬她，她就哭了，鼻涕一把泪一把的，还下地倒了两盅酒，说好歹咱们也曾夫妻一场，你又要办喜事了，从今往后咱们才算彻底分了手，我心里再咋想你惦你也没用了。你就把这杯酒喝下去，算我对你的祝福，也算你对我这些年自作自受的一点原谅。我禁不住劝，见不得女人哭，就和她一起把酒喝下。我万没料到，酒一下肚，我就，就……”

“就怎么样？”

“我浑身就像着了火，我就再管不住自己了……可我真的不知她有那种脏病啊，她以前可没那种病啊……我更不知她偷在酒里下了药，她这是存心要害我呀……”

明白了，一切都明白了。谷佩玉扑过去，先是抡起拳头照杨天成身上捶打，打着打着，两个人就抱在一起，放声痛哭起来了。好一阵，谷佩玉冷静下来，抹了一把脸上的泪水，说：

“那是个比野鸡脖子比恶蝎子还要歹毒阴狠的女人，她主要不是对你，而是对我。她妒我，恨我，她妒恨我们，她怕我们过上好日子，她想让我们在虹螺山区抬不起头来做人,她想挤走我们。那好吧,我们走!”

杨天成大惊:

“走?我们上哪里去?”

“乡医院不是我们治那种病的地方,就是他们有能耐治好,可我们天天往医院跑,话儿也终要传出去,老百姓的唾沫星子也会把我们淹死。我想好了,先舍出几个钱儿封住大夫们的嘴巴,然后请求转院,咱们远远地走开!”

杨天成瞪着血红的两眼跳起来,手指节攥得咔吧咔吧响,愤愤地嚷:

“要走你自个走,我不走!”

“你要干什么?”

“我不能便宜了那黑心娘们,让她站在旁边看笑话。看我哪天不一镐头砸扁了她,也一刀子捅穿了她!”

“你给我闭嘴!”谷佩玉也跳起了脚,唾道,“就为她那种人,你值?”

“那我们……就甘认败在那王八蛋女人手里了?”

“败?谁败?”谷佩玉冷冷一笑,“经过这些事,我现在总算明白了,对付恶人,光用善心,总是要吃亏的,就叫她王吉琴先得意几天,等我谷佩玉回来,是骡子是马,咱再遛起来看吧。”

十五

谷佩玉和杨天成突然在小山村失去踪影,前两日还在热火朝天进行的谷家工程骤然停歇下来,自然又引起了许多揣测和议论。或说两人兜里有了大钱,另去山外世界办大事去了;或说小两口去城里工厂培训,学习日后管理厂子的招法呢;还有人说人总有想通想明白的时候,谁也不会再牛似的永远傻干,人家是出去游山逛水,得乐且乐了……人嘴两片皮,说啥的都有,也是没法子的事。

也许玉井屯知道两人出走真实原因的只有王吉琴了,可那个鬼精鬼怪的人才不会从自己的嘴巴里说出去呢,她也有自己的避讳和惧怕。淳朴的虹螺大山人不会容留一个吃人不吐骨头的恶魔。

老井的辘轳仍然每日有人在摇,但缺了入夜前杨天成摇出的那一曲独特而欢快的吟唱,玉井屯便似缺了一景,冷清落寞了许多。

有一日,王吉琴突然又堂堂皇皇地住进杨家老院。挥手之间,老院里也响起了大兴土林的喧闹。王吉琴当众传出话去,先建豆腐坊,再建真空包装厂,待杨天成回来,还要重买回那两间半老房子。那时候,虹螺岘的干豆腐究竟是姓谷还是姓王,那就要看看哪家姑奶奶能耐了……

于是人们又期盼着,说等谷佩玉回来,两个女人唱起对台戏,那吱吱嘎嘎的老井辘轳才会伴出别一种滋味的调调呢……

1995 年岁首　锦州

（选自《十月》1996 年第 4 期）

孙春平

满族，1950 年出生于辽宁省锦州市，1990 年加入中国作家协会。现任辽宁省作协副主席，锦州市文联主席。

1975 年开始文学创作。出版有中短篇小说集《路劫》《男儿情》《逐鹿松竹园》《老天有眼》《怕羞的木头》《公务员内参》，长篇小说《江心无岛》《老师本是老实人》《阡陌风》《县委书记》，报告文学集《这里锌光灿烂》《金的光，银的彩》《一个养路工和他的妻子》《绿魂》及影视剧本《阿 C 的口福》《远方有绿灯》《欢乐农家》等。小说集《路劫》获第四届全国少数民族文学创作“骏马奖”。